SLOTERVAART

Pieter Callandlaan 87 b   1065 KK Amsterdam
Tel. 615 05 14
slvovv@oba.nl

HET
VENETIAANS
BEDROG

HET
VENETIAANS
BEDROG

STEVE BERRY

 SLOTERVAART

Pieter Callandlaan 87 b   1065 KK   Amsterdam
Tel. 615 05 14
slvovv@oba.nl

DE FONTEIN

Van Steve Berry verschenen tevens bij uitgeverij De Fontein:
De Amberzaal
De Romanov voorspelling
Het derde geheim
De erfenis van de Tempeliers
De Alexandrië-connectie

© 2007 by Steve Berry
Kaarten © 2007 by David Lindroth
© 2009 Uitgeverij De Fontein Baarn, voor de Nederlandse vertaling
Deze vertaling is totstandgekomen na overeenkomst met Ballantine Books, een imprint van
Random House Publishing Group, onderdeel van Random House, Inc.

Oorspronkelijke uitgever: Ballantine Books
Oorspronkelijke titel: *The Venetian Betrayal*
Uit het Engels vertaald door: Hugo Kuipers
Omslagontwerp: Wil Immink Design
Omslagfoto's: Albert Normandin/Masterfile en Getty Images
Zetwerk: V3-Services, Baarn
ISBN 978 90 261 2478 5
NUR 332

Alle personen in dit boek zijn door de auteur bedacht. Enige gelijkenis met bestaande – overleden of nog in leven zijnde – personen berust op puur toeval.

Voor Karen Elizabeth

De reis is volbracht

Inspanning en risico's zijn de prijs van de roem, maar het is geweldig om moedig te zijn en voort te leven in eeuwige roem.

ALEXANDER DE GROTE

Het is een goddelijk recht van de waanzin om het kwaad niet te zien dat vlak voor onze ogen ligt.

ONBEKENDE DEENSE TONEELSCHRIJVER

TIJDLIJN VAN
RELEVANTE GEBEURTENISSEN

20 juli 356 v.Chr.	Alexander van Macedonië wordt geboren.
336 v.Chr.	Philippus II wordt vermoord. Alexander wordt koning.
334 v.Chr.	Alexander steekt over naar Klein-Azië en begint aan zijn veroveringen.
september 326 v.Chr.	De Aziatische veldtocht eindigt in India doordat Alexanders leger in opstand komt. Alexander keert naar het westen terug.
oktober 324 v.Chr.	Dood van Hephaestion.
10 juni 323 v.Chr.	Alexander sterft in Babylon. Zijn generaals verdelen het rijk. Ptolemaeus overmeestert Egypte.
321 v.Chr.	Alexanders begrafenisstoet vertrekt naar Macedonië. Ptolemaeus valt de stoet aan. Het lichaam wordt naar Egypte gebracht.
305 v.Chr.	Ptolemaeus wordt tot farao gekroond.
283 v.Chr.	Dood van Ptolemaeus.
215 v.Chr.	Ptolemaeus IV bouwt de Soma voor Alexanders stoffelijk overschot.

100 n.Chr.	De heilige Marcus sterft de marteldood in Alexandrië. Zijn lichaam wordt verborgen.
391	De Soma wordt verwoest en Alexander de Grote verdwijnt.
828	Het lichaam van de heilige Marcus wordt door Venetiaanse kooplieden gestolen, naar Venetië gebracht en in het paleis van de Doge opgeborgen, waarna de verblijfplaats onbekend raakt.
juni 1094	Het lichaam van de heilige Marcus wordt teruggevonden in Venetië.
1835	De heilige Marcus wordt van de crypte naar een plaats onder het hoofdaltaar gebracht, in de kerk die zijn naam draagt.

PROLOOG

Alexander van macedonië had de vorige dag besloten de man zelf te doden. Meestal delegeerde hij zulke taken, maar deze keer niet. Zijn vader had hem veel dingen geleerd die hem goed van pas kwamen, maar vooral één les was hij nooit vergeten.

Executies waren er voor de levenden.

Zeshonderd van zijn beste gardisten stonden klaar. Onbevreesde mannen die in de ene na de andere slag het leger van de vijand frontaal tegemoet waren getreden of plichtsgetrouw zijn kwetsbare flanken hadden beschermd. Dankzij hen had de onverwoestbare Macedonische falanx Azië veroverd. Maar dit keer zou er niet worden gevochten. Geen van de mannen droeg wapens of bepantsering. In plaats daarvan hadden ze zich, moe als ze waren, in licht tenue verzameld, hun muts op hun hoofd, hun blik strak vooruit.

Ook Alexander keek met ongewoon vermoeide ogen naar dit alles.

Hij was leider van Macedonië en Griekenland, heer van Azië, heerser over Perzië. Sommigen noemden hem de koning van de wereld. Anderen een god. Een van zijn generaals zei eens dat hij de enige filosoof was die ooit onder de wapenen was geweest.

Maar hij was ook menselijk.

En zijn dierbare Hephaestion was dood.

Die man was alles voor hem geweest: vertrouweling, cavaleriecommandant, grootvizier, minnaar. Toen Alexander nog klein was, had Aristoteles hem geleerd dat een vriend een tweede zelf was, en dat was Hephaestion geweest. Hij dacht er geamuseerd aan terug dat zijn vriend

---

een keer voor hem was aangezien. Die vergissing had iedereen in verlegenheid gebracht, maar Alexander had geglimlacht en opgemerkt dat de verwarring om Hephaestion niet van belang was, want hij was ook Alexander.

Hij stapte van zijn paard. Het was een heldere, warme dag. De voorjaarsregens van de vorige dag waren weggetrokken. Een voorteken? Misschien wel. Twaalf jaar lang was hij met zijn leger naar het oosten getrokken. Hij had Klein-Azië, Perzië, Egypte en delen van India veroverd. Hij wilde nu naar het zuiden gaan om zich meester te maken van Arabië, en dan naar het westen, naar Noord-Afrika, Sicilië en Iberië. Er werden al schepen en troepen bijeengebracht. De mars zou gauw beginnen, maar eerst moest hij de kwestie van Hephaestions ontijdige dood afhandelen.

Hij liep over de zachte aarde. De verse modder zoog aan zijn sandalen. Hij was klein van stuk en praatte en bewoog met veel energie. Hij had een lichte huid en zijn potige lichaam legde getuigenis af van tal van wonden. Van zijn Albanese moeder had hij een rechte neus geërfd, en ook een kleine kin en een mond die altijd emotie verried. Net als zijn soldaten was hij gladgeschoren, was zijn blonde haar onverzorgd en waren zijn ogen – het ene blauwgrijs, het andere bruin – altijd op hun hoede. Hij ging prat op zijn geduld, maar de laatste tijd had hij gemerkt dat hij zijn woede steeds moeilijker kon inhouden. Tegenwoordig genoot hij ervan dat mensen bang voor hem waren.

'Arts,' zei hij met diepe stem, terwijl hij dichterbij kwam. 'Ze zeggen dat de profeten die het best kunnen raden het best zijn.'

De man gaf geen antwoord. Hij kende tenminste zijn plaats.

'Van Euripides. Een stuk waar ik veel van hou. Maar we mogen wel wat meer van een profeet verwachten, vind je niet?'

Hij betwijfelde of Glaucias zou antwoorden. De ogen van de man waren groot van angst.

En hij had ook reden om bang te zijn. De dag ervoor, toen het regende, hadden paarden de stammen van twee hoge palmen tot dicht boven de grond neergetrokken. Daar waren de stammen met touwen aan elkaar vastgemaakt. De twee touwen waren met elkaar verstrengeld en vervolgens aan een andere stevige palm vastgemaakt. De arts was vastgebonden in het midden van de v die door de bomen werd gevormd en elke arm was aan een touw bevestigd. Alexander had een zwaard.

'Het was je plicht om het best te kunnen raden,' zei hij met zijn kaken op elkaar geklemd en tranen in zijn ogen. 'Waarom kon je hem niet redden?'

De man klapperde onbedaarlijk met zijn tanden. 'Ik heb het geprobeerd.'

'Hoe dan? Je hebt hem de drank niet gegeven.'

Glaucias schudde doodsbang zijn hoofd. 'Er heeft zich een paar dagen geleden een ongeluk voorgedaan. Het grootste deel van de voorraad is verloren gegaan. Ik heb een bode uitgezonden om meer te halen, maar hij was niet op tijd terug voor... de dodelijke ziekte.'

'Is je niet gezegd dat je altijd voldoende voorraad moet aanhouden?'

'Jazeker, mijn koning. Er deed zich een ongeluk voor.' Hij snikte.

Alexander negeerde dat vertoon. 'We waren het erover eens dat het niet meer zo moest gaan als de vorige keer.'

Hij wist dat de arts zich herinnerde dat Alexander en Hephaestion twee jaar geleden allebei koorts hadden gehad. Ook toen was de voorraad medicijn klein geweest, maar die was aangevuld en de drank had hen beiden geholpen.

De angst droop van Glaucias' voorhoofd. Doodsbange ogen smeekten om genade. Maar Alexander zag alleen de dode starende ogen van zijn minnaar. Als kinderen waren ze allebei leerling van Aristoteles geweest: Alexander de zoon van een koning, Hephaestion de erfgenaam van een krijger. Doordat ze beiden waardering hadden voor Homerus en de *Ilias*, was er een band tussen hen ontstaan. Hephaestion was voor Alexander wat Patrokles voor Achilles was. Verwend, rancuneus, arrogant en niet al te snugger. Toch was Hephaestion een waar wonder geweest. Nu was hij dood.

'Waarom heb je hem laten sterven?'

Niemand anders dan Glaucias kon hem horen. Hij had zijn troepen alleen zo dichtbij laten komen dat ze konden toekijken. De meeste Griekse krijgers die oorspronkelijk met hem naar Azië waren overgestoken, waren dood of gepensioneerd. Zijn troepenmacht bestond nu voor het merendeel uit Perzische rekruten die nadat hij hun wereld had veroverd waren ingelijfd. Stuk voor stuk goede mannen.

'Je bent mijn arts,' fluisterde hij. 'Mijn leven ligt in jouw handen. Het leven van al degenen die mij dierbaar zijn, ligt in jouw handen. En toch heb je me teleurgesteld.' Zijn zelfbeheersing legde het af tegen zijn verdriet en hij vocht tegen de aandrang om weer te huilen. 'Met een ongeluk.'

Hij legde het zwaard plat op de gespannen touwen.

'Alstublieft, mijn koning. Ik smeek u. Het was niet mijn schuld. Ik verdien dit niet.'

Hij keek de man aan. 'Niet jouw schuld?' Zijn verdriet sloeg meteen om in woede. 'Hoe kun je zoiets zeggen?' Hij bracht het zwaard omhoog. 'Het was je plicht om te helpen.'

'Mijn koning. U hebt me nodig. Ik ben behalve uzelf de enige die van de vloeistof weet. Als die nodig is en u bent bewusteloos, hoe kunt u hem dan krijgen?' De man praatte snel. Hij probeerde al het mogelijke. 'Het kan anderen worden geleerd.'

'Maar er is vaardigheid voor nodig. Kennis.'

'Jouw vaardigheid heeft Hephaestion niet geholpen. Hij heeft geen baat gehad bij je grote kennis.' De woorden vormden zich, maar het kostte hem moeite ze uit te spreken. Ten slotte verzamelde hij zijn moed en zei hij, meer tegen zichzelf dan tegen zijn slachtoffer: 'Hij is gestorven.'

Het had afgelopen herfst in Ecbatana een groot spektakel moeten worden: een feest ter ere van Dionysius, met atletiek, muziek en drieduizend acteurs en artiesten, pas aangekomen uit Griekenland, om de troepen te vermaken. De drinkgelagen en vrolijkheid hadden weken moeten doorgaan, maar er was een eind aan de festiviteiten gekomen toen Hephaestion ziek werd.

'Ik heb tegen hem gezegd dat hij niet moest eten,' zei Glaucias. 'Maar hij deed het toch. Hij at gevogelte en dronk wijn. Ik heb gezegd dat hij dat niet moest doen.'

'En waar was jij?' Hij wachtte niet op een antwoord. 'In het theater. Je keek naar een voorstelling. Terwijl mijn Hephaestion lag te sterven.'

Maar Alexander had zelf in het stadion gezeten en naar een wedstrijd gekeken. Dat schuldgevoel maakte zijn woede nog groter.

'De koorts, mijn koning. U kent de kracht ervan. De koorts komt snel en is overweldigend. Niet eten. Je mag niet eten. Dat wisten we van de vorige keer. As hij niet had gegeten, zou hij in leven zijn gebleven tot de drank er was.'

'Je had er moeten zijn!' schreeuwde Alexander, en hij zag dat zijn troepen hem hoorden. Hij dwong zichzelf rustig te worden en zei bijna fluisterend: 'De drank had er moeten zijn.'

Hij zag dat zijn mannen rusteloos werden. Hij moest de situatie weer in de hand krijgen. Wat had Aristoteles gezegd? *Een koning spreekt alleen met daden.* Daarom had hij met de traditie gebroken en Hephaestions lichaam laten balsemen. Ook in andere opzichten had hij zich aan Homerus' dichtregels gehouden. Zoals Achilles voor zijn gesneuvelde Patrokles had gedaan, had hij bevel gegeven de manen en staart van alle paarden af te knippen. Hij had het bespelen van muziekinstrumenten verboden en gezanten naar het orakel van Ammon gestuurd om te vragen hoe hij zijn geliefde het best in de nagedachtenis kon laten voortleven. Vervolgens had hij, om zijn verdriet te verzachten, de Kassieten aangevallen en de hele natie over de kling gejaagd, zijn offer aan de vervluchtigende schim van zijn dierbare Hephaestion.

Hij had zich door zijn woede laten leiden.

En daar was nog geen eind aan gekomen.

Hij zwaaide met het zwaard door de lucht en liet het dicht bij Glaucias' bebaarde gezicht tot stilstand komen. 'De koorts heeft me weer te pakken,' fluisterde hij.

'Dan hebt u mij nodig, mijn koning. Ik kan u helpen.'

'Zoals je Hephaestion hebt geholpen?'

Hij zag Hephaestions brandstapel van drie dagen geleden weer voor zich. Vijf verdiepingen hoog, aan de voet tweehonderd bij tweehonderd meter groot, verfraaid met vergulde adelaren, scheepsboegen, leeuwen, stieren en centauren. Er waren afgezanten uit de hele mediterrane wereld gekomen om naar de vlammen te kijken.

En dat alles door de onbekwaamheid van één man.

Hij zwaaide met het zwaard achter de arts. 'Ik heb je hulp niet nodig.'

'Nee, alstublieft!' schreeuwde Glaucias.

Alexander zaagde met het scherpe zwaard door de strakke strengen touw. Elke haal leek zijn woede enigszins te verminderen. Hij trok het zwaard over de bundel en de strengen kwamen met plopgeluiden los, als botten die braken. Nog één haal en het zwaard vrat zich door het overgebleven touw. De twee palmen waren vrij en zwiepten omhoog, de ene naar links, de andere naar rechts, Glaucias vastgebonden ertussenin.

De man gilde het uit toen zijn lichaam de palmen nog even tegenhield. Toen werden zijn armen uit de kom getrokken en veranderde zijn borst in een explosie van bloed.

Palmtakken ratelden als vallend water, en de stammen kreunden na van de zwiepende beweging naar boven. Glaucias lichaam plofte in de natte aarde; zijn armen en een deel van zijn borst bungelden in de takken. De stilte keerde terug toen de bomen weer recht overeind stonden. Geen enkele soldaat maakte geluid.

Alexander keerde zich om naar zijn mannen en schreeuwde: 'Alalala-lai!'

Zijn mannen herhaalden de Macedonische strijdkreet. Hun kreten galmden over de vochtige vlakten en kwamen als echo's van de fortificaties van Babylon terug. Mensen die op de stadsmuren stonden toe te kijken schreeuwden terug. Alexander wachtte tot het geluid was afgenomen en riep toen: 'Vergeet hem nooit.'

Hij wist dat ze zich zouden afvragen of hij Hephaestion bedoelde of de ongelukkige ziel die de koning had teleurgesteld en daar zojuist de prijs voor had betaald.

Maar het deed er niet toe.

Niet meer.

Hij plantte het zwaard in de natte aarde en liep naar zijn paard. Het was waar wat hij tegen de arts had gezegd. De koorts had hem weer te pakken gekregen.

En hij was daar blij om.

DEEL I

I

Kopenhagen, Denemarken
Zaterdag 18 april, het heden
23.55 uur

DE GEUR BRACHT Cotton Malone bij bewustzijn. Een scherpe, bittere geur met een vleugje zwavel. En nog iets anders. Zoet en weeig. Als de dood.

Hij deed zijn ogen open.

Hij lag languit op de grond, de armen uitgestrekt, de handpalmen op het hardhout, dat plakkerig aanvoelde.

Wat was er gebeurd?

Hij was naar de aprilbijeenkomst van het Deense Genootschap van Antiquaren geweest, enkele straten bij zijn boekwinkel vandaan, dicht bij het vrolijke Tivoli. Hij hield van die maandelijkse bijeenkomsten en had er ook deze keer van genoten. Een paar drankjes, wat vrienden en veel gepraat over boeken. De volgende morgen zou hij Cassiopeia Vitt ontmoeten. Hij was de vorige dag verrast geweest toen ze hem belde om de afspraak te maken. Hij had sinds Kerstmis, toen ze enkele dagen in Kopenhagen had doorgebracht, niets meer van haar gehoord. Hij was op zijn fiets naar huis gereden, genietend van de aangename lenteavond, maar besloot toen even te gaan kijken bij de ongewone ontmoetingsplaats die ze had voorgesteld, het Museum voor Grieks-Romeinse Cultuur. Zo'n verkenning was een gewoonte die hij in zijn vorige beroep had opgedaan. Cassiopeia deed bijna nooit iets impulsiefs. Een beetje voorbereiding was dus geen slecht idee.

Hij had het adres gevonden. Het was tegenover de Frederiksholmgracht, en hij zag een deur van het pikdonkere gebouw half open staan, een deur die dicht en op een alarmsysteem aangesloten zou moeten zijn. Hij had zijn fiets neergezet. Het minste wat hij kon doen, was de deur dichtdoen en de politie bellen als hij thuis was. Maar het laatste wat hij zich herinnerde was dat hij de deurknop had vastgepakt.

Hij was nu in het museum.

In het vage licht dat door twee spiegelglazen ruiten naar binnen viel zag hij een vertrek dat in typisch Deense stijl was ingericht: een gestroomlijnde mix van staal, hout, glas en aluminium. De rechterkant van zijn hoofd pulseerde van pijn en hij streek over een gevoelige plek. Hij schudde de nevel uit zijn hoofd en stond op.

Hij was één keer in dit museum geweest en was toen niet onder de indruk geweest van de verzameling Griekse en Romeinse voorwerpen. Het was een de van minstens honderd particuliere verzamelingen in Kopenhagen, met onderwerpen die even sterk uiteenliepen als de bevolking van de stad.

Hij leunde tegen een vitrinekast. Zijn vingertoppen werden weer plakkerig en verspreidden dezelfde weeïge lucht.

Hij merkte dat zijn overhemd en broek vochtig waren, evenals zijn haar, gezicht en armen. Wat het ook was dat het interieur van het museum met een laagje bedekte, het zat nu ook op hem.

Hij strompelde naar de voordeur. Die zat op slot. Een dubbel nachtslot. Je moest een sleutel hebben om hem aan de binnenkant open te kunnen maken.

Hij keek weer naar het interieur. Het plafond bevond zich tien meter boven de hal. Een trap van hout en chroom leidde naar een bovenverdieping die in nog meer duisternis oploste. Voor hem strekte zich de begane grond uit.

Hij vond een lichtschakelaar. Niets. Hij liep naar een bureau en pakte de telefoon. Geen kiestoon.

Opeens hoorde hij iets. Iets wat klikte en piepte, als raderen die draaiden. Het kwam van de bovenverdieping.

Zoals hij ooit op zijn training had geleerd, hield hij zich stil, maar ging ook op onderzoek uit.

En dus liep hij geruisloos de trap op.

De chromen leuning was vochtig, evenals alle gelamineerde stootborden. Op de bovenverdieping, vijftien treden boven de begane grond, stonden nog meer vitrinekasten van glas en chroom op een hardhouten vloer. Marmeren reliëfs en kleine bronzen beelden op voetstukken doemden op als geesten. Een beweging op ongeveer zeven meter afstand trok zijn aandacht. Een voorwerp dat over de vloer reed. Een halve meter breed met ronde zijkanten, licht van kleur, laag bij de grond, als die robotgrasmaaiers waar hij eens een advertentie voor had gezien. Als het ding bij een vitrinekast of beeldje kwam, hield het halt, trok het zich terug en ging het een andere kant op. Er stak een buisje uit de bovenkant en elke paar seconden werd daar iets uit gespoten.

Hij kwam dichterbij.

Alle beweging hield op. Alsof het ding voelde dat hij er was. Het buisje draaide zijn richting uit. Een wolk nevel maakte zijn broekspijpen nat.

Wat was dit?

Het apparaat verloor blijkbaar zijn belangstelling en reed dieper de duisternis in. Onderweg stootte het weer zijn geurige nevel uit. Malone keek over de leuning naar de begane grond en zag dat er nog zo'n ding naast een vitrinekast geparkeerd stond.

Dit alles stond hem helemaal niet aan.

Hij moest weg. De stank maakte hem misselijk.

Het apparaat hield op met rondrijden en hij hoorde iets anders.

Twee jaar geleden, voor zijn scheiding, zijn vertrek uit overheidsdienst en zijn plotselinge verhuizing naar Kopenhagen, toen hij nog in Atlanta woonde, had hij een paar honderd dollar uitgegeven aan een roestvrijstalen barbecue. Daar zat een rode knop op, en als je daarop drukte kwam er een vonk die het gas tot ontbranding bracht. Hij herinnerde zich het geluid dat die ontsteking maakte elke keer dat je op de knop drukte.

Datzelfde geklik hoorde hij nu ook.

Er waren vonken.

De vloer kwam opeens tot leven, eerst geel als de zon, toen donkeroranje en ten slotte lichtblauw. De vlammen verspreidden zich naar buiten toe en veroverden het hardhout. Tegelijkertijd schoten er vlammen tegen de muren omhoog. De temperatuur steeg snel en hij bracht zijn arm omhoog om zijn gezicht af te schermen. Het plafond nam nu ook deel aan de vuurzee, en binnen vijftien seconden stond de bovenverdieping in lichterlaaie.

Sprinklers in het plafond kwamen in actie.

Hij trok zich enigszins naar de trap terug en wachtte tot het vuur geblust zou zijn.

Maar er viel hem iets op.

Door het water laaiden de vlammen alleen maar meer op.

Plotseling sprong het apparaat dat de ramp had veroorzaakt met een geluidloze flits uit elkaar. De vlammen rolden in alle richtingen, als golven die op zoek waren naar een kust.

Een vuurbal vloog naar het plafond en leek daar te worden verwelkomd door het sproeiende water. De stoom maakte de lucht benauwd, niet van rook maar van een chemische stof die Malone liet duizelen.

Met twee treden tegelijk rende hij de trap af. Een nieuwe golf van vuur teisterde de bovenverdieping. Gevolgd door nog twee. Glas verbrijzelde. Er viel iets om.

Hij rende naar de voorkant van het gebouw.

Het andere apparaat, dat sluimerend op de benedenverdieping had gestaan, kwam opeens tot leven en reed tussen de vitrinekasten door.

Er werd nog meer nevel in de gloeiend hete lucht gespoten.

Hij moest naar buiten, maar de afgesloten voordeur ging naar binnen toe open. Metalen kozijn, dik hout. Onmogelijk open te trappen. Hij zag dat het vuur op zijn gemak de trap af kwam, tree voor tree, alsof de duivel naar beneden kwam om hem te begroeten. Zelfs het chroom werd gretig verslonden.

Door de chemische damp en het zuurstofgebrek kostte het hem moeite adem te halen. Er zou vast wel iemand de brandweer bellen, maar dan was hij niet meer te redden. Als er een vonk tegen zijn doorweekte kleren kwam...

Het vuur bereikte de onderkant van de trap.

Drie meter bij hem vandaan.

2

ENRICO VINCENTI KEEK de beschuldigde aan en vroeg: 'Hebt u iets tegen deze Raad te zeggen?'

De man uit Florence bleef onverstoorbaar. 'Als ik nou eens zei dat u en uw Liga kunnen doodvallen?'

Vincenti was nieuwsgierig. 'Blijkbaar maakt u zich niet druk om ons.'

'Dikke man, ik heb vrienden.' De Florentijn was daar blijkbaar trots op. 'Veel vrienden.'

'Uw vrienden doen voor ons niet ter zake,' maakte hij duidelijk. 'Maar uw bedrog? Dat wel.'

De Florentijn had zich met het oog op de gelegenheid gekleed. Hij droeg een duur Zanetti-pak, een Charvet-overhemd, een Prada-das en de obligate Gucci-schoenen. Vincenti besefte dat het ensemble meer kostte dan de meeste mensen in een jaar verdienden.

'Weet je wat?' zei de Florentijn. 'Ik ga hier weg en we vergeten dit alles... wat het ook is... en jullie kunnen weer doen wat jullie ook maar doen.'

Geen van de negen personen die naast Vincenti zaten, zei een woord. Hij had hun gewaarschuwd dat ze arrogantie konden verwachten. De Florentijn was ingehuurd om een karwei in centraal-Azië op te knappen, een karwei dat de Raad van vitaal belang had geacht. Jammer genoeg had de Florentijn, hebzuchtig als hij was, veranderingen in de missie aangebracht. Gelukkig was het bedrog ontdekt en waren er tegenmaatregelen genomen.

'Geloof je echt dat je vrienden je zullen steunen?' vroeg Vincenti.

'Zo naïef ben je toch niet, dikke man? Ze hebben zelf tegen me gezegd dat ik het moest doen.'

Hij ging opnieuw aan die verwijzing naar zijn lichaamsomvang voorbij. 'Dat hebben ze niet gezegd.'

Die vrienden waren een internationaal misdaadsyndicaat dat vele malen nuttig werk voor de Raad had gedaan. De Florentijn was een ingehuurde helper en de leden van de Raad hadden het bedrog dat door het syndicaat was gepleegd door de vingers gezien om de leugenaar die nu tegenover hen stond een lesje te leren. Op die manier zouden ze ook het syndicaat een lesje leren. En dat was al gebeurd. Het syndicaat had van het verschuldigde honorarium afgezien en de forse aanbetaling van de Raad teruggegeven. In tegenstelling tot de Florentijn wisten die mensen precies met wie ze te maken hadden.

'Wat weet je van ons?' vroeg Vincenti.

De Italiaan haalde zijn schouders op. 'Jullie zijn een stel rijke mensen die graag spelen.'

Vincenti vond dat bravoure wel grappig. Er stonden vier gewapende mannen achter de Florentijn. Dat verklaarde waarom de ondankbare hond zich veilig voelde. Hij had alleen willen komen als hij hen mocht meenemen.

'Zevenhonderd jaar geleden,' zei Vincenti, 'stond Venetië onder toezicht van een Raad van Tien. Het waren mannen die geacht werden oud en wijs genoeg te zijn om zich niet door hartstocht of verleidingen te laten beïnvloeden. Ze waren belast met het handhaven van de openbare veiligheid en het beteugelen van politieke oppositie. En dat is precies wat ze deden. Eeuwenlang. In het geheim verzamelden ze bewijsmateriaal, spraken vonnissen uit en voerden executies uit; dat alles in naam van de Venetiaanse staat.'

'Denk je dat ik me voor die geschiedenisles interesseer?'

Vincenti vouwde zijn handen op zijn bovenbenen. 'Daar zou je goed aan doen.'

'Wat is dit een deprimerend mausoleum. Is het van jou?'

Zeker, het ontbrak de villa aan de charme van een huis dat ooit een echt woonhuis was geweest, maar tsaren, keizers, aartshertogen en gekroonde hoofden hadden allemaal onder dit dak verbleven. Zelfs Napoleon had in een van de slaapkamers gelegen. En dus zei hij trots: 'Het is van ons.'

'Je moet eens een binnenhuisarchitect bellen. Zijn we hier klaar?'
'Ik zou graag mijn uitleg willen afmaken.'
De Italiaan maakte een gebaar. 'Schiet dan op. Ik wil slapen.'
'Ook wij zijn een Raad van Tien. Net als de oorspronkelijke raad maken we gebruik van inquisiteurs die onze besluiten afdwingen.' Hij wees en er kwamen drie mannen van de andere kant van de salon. 'Zoals de besluiten van de oorspronkelijke raad onaantastbaar waren, zo zijn die van ons dat ook.'
'Jullie zijn de overheid niet.'
'Nee. Wij zijn heel iets anders.'
Evengoed was de Florentijn blijkbaar niet onder de indruk. 'Ik ben hier midden in de nacht naartoe gegaan omdat míjn mensen zeiden dat ik moest komen. Niet omdat ik onder de indruk ben. Ik heb deze vier mannen meegebracht om me te beschermen. Het zal je inquisiteurs dus niet meevallen iets af te dwingen.'
Vincenti hees zich uit de stoel. 'Ik denk dat ik iets duidelijk moet maken. Je bent ingehuurd om een taak te verrichten. Je hebt die taak veranderd om er zelf beter van te worden.'
'Tenzij jullie allemaal van plan zijn hier in een kist weg te gaan, stel ik voor dat we het gewoon vergeten.'
Vincenti's geduld was bijna op. Hij had een grote hekel aan dit deel van zijn officiële verplichtingen. Hij maakte een gebaar en de vier mannen die met de Florentijn waren meegekomen grepen de idioot vast.
De arrogantie van de Florentijn maakte plaats voor schrik.
Hij werd ontwapend terwijl drie van de mannen hem vasthielden. Een inquisiteur kwam naar hem toe en maakte zijn spartelende armen met een rol dikke tape op zijn rug aan elkaar vast. Hij deed hetzelfde met de benen en knieën van de Florentijn en wikkelde de tape ook om zijn hoofd heen, zodat hij zijn mond niet meer kon opendoen. Vervolgens lieten de drie mannen de Florentijn los en plofte hij met zijn dikke lijf op het kleed.
'De Raad heeft je schuldig bevonden aan verraad jegens onze Liga,' zei Vincenti. Hij maakte weer een gebaar en er ging een dubbele deur open. Een doodkist met rijk verlakt hout werd naar binnen gereden, met het deksel open. De ogen van de Florentijn gingen wijd open; blijkbaar besefte hij wat zijn lot was.
Vincenti kwam dichterbij.

'Vijfhonderd jaar geleden werden mensen die de staat hadden verraden in kamers boven in het paleis van de Doge opgesloten. Die kamers waren van hout en lood en stonden bloot aan de elementen. Ze werden de doodkisten genoemd.' Hij zweeg even om zijn woorden op de Florentijn te laten inwerken. 'Afschuwelijke plaatsen. De meesten die daar binnengingen stierven. Jij nam ons geld aan en wilde tegelijk nog meer geld voor jezelf verdienen.' Hij schudde zijn hoofd. 'Zo zal het niet zijn. En dan nog iets. Je vrienden gingen ermee akkoord dat jíj de prijs was die ze betalen om op goede voet met ons te blijven.'

De Florentijn spartelde opnieuw tegen. Zijn protesten werden gesmoord door de tape die over zijn mond was geplakt. Een van de inquisiteurs leidde de vier mannen die met de Florentijn waren meegekomen de kamer uit. Hun taak was volbracht. De twee andere inquisiteurs tilden het spartelende probleem op en gooiden hem in de kist.

Vincenti keek in de kist en las in de ogen van de Florentijn wat hij wilde zeggen. Natuurlijk had hij de Raad bedrogen, maar hij had alleen gedaan wat hem door Vincenti was opgedragen, en dus niet door die vrienden. Vincenti had de missie veranderd, en de Florentijn was alleen voor de Raad verschenen omdat Vincenti hem onder vier ogen had gezegd dat hij zich geen zorgen hoefde te maken. Het was maar komedie. Geen punt. Speel het mee. Binnen een uur zou het opgelost zijn.

'Dikke man,' zei Vincenti, *arrivederci.*'

En hij liet het deksel dichtvallen.

3

Kopenhagen

MALONE ZAG DAT de vlammen die de trap af kwamen halt hielden toen ze driekwart van die weg hadden afgelegd. Blijkbaar gingen ze niet verder. Hij ging voor een van de ramen staan en keek of er iets was wat hij door het spiegelglas kon gooien. De enige stoelen die hij zag stonden te dicht bij het vuur. Het tweede mechanisme reed nog steeds over de begane grond en blies zijn nevel uit. Malone bleef aarzelend staan. Hij zou zijn kleren kunnen uittrekken, maar zijn haar en huid stonken ook naar de chemische stof.

Drie tikken op de ruit maakten hem aan het schrikken.

Hij draaide zich meteen om en op nog geen halve meter afstand zag hij een bekende staan.

Cassiopeia Vitt.

Wat deed ze hier? De verbazing stond natuurlijk in zijn ogen te lezen, maar hij kwam meteen ter zake en riep: 'Ik moet hier uit!'

Ze wees naar de deur.

Hij verstrengelde zijn wijsvingers om te kennen te geven dat die op slot zat.

Ze maakte hem met een gebaar duidelijk dat hij een paar stappen terug moest gaan.

Toen hij dat deed sprongen er vonken van de onderkant van het rondrijdende apparaatje. Hij vloog op het ding af en schopte het om. Er zaten wielen en raderen aan de onderkant.

Hij hoorde een knal, en toen nog een, en besefte wat Cassiopeia deed.

Ze schoot op de ruit.

Toen zag hij iets wat hij nog niet eerder had opgemerkt. Op de vitrinekasten van het museum lagen afgesloten plastic zakken met een doorzichtige vloeistof.

De ruit brak.

Geen keus.

Hij riskeerde de vlammen, pakte een van de stoelen vast die hij al eerder had zien staan en gooide hem tegen de kapotte ruit. Het glas versplinterde en de stoel kwam buiten op straat terecht.

Het rondrijdende mechanisme ging vanzelf rechtop staan.

Een van de vonken trof doel en de blauwe vlammetjes veroverden de vloer. Ze gingen alle richtingen uit, ook recht op hem af.

Hij rende naar voren en sprong door het open raam. Hij kwam op zijn voeten terecht.

Cassiopeia stond een meter bij hem vandaan.

Toen de ruit kapotging, had hij gevoeld dat de luchtdruk veranderde. Hij wist wel iets van vuur. Op dit moment werden de vlammen aangewakkerd door de toestroom van verse zuurstof. Verschillen in druk speelden ook mee. Bij de brandweer noemden ze dat vlamoverslag.

En die plastic zakken op de vitrinekasten.

Hij wist wat erin zat.

Hij pakte Cassiopeia's hand vast en trok haar naar de overkant van de straat.

'Wat doe je?' vroeg ze.

'We gaan zwemmen.'

Ze sprongen van het muurtje op het moment dat er een vuurbal uit het museum opsteeg.

4

MINISTER-PRESIDENT IRINA ZOVASTINA aaide het paard en bereidde zich voor op de wedstrijd. Ze mocht graag in de vroege ochtend spelen, in het ochtendgloren, op een grasveld dat nog nat was van de dauw. Ze hield ook van de vermaarde, bloedzwetende hengsten uit Fergana, die duizend jaar geleden al felbegeerd waren en met de Chinezen werden geruild voor zijde. In haar stallen had ze meer dan honderd paarden die zowel voor haar genoegen als om politieke redenen gefokt werden.

'Zijn de andere ruiters klaar?' vroeg ze de verzorger.

'Ja, minister. Ze zijn al op het veld.'

Ze droeg hoge leren laarzen en een gewatteerd leren jasje over een lange *chapan*. Op haar korte, zilverblonde haar stond een bontmuts die gemaakt was van een wolf die ze tot haar grote trots had gedood. 'Dan zullen we ze niet laten wachten.'

Ze besteeg het paard.

Samen hadden zij en het dier al vele malen *buzkashi* gewonnen. Dat was een oud spel dat ooit op de steppe werd gespeeld door een volk dat in het zadel leefde en stierf. Dzjengis Khan had het zelf nog gespeeld. In die tijd mochten vrouwen er niet eens naar kijken, laat staan eraan deelnemen.

Maar zij had die regel veranderd.

Het paard met spichtige benen en brede borst verstijfde toen ze over zijn hals streek. 'Geduld, Bucephalas.'

Ze had hem genoemd naar het dier dat Alexander de Grote de ene veldslag na de andere door Azië had gedragen. Maar *buzkashi*-paarden waren bijzonder. Voordat ze ook maar één wedstrijd speelden, ondergingen ze jaren van training om aan de chaos van de wedstrijd te wennen. Ze kregen niet alleen haver en gerst te eten maar ook eieren en boter. Uiteindelijk, als ze dik geworden waren, werden ze getoomd en gezadeld en stonden ze weken achtereen in de zon, niet alleen om overtollige kilo's weg te branden maar ook om te leren geduld te oefenen. Daarna werden ze erin getraind dicht bij andere paarden te galopperen. Ze moesten agressief zijn, maar ook altijd gedisciplineerd, want alleen dan werden paard en ruiter een team.

'Bent u klaar?' vroeg de verzorger. Het was een Tadzjiek, geboren tussen de bergen in het oosten, en hij diende haar al bijna tien jaar. Hij was de enige die haar op de wedstrijd mocht voorbereiden.

Ze klopte op haar borst. 'Ik geloof dat ik voldoende beschermd ben.'

Haar met bont gevoerde leren jasje zat haar als gegoten, evenals haar leren broek. Het kwam haar goed van pas dat haar stevige postuur weinig vrouwelijks had. De spieren in haar armen en benen stonden bol van veel zorgvuldige training en een streng dieet. Haar brede gezicht met grove trekken had iets Mongools, evenals haar diep in hun kassen liggende bruine ogen, dat alles dankzij haar moeder, wier familie ergens ver uit het noorden kwam. De discipline die ze zich jarenlang had opgelegd hadden haar een goede luisteraar en een voorzichtige spreker gemaakt. Ze straalde energie uit.

Veel mensen hadden gezegd dat een Aziatische federatie onmogelijk was, maar zij had bewezen dat ze het allemaal mis hadden. Kazachstan, Oezbekistan, Kirgizië, Karakalpakstan, Tadzjikistan en Turkmenistan bestonden niet meer. In plaats daarvan waren die voormalige Sovjetrepublieken, nadat ze het korte tijd met onafhankelijkheid hadden geprobeerd, opgegaan in de nieuwe Centraal-Aziatische Federatie. Negenenhalf miljoen vierkante kilometer, zestig miljoen mensen, een immens gebied dat Noord-Amerika en Europa in grootte, reikwijdte en natuurlijke hulpbronnen naar de kroon stak. Haar droom. Inmiddels werkelijkheid.

'Voorzichtig, minister. Ze willen graag van u winnen.'

Ze glimlachte. 'Ze doen hun best maar.'

Ze praatten in het Russisch, al waren Dari, Kazachstaans, Tadzjieks, Turkmeens en Kirgizisch nu de officiële talen van de Federatie. Als concessie aan de vele Slaven bleef het Russisch de taal van de 'interetnische communicatie'.

De staldeuren zwaaiden open en ze keek naar een vlak veld dat zich over meer dan een kilometer uitstrekte. Een eindje voor het midden stonden drieëntwintig ruiters te paard bij een ondiepe kuil. Daarin lag de *boz*, het karkas van een geit, zonder kop, organen of poten, een dag lang geweekt in koud water om het de kracht te geven voor wat het moest doorstaan.

Aan beide uiteinden van het veld verhief zich een gestreepte paal. De ruiters zetten zich in beweging. *Chopenoz*. Spelers, net als zij. Klaar voor de wedstrijd.

De verzorger gaf haar een zweep. Eeuwen geleden waren het leren riemen met loden ballen geweest. Tegenwoordig waren ze goedaardiger, al werden ze nog steeds niet alleen gebruikt om het paard aan te sporen maar ook om de andere spelers aan te vallen. Die van haar had een prachtige ivoren handgreep.

Ze ging rustig in het zadel zitten.

De zon was net boven het woud in het oosten uitgekomen. Haar paleis was ooit de residentie van de Khans geweest, die over dit gebied hadden geheerst tot het eind van de negentiende eeuw, toen de Russen kwamen. Dertig kamers, weelderig ingericht met Oezbeekse meubelen en oosters porselein. Wat nu de stallen waren, was vroeger het verblijf van de harem geweest. Goddank was die tijd voorbij.

Ze haalde diep adem en rook de heerlijke geur van een nieuwe dag.

'Een goede wedstrijd gewenst,' zei de verzorger.

Ze reageerde met een knikje op zijn aanmoediging en reed het veld op.

Toch vroeg ze zich iets af.

Wat gebeurde er in Denemarken?

5

Kopenhagen

VIKTOR TOMAS STOND in de schaduw aan de overkant van de gracht en keek naar het brandende Grieks-Romeinse museum. Hij keek zijn metgezel aan, maar sprak niet uit wat voor de hand lag. Problemen. Rafael had de indringer aangevallen en de bewusteloze man het museum in gesleept. Nadat ze heimelijk naar binnen waren gegaan, was de voordeur om de een of andere reden op een kier komen te staan. Vanaf de reling op de bovenverdieping had hij een schaduw naar de deuropening zien komen. Rafael, die op de begane grond aan het werk was geweest, had zich meteen dicht bij de deur geposteerd. Zeker, hij had moeten afwachten wat de bedoelingen van de persoon waren. In plaats daarvan had hij hem naar binnen getrokken en met een van de beelden tegen de zijkant van zijn hoofd geslagen.

'Die vrouw,' zei Rafael. 'Ze stond daar met een pistool. Dat kan niet goed zijn.'

Daar was hij het mee eens. De vrouw had lang donker haar en droeg nauwsluitende kleding. Toen er brand uitbrak in het gebouw was ze uit een steegje gekomen en bij de gracht gaan staan. Toen de man in het raam verscheen had ze een pistool tevoorschijn gehaald en de ruit kapotgeschoten.

De man was ook een probleem.

Lang, pezig en met lichtgekleurd haar. Hij had een stoel door de ruit gegooid en was met verbazingwekkend veel lenigheid naar buiten gesprongen, alsof hij dat vaker had gedaan. Hij had de vrouw meteen vastgepakt en ze waren samen in de gracht gesprongen.

De brandweer was binnen enkele minuten ter plaatse geweest. De twee waren uit het water gekomen en er waren dekens om hen heen geslagen. Het was duidelijk dat de schildpadden hun werk hadden gedaan. Rafael had ze zo genoemd omdat ze daar in veel opzichten op leken; ze waren zelfs in staat om weer overeind te komen als ze waren gekapseisd. Gelukkig zou er niets van de apparaten overblijven. Ze waren van brandbare materialen gemaakt die in de intense hitte volledig verdampten. Zeker, onderzoekers zouden algauw constateren dat het brandstichting was geweest, maar ze zouden de methode en het mechanisme niet kunnen vaststellen.

Alleen had de man het overleefd.

'Wordt hij een probleem?' vroeg Rafael.

Viktor bleef naar de brandweer kijken.

De man en vrouw zaten op het muurtje langs de gracht, nog steeds in dekens gehuld.

Blijkbaar kenden ze elkaar.

Dat zat hem nog meer dwars.

En dus gaf hij het enige mogelijke antwoord op Rafaels vraag.

'Zonder enige twijfel.'

Malone was weer bij zijn positieven gekomen. Cassiopeia zat ineengedoken in een deken naast hem. Van het museum stonden alleen nog wat resten van muren overeind, en binnen was er niets meer. Het oude gebouw was snel opgebrand. De brandweer was bezig het vuur tot dit ene gebouw te beperken. Tot nu toe was het niet naar een van de aangrenzende gebouwen overgeslagen.

De avondlucht rook naar roet in combinatie met een andere geur, bitter en toch zoet, ongeveer wat hij had ingeademd toen hij binnen in de val zat. De opstijgende rook verduisterde de heldere sterren. Een stevig gebouwde man in een afgedragen geel brandweerpak kwam voor de tweede keer naar hen toe. Een commandant. Een politieman had Cassiopeia en hem al een verklaring afgenomen.

'Zoals u over de sprinklers zei,' zei de brandweercommandant in het Deens. 'Ons water wakkert het vuur alleen maar aan.'

'Hoe hebt u het onder controle gekregen?' vroeg Malone.

'Toen de tankwagen leeg was staken we onze slangen in de gracht en pompten we dat water op. Dat werkte.'

'Zout water?' Alle grachten van Kopenhagen stonden in verbinding met de zee.

De brandweer man knikte. 'Het vuur ging meteen uit.'

'Nog iets in het gebouw gevonden?' zei hij.

'Geen kleine apparaten, zoals u tegen de politie zei. Maar het was zo heet in het gebouw dat zelfs de marmeren beelden zijn gesmolten.' De brandweercommandant streek door zijn natte haar. 'Dat is krachtige brandstof. We willen uw kleren hebben. Misschien is dat de enige manier om de samenstelling na te gaan.'

'Misschien niet,' zei Malone. 'Ik ben ook in de gracht gesprongen.'

'Daar zit wat in.' De brandweerman schudde zijn hoofd. 'Onze onderzoekers zullen hiervan smullen.'

De brandweerman liep bij hen vandaan, en Malone keek Cassiopeia aan om haar te ondervragen. 'Wil je me vertellen wat er aan de hand is?'

'Je zou hier pas morgenvroeg zijn.'

'Dat is geen antwoord op mijn vraag.'

Natte slierten donker haar hingen over haar schouders en slordig om haar aantrekkelijke gezicht heen. Ze was een Spaanse moslim en woonde in het zuiden van Frankrijk. Intelligent, rijk en arrogant, ingenieur en historica. Het feit dat ze in Kopenhagen was, een dag eerder dan ze hem had verteld, betekende iets. Bovendien was ze gewapend geweest en was ze gekleed voor actie: een donkere leren broek en een nauwsluitend leren jasje. Hij vroeg zich af of ze zich behulpzaam of juist moeilijk zou opstellen.

'Gelukkig kon ik je redden,' zei ze tegen hem.

Hij wist niet of ze dat meende of hem plaagde. 'Hoe wist je dat ik gered moest worden?'

'Dat is een lang verhaal, Cotton.'

'Ik heb de tijd. Ik werk niet meer.'

'Ik nog wel.'

Hij hoorde de bittere ondertoon in haar stem en voelde iets. 'Jij wist dat het gebouw in vlammen zou opgaan, hè?'

Ze keek hem niet aan, staarde alleen maar over de gracht. 'Dat was juist mijn bedoeling.'

'Kun je dat uitleggen?'

Ze was in gedachten verzonken en zweeg een tijdje. 'Ik was hier. Al eerder. Ik keek toe terwijl de mannen in het museum inbraken. Ik zag dat ze je grepen. Ik moest ze volgen, maar kon dat niet.' Ze zweeg weer. 'Vanwege jou.'

'Wie waren het?'

'De mannen die de apparaatjes hebben achtergelaten.'

Ze had geluisterd toen hij de politie te woord had gestaan, maar hij had al die tijd het gevoel gehad dat ze het verhaal al kende. 'Als je er nou eens niet omheen draaide en me vertelde wat er aan de hand is? Ik weet niet wat je aan het doen was, maar het kostte mij bijna mijn leven.'

'Dan moet je 's avonds maar niet naar open deuren toe lopen.'

'Oude gewoonten raak je niet zomaar kwijt. Wat is er aan de hand?'

'Je hebt het vuur gezien. De hitte gevoeld. Ongewoon, vind je niet?'

Hij herinnerde zich dat het vuur de trap af was gekomen en opeens was gestopt, alsof het wachtte tot het werd uitgenodigd verder te gaan. 'Dat kun je wel zeggen.'

'In de zevende eeuw, toen de moslimvloten Constantinopel aanvielen, hadden ze de stad gemakkelijk kunnen verslaan. Ze hadden betere wapens. Meer troepen. Maar de Byzantijnen hadden een verrassing. Ze noemden het vloeibaar vuur, of wild vuur, en stuurden het op de schepen af. De hele invasievloot werd vernietigd.' Cassiopeia keek hem nog steeds niet aan. 'Het wapen bleef tot aan de tijd van de kruisvaarders in allerlei vormen bestaan en werd uiteindelijk Grieks vuur genoemd. De oorspronkelijke formule was zo geheim dat elke Byzantijnse keizer hem persoonlijk in zijn geheugen had zitten. Ze waakten angstvallig over die formule, die dan ook verloren ging bij de val van het rijk.' Ze haalde diep adem en bleef de deken stevig vasthouden. 'De formule is teruggevonden.'

'Bedoel je dat ik zojuist Grieks vuur heb gezien?'

'Met een bijzondere eigenschap. Dit soort houdt niet van zout water.'

'Waarom heb je dat niet tegen de brandweer gezegd toen die hier aankwam?'

'Ik wil niet meer vragen beantwoorden dan echt noodzakelijk is.'

Maar hij wilde het weten. 'Waarom liet je dat museum afbranden? Was daar dan niets van belang?'

Hij keek weer naar de uitgebrande ravage en zag de verkoolde resten van zijn fiets. Hij voelde aan dat Cassiopeia nog meer te vertellen had, want ze wilde hem nog steeds niet aankijken. Hij kende haar al lang maar had nooit een teken van onzekerheid, nervositeit of verslagenheid bij haar gezien. Ze was hard, gretig, gedisciplineerd en slim. Maar op dit moment maakte ze vooral een zorgelijke indruk.

Aan het eind van de afgezette straat verscheen een auto. Hij herkende de dure Britse sedan en de ineengedoken figuur die van de achterbank kwam.

Henrik Thorvaldsen.

Cassiopeia stond op. 'Hij komt met ons praten.'

'En hoe wist hij dat we hier waren?'

'Er gebeuren dingen, Cotton.'

6

Venetië

Vincenti was blij dat de mogelijke ramp met de Florentijn was afgewend. Hij had een vergissing begaan. De tijd was beperkt en hij speelde een gevaarlijk spel, maar blijkbaar gaf het lot hem een nieuwe kans. 'Is de situatie in Centraal-Azië onder controle?' vroeg een lid van de Raad van Tien aan hem. 'Hebben we een stokje gestoken voor wat die idioot wilde doen?'

Alle mannen en vrouwen waren in de vergaderkamer achtergebleven toen de Florentijn, spartelend in zijn kist, was weggereden. Een kogel in zijn hoofd zou inmiddels een eind aan zijn verzet hebben gemaakt.

'Het gaat goed,' zei hij. 'Ik heb de zaak persoonlijk afgehandeld, maar minister-president Zovastina is een echt showmeisje. Ze zal er wel een heel spektakel van maken.'

'Ze is niet te vertrouwen,' zei een ander.

Hij verbaasde zich over die heftige woorden, want Zovastina was hun bondgenote, maar toch stemde hij ermee in. 'Despoten zijn altijd een probleem.' Hij stond op en liep naar een kaart die aan een muur hing. 'En ze heeft al heel wat bereikt.'

Hij wees op de kaart. 'Het is haar gelukt zes corrupte staten samen te voegen tot een federatie die goede kans van slagen maakt. In feite heeft ze de wereldkaart opnieuw getekend.'

'En hoe heeft ze dat gedaan?' vroeg iemand. 'Niet bepaald door diplomatie.'

Vincenti kende het officiële verhaal. Na de val van de Sovjet-Unie had Centraal-Azië onder conflicten en burgeroorlogen geleden. Elk van de

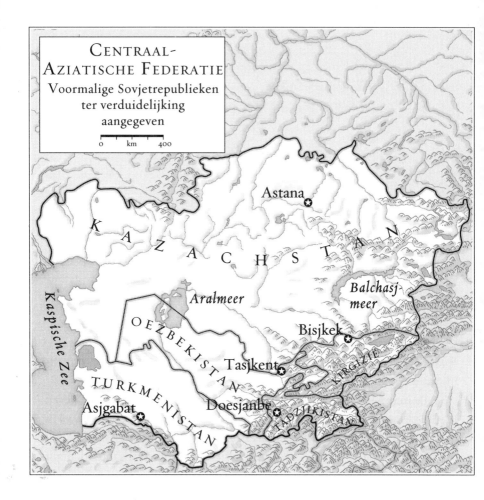

Centraal-
Aziatische Federatie
Voormalige Sovjetrepublieken
ter verduidelijking
aangegeven

0   km   400

Astana

KAZACHSTAN

Aralmeer

Balchasj-
meer

Kaspische Zee

OEZBEKISTAN

Bisjkek

TURKMENISTAN

Tasjkent

KIRGIZIE

Asjgabat

Doesjanbe

TADZJIKISTAN

nieuwe staten worstelde met zijn onafhankelijkheid. Het zogeheten Ge-
menebest van Onafhankelijke Staten, dat de Sovjet-Unie was opgevolgd,
bestond alleen in naam. Corruptie en onbekwaamheid vierden hoogtij.
Irina Zovastina had onder Gorbatsjov leidinggegeven aan plaatselijke
hervormingen. Ze was een voorvechter van perestrojka en glasnost geweest en had de aanzet gegeven tot de vervolging van veel corrupte bureaucraten. Toch was zij het ook geweest die vooropging bij het verjagen
van de Russen. Ze had het volk aan de koloniale veroveringen van Rusland herinnerd en de alarmklok geluid over het milieu met de bewering
dat duizenden Aziaten door Russische vervuiling omkwamen. Uiteindelijk had ze in de assemblee van volksvertegenwoordigers van Kazachstan de republiek helpen uitroepen.

Een jaar later was ze tot minister-president gekozen.

Het Westen had haar verwelkomd. Ze leek een hervormer in een regio waar hervormingen zeldzaam waren. En toen, vijftien jaar geleden, had ze de wereld geschokt met het uitroepen van de Centraal-Aziatische Federatie.

Zes naties, nu één.

Toch had Vincenti's collega gelijk. Het was geen wonder, maar manipulatie. En dus gaf hij het voor de hand liggende antwoord. 'Ze heeft het met macht voor elkaar gekregen.'

'En doordat politieke tegenstanders stierven.'

'Dat is altijd een weg naar de macht geweest,' zei hij. 'We kunnen het haar niet aanrekenen. Wij doen hetzelfde.' Hij keek naar een ander lid van de Raad. 'Is het geld op zijn plaats?'

De thesaurier knikte. 'Drie komma zes miljard, verspreid over allerlei banken op de hele wereld, direct beschikbaar, regelrecht naar Samarkand.'

'Ik neem aan dat onze leden er klaar voor zijn?'

'Er komt meteen een nieuwe toestroom van investeringen op gang. De meeste leden hebben plannen voor grote expansie. Zoals wij ze hebben geïnstrueerd, zijn ze tot nu toe voorzichtig geweest.'

De tijd drong. Zoals ook met de oorspronkelijke Raad van Tien het geval was, zou de helft van de huidige Raad binnenkort aftreden. De voorschriften van de Liga bepaalden dat elke twee jaar vijf leden werden vervangen. Vincenti's termijn zou binnen dertig dagen aflopen.

Een zegen en een probleem.

Zeshonderd jaar geleden was Venetië een oligarchische republiek geweest, bestuurd door kooplieden, met een ingewikkeld politiek stelsel dat tot doel had despotisme te voorkomen. Procedures die grotendeels op toeval waren gebaseerd, moesten partijstrijd en intriges voorkomen. Niemand had ooit de volledige zeggenschap. Er waren altijd groepen die adviseerden, beslisten en handelden. Groepen die regelmatig veranderden.

Toch was er corruptie binnengeslopen. Persoonlijke plannen en projecten kwamen tot bloei. Steeds weer werd er een web van samenzwering gesponnen.

Mensen vonden altijd een manier.

En hij had er ook een gevonden.

Dertig dagen.

Meer dan genoeg tijd.

'En minister-president Zovastina?' vroeg een lid van de Raad, die daarmee zijn gedachtestroom onderbrak. 'Komt het wel goed met haar?'

'Dat,' zei hij, 'zou wel eens het gesprek van deze dag kunnen worden.'

7

Samarkand
Centraal-Aziatische Federatie
6.20 uur

ZOVASTINA SPOORDE HAAR paard aan. De andere *chopenoz* gaven hun paard ook met de zweep. De modder spatte vanaf het natte veld waar de hoeven overheen trappelden naar haar omhoog. Ze nam de zweep tussen haar tanden en greep de teugels met beide handen vast. Tot nu toe had niemand een uitval gedaan naar het karkas van de geit dat in zijn kuil lag.

'Kom op, Bucephalas,' zei ze met opeengeklemde kaken in het oor van het paard. 'We zullen ze eens wat laten zien.' Ze gaf een ruk aan de teugels en het dier steigerde.

Het spel was eenvoudig. Je greep de *boz*, hield hem in je hand, reed naar het eind van het veld, ging om de paal heen, kwam terug en legde de dode geit in de kring van gerechtigheid, die met kalk in het gras was aangegeven. Het leek eenvoudig, maar het probleem was dat de *chopenoz* zo ongeveer alles mochten doen om de *boz* af te pakken.

Een uitnodiging om *buzkashi* met haar te spelen werd als een eer beschouwd, en ze koos de deelnemers dan ook met grote zorg uit. Dit keer bestond het deelnemersveld uit een mengeling van gardisten en negen genodigden. Het waren twee teams van twaalf.

Zij was de enige vrouw.

En dat vond ze prettig.

Bucephalas voelde blijkbaar aan wat er van hem werd verwacht. Hij ging op de *boz* af. Een andere speler dreunde tegen de rechterflank van het paard. Zovastina nam de zweep uit haar mond en haalde uit naar de andere ruiter. De leren slierten smakten over zijn gezicht. Hij weerde ze af en ging verder met zijn aanval. Samen met drie andere ruiters probeerde hij haar tegen te houden.

Twee leden van haar team kwamen opzetten om de drie tegenstanders te bestrijden.

Een wervelstorm van paarden en ruiters draaide om de *boz* heen. Ze had eerder tegen haar team gezegd dat zij de eerste rit om de paal wilde maken en blijkbaar werkten ze daaraan mee.

Een vierde speler van het andere team stuwde zijn paard naar haar toe.

De wereld tolde om haar heen, want alle vierentwintig *chopenoz* reden nu om haar heen. Een zweep van een tegenstander trof haar borst, maar het dikke leren jasje weerde de slag af. Normaal gesproken was het slaan van de minister-president een halsmisdrijf, maar die regel gold niet tijdens het *buzkashi*-spel. Ze wilde dat de spelers zich niet inhielden.

Een ruiter gleed van zijn paard en smakte op de grond. Niemand bleef staan om hem te helpen. Dat mocht niet.

Gebroken ledematen, wonden en striemen waren heel gewoon. In de afgelopen twee jaar waren er zelfs vijf mannen op dit veld om het leven gekomen. De dood was altijd vaak voorgekomen tijdens het *buzkashi*-spel. Zelfs het wetboek van strafrecht van de Federatie maakte een uitzondering voor een moord die tijdens een wedstrijd was gepleegd.

Ze reed de ondiepe kuil voorbij.

Een andere ruiter deed een greep naar de *boz*, maar ze sloeg met haar zweep op zijn hand. Toen trok ze hard aan de teugels om Bucephalas in te houden. Ze maakte rechtsomkeert en ging opnieuw op het karkas af, voordat de anderen weer bij haar aangekomen waren.

Er vielen weer twee ruiters van hun paard.

Elke keer dat ze ademhaalde kreeg ze gras en modder binnen. Ze spuwde alles uit maar genoot van de geur van zwetend paardenvlees.

Ze stak de zweep weer in haar mond en boog zich voorover. Haar ene hand hield het zadel stevig vast en haar andere hand trok het karkas van de grond. Er spoot bloed uit de plaatsen waar de hoeven en de kop van de geit waren afgehakt. Ze trok de dode geit omhoog en hield hem stevig vast. Toen gaf ze Bucephalas een teken dat hij plotseling naar links moest gaan.

Er golden nu nog maar drie regels.

Je mocht het karkas niet vastbinden. Je mocht niet op de hand slaan van degene die het vasthield. Je mocht de paarden niet laten struikelen.

Nu moest ze op de paal af stormen.

Ze spoorde Bucephalas aan.

Het andere team kwam dichterbij.

Haar teamgenoten kwamen haar galopperend te hulp.

Het karkas was zwaar, misschien wel dertig kilo, maar haar sterke armen konden het moeiteloos vasthouden. Door het bloed werden haar hand en mouw drijfnat.

Een klap tegen haar rug trok haar aandacht.

Ze draaide zich snel om.

Twee tegenstanders.

Er kwamen nog meer ruiters op haar af.

Hoeven stampten als de donder over de vochtige aarde, begeleid door de wilde kreten van paarden. Haar *chopenoz* kwamen haar te hulp. De spelers sloegen op elkaar in. Ze hield de *boz* in een dodelijke greep. Haar onderarmen deden er pijn van.

De paal was vijftig meter bij haar vandaan.

Het grasveld strekte zich achter het zomerpaleis uit, met aan het eind een dicht woud. De Sovjets hadden het complex als vakantieoord voor de partijelite gebruikt; daardoor was het in stand gebleven. Ze had de indeling veranderd, maar enkele aspecten van de Russische bezetting wijselijk in stand gehouden.

Nog meer ruiters stortten zich in de mêlee. De teams bevochten elkaar.

Zwepen knalden.

Mannen kreunden van pijn.

Over en weer werd gevloekt en gescholden.

Ze ging voorop, zij het nauwelijks. Ze zou haar paard enigszins moeten inhouden als ze om de paal heen reed en aan haar terugkeer naar de kring van gerechtigheid begon, en dan zouden ze allemaal in de gelegenheid zijn om toe te slaan. Hoewel haar team haar tot nu toe ter wille was geweest, hielden de regels in dat nu iedereen de *boz* mocht stelen om er zelf mee vandoor te gaan.

Ze zou ze allemaal verrassen.

Ze gaf Bucephalas een trap om hem naar rechts te laten gaan.

Het speelveld kende geen grenzen. Ruiters mochten overal heen gaan en deden dat ook. Ze galoppeerde met een boog bij de massa *chopenoz* aan haar linkerkant vandaan, tot aan de rand van het veld, waar rijen hoge bomen stonden. Ze kon tussen die bomen door zigzaggen – dat had ze al vaker gedaan – maar dit keer gaf ze de voorkeur aan een andere route.

Voordat een van de anderen op haar plotselinge manoeuvre kon reageren, zwenkte ze abrupt naar links en reed kriskras over het veld. Ze sneed de massa galopperende ruiters de pas af en ze moesten allemaal even inhouden.

Die korte aarzeling gaf haar de kans om snel vooruit te gaan en achter de paal langs te rijden.

De anderen kwamen achter haar aan.

Ze keek voor zich uit.

Eén ruiter stond op vijftig meter afstand te wachten. Hij was donker en bebaard en had een strak gezicht. Hij zat hoog in het zadel en ze zag zijn hand met een pistool onder een leren cape vandaan komen. Hij hield het wapen dicht tegen zich aan en wachtte op haar.

'Laat zien dat we niet bang zijn, Bucephalas.'

Het paard stormde naar voren.

De man met het pistool bewoog niet. Zovastina keek hem strak aan. Ze zou zich nooit voor iemand terugtrekken.

Het pistool kwam omhoog.

Er galmde een schot over het veld.

De man met het pistool wankelde en viel toen op de natte grond. Zijn paard, geschrokken van het schot, galoppeerde zonder ruiter weg.

Ze vertrapte het lijk. Bucephalas' hoeven boorden zich in het nog warme vlees en het man werd opzij gegooid.

Ze reed door tot de kring van gerechtigheid in zicht kwam. Ze reed er voorbij en gooide de *boz* in het midden, waarna ze Bucephalas tot stilstand liet komen.

De andere ruiters waren allemaal bij de dode man blijven staan.

Het was absoluut in strijd met de regels om een speler dood te schieten. Maar dit hoorde niet bij een spel. Of misschien toch wel? Misschien was het gewoon een andere wedstrijd. Met andere spelers en andere regels. Een spel dat geen van de mannen die hier aanwezig waren ooit zou kunnen begrijpen of waarderen.

Ze gaf een ruk aan de teugels, ging recht in het zadel zitten en wierp een blik op het dak van het paleis. Op een van de oude schuttersposten van de Sovjets zwaaide haar scherpschutter met zijn geweer.

Ze beantwoordde het gebaar door Bucephalas te laten steigeren. Het paard hinnikte van instemming met het dodelijke schot.

8

CASSIOPEIA GING MET Malone en Henrik Thorvaldsen mee naar Malones boekwinkel. Ze was moe. Ze had ook wel op een lange nacht gerekend, maar de afgelopen maanden hadden hun tol geëist, vooral de laatste paar weken, en blijkbaar kwam er nog lang geen eind aan de beproeving.

Malone deed het licht aan.

Ze had gehoord wat er de vorige herfst was gebeurd, toen Malones ex-vrouw naar Kopenhagen was gekomen en zijn huis ten prooi was gevallen aan een brandbom, maar de restauratie was erg goed geslaagd. Ze had waardering voor het handwerk. Alles was nieuw, maar leek oud. 'Mijn complimenten voor het vakmanschap.'

Thorvaldsen knikte. 'Ik wilde dat het eruitzag als vroeger. Er zit te veel geschiedenis in dit gebouw. Dat mag een stel fanaten niet wegknallen.'

'Wil je die natte kleren uittrekken?' vroeg Malone haar.

'Zullen we Henrik niet eerst naar huis sturen?'

Malone grijnsde. 'Ik heb gehoord dat hij graag mag toekijken.'

'Het lijkt me fascinerend,' zei Thorvaldsen, 'maar vanavond ben ik niet in de stemming.'

Dat was zij ook niet. 'Laat maar. Leer droogt snel op. Dat is een van de redenen waarom ik het draag als ik aan het werk ben.'

'En waar werkte je vanavond aan?'

'Wil je het echt weten? Zoals je altijd zegt: je bent boekhandelaar, geen agent. Je hebt ontslag genomen. En zo heb je nog wel een paar excuses.'

'Je hebt me een mailtje gestuurd. Daarin schreef je dat je me morgen-vroeg in het museum wilde ontmoeten. Je hebt bij de brand tegen me gezegd dat je wist dat daar morgen helemaal geen museum meer zou staan.'

Ze ging in een van de clubfauteuils zitten. 'Daarom komen we daar bij elkaar. Vertel het hem, Henrik.'

Ze mocht Malone graag. Hij was een intelligente, zelfverzekerde, aantrekkelijke man; dat had ze al gedacht toen ze elkaar het jaar daar-voor in Frankrijk leerden kennen. Een jurist met een unieke opleiding. Hij had twaalf jaar voor het Amerikaanse ministerie van Justitie ge-werkt in een clandestiene eenheid die bekendstond als de Magellan Bil-let. Twee jaar geleden had hij ontslag genomen en van Thorvaldsen een boekwinkel in Kopenhagen gekocht. Hij draaide niet om de dingen heen en was soms nogal bot, maar dat was zij ook en dus kon ze niet klagen. Ze hield van zijn levendige gezicht, die boosaardige twinkeling in zijn lichtgroene ogen, zijn rossige haar en zijn altijd duistere gezicht. Ze wist hoe oud hij was, halverwege de veertig, en besefte dat hij op het hoogtepunt van zijn charme stond, want de bloem van zijn jeugd was nog niet verwelkt.

Ze benijdde hem.

Tijd.

Daar had ze zo weinig van.

'Cotton,' zei Thorvaldsen, 'verspreid over Europa zijn er nog meer branden geweest. Eerst in Frankrijk, en daarna in Spanje, België en Zwitserland. Ongeveer net als wat jij hebt meegemaakt. De politie con-stateerde overal dat het brandstichting was, maar tot nu toe zijn de bran-den niet met elkaar in verband gebracht. Twee van de gebouwen zijn he-lemaal afgebrand. Ze stonden buiten de stad en niemand maakte zich er druk om. In alle vier de gevallen waren het onbewoonde huizen. Dit ge-bouw hier was het eerste gebouw dat in gebruik was.'

'En hoe hebben jullie het verband gelegd?' vroeg Malone.

'We weten waar ze op uit zijn,' zei ze. 'Olifantpenningen.'

'Weet je,' zei Malone, 'dat is precies wat ik ook dacht. Vijf brandstich-tingen. Verspreid over Europa. Dat moet om olifantpenningen gaan. Wat zou het anders kunnen zijn?'

'Ze bestaan echt,' zei ze.

'Leuk om te weten, maar wat is een olifantpenning?'

'Drieëntwintighonderd jaar geleden,' zei Thorvaldsen, 'toen Alexander de Grote Klein-Azië en Perzië had overmeesterd, zette hij zijn zinnen op India, maar zijn leger liet hem in de steek voordat hij veel van dat land kon veroveren. Hij leverde veldslagen in India en kwam daar voor het eerst strijdolifanten tegen. Ze verpletterden de Macedonische linies en richtten grote ravage aan. Alexanders mannen waren er doodsbang voor. Later werden er herdenkingspenningen geslagen. Daarop zag je Alexander de strijd met de olifanten aanbinden. Die penningen werden na Alexanders dood geslagen. We weten niet hoeveel het er waren, maar tegenwoordig zijn er nog maar acht bekend: de vier die ze al te pakken hebben gekregen, die ene van vanavond, nog twee in particulier bezit en één in het Museum voor Culturele Geschiedenis in Samarkand.'

'De hoofdstad van de Centraal-Aziatische Federatie?' zei Malone.

'Dat is een deel van het gebied dat door Alexander is veroverd.'

Thorvaldsen zat onderuitgezakt in een van de clubfauteuils. Door zijn gebogen rug stak zijn hals naar voren en rustte zijn vlezige kin op zijn magere borst. Cassiopeia zag dat haar oude vriend er doodmoe uitzag. Hij droeg zijn gebruikelijke slobbertrui en wijde corduroybroek. Een uniform dat hij gebruikte om zijn mismaaktheid te camoufleren, wist ze. Ze had er spijt van dat ze hem hierbij had betrokken, maar hij had erop gestaan. Hij was een goede vriend. Nu zouden ze zien of Malone ook een goede vriend was. 'Wat weet je over de dood van Alexander de Grote?'

'Ik heb erover gelezen. Veel mythen met tegenstrijdige feiten.'

'Dat eidetische geheugen van jou?'

Hij haalde zijn schouders op. 'Dat heb ik vanaf mijn geboorte.'

Ze glimlachte. 'De gebeurtenissen in juni 323 voor Christus maken veel verschil voor de wereld.'

Thorvaldsen maakte een gebaar met zijn arm. 'Toe dan. Vertel het hem. Hij moet het weten.'

En dus vertelde ze het.

Op de laatste dag van mei woonde Alexander binnen de muren van Babylon een avondmaal bij dat door een van zijn vertrouwde metgezellen werd gegeven. Hij bracht een toost uit, dronk een grote beker onverdunde wijn en slaakte toen een harde kreet alsof hem een slag was toegediend. Hij werd vlug naar bed gebracht, waar hij koorts kreeg, maar hij bleef dobbelen, met zijn generaals overleggen en de gepaste offers brengen. Op de vierde dag klaagde hij over vermoeidheid en zagen zijn metgezellen dat het hem aan zijn normale energie ontbrak. Hij lag nog een aantal dagen op een bed, slapend in het badhuis omdat het daar koel was. Ondanks zijn verzwakte conditie liet hij weten dat de infanterie er klaar voor moest zijn om over vier dagen te marcheren, en de vloot om over vijf dagen uit te varen. Hij zou zijn plannen uitvoeren om naar het westen te gaan en Arabië te veroveren. Op 6 juni voelde hij zich zwakker en gaf hij zijn ring en daarmee het bestuur over aan Perdiccas. Dit leidde tot paniek. Zijn troepen waren bang dat hij zou sterven. Om hun mannen gerust te stellen stond Alexander toe dat ze langs zijn bed liepen. Hij begroette ieder van hen met een glimlach. Toen de laatste man vertrokken was fluisterde hij: 'Waar zul je na mijn dood een koning vinden die zulke mannen verdient?' Hij beval dat zijn lichaam na zijn dood naar de tempel van Ammon in Egypte zou worden gebracht. Maar geen van zijn metgezellen wilde van zulk fatalisme horen. Zijn toestand ging achteruit, tot op 9 juli zijn metgezellen vroegen: 'Aan wie laat u uw rijk na?' Ptolemaeus zei dat hij hoorde: 'Aan de schranderste.' Seleucus zei: 'Aan de rechtvaardigste.' Peithon herinnerde zich: 'Aan de sterkste.' Er werd druk over geredetwist wie gelijk had. In de vroege ochtend van de volgende dag, in zijn drieëndertigste levensjaar, nadat hij twaalf jaar en acht maanden had geregeerd, stierf Alexander III van Macedonië.

'Er wordt nog steeds over die laatste woorden gediscussieerd,' zei ze.

'En waarom is dat zo belangrijk?' vroeg Malone.

'Het gaat om wat hij naliet,' zei Thorvaldsen. 'Zijn rijk, zonder rechtmatige erfgenaam.'

'En dat heeft iets met olifantpenningen te maken?'

'Cotton,' zei Thorvaldsen. 'Ik heb dat museum gekocht in de wetenschap dat iemand het zou verwoesten. Cassiopeia en ik hebben daarop gewacht.'

Ze zei: 'We moesten degene die achter de penningen aan zit een stap voor blijven.'

'Blijkbaar hebben ze gewonnen. Ze hebben het ding.'

Thorvaldsen wierp haar een blik toe, en toen keek de oudere man Malone strak aan en zei: 'Niet precies.'

9

VIKTOR ONTSPANDE PAS toen de deur van de hotelkamer dicht was en op slot zat. Ze bevonden zich aan de andere kant van Kopenhagen, bij Nyhavn, waar rumoerige cafés aan de waterkant luidruchtige bezoekers trokken. Hij ging aan het bureau zitten en deed een lamp aan. Rafael posteerde zich bij het raam, dat uitkeek over de straat, die vier verdiepingen lager lag.

Hij bezat nu de vijfde penning.

De eerste vier waren teleurstellingen geweest. Eén was een vervalsing en de andere drie verkeerden in slechte staat. Zes maanden geleden wist hij nog maar weinig van olifantpenningen. Nu beschouwde hij zichzelf als een kenner.

'We zijn hier veilig,' zei hij tegen Rafael. 'Rustig maar. We zijn door niemand gevolgd.'

'Ik hou voor alle zekerheid de wacht.'

Hij wist dat Rafael iets goed wilde maken nadat hij in het museum zo overdreven had gereageerd. Daarom zei hij: 'Goed.'

'Hij had moeten sterven.'

'Het is beter van niet. Nu weten we tenminste wat we tegenover ons hebben.'

Hij maakte een leren foedraal open en haalde er een stereomicroscoop en een digitale weegschaal uit.

Hij legde de munt op het bureau. Ze hadden hem in een van de vitrinekasten van het museum zien liggen, met het correcte bijschrift: 'Olifantpenning (Alexander de Grote), een dekadrachme, circa tweede eeuw v.Chr.'

Hij mat eerst de breedte. Vijfendertig millimeter. Ongeveer goed. Hij zette de elektronische weegschaal aan en keek naar het gewicht. Veertig komma vierenzeventig gram. Dat was ook correct.

Met een vergrootglas keek hij naar de afbeelding op de ene kant: een krijger in vorstelijke glorie, compleet met gepluimde helm, halsbescherming, borstplaat en een ruitermantel die tot op zijn knieën viel.

Hij was blij. Op de vervalste penningen had de mantel tot op de enkels gehangen. Eeuwenlang had de handel in valse Griekse munten welig getierd. Slimme vervalsers waren er handig in geworden zowel angstvallige als gretige mensen te bedriegen.

Gelukkig was hij geen van beide.

Voor zover bekend was de eerste olifantpenning opgedoken toen hij in 1887 aan het British Museum werd geschonken. Hij kwam ergens uit Centraal-Azië. Een tweede, uit Iran, dook op in 1926. Een derde werd in 1959 ontdekt. Een vierde in 1964. Toen werden er in 1973 nog vier bij de ruïnes van Babylon gevonden. In totaal acht penningen waren bij musea en particuliere verzamelaars terechtgekomen. Ze waren niet erg waardevol, want de hellenistische kunst vertoonde een grote verscheidenheid en er waren duizenden munten beschikbaar, maar evengoed waren het verzamelobjecten.

Hij ging verder met zijn onderzoek.

De gladgeschoren, jeugdige krijger droeg in zijn linkerhand een sarissa met aan het eind een bladvormige punt. In zijn rechterhand had hij een bliksemschicht. Boven hem doemde Nike op, de gevleugelde godin van de overwinning. Links van de krijger had de graveur een merkwaardig monogram achtergelaten.

Viktor wist niet of het BA of BAB was, en ook niet wat de letters betekenden, maar op een authentieke penning moest dat vreemde symbool te zien zijn.

Alles was blijkbaar in orde. Er was niets toegevoegd en er ontbrak niets.

Hij keerde de munt om.

De randen waren ernstig vervormd. Het tinkleurige patina was glad gesleten alsof er stromend water langs was gegaan. De tijd had de delicate afbeeldingen aan beide kanten langzaam opgelost. Eigenlijk was het verbazingwekkend dat sommige penningen nog steeds bestonden.

'Alles rustig?' vroeg hij Rafael, die nog bij het raam stond.

'Je hoeft niet zo uit de hoogte te doen.'

Hij keek op. 'Ik wil het echt weten.'

'Ik kan ook niets goed doen.'

Het defaitisme ontging hem niet. 'Je zag iemand naar de deur van het museum lopen. Je reageerde daarop. Dat is alles.'

'Het was dom. Een moord trekt te veel aandacht.'

'Er zou geen lijk gevonden zijn. Maak je niet druk. En trouwens, ik vond het goed dat we hem daar achterlieten.'

Hij richtte zijn aandacht weer op de penning. Op de achterkant zag je de krijger, nu te paard maar met dezelfde uitrusting, een olifant te lijf gaan die zich terugtrok. Er zaten twee mannen op de olifant. Een van hen zwaaide met een sarissa en de ander probeerde een spies van de ruiter uit zijn borst te trekken. Muntenkenners waren het erover eens dat de vorstelijke krijger op beide kanten van de munt Alexander de Grote was en dat de penningen geslagen waren om een gevecht met krijgsolifanten te herdenken.

Maar pas onder de microscoop kon hij zien of het ding authentiek was.

Hij zette de verlichting aan en schoof de dekadrachme op het plaatje.

Authentieke penningen vertoonden een afwijking. Kleine lettertjes die in het graveerwerk verborgen zaten, toegevoegd door graveurs uit vervlogen eeuwen die gebruikmaakten van een primitieve lens. Experts geloofden dat de lettertjes te vergelijken waren met het watermerk op een modern bankbiljet. Ze zouden dus een middel zijn om de authenticiteit te waarborgen. Omdat lenzen in die tijd erg zeldzaam waren, zou het bijna onmogelijk zijn geweest het teken te zien. De lettertjes werden opgemerkt toen de eerste penning jaren geleden opdook. Maar van de vier die ze tot nu toe hadden gestolen, had maar één die eigenaardigheid vertoond. Als deze penning echt was, zouden er in de plooien van de ruiterkleding twee Griekse letters moeten staan: ZH

Hij stelde de microscoop in en zag minuscule tekens.

Maar geen letters.

Cijfers.

36 44 77 55.

Hij keek op van de microscoop.

Rafael stond naar hem te kijken. 'Wat is er?'

Hun dilemma was zojuist groter geworden. Eerder die dag had hij de telefoon van de hotelkamer gebruikt om enkele gesprekken te voeren. Zijn blik ging naar het toestel en het schermpje aan de onderkant. Vier keer twee cijfers, beginnend met zesendertig.

Niet de cijfers die hij zojuist door de microscoop had gezien.

Maar hij wist meteen wat de cijfers op die zogenaamd eeuwenoude penning vormden.

Een Deens mobiel nummer.

10

Venetië
6.30 uur

VINCENTI BEKEEK ZICHZELF in de spiegel, terwijl zijn lijfknecht het jasje gladstreek en het Gucci-pak om zijn enorme lichaam liet vallen. Met een borstel van kameelhaar werden zelfs de kleinste pluisjes van de donkere wol verwijderd. Vervolgens trok hij zijn das recht en zorgde ervoor dat het kuiltje diep verborgen zat. De lijfknecht gaf hem een bordeauxrode zakdoek van zijde die hij in de zak van zijn jasje stak.

Zijn honderdveertig kilo zware lijf zag er goed uit in het maatkostuum. De modeadviseur in Milaan die hij raadpleegde had hem verteld dat donkere kleuren niet alleen gezag uitstraalden maar ook de aandacht van zijn postuur afleidden. Dat laatste was geen eenvoudige zaak. Alles aan hem was groot: hangwangen, bol voorhoofd, forse neus. Maar hij hield van machtig voedsel en verafschuwde elk dieet.

Hij maakte een gebaar en de lijfknecht wreef zijn Lorenzo Banfi-veterschoenen op. Hij wierp nog een blik in de spiegel en keek toen op zijn horloge.

'Meneer,' zei de lijfknecht, 'ze belde toen u onder de douche stond.'

'Op de privélijn?'

De lijfknecht knikte.

'Heeft ze een nummer achtergelaten?'

De lijfknecht stak zijn hand in zijn zak en haalde er een papier uit. Vincenti had voor en na de bijeenkomst van de Raad een beetje kunnen slapen. In tegenstelling tot een dieet was slaap geen tijdverspilling. Hij wist dat er mensen op hem wachtten en hij had er een hekel aan om te laat te zijn, maar toch ging hij naar zijn slaapkamer om daar in alle privacy te bellen. Het zou niet goed zijn om alles via een mobiele verbinding rond te bazuinen.

De lijfknecht verliet de kamer.

Hij liep naar een telefoon op een nachtkastje en belde een internationaal nummer. Er klonken drie zoemtonen in zijn oor, en toen nam een vrouwenstem op en zei hij: 'Ik merk, minister-president, dat je nog onder de levenden bent.'

'En het is goed om te weten dat je informatie juist was.'

'Ik zou je niet met fantasie hebben lastiggevallen.'

'Maar je hebt nog steeds niet gezegd hoe je wist dat iemand me vandaag zou willen vermoorden.'

Drie dagen geleden had hij het plan van de Florentijn aan Irina Zovastina doorgegeven. 'De Liga waakt over zijn leden, en jij, minister-president, bent een van onze belangrijkste leden.'

Ze grinnikte. 'Je praat onzin, Enrico.'

'Heb je met *buzkashi* gewonnen?'

'Natuurlijk. Twee keer in de kring. We hebben het lijk van de moordenaar op het veld laten liggen en vertrapt tot het aan stukken lag. De vogels en honden genieten van de rest.'

Hij huiverde. Dat was het probleem met Centraal-Azië. Het wilde wanhopig graag deel van de eenentwintigste eeuw uitmaken, maar de cultuur was ergens in de vijftiende eeuw blijven steken. De Liga zou alles in het werk moeten stellen om daar verandering in te brengen. Al zou dat net zo moeilijk zijn als een poging om van een vleesetend dier een planteneter te maken.

'Ken je de *Ilias*?' vroeg ze.

Hij wist dat hij haar ter wille moest zijn. 'Ja.'

'Zend de ziel van tal van dappere helden naar Hades en maak hun lichamen tot prooi van honden en vogels.'

Hij grijnsde. 'Beschouw jij jezelf als een Achilles?'

'Er valt veel in hem te bewonderen.'

'Was hij geen trotse man? Buitensporig trots?'

'Maar een vechter. Altijd een vechter. Vertel eens, Enrico, hoe zit het met jóúw verrader? Is dat probleem opgelost?'

'De Florentijn krijgt ten noorden van hier, in het merendistrict, een prachtige uitvaart. We zullen bloemen sturen.' Hij wilde nagaan of ze in de stemming was. 'We moeten praten.'

'Over je beloning voor het redden van mijn leven?'

'Jouw kant van onze afspraak. We hebben het daar lang geleden over gehad.'

'Ik kan de Raad over een paar dagen ontmoeten. Ik moet eerst een paar dingen oplossen.'

'Het interesseert me meer wanneer jij en ik elkaar ontmoeten.'

Ze grinnikte. 'Vast wel. Mij eigenlijk ook. Maar er zijn dingen die ik moet afmaken.'

'Aan mijn tijd in de Raad komt binnenkort een eind. Daarna krijg je met anderen te maken. Die zijn misschien minder tegemoetkomend.'

Ze lachte. 'Dat vind ik prachtig. "Tegemoetkomend." Ik geniet er echt van om zaken met je te doen, Enrico. Wij begrijpen elkaar zo goed.'

'We moeten praten.'

'Binnenkort. Eerst heb je dat andere probleem waarover we het hebben gehad. De Amerikanen.'

Ja, dat klopte. 'Maak je geen zorgen. Dat wil ik vandaag regelen.'

II

Kopenhagen

'WAT BEDOEL JE, "niet precies"?' vroeg Malone aan Thorvaldsen. 'Ik heb een valse olifantpenning laten maken. Dat is helemaal niet zo moeilijk. Er zijn veel vervalsingen op de markt.'

'En waarom deed je dat?'

'Cotton,' zei Cassiopeia tegen hem, 'die penningen zijn belangrijk.'

'Goh, dat zou ik nooit hebben gedacht. Ik heb nog niet gehoord hoe en waarom.'

'Wat weet je van Alexander de Grote, nádat hij stierf?' vroeg Thorvaldsen. 'Van wat er met zijn lichaam is gebeurd.'

Hij had daarover gelezen. 'Niet zoveel.'

'Ik denk niet dat jij weet wat wij weten,' zei Cassiopeia. Ze ging bij een van de boekenplanken staan. 'Vorige herfst kreeg ik een telefoontje van een vriend die in het culturele museum in Samarkand werkte. Hij had iets ontdekt waarvan hij dacht dat ik het zou willen zien. Een oud manuscript.'

'Hoe oud?'

'Eerste of tweede eeuw na Christus. Ooit van röntgenfluorescentie gehoord?'

Malone schudde zijn hoofd.

'Het is een betrekkelijk nieuwe methode,' zei Thorvaldsen. 'In de vroege middeleeuwen was perkament zo schaars dat monniken een recyclingtechniek ontwikkelden. Ze schraapten de inkt weg en gebruikten het schone perkament voor gebedenboeken. Bij fluorescentie wordt dat opnieuw gebruikte perkament met röntgenstralen uit een deeltjesversneller gebombardeerd. Gelukkig bevatte de inkt die eeuwen geleden werd gebruikt veel ijzer. Als de röntgenstralen op die inkt vallen, gloeien moleculen diep in het perkament op, en die beelden kunnen worden opgeslagen. Eigenlijk is het fantastisch. Als een faxbericht uit het verleden. Woorden waarvan ooit is gedacht dat ze waren uitgewist en met nieuwe inkt waren overschreven, komen weer uit hun moleculaire signatuur tevoorschijn.'

'Cotton,' zei Cassiopeia, 'wat we uit de eerste hand over Alexander weten, beperkt zich tot de geschriften van vier mannen die allemaal bijna vijfhonderd jaar na Alexander leefden. Aan de *Ephemerides*, Alexanders zogenaamde kroniek en zogenaamd afkomstig uit zijn eigen tijd, hebben we niets: de overwinnaar die de geschiedenis herschrijft. De *Alexanderroman*, die veel mensen als bron aanhalen, is puur fantasie en heeft weinig met de werkelijkheid te maken. Maar de twee andere zijn geschreven door Arrianus en Plutarchus, en dat zijn achtenswaardige kroniekschrijvers.'

'Ik heb de *Alexanderroman* gelezen. Geweldig verhaal.'

'Maar dat is dan ook alles. Alexander is net als koning Arthur iemand wiens echte leven voor romantische legenden heeft plaatsgemaakt. Tegenwoordig wordt hij als een grote, weldadige veroveraar beschouwd. Een soort staatsman. In werkelijkheid slachtte hij mensen op ongekende schaal af en verkwanselde hij de rijkdommen van de landen die hij in zijn bezit kreeg. Hij vermoordde vrienden uit paranoia en leidde de meesten van zijn soldaten naar een vroege dood. Hij was een gokker die zijn eigen leven en dat van de mensen om hem heen op het spel zette. Er is niets magisch aan hem.'

'Daar ben ik het niet mee eens,' zei Malone. 'Hij was een groot bevelhebber, de eerste persoon die de wereld verenigde. Zijn veroveringen waren bloedig en wreed, want zo is oorlog nu eenmaal. Zeker, hij wilde veroveren, maar zijn wereld was er ook klaar voor om veroverd te worden. Hij was erg slim in politiek opzicht. Een Griek die uiteindelijk een Pers werd. Als ik mag afgaan op alles wat ik heb gelezen, moest hij niet veel van bekrompen nationalisme hebben, en dat kan ik hem niet kwalijk nemen. Na zijn dood verdeelden zijn generaals het rijk onder elkaar, zodat de Griekse cultuur nog eeuwen op de voorgrond bleef staan. De hellenistische tijd heeft de westerse beschaving grondig veranderd. En dat is allemaal met hem begonnen.'

Hij zag dat Cassiopeia het niet met hem eens was.

'Over dat erfgoed gaat het in het oude manuscript,' zei ze. 'Over wat er écht na Alexanders dood is gebeurd.'

'We weten wat er is gebeurd,' zei hij. 'Zijn rijk werd de prooi van de generaals en ze vochten om zijn lichaam. Er doen allerlei verhalen de ronde over hun pogingen om de begrafenisstoet te kapen. Ze wilden allemaal het lichaam als symbool van hún macht. Daarom is het gemummificeerd. De Grieken verbrandden hun doden. Maar niet Alexander. Zijn lijk moest voortleven.'

'Het manuscript gaat over de gebeurtenissen tussen de dag waarop Alexander in Babylon stierf en de dag waarop zijn lichaam eindelijk naar het westen werd gebracht,' zei Cassiopeia. 'Daar zat een jaar tussen. Een jaar dat van kritiek belang is voor de olifantpenningen.'

Een zacht signaal verbrak de stilte in de kamer.

Malone zag Henrik een telefoon uit zijn zak halen en opnemen. Ongewoon; Thorvaldsen had een hekel aan die dingen, en vooral aan mensen die ze gebruikten waar hij bij was.

Malone keek Cassiopeia aan en vroeg: 'Is het zo belangrijk?'

Ze bleef hem dof aankijken. 'Hier hebben we op gewacht.'

'Waarom ben je zo opgewekt?'

'Je zult het misschien niet geloven, Cotton, maar ik heb ook gevoelens.'

Hij verbaasde zich over die venijnige opmerking. Toen ze hem in de kerstdagen in Kopenhagen had opgezocht, hadden ze enkele aangename avonden met elkaar in Christiangade doorgebracht, Thorvaldsens huis aan zee ten noorden van Kopenhagen. Hij had haar zelfs een cadeau gegeven, een zeldzaam zeventiende-eeuws boek over middeleeuwse techniek.

Haar bouwproject in Frankrijk – een kasteel dat ze steen voor steen met gereedschap en materialen van zevenhonderd jaar geleden opbouwde – vorderde nog steeds. Ze hadden zelfs afgesproken dat hij in het voorjaar bij haar op bezoek zou komen.

Thorvaldsen was klaar met zijn telefoongesprek. 'Dat was de dief uit het museum.'

'En hoe wist hij dat hij jou moest bellen?' vroeg Malone.

'Ik heb dit telefoonnummer in de penning laten graveren. Ik wilde volkomen duidelijk maken dat we zullen wachten. Ik zei tegen hem dat als hij de oorspronkelijke dekadrachme wil hebben, hij hem moet kopen.'

'Nu hij dat weet zal hij je waarschijnlijk in plaats daarvan willen vermoorden.'

'Dat hopen we.'

'En hoe wou je dat voorkomen?' vroeg Malone.

Cassiopeia kwam een stap naar voren. Haar gezicht was strak. 'Daar hebben we jou bij nodig.'

12

Viktor legde de telefoon weer op de haak. Rafael had bij het raam gestaan en naar het gesprek geluisterd.

'Hij wil ons over drie uur ontmoeten. In een huis ten noorden van de stad, aan de grote weg langs de kust.' Hij hield de olifantpenning omhoog. 'Ze wisten dat we zouden komen. Al een hele tijd, want ze moesten dit laten maken. Het is een goed exemplaar. De vervalser verstond zijn vak.'

'Dit moeten we melden.'

Hij was het daar niet mee eens. Minister Zovastina had hem gestuurd omdat ze hem het meest vertrouwde. Ze werd dagelijks door dertig mannen bewaakt. Haar Heilige Schare. Geïnspireerd door de felste gevechtseenheid van Griekenland. Die soldaten hadden dapper gestreden tot ze door Philippus van Macedonië en zijn zoon Alexander de Grote werden afgeslacht. Hij had Zovastina daarover horen praten. De Macedoniërs waren zo van de moed van de Heilige Schare onder de indruk geweest dat ze een monument voor hun nagedachtenis hadden opgericht, dat nog steeds in Griekenland stond. Toen Zovastina aan de macht kwam, had ze het idee enthousiast weer tot leven gewekt. Viktor was haar eerste rekruut geweest, en hij had de andere negenentwintig gevonden, onder wie Rafael, een Italiaan die in Bulgarije voor de veiligheidsdienst van die regering werkte.

'Moeten we Samarkand niet bellen?' vroeg Rafael opnieuw.

Hij keek zijn collega aan. De jongere man was snel en energiek. Viktor mocht hem graag, en dat verklaarde waarom hij fouten tolereerde die hij anderen niet toestond. Bijvoorbeeld dat hij die man het museum in had getrokken. Maar misschien was dat juist geen fout geweest.

'We kunnen niet bellen,' zei hij kalm.

'Als dit bekend wordt vermoordt ze ons.'

'Dan mogen we het niet bekend laten worden. Tot nu toe hebben we het goed gedaan.'

Dat was zo. Vier diefstallen. In alle gevallen van particuliere verzamelaars die hun spullen gelukkig in dunne kluisjes of zelfs daar niet in bewaarden. Ze hadden hun misdrijven en hun eigen aanwezigheid afdoende gecamoufleerd door brand te stichten.

Of misschien ook niet.

De man aan de telefoon wist blijkbaar wat ze deden.

'We gaan dit zelf oplossen,' zei hij.

'Je bent bang dat ze mij de schuld geeft.'

Er trok zich iets samen in zijn keel. 'Nou, eigenlijk ben ik bang dat ze ons beiden de schuld geeft.'

'Dit zit me dwars, Viktor. Je houdt me te veel de hand boven het hoofd.'

Hij keek zijn collega bescheiden aan. 'We hebben dit allebei verknoeid.' Hij wreef over de penning. 'Die vervloekte dingen brengen alleen maar narigheid.'

'Waarom wil ze ze hebben?'

Hij schudde zijn hoofd. 'Dat heeft ze me niet verteld. Maar het is echt wel van belang.'

'Ik heb iets gehoord.'

Hij keek nieuwsgierig op. 'Waar heb je dat íéts gehoord?'

'Toen ik bij haar persoonlijke bewaking was ingedeeld. Kort voordat we vorige week vertrokken.'

De leden van de garde fungeerden om beurten als dagelijkse bewakers van Zovastina. Eén regel was duidelijk. Niets wat je hoorde of zei was van belang, behalve de veiligheid van de minister-president. Maar dit was iets anders. Hij moest het weten. 'Zeg het maar.'

'Ze heeft plannen.'

Hij hield de penning omhoog. 'Heeft dat iets met deze dingen te maken?'

'Ze zei van wel. Tegen iemand met wie ze telefoneerde. Wat wij doen, voorkomt een probleem.' Rafael zweeg even. 'Haar ambitie kent geen grenzen.'

'Maar ze heeft al zoveel gedaan. Dingen die niemand ooit voor elkaar heeft gekregen. Het leven is goed in Centraal-Azië. Eindelijk.'

'Ik zag het in haar ogen, Viktor. Dat alles is niet genoeg. Ze wil meer.'

Hij camoufleerde zijn angst met een verbaasde blik.

Rafael zei: 'Ik heb een biografie van Alexander gelezen die ze me had aangeraden. Ze mag graag boeken aanbevelen. Vooral over hem. Ken je het verhaal van Alexanders paard Bucephalas?'

Hij had Zovastina dat verhaal horen vertellen. Toen Alexander nog een jongen was, kocht zijn vader een mooi paard dat zich niet liet temmen. Alexander las zijn vader en de koninklijke africhters de les en zei dat hij het dier wel klein zou krijgen. Philippus twijfelde daaraan, maar toen Alexander hem had beloofd het paard met zijn eigen geld te kopen als het hem niet lukte, gaf de koning hem de kans. Omdat Alexander zag dat het paard bang was voor zijn schaduw, draaide Alexander het naar de zon en kon hij het na enige aandrang bestijgen.

Hij vertelde Rafael wat hij wist.

'En weet je wat Philippus tegen Alexander zei toen hij het paard had getemd?'

Hij schudde zijn hoofd.

'Hij zei: "Ga op zoek naar een rijk dat groot genoeg is voor jou, want Macedonië is te klein voor jou." Dat is haar probleem, Viktor. Haar Federatie is groter dan Europa, maar niet groot genoeg. Ze wil meer.'

'Daar hoeven wij ons niet druk om te maken.'

'Wat wij doen past op de een of andere manier in haar plan.'

Hij zei daar niets op, al maakte hij zich ook zorgen.

Rafael voelde blijkbaar dat hij onwillig was. 'Je zei door de telefoon tegen die man dat we vijftigduizend euro zouden meebrengen, maar we hebben geen geld.'

Hij stelde de verandering van onderwerp op prijs. 'Dat hebben we ook niet nodig. We krijgen de penning zonder iets uit te geven in handen.'

'We moeten degene die dit doet elimineren.'

Rafael had gelijk. Minister-president Zovastina zou geen fouten tolereren.

'Dat vind ik ook,' zei hij. 'We doden ze allemaal.'

13

D E MAN DIE de werkkamer van Irina Zovastina binnenkwam, was klein en breed en had een vlak gezicht en een kaakpartij die op koppigheid wees. Hij was de op twee na hoogste bevelhebber van de Geconsolideerde Luchtmacht der Federatie, maar in het geheim stond hij ook aan het hoofd van een kleine politieke partij, die de laatste tijd schrikbarend geruchtmakend was geworden. Hij was een Kazachstaan die heimelijk weerstand bood aan alle Slavische invloeden en praatte graag over nomadische tijden, honderden jaren geleden, lang voordat de Russen alles veranderden.

Toen ze de rebel voor zich zag, vroeg ze zich af hoe zijn kale schedel en doffe ogen hem ook maar bij iemand bemind konden maken. Toch werd hij in rapporten intelligent, welbespraakt en overtuigend genoemd. Hij was twee dagen geleden naar het paleis gebracht nadat hij plotseling hevige koorts had gekregen. Het bloed spoot uit zijn neus, hoestbuien putten hem volkomen uit, en hij had een stampende pijn in zijn heupen; hamerslagen noemde hij het. Zijn arts had geconstateerd dat hij een virale infectie met misschien longontsteking had, maar geen enkele conventionele behandeling had gewerkt.

Deze dag daarentegen was hij blijkbaar niet zo ziek meer.

Hij was blootsvoets en droeg een kastanjebruine badjas van het paleis.

'Je ziet er goed uit, Enver. Veel beter.'

'Waarom ben ik hier?' vroeg hij met een toonloze stem waarin geen enkele waardering doorklonk.

Eerder had hij vragen aan haar personeel gesteld, dat in opdracht van haar op zijn verraad had gezinspeeld. Interessant genoeg had de kolonel geen angst getoond. Hij provoceerde haar nog meer door geen Russisch maar Kazachstaans tegen haar te spreken. Om hem een plezier te doen sprak ze ook in de oude taal. 'Je was doodziek. Ik heb je hierheen laten brengen om je door mijn artsen te laten behandelen.'

'Ik herinner me niets van gisteren.'

Ze gaf hem een teken dat hij kon gaan zitten en schonk thee uit een zilveren pot. 'Je was er slecht aan toe. Omdat ik me zorgen maakte heb ik je geholpen.'

Hij keek haar met onverholen argwaan aan.

Ze gaf hem een kop en schotel. 'Groene thee met een zweem van appel. Ik heb gehoord dat je daarvan houdt.'

Hij nam de thee niet aan. 'Wat wilt u, minister?'

'Jij hebt mij en deze Federatie verraden. Die politieke partij van jou stookt mensen op tot burgerlijke ongehoorzaamheid.'

Hij toonde geen verbazing. 'U zegt altijd dat we het recht hebben om onze mening uit te spreken.'

'En dat geloofde je?'

Ze zette het kopje op tafel en besloot niet langer voor gastvrouw te spelen. 'Drie dagen geleden ben je aan een virus blootgesteld dat iemand binnen vierentwintig tot achtenveertig uur doodt. De dood wordt veroorzaakt door een explosieve koorts, vloeistof in de longen en een verzwakking van de aderwanden waardoor op grote schaal inwendige bloedingen ontstaan. Je infectie was nog niet zo ver voortgeschreden. Maar nu zou dat wel al zijn gebeurd.'

'En hoe ben ik genezen?'

'Ik heb het tegengehouden.'

'U?'

'Ik wilde je aan den lijve laten ondervinden wat ik iemand kan aandoen.'

Hij zei even niets. Blijkbaar moest hij het op zich in laten werken.

'Je bent kolonel in onze luchtmacht. Iemand die heeft gezworen de Federatie tot de dood te verdedigen.'

'En dat zou ik ook doen.'

'Toch heb je er blijkbaar geen moeite mee om aan te zetten tot verraad.'

'Ik vraag het nog een keer. Wat wilt u?' Zijn stem had alle beleefdheid verloren.

'Je loyaliteit.'

Hij zei niets.

Ze pakte een afstandsbediening van de tafel. Een flatscreenmonitor op de hoek van het bureau kwam tot leven met de beelden van vijf mannen die zich door een menigte bewogen en naar kramen onder felgekleurde luifels keken, kramen vol verse producten.

Haar gast stond op.

'Deze bewakingsvideo is gemaakt door een camera op de markt van Navoi. Die camera's zijn heel nuttig voor ordehandhaving en misdaadbestrijding, maar ze geven ons ook de kans om vijanden op te sporen.' Ze zag dat hij de mannen herkende. 'Ja, Enver. Je vrienden. Die van plan zijn de Federatie te bestrijden. Ik weet van jullie plannen.'

Ze kende de filosofie van zijn partij heel goed. Voordat de communisten het voor het zeggen kregen, leefden de Kazachstanen voornamelijk in joerten. Vrouwen hadden actief aan de samenleving deelgenomen en meer dan een derde van de politieke posities bezet. Maar door de Sovjets en de islam samen waren vrouwen aan de kant gezet. De onafhankelijkheid in de jaren negentig had niet alleen tot een economische depressie geleid maar ook vrouwen weer naar de voorgrond gehaald, waar ze gestaag aan politieke invloed hadden gewonnen. De Federatie had die ontwikkeling nog versterkt.

'Jij wilt niet echt een terugkeer naar vroeger, Enver. Terug naar de tijd waarin we over de steppen zwierven? In die tijd hadden vrouwen het in deze samenleving voor het zeggen. Nee, jij wilt alleen politieke macht. En als je je eigen belang kunt dienen door de mensen op te hitsen met ideeën over een glorieus verleden, zul je dat doen. Jij bent net zo slecht als ik.'

Hij spuwde naar haar voeten. 'Zo denk ik over u.'

Ze haalde haar schouders op. 'Dat verandert niets.' Ze wees naar het scherm. 'Voordat de zon ondergaat zal elk van die mannen worden besmet, zoals ook met jou is gebeurd. Ze zullen er niets van merken, tot ze een snotneus krijgen, of een zere keel, of hoofdpijn. Dan zullen ze denken dat ze verkouden zijn. Jij kunt je die symptomen nog wel herinneren, hè, Enver?'

'U bent net zo slecht als ik altijd heb gedacht.'

'Als ik slecht was had ik je laten sterven.'

'Waarom hebt u dat niet gedaan?'

Ze richtte de afstandsbediening en wisselde van kanaal. Er kwam een kaart in beeld.

'Dit hebben we bereikt. Een verenigde Aziatische staat waarmee alle leiders akkoord gingen.'

'U hebt het niet aan het volk gevraagd.'

'O, nee? Het is nu vijftien jaar geleden dat we die realiteit hebben verwezenlijkt en de economieën van al die vroegere naties zijn drastisch vooruitgegaan. We hebben scholen en huizen gebouwd, wegen aangelegd. De gezondheidszorg is enorm verbeterd. Onze infrastructuur is gemoderniseerd. Elektriciteit, water en riolering werken goed, iets wat we onder de Sovjets nooit hebben meegemaakt. Er is een eind aan de Russische plundering van ons land en onze natuurlijke hulpbronnen gekomen. Internationale concerns hebben vele miljarden in ons land geinvesteerd. Het toerisme is in opkomst. Ons bruto nationaal product is met duizend procent toegenomen. Het volk is gelukkig, Enver.'

'Niet iedereen.'

'Je kunt nooit iedereen gelukkig maken. We kunnen wel een meerderheid tevredenstellen. Dat preekt het Westen altijd.'

'Hoeveel anderen hebt u onder druk gezet?'

'Niet zoveel. De meesten zien de voordelen van wat we doen zelf wel in. Ik deel de rijkdom en macht met mijn vrienden. En als een van jullie een beter idee heeft, wil ik altijd luisteren. Maar tot nu toe heeft niemand iets beters aangeboden. Het kleine beetje oppositie dat we hebben gehad, jouzelf incluis, wil alleen maar zelf aan de macht komen. Niets meer dan dat.'

'U kunt gemakkelijk grootmoedig zijn, als uw bacillen ons allemaal in het gareel houden.'

'Ik had je kunnen laten sterven; dan was mijn probleem opgelost. Maar, Enver, het zou dom zijn om jou te doden. Hitler, Stalin, de Romeinse keizers, de Russische tsaren en zo ongeveer alle Europese monarchen hebben allemaal dezelfde fout gemaakt. Ze elimineerden juist de mensen die hen op de been konden houden als ze echt hulp nodig hadden.'

'Misschien hadden ze gelijk. Het kan gevaarlijk zijn om je vijanden in leven te houden.'

Omdat ze voelde dat zijn bitterheid enigszins ontdooide vroeg ze: 'Weet je iets van Alexander de Grote?'

'Dat was een van de vele westerse indringers.'

'En in twaalf jaar tijd heeft hij ons veroverd. Hij nam heel Perzië en Klein-Azië in bezit. Dat is meer territorium dan het Romeinse Rijk na duizend jaar vechten in de wacht had gesleept. En hoe regeerde hij? Niet met geweld. Als hij een rijk veroverde liet hij de vroegere heerser altijd aan de macht. Daarmee kweekte hij vrienden die manschappen en goederen stuurden wanneer hij ze nodig had om nog meer land te veroveren. En dan deelde hij de rijkdom. Hij had succes omdat hij goed gebruik wist te maken van macht.'

Het was moeilijk na te gaan of ze iets bereikte, maar de Kazachstaan had een waar woord gesproken. Ze werd inderdaad omringd door vijanden, en de moordaanslag van eerder op de dag stond haar nog helder voor ogen. Ze probeerde de oppositie altijd te elimineren of te rekruteren, maar het leek wel of er dagelijks nieuwe groepen bij kwamen. Alexander zelf was uiteindelijk ten prooi gevallen aan paranoia. Dat mocht haar niet gebeuren.

'Wat zeg je ervan, Enver? Sluit je bij ons aan.'

Ze zag hem over haar verzoek nadenken. Misschien mocht hij haar niet graag, maar in de rapporten stond dat deze krijger, een gevechts-vlieger die door de Sovjets was getraind en in veel van hun domme oor-logen met hen had meegevochten, een nog veel grotere hekel had aan iets anders.

Ze zou nu zien of dat waar was.

Ze wees op het scherm naar Pakistan, Afghanistan en India. 'Die landen zijn ons probleem.'

Ze zag dat hij het daarmee eens was.

'Wat wilt u eraan doen?' vroeg hij belangstellend.

'Een eind aan ze maken.'

14

Kopenhagen
8.30 uur

MALONE KEEK NAAR het huis. Thorvaldsen, Cassiopeia en hij hadden zijn boekwinkel een halfuur eerder verlaten en waren langs de kust naar het noorden gereden. Tien minuten ten zuiden van Thorvaldsens immense landhuis waren ze van de grote weg af gegaan en hadden ze de auto voor een bescheiden bungalow in een bosje van knoestige beuken neergezet. De muren waren bedekt met narcissen en hyacinten, en het huis van baksteen en hout was bekroond met een scheef puntdak. Het grijsbruine water van de Øresund kabbelde vijftig meter achter het huis over een rotsig strand.

'Alsof ik moet vragen wie de eigenaar van dit huis is.'

'Het is vervallen,' zei Thorvaldsen. 'Het erf grenst aan mijn land. Ik heb het voor een appel en een ei gekocht, maar de locatie aan het water is prachtig.'

Malone beaamde dat. Eersteklas onroerend goed. 'En wie wordt hier geacht te wonen?'

Cassiopeia grijnsde. 'De eigenaar van het museum. Wie anders?'

Hij zag dat haar stemming beter was geworden, maar toch waren Thorvaldsen en Cassiopeia duidelijk erg gespannen. Hij had andere kleren aangetrokken voor hij de stad uit ging en zijn Beretta, die hij nog uit zijn Magellan Billet-tijd had, onder zijn bed vandaan gehaald. De politie had hem twee keer gesommeerd het wapen in te leveren, maar Thorvaldsen had zijn connectie met de Deense premier gebruikt om daar in beide gevallen een stokje voor te steken. In het afgelopen jaar had hij, al was hij een ambteloos burger, het wapen vaak moeten gebruiken. Dat was verontrustend, want een van de redenen waarom hij ontslag had genomen, was zijn tegenzin om een wapen te dragen.

Ze gingen het huis binnen. Het zonlicht viel door ruiten die bedekt waren met een dun laagje zout. Het meubilair bestond uit een mengelmoes van oud en nieuw, een combinatie van stijlen die vooral een prettige indruk maakte door een eigen karakter te hebben. Malone zag in welke staat het huis verkeerde. Er moest veel aan worden gedaan.

Cassiopeia doorzocht het huis.

Thorvaldsen ging op een stoffige bank met tweedbekleding zitten. 'Alles in dat museum was die avond een kopie. Toen ik het had gekocht, heb ik de originelen weggehaald. Niets daarvan was erg waardevol, maar ik wilde niet dat het verloren ging.'

'Je hebt veel moeite gedaan,' zei Malone.

Cassiopeia kwam terug van haar verkenning. 'Er staat veel op het spel.'

Alsof ze hem dat nog moest vertellen. 'Terwijl we wachten tot er iemand komt om ons te vermoorden – degene met wie je drie uur geleden door de telefoon hebt gesproken – willen jullie me misschien wel uitleggen waarom we hun zo veel voorbereidingstijd hebben gegeven.'

'Ik weet heel goed wat ik heb gedaan,' zei Thorvaldsen.

'Waarom zijn die penningen zo belangrijk?'

'Weet je veel van Hephaestion?' vroeg Thorvaldsen.

Ja, daar wist hij iets van. 'Het was de naaste metgezel van Alexander. Waarschijnlijk zijn minnaar. Stierf een paar maanden voor Alexander.'

'Het moleculaire manuscript dat in Samarkand is ontdekt,' zei Cassiopeia, 'voegt nieuwe informatie aan de historische gegevens toe. We weten nu dat Alexander zich zo schuldig voelde om de dood van Hephaestion dat hij de executie van zijn lijfarts beval, een zekere Glaucias. Hij liet hem tussen twee bomen die aan de grond gebonden waren uit elkaar scheuren.'

'En wat had de dokter gedaan om dat te verdienen?'

'Hij had Hephaestion niet gered,' zei Thorvaldsen. 'Blijkbaar bezat Alexander een geneesmiddel. Iets wat minstens één keer eerder dezelfde koorts die Hephaestions dood werd had weggenomen. In het manuscript wordt het middel simpelweg "de drank" genoemd. Maar er staan ook interessante bijzonderheden bij.'

Cassiopeia haalde een opgevouwen papier uit haar zak.

'Lees zelf maar.'

Het was een schande dat de koning de arme Glaucias terechtstelde. De arts trof geen blaam. Hephaestion had opdracht gekregen niet te eten of drinken, maar hij deed beide. Als hij dat niet had gedaan, zou hij misschien de tijd hebben gekregen die hij nodig had om te genezen. Zeker, Glaucias had de drank niet bij de hand, want de kruik was enkele dagen eerder per ongeluk aan scherven gegaan, maar hij verwachtte een nieuwe voorraad uit het oosten. Jaren eerder, in de tijd van de strijd tegen de Scythen, had Alexander ernstige maagklachten gehad. In ruil voor een wapenstilstand gaven de Scythen hem de drank, die ze al lange tijd als geneesmiddel gebruikten. Alleen Alexander, Hephaestion en Glaucias wisten ervan, maar Glaucias diende het wonderbaarlijke middel eens aan zijn assistent toe. De man had zulke erge bulten in zijn hals dat hij bijna niet kon slikken, alsof zijn keel vol met kiezelstenen zat. Telkens als hij uitademde kwam er vloeistof mee. Zijn lichaam zat onder de wonden. Er zat geen kracht meer in zijn spieren. Elke ademtocht kostte hem moeite. Glaucias gaf hem de drank, en de volgende dag herstelde de man. Glaucias zei tegen zijn assistent dat hij het geneesmiddel verscheidene keren aan de koning had verstrekt, een keer zelfs toen de koning bijna dood was, en de koning was altijd hersteld. De assistent dankte zijn leven aan Glaucias, maar hij kon niets doen om hem tegen Alexanders woede te beschermen. Vanaf de muren van Babylon zag hij hoe zijn redder door de bomen uiteen werd gescheurd. Toen Alexander van het executieveld terugkeerde, liet hij de assistent bij zich komen en vroeg hem of hij van de drank wist. Nadat hij Glaucias op zo'n gruwelijke manier had zien sterven, dwong de angst hem de waarheid te spreken. De koning zei dat hij met niemand over de drank mocht spreken. Tien dagen later lag Alexander op zijn sterfbed, geteisterd door koorts, zijn kracht bijna weg, net als bij Hephaestion. Op de laatste dag van zijn leven, toen zijn metgezellen en generaals om leiding baden, fluisterde Alexander dat hij de remedie wilde. De assistent dacht aan Glaucias. Hij verzamelde zijn moed en zei nee tegen Alexander. Er kwam een glimlach op de lippen van de koning. De assistent schiep er behagen in Alexander te zien sterven, wetend dat hij hem had kunnen redden.

'De geschiedschrijver van het hof,' zei Cassiopeia, 'een man die ook een dierbare had verloren toen Alexander vier jaar eerder Callisthenes had laten executeren, heeft dit geschreven. Callisthenes was de oomzegger van Aristoteles. Hij was geschiedschrijver van het hof tot aan het voorjaar van 327 voor Christus. Toen raakte hij bij een moordcomplot betrokken. In die tijd was Alexanders paranoia al gevaarlijk groot. En dus beval hij tot Callisthenes' dood. Ze zeiden dat Aristoteles het Alexander nooit heeft vergeven.'

Malone knikte. 'Sommigen zeggen dat Aristoteles het gif dat Alexanders dood werd heeft gestuurd.'

Thorvaldsen keek smalend. 'De koning is niet vergiftigd. Dat bewijst het manuscript. Alexander is aan een infectie gestorven. Waarschijnlijk malaria. Een paar weken eerder was hij door moerassen getrokken. Maar het is moeilijk om daarover iets met zekerheid te zeggen. En die "drank" had hem genezen voordat de assistent erdoor genezen werd.'

'Heb je gezien wat de symptomen waren?' vroeg Cassiopeia. 'Koorts, gezwollen hals, slijm, vermoeidheid, wonden. Dat lijkt wel een virus. Toch heeft die vloeistof de assistent helemaal genezen.'

Malone was niet onder de indruk. 'Je kunt niet veel geloof aan een manuscript van meer dan tweeduizend jaar oud hechten. Jullie weten niet of het authentiek is.'

'Dat is het wel,' zei Cassiopeia.

Hij wachtte op haar uitleg.

'Mijn vriend was een expert. De techniek die hij gebruikte om het geschrift op te sporen is het nieuwste van het nieuwste. Zulke vervalsingen kun je niet maken. We hebben het over het lezen van woorden op moleculair niveau.'

'Cotton,' zei Thorvaldsen. 'Alexander wist dat er om zijn lichaam zou worden gevochten. Het is bekend dat hij in de dagen voor zijn dood heeft gezegd "dat zijn vooraanstaande vrienden aan grote begrafenisspelen zouden deelnemen" als hij er niet meer was. Een vreemde opmerking, maar we beginnen er nu iets van te begrijpen.'

Er was hem iets anders opgevallen, en daar vroeg hij Cassiopeia nu naar. 'Je zei dat je vriend in het museum een expert wás. Verleden tijd?'

'Hij is overleden.'

En nu wist hij waarom ze zo somber was. 'Had je een nauwe band met hem?'

Cassiopeia gaf geen antwoord.

'Je had het me kunnen vertellen,' zei hij tegen haar.

'Nee, dat kon ik niet.'

Haar woorden deden pijn.

'Natuurlijk,' zei Thorvaldsen, 'gaat het bij al deze intriges om het opsporen van Alexanders lijk.'

'Veel succes. Dat is in vijftien honderd jaar niet meer gezien.'

'Dat is het nou juist,' merkte Cassiopeia koeltjes op. 'Misschien weten wij waar het is en weet de man die hierheen komt om ons te doden dat niet.'

15

ZOVASTINA KEEK NAAR de gretige gezichten van de studenten en vroeg aan hen: 'Wie van jullie heeft Homerus gelezen?'

Er gingen maar een paar handen omhoog.

'Ik zat op de universiteit, net als jullie, toen ik zijn epos voor het eerst las.'

Ze was naar het Volkscentrum voor Hoger Onderwijs gekomen voor een van haar vele wekelijkse optredens. Ze probeerde er altijd minstens vijf per week te houden. Het waren gelegenheden voor de pers en het volk om haar te zien en te horen.

Het centrum, ooit een slecht gefinancierd Russisch instituut, was nu een respectabel bolwerk van academische kennis. Daar had ze voor gezorgd, want de Grieken hadden gelijk. Een ongeletterde staat leidde tot helemaal geen staat.

Ze las voor uit de uitgave van de *Ilias* die voor haar lag.

'"De huid van de lafaard verandert voortdurend van kleur. Hij heeft geen macht over zichzelf, hij kan niet stilzitten, hij hurkt neer en schommelt, verplaatst zijn gewicht van voet tot voet, zijn hart gaat tekeer, bonkt tegen zijn ribben, en zijn tanden klapperen. Hij vreest een gruwelijke dood. Maar de huid van een moedige soldaat verbleekt nooit. Hij heeft zichzelf volledig in de hand. Hij is gespannen maar niet erg bang."'

De studenten genoten blijkbaar van haar voorlezing.

'Homerus' woorden van meer dan achtentwintighonderd jaar geleden. Ze zijn nog steeds volkomen juist.'

Camera's en microfoons stonden achter in de zaal op haar gericht. Nu ze daar was, werd ze herinnerd aan achtentwintig jaar geleden. Het noorden van Kazachstan. Een andere collegezaal.

En haar docent.

'Je mag best huilen,' zei Sergej tegen haar. De woorden hadden haar getroffen. Meer dan ze voor mogelijk had gehouden. Ze keek de Oekraïener, die een unieke kijk op de wereld had, aan.

'Je bent nog maar negentien,' zei hij. 'Ik weet nog dat ik voor het eerst Homerus las. Het trof mij ook.'

'Achilles is zo'n gekwelde ziel.'

'Wij zijn allemaal gekwelde zielen, Irina.'

Ze vond het prettig als hij haar naam uitsprak. Deze man wist dingen die zij niet wist. Hij begreep dingen die zij nog moest ervaren. Ze wilde die dingen weten. 'Ik heb mijn moeder en vader nooit gekend. Ik heb niemand van mijn familie gekend.'

'Ze zijn niet belangrijk.'

Ze was verbaasd. 'Hoe kunt u dat zeggen?'

Hij wees naar het boek. 'Het is het lot van de mens om te lijden en te sterven. Wat er niet meer is, is van geen belang.'

Jarenlang had ze zich afgevraagd waarom ze blijkbaar gedoemd was een eenzaam leven te leiden. Ze had bijna geen vrienden en geen relatie. Het leven voor haar was een eindeloze uitdaging van willen en niet krijgen. Net als dat van Achilles.

'Irina, je zult van uitdagingen gaan houden. Het leven is de ene na de andere uitdaging. De ene na de andere strijd. Net als Achilles streef je altijd naar het beste.'

'En als je faalt?'

Hij haalde zijn schouders op. 'Dat is het gevolg van niet slagen. Bedenk wat Homerus zei. Omstandigheden beheersen mensen, en niet andersom.'

Ze dacht aan een andere regel uit het epos. 'Welk een zware slagen treffen ons – door onze tegenstrijdige wensen – telkens als wij andere stervelingen enige goedheid tonen.'

Haar docent knikte. 'Vergeet dat nooit.'

'Wat een verhaal,' zei ze tegen de studenten. 'De *Ilias*. Een oorlog die negen lange jaren heeft gewoed. In het tiende jaar bracht een ruzie Achilles ertoe om niet meer te vechten. Een trotse Griekse held, een strijder wiens menselijkheid uit grote hartstocht voortkwam, onkwetsbaar met uitzondering van zijn hielen.'

Ze zag sommigen glimlachen.

'Iedereen heeft een zwakheid,' zei ze.

'Wat is de uwe, minister?' vroeg een van de studenten.

Ze had tegen hen gezegd dat ze niet verlegen moesten zijn. Vragen waren goed.

'Waarom leert u me die dingen?' vroeg ze aan Sergej.

'Als je je erfgoed kent, begrijp je het. Besef je wel dat je heel goed een afstammelinge van de Grieken zou kunnen zijn?'

Ze keek hem verbaasd aan. 'Hoe is dat mogelijk?'

'Langgeleden, voor de islam, toen Alexander en de Grieken dit land veroverden, bleven veel van zijn mannen achter toen hij naar huis terugkeerde. Ze vestigden zich in onze dalen en trouwden met vrouwen uit de omgeving. Een deel van onze woorden, onze muziek, onze dansen, was van hen.'

Dat had ze nooit beseft.

'Mijn liefde voor het volk van deze Federatie,' zei ze in antwoord op de vraag. 'Jullie zijn mijn zwakheid.'

De studenten klapten instemmend.

Ze dacht weer aan de *Ilias*. En de lessen daarvan. De glorie van de oorlog. De triomf van militaire waarden over het gezinsleven. Persoonlijke eer. Wraak. Moed. De tijdelijkheid van het menselijke leven.

De huid van een moedige soldaat verbleekt nooit.

En had ze eerder verbleekt, toen ze tegenover de moordenaar in spe had gestaan?

'Je zegt dat je je voor politiek interesseert,' zei Sergej. 'Maar je mag nooit Homerus vergeten. Onze Russische meesters weten niets van eer. Onze Griekse voorouders wisten daar alles van. Wees nooit als de Russen, Irina. Homerus had gelijk. Het ergste falen is falen ten opzichte van je samenleving.'

'Wie van jullie kent Alexander de Grote?' vroeg ze de studenten.

Een paar handen gingen omhoog.

'Beseffen jullie wel dat sommigen van jullie misschien Grieks zijn?' Ze vertelde hun wat Sergej haar zo lang geleden over de Grieken had verteld die in Azië waren achtergebleven. 'Het erfgoed van Alexander maakt deel uit van onze geschiedenis. Moed, ridderlijkheid, doorzettingsvermogen. Hij heeft het Westen en het Oosten voor het eerst met elkaar verenigd. Zijn legende verspreidde zich tot alle hoeken van de wereld. Hij komt voor in de Bijbel, in de Koran. De Grieks-orthodoxen maakten hem een heilige. De joden zien hem als een volksheld. Er is een versie van hem in Germaanse, IJslandse en Ethiopische sagen. Eeuwenlang zijn er epossen en gedichten over hem geschreven. Zijn verhaal is een verhaal van ons.'

Ze kon gemakkelijk begrijpen waarom Alexander zoveel van Homerus hield. Waarom hij een leven als in de *Ilias* leidde. Onsterfelijkheid kon je alleen met heroïsche daden bereiken. Mannen als Enrico Vincenti wisten niet wat eer was. Achilles had gelijk: *Wolven en lammeren kunnen niet in eensgezindheid samenkomen.*

Vincenti was een lam. Zij was een wolf. En ze zouden niet samenkomen.

Deze ontmoetingen met studenten waren gunstig in veel opzichten. Ze deden haar vooral denken aan alles wat aan haar vooraf was gegaan. Drieëntwintighonderd jaar geleden marcheerde Alexander de Grote tweeëndertigduizend kilometer en veroverde hij de hele wereld die toen bekend was.

Hij schiep een gemeenschappelijke taal, moedigde religieuze verdraagzaamheid aan, bevorderde raciale verscheidenheid, stichtte zeventig steden, vestigde nieuwe handelsroutes en gaf de aanzet tot een renaissance die tweehonderdvijftig jaar duurde. Hij streefde naar *arête*. Het Griekse ideaal van voortreffelijkheid.

Nu was het haar beurt om hetzelfde te doen.

Ze was klaar met het college en excuseerde zich. Toen ze het gebouw verliet, gaf een van haar gardisten haar een vel papier. Ze vouwde het open en las de boodschap, een e-mail die dertig minuten geleden was binnengekomen. Ze keek naar het cryptische mailadres van de afzender en het korte bericht: HEB JE HIER BIJ ZONSONDERGANG NODIG. Irritant, maar ze had geen keus.

'Laat een helikopter gereedmaken,' beval ze.

16

Venetië
8.35 uur

Voor vincenti was Venetië een kunstwerk. Overal Byzantijnse pracht, islamitische accenten en zinspelingen op India en China. Half oosters, half westers, de ene voet in Europa, de andere in Azië. Een unieke menselijke creatie, voortgekomen uit een reeks eilanden die zich ooit tussen de grootste handelsnaties had bewogen, een vooraanstaande zeemogendheid, een twaalfhonderd jaar oude republiek waarvan de verheven idealen zelfs de aandacht van de kolonisten in Amerika hadden getrokken. Benijd, verdacht, zelfs gevreesd: de stad dreef met alle partijen handel, vriend of vijand. Een gewetenloze geldmaker die altijd naar winst streefde en zelfs oorlogen als veelbelovende investeringen zag: dat was Venetië door de eeuwen heen geweest.

En hijzelf de afgelopen twintig jaar.

Hij had zijn eerste villa aan het Canal Grande met de eerste winst van zijn pas opgerichte farmaceutische bedrijf gekocht. Het was alleen maar passend dat hij en zijn onderneming, die nu miljarden euro's waard was, hier hun hoofdkantoor hadden.

Hij hield vooral van Venetië in de vroege ochtend, wanneer er niets anders dan de menselijke stem te horen was. De enige lichaamsbeweging die hij nam bestond uit een ochtendwandeling van zijn *palazzo* aan het kanaal naar zijn favoriete *ristorante* aan het Campo del Leon, maar daar was dan ook niets aan te doen. Sinds er geen auto's meer in de binnenstad van Venetië werden toegelaten, kon je alleen te voet of per boot ergens komen.

Deze dag liep hij met hernieuwde kracht. Het probleem met de Florentijn had hem dwarsgezeten. Nu het was opgelost, kon hij zijn aandacht op de laatste paar horden richten. Niets vond hij bevredigender dan een plan dat goed werd uitgevoerd. Jammer genoeg gebeurde dat niet vaak.

Vooral niet wanneer het noodzakelijk was om bedrog te plegen.

De ochtendlucht was verlost van de onaangename winterkou. Het was merkbaar dat het in het noorden van Italië weer lente werd. De wind voelde ook milder aan en de hemel had een mooie zalmkleur, verlicht door een zon die net boven de zee in het oosten was opgekomen.

Hij volgde een route door de bochtige straten, die zo smal waren dat het zelfs al een probleem zou zijn om een geopende paraplu bij je te hebben, en passeerde een aantal van de bruggen die de stad bijeenhielden. Hij kwam langs kledingzaken en kantoorboekhandels, een wijnwinkel, een schoenenzaak en een paar goed voorziene levensmiddelenwinkels. Op dit vroege uur waren ze nog dicht.

Hij bereikte het eind van de straat en kwam op het plein.

Aan de ene kant verhief zich een oude toren, ooit een kerk en nu een theater. Aan de andere kant stond, tussen grote gebouwen en winkels die glansden van ouderdom en zelfgenoegzaamheid, de campanile van een kapel. Hij hield niet veel van de pleinen van Venetië. Ze waren vaak zo droog, oud en stedelijk. Heel anders dan de kanalen, waar de *palazzo's*, als mensen in een menigte, naar voren drongen.

Hij keek naar het verlaten plein. Alles netjes en ordelijk.

Precies zoals hij het graag had.

Hij werd door rijkdom, geld en een toekomst geobsedeerd. Hij woonde in een van de mooiste steden van de wereld en zijn levensstijl was die van iemand met prestige en gevoel voor traditie. Toen hij nog jong was, had zijn vader, een onopvallende ziel die hem liefde voor wetenschap had bijgebracht, tegen hem gezegd dat je het leven moest nemen zoals het op je af kwam. Een goede raad. Het leven was een kwestie van reageren en herstellen. Je zat in de problemen, of daar kwam je net uit, of je stond op het punt erin te komen. Het was de truc dat je wist in welke staat je verkeerde en dienovereenkomstig handelde.

Hij was net uit de problemen gekomen.

En stond op het punt opnieuw in de problemen te raken.

De afgelopen twee jaar had hij de leiding gehad van de Raad van Tien, die de Venetiaanse Liga bestuurde. Vierhonderdtweeëndertig mannen en vrouwen wier ambities werden gedwarsboomd door buitensporige overheidsvoorschriften, restrictieve handelswetten en politici die het op de winst van bedrijven hadden voorzien. Amerika en de Europese Unie waren verreweg het ergst. Elke dag kwam er wel een nieuwe belemmering die de winsten aantastte. De leden van de Liga gaven miljarden uit om onder nog meer regulering uit te komen. En terwijl het ene stel politici discreet werd beïnvloed om hen te helpen, wilde een ander stel naam maken door de helpers te vervolgen.

Het was een frustrerende en nimmer eindigende cyclus.

Daarom had de Liga een plaats gecreëerd waar het bedrijfsleven niet alleen kon floreren maar ook heersen. Een plaats die te vergelijken was met de oorspronkelijke Venetiaanse republiek, die eeuwenlang bestuurd was door mannen met de koopmansgeest van de Grieken en de vermetelheid van de Romeinen. Ondernemers die tegelijk zakenlieden, soldaten, bestuurders en staatslieden waren. Een stadsstaat die uiteindelijk een imperium werd. Van tijd tot tijd was de Venetiaanse republiek bondgenootschappen met andere stadsstaten aangegaan om zich, versterkt door het grotere getal, in leven te houden, en dat idee had goed gewerkt. De moderne versie ervan ging uit van een soortgelijke filosofie. Hij had hard voor zijn vermogen gewerkt en was het eens met iets wat Irina Zovastina hem eens had verteld. *Iedereen houdt meer van iets als het hem moeite heeft gekost.*

Hij stak het plein over en naderde het café, dat om zes uur 's morgens alleen voor hem openging. De ochtend was zijn tijd van de dag. Voor het middaguur was zijn geest op zijn best. Hij ging het *ristorante* binnen en begroette de eigenaar. 'Emilio, mag ik je om een gunst vragen? Wil je tegen mijn gasten zeggen dat ik gauw terugkom? Ik moet iets doen. Het duurt niet lang.'

De man glimlachte, knikte en verzekerde hem dat het geen probleem zou zijn.

Hij liep langs zijn mededirecteuren die in de aangrenzende eetkamer zaten te wachten en ging de keuken binnen. De geur van gesmoorde vis en gebakken eieren streelde zijn neusgaten. Hij bleef even staan en keek vol bewondering naar wat er op het fornuis stond te pruttelen. Toen verliet hij het gebouw door een achterdeur en kwam in een van de talloze steegjes van Venetië terecht. Dit straatje werd door hoge gebouwen verduisterd en was met een dikke laag vogelpoep bedekt.

Op enkele meters afstand stonden drie inquisiteurs te wachten. Hij knikte en ze liepen achter elkaar aan. Op een kruispunt sloegen ze rechts af en volgden een ander steegje. Hij bespeurde een vertrouwde stank – half riool, half rottende muren – de sluier van Venetië. Ze bleven bij de achterdeur staan van een gebouw dat een japonnenzaak op de begane grond en appartementen op de drie bovenverdiepingen had. Hij wist dat ze zich nu schuin tegenover het café bevonden, aan de andere kant van het plein.

Bij de deur stond nog een inquisiteur te wachten.

'Is ze er?' vroeg Vincenti.

De man knikte.

Hij maakte een gebaar en drie van de mannen gingen het gebouw binnen, terwijl de vierde buiten bleef wachten. Vincenti liep achter hen aan een metalen trap op. Op de tweede verdieping bleven ze voor de deur van een van de appartementen staan. De mannen trokken hun pistolen en stonden klaar om de deur in te trappen.

Hij knikte.

Een flinke trap en de deur vloog open.

De mannen stormden naar binnen.

Enkele seconden later gaf een van zijn mannen een teken. Hij ging het appartement in en deed de deur dicht.

Twee inquisiteurs hielden een vrouw vast. Ze was slank, blond en niet onaantrekkelijk. Een van hen hield zijn hand over haar mond en drukte de loop van een pistool tegen haar linkerslaap. Ze was bang, maar rustig. Dat was te verwachten, want ze was een professional.

'Verbaasd me te zien?' vroeg hij. 'Je hebt me bijna een maand gevolgd.'

Haar ogen vertoonden geen reactie.

'Ik ben niet achterlijk, al denkt jouw regering dat blijkbaar wel.'

Hij wist dat ze voor het Amerikaanse ministerie van Justitie werkte. Ze was agente bij een speciale internationale eenheid die de Magellan Billet werd genoemd. De Venetiaanse Liga had al eerder met die eenheid te maken gehad, enkele jaren geleden, toen de Liga voor het eerst in Centraal-Azië investeerde. Zoals te verwachten was, werd Amerika argwanend. Die onderzoeken hadden nooit iets opgeleverd, maar nu interesseerde Washington zich blijkbaar weer voor zijn organisatie.

Hij keek naar de apparatuur van de agente. Een langeafstandscamera op een statief, een mobiele telefoon, een schrijfblok. Hij wist dat het geen zin had haar te ondervragen. Ze kon hem weinig of niets vertellen wat hij nog niet wist. 'Je hebt mijn ontbijt verstoord.'

Hij maakte een gebaar en een van de mannen nam haar speelgoed in beslag.

Hij liep naar het raam en keek neer op het nog verlaten plein. Het besluit dat hij nu zou nemen, zou wel eens beslissend voor zijn toekomst kunnen zijn. Hij stond op het punt om in een gevaarlijk spel van twee walletjes te eten. Als ze wisten wat hij deed, zou zowel de Venetiaanse Liga als Irina Zovastina hem dat zeer kwalijk nemen. De Amerikanen trouwens ook. Hij was al een hele tijd van plan deze grote stap te zetten.

Zoals zijn vader vaak had gezegd: de makke schapen verdienen niets.

Zonder zijn blik van het raam af te wenden stak hij zijn rechterarm op en maakte een snelle polsbeweging. Een knappend geluid vertelde hem dat de nek van de vrouw gebroken was. Iemand doden vond hij geen probleem. Toekijken wel.

Zijn mannen wisten wat hun te doen stond.

Beneden stond een auto klaar om het lijk naar de andere kant van de stad te vervoeren, waar de doodkist van de vorige avond nog stond. Daarin was genoeg ruimte voor nog een lijk.

17

Denemarken

MALONE KEEK NAAR de man die zojuist in zijn eentje in een Audi met een felgekleurde sticker van een verhuurbedrijf op de voorruit was aangekomen. Het was een kleine, stevig gebouwde man met een bos onverzorgd haar, flodderige kleren, en schouders en armen die eruitzagen alsof hij zwaar werk gewend was. Waarschijnlijk begin veertig, met trekken die op Slavische indrukken wezen: brede neus, ogen diep in hun kassen.

De man kwam naar de voordeur en zei: 'Ik ben niet gewapend, maar je mag het controleren.'

Malone hield zijn pistool op hem gericht. 'Prettig om met professionals te maken te hebben.'

'Jij bent de man uit het museum.'

'En jij bent degene die me binnen achterliet.'

'Dat was ik niet. Maar ik vond het wel goed.'

'Dat is veel eerlijkheid van iemand op wie een pistool is gericht.'

'Pistolen maken me niet bang.'

En hij geloofde dat. 'Ik zie geen geld.'

'Ik heb de penning niet gezien.'

Hij ging opzij om de man binnen te laten. 'Hoe heet je?'

Zijn gast bleef in de deuropening staan en keek hem strak aan. 'Viktor.'

Toen de man uit de auto en Malone het huis binnengingen, keek Cassiopeia vanuit de bomen toe. Het maakte niet uit of de man in zijn eentje was gekomen of niet.

Dit drama zou vanzelf zijn beloop krijgen.

En voor Malone hoopte ze dat Thorvaldsen en zij de situatie goed hadden ingeschat.

Terwijl Thorvaldsen en de man die zich Viktor noemde met elkaar praatten, hield Malone zich afzijdig. Hij bleef waakzaam en keek toe met de intensiteit van iemand die meer dan tien jaar als agent voor een geheime overheidsdienst had gewerkt. Bovendien was hij een onbekende tegenstander vaak met alleen verstand en wijsheid tegemoet getreden, in de vurige hoop dat er niets misging en hij heelhuids zou terugkeren.

'Jullie hebben die penningen in heel Europa gestolen,' zei Thorvaldsen. 'Waarom? Zoveel zijn ze niet waard.'

'Daar weet ik niets van. Je wilt vijftigduizend euro voor die van jou. Dat is vijf keer de waarde.'

'En vreemd genoeg ben je bereid dat te betalen. Dat betekent dat je geen verzamelaar bent. Voor wie werk je?'

'Voor mezelf.'

Thorvaldsen liet een verfijnd grinniklachje horen. 'Gevoel voor humor. Dat mag ik wel. Ik bespeur een Oost-Europees accent in je Engels. Het vroegere Joegoslavië? Ben je een Kroaat?'

Viktor bleef zwijgen. Het was Malone opgevallen dat hun bezoeker nog niet één ding in het huis had aangeraakt.

'Ik verwachtte ook geen antwoord op die vraag,' zei Thorvaldsen. 'Hoe wil je onze zaken afhandelen?'

'Ik wil graag de penning onderzoeken. Als ik tevreden ben heb ik het geld morgen beschikbaar. Vandaag lukt het niet meer. Het is zondag.'

'Dat hangt ervan af waar je bank is,' zei Malone.

'Die van mij is gesloten.' En Viktors strakke blik gaf te kennen dat hij verder niets zou zeggen.

'Hoe kom je aan je kennis over Grieks vuur?' vroeg Thorvaldsen.

'Je weet er veel van.'

'Ik bezit een Grieks-Romeins museum.'

Malones nekharen gingen recht overeind staan. Mensen als Viktor, die geen loslippige indruk maakten, vertelden alleen iets wanneer ze wisten dat hun toehoorders niet lang genoeg zouden leven om het te kunnen doorvertellen.

'Ik weet dat je het op olifantpenningen hebt voorzien,' zei Thorvald-sen, 'en je hebt nu bijna alle penningen, behalve die van mij en de drie an-dere. Ik denk dat je bent ingehuurd en niet weet waarom ze zo belang-rijk zijn, en dat het je ook niet kan schelen. Een trouwe dienaar.'

'En wie ben jij? Echt niet de eigenaar van een Grieks-Romeins museum.'

'Integendeel. Ik ben wel degelijk de eigenaar, en ik wil voor mijn ver-woeste bezittingen worden betaald. Vandaar die hoge prijs.'

Thorvaldsen greep in zijn zak en haalde er een doorzichtig plastic doos-je uit, dat hij naar Viktor wierp. Die ving het met beide handen op. Malone zag dat hun gast de penning in zijn open handpalm liet vallen. Hij was on-geveer zo groot als een munt van vijftig cent en was tinkleurig en had sym-bolen op beide kanten. Viktor haalde een juweliersloep uit zijn zak.

'Ben je een expert?' vroeg Malone.

'Ik weet genoeg.'

'Die kleine tekentjes zijn aanwezig,' zei Thorvaldsen. 'Griekse letters. ZH. Zèta. Eta. Het is verbazingwekkend dat de antieken zoiets kleins konden graveren.'

Viktor ging verder met zijn onderzoek.

'Tevreden?' vroeg Malone.

Viktor bestudeerde de penning, en hoewel hij geen microscoop of weeg-schaal had, leek deze hem echt.

Het was zelfs het beste exemplaar tot nu toe.

Hij was ongewapend gekomen omdat hij deze mannen wilde laten denken dat ze de leiding hadden. Dit was een situatie die finesse vereiste, geen bruut geweld. Toch zat één ding hem dwars. Waar was de vrouw?

Hij keek op en liet de loep in zijn rechterhand vallen. 'Mag ik hem van dichterbij bekijken, bij het raam? Ik heb meer licht nodig.'

'Ga je gang,' zei de oudere man.

'Hoe heet je?' vroeg Viktor.

'Wat zou je zeggen van Ptolemaeus?'

Viktor grijnsde. 'Dat waren er veel. Welke ben jij?'

'De eerste. Alexanders meest opportunistische generaal. Na Alexan-ders dood eiste hij Egypte op. Zijn erfgenamen hebben eeuwenlang over dat land geheerst.'

Hij schudde zijn hoofd. 'Uiteindelijk zijn ze door de Romeinen ver-slagen.'

'Net als mijn museum. Niets blijft eeuwig.'

Viktor ging dichter naar de stoffige ruit toe. De man met het pistool stond in de deuropening op wacht. Hij had maar een ogenblik nodig. Toen hij in de zon ging staan, met zijn rug even naar hen toe, sloeg hij zijn slag.

Cassiopeia zag een man aan de andere kant van het huis tussen de bomen vandaan komen. Hoewel ze de vorige avond niet de gezichten van de twee mannen die het museum in brand hadden gestoken had gezien, herkende ze de soepele, behoedzame bewegingen.

Een van de dieven.

Hij ging recht op Thorvaldsens auto af.

Ze gingen grondig te werk, dat moest ze hen nageven, maar ze waren niet erg zorgvuldig, vooral niet omdat ze konden weten dat iemand hen minstens een paar stappen voor was.

Ze zag de man een mes in beide achterbanden steken en zich daarna terugtrekken.

Malone zag de verwisseling. Viktor had de loep in zijn rechterhand laten vallen terwijl hij met zijn linkerhand de penning vasthield. Maar toen de loep weer voor Viktors oog werd gezet en het onderzoek opnieuw begon, zag Malone dat de penning nu in de rechterhand zat en dat de wijsvinger en duim van de linkerhand naar binnen gebogen waren en de munt aan het oog onttrokken.

Niet slecht. Handig gecombineerd met zijn verzoek of hij met de penning naar het raam mocht gaan omdat daar meer licht was. De volmaakte misleiding.

Hij keek Thorvaldsen aan, en de Deen knikte vlug. Hij had het ook gezien. Viktor hield de munt in het licht en bestudeerde hem door de loep. Thorvaldsen schudde zijn hoofd om te kennen te geven dat ze niet moesten reageren.

'Tevreden?' vroeg Malone opnieuw.

Viktor liet de juweliersloep in zijn linkerhand vallen en stopte hem samen met de echte penning in zijn zak. Vervolgens hield hij de munt waarmee hij hem had verwisseld omhoog, ongetwijfeld het valse exemplaar uit het museum, dat nu dus werd teruggegeven. 'Hij is echt.'

'Vijftigduizend euro waard?' vroeg Thorvaldsen.

Viktor knikte. 'Ik laat het geld overmaken. Zeg maar waarheen.'

'Bel morgen naar het nummer op de penning, zoals je eerder hebt gedaan. Dan regelen we een uitwisseling.'

'Laat hem maar gewoon in het doosje vallen,' zei Malone.

Viktor liep naar de tafel. 'Jullie spelen nogal een spel.'

'Het is geen spel,' zei Thorvaldsen.

'Vijftigduizend euro?'

'Zoals ik al zei: je hebt mijn museum verwoest.'

Malone zag zelfvertrouwen in Viktors behoedzame ogen. De man was hier zonder dat hij zijn vijand kende binnengekomen, maar met de gedachte dat hij slimmer was, en dat was altijd onverstandig.

Toch had Malone een nog grotere vergissing begaan.

Hij had vrijwillig zijn medewerking aangeboden, in de veronderstelling dat zijn twee vrienden wisten wat ze deden.

18

Provincie Xinyang, China
15.00 uur

ZOVASTINA KEEK UIT het raam van de helikopter toen ze het luchtruim van de Federatie verlieten en over het uiterste westen van China vlogen. Ooit was deze omgeving een stevig afgesloten achterdeur van de Sovjet-Unie geweest, bewaakt door massa's troepen. Nu waren de grenzen open. Aan transport en handel werden geen beperkingen meer opgelegd. China was een van de eerste landen geweest die de Federatie formeel erkenden. Verdragen tussen de twee naties waarborgden een vrij verkeer van personen en goederen.

De provincie Xinyang vormde zestien procent van China en bestond grotendeels uit bergen en woestijn, met veel natuurlijke hulpbronnen. De provincie was heel anders dan de rest van het land. Minder communisme. Veel islam. Ooit werd dit gebied Oost-Turkestan genoemd. De identiteit had veel meer van Centraal-Azië dan van China.

De Venetiaanse Liga had ervoor gezorgd dat de vriendschappelijke betrekkingen met de Chinezen werden geformaliseerd. Dat was ook een reden geweest waarom ze zich bij die groep had aangesloten. De Grote Westerse Economische Expansie was vijf jaar geleden begonnen, toen Beijing miljarden in de infrastructuur en herontwikkeling van heel Xinyang begon te steken. Leden van de Liga hadden veel van de contracten voor petrochemie, mijnbouw, machinefabrieken, wegenverbeteringen en huizenbouw gekregen. De Liga had veel vrienden in de Chinese hoofdstad, want geld sprak in de communistische wereld een even duidelijke taal als overal elders, en Zovastina had die connecties gebruikt om maximale politieke voordelen te behalen.

Met de snelle helikopter nam de vlucht vanuit Samarkand iets meer dan een uur in beslag. Ze had deze reis al vaak gemaakt en keek zoals altijd naar het ruige terrein onder haar, waarbij ze zich de oude karavanen voorstelde die ooit over de befaamde zijderoute naar west en oost trokken. Alles werd daar verhandeld: jade, koraal, linnen, glas, goud, ijzer, knoflook, thee, zelfs dwergen, huwbare vrouwen en paarden zo vurig dat gezegd werd dat ze bloed zweetten. Alexander de Grote was nooit zo ver in het Oosten gekomen, maar Marco Polo had daar beslist voetstappen liggen.

Voor haar uit zag ze Kashi.

De stad lag aan de rand van de Taklimakanwoestijn, honderdtwintig kilometer ten oosten van de grens met de Federatie en in de schaduw van de besneeuwde Pamirs, enkele van de hoogste en kaalste bergen ter wereld. Kashi, een juweel van een oase en de westelijkste metropool van China, bestond net als Samarkand al meer dan tweeduizend jaar. Ooit was het een stad met bedrijvige open markten en drukke bazaars geweest, maar nu werden de straten beheerst door stof, geschreeuw en de falsetstemmen van muezzins die mannen in de vierduizend moskeeen tot het gebed opriepen. In deze stad met zijn vele hotels, pakhuizen, bedrijven en schrijnen woonden driehonderdvijftigduizend mensen. De stadsmuren waren allang verdwenen en een snelweg, die ook deel uitmaakte van de grote economische expansie, liep nu om de stad heen. Groene taxi's reden in alle richtingen.

De helikopter zwenkte naar het noorden, waar het landschap veranderde. De woestijn lag niet ver in het oosten. Taklimakan betekende letterlijk 'ga erin en je komt er niet uit'. Een goede beschrijving van een gebied waar de wind soms zo heet was dat hij hele karavanen binnen enkele minuten kon doden.

Ze zag hun bestemming.

Een gebouw van zwart glas in het midden van een met rotsen bezaaid veld, met een halve kilometer daarachter de rand van een bos. Er stond geen enkele aanduiding op het gebouw van twee verdiepingen, maar het was eigendom van Philogen Pharmaceutique, een Luxemburgs bedrijf met het hoofdkantoor in Italië. De grootste aandeelhouder van dat bedrijf was een uitgeweken Amerikaan met de Italiaanse naam Enrico Vincenti.

Al in een vroeg stadium had ze zich in Vincenti's persoonlijke voorgeschiedenis verdiept.

Hij was viroloog. In de jaren zeventig was hij voor de Irakezen aan een programma voor biologische wapens gaan werken dat hun toenmalige nieuwe leider, Saddam Hoessein, wilde opbouwen. Saddam had de Conventie tegen Biologische Wapens, dat biologische oorlogvoering over de hele wereld verbood, als een buitenkans gezien. Vincenti had tot kort voor de eerste Golfoorlog voor de Irakezen gewerkt, toen Saddam het onderzoek snel stopzette. De vrede bracht vn-inspecteurs in het land, die Saddam dwongen het project bijna voorgoed op te geven. En dus ging Vincenti verder. Hij zette een farmaceutisch bedrijf op dat zich in de jaren negentig in een recordtempo uitbreidde. Het was nu zelfs het grootste van Europa, met een indrukwekkende verzameling patenten. Een grote multinational. Een hele prestatie voor een onbekende wetenschappelijke huurling. Ze had zich daar jarenlang over verbaasd.

De helikopter landde en ze ging vlug het gebouw in.

De glazen wanden waren alleen maar een façade. Als een tafel onder een andere tafel verhief zich binnenin een heel ander gebouw. Om het binnengebouw liep een pad van glanzende leiplaten, met aan weerskanten grote kamerplanten. De stenen muren van het binnengebouw werden door drie stel deuren onderbroken. Buiten geen heggen met prikkeldraad. Geen bewakers. Geen camera's. Niets wat iemand erop attent kon maken dat het gebouw iets bijzonders was.

Ze liep door de binnenruimte naar een van de ingangen toe, waar haar de weg werd versperd door een metalen hek. Achter een marmeren tafel stond een bewaker. Het hek werd door een handscanner bestuurd, maar ze hoefde niet te blijven staan.

Aan de andere kant stond een kwajongensachtige man van achter in de vijftig met uitgedund haar en een spits gezicht. Een bril met metalen montuur schermde uitdrukkingsloze ogen af. Hij droeg een openhangende zwart met goudkleurige laboratoriumjas. Aan zijn lapel zat een badge met 'Grant Lyndsey'.

'Welkom, minister,' zei hij in het Engels.

Ze beantwoordde zijn groet met een blik die ergernis moest uitdrukken. Zijn e-mail had de indruk gewekt dat het dringend was, en hoewel ze het helemaal niet prettig vond ontboden te worden, had ze de activiteiten die voor die middag op het programma stonden afgezegd en was ze gekomen.

Ze gingen het binnengebouw in.

Voorbij de hoofdingang splitste het pad zich in tweeën. Lyndsey sloeg links af en leidde haar door een labyrint van raamloze gangen. Alles was zo schoon als in een ziekenhuis en het rook naar chloor. De deuren waren voorzien van elektronische sloten. Bij die met het opschrift HOOFD-ONDERZOEKER haalde Lyndsey de badge van zijn lapel en trok de kaart door een gleuf.

Het raamloze kantoor was modern ingericht. Telkens als ze hier kwam viel haar hetzelfde op. Geen familiefoto's. Geen diploma's aan de muur. Geen souvenirs. Alsof deze man geen eigen leven leidde. Waarschijnlijk was dat ook niet ver bezijden de waarheid.

'Ik moet je iets laten zien,' zei Lyndsey.

Hij sprak tegen haar alsof hij een gelijke was, en daar stoorde ze zich aan. Met zijn toon maakte hij steeds weer duidelijk dat hij in China woonde en geen onderdaan van haar was.

Hij zette een monitor aan waarop beelden te zien waren die met een camera aan het plafond waren gemaakt: een vrouw van middelbare leeftijd die in een stoel naar de tv zat te kijken.

Zovastina wist dat het een kamer op de eerste verdieping was, op de patiëntenafdeling, want ze had al eerder beelden uit die kamer gezien.

'Vorige week,' zei Lyndsey, 'heb ik er twaalf uit de gevangenis laten komen. Zoals we al eerder hebben gedaan.'

Ze had niet geweten dat er opnieuw een klinische proef was gedaan. 'Waarom is mij daar niets over verteld?'

'Ik wist niet dat ik het je moest vertellen.'

Ze hoorde wat hij niet had gezegd. *Vincenti heeft de leiding. Zijn lab, zijn mensen, zijn brouwsels.* Ze had tegen Enver gelogen. Zíj had hem niet genezen. Dat had Vincenti gedaan. Een laborant uit dit gebouw had de antistof toegediend. Hoewel zij de biologische ziekteverwekkers bezat, had Vincenti de remedie. Een machtsevenwicht dat was voortgekomen uit wantrouwen. Die regeling had van het begin af bestaan om ervoor te zorgen dat hun onderhandelingsposities gelijk bleven.

Lyndsey drukte een knop in op een afstandsbediening en op het scherm verschenen andere patiëntenkamers, acht in totaal, elk met een man of vrouw erin. In tegenstelling tot de vrouw in het begin lagen deze patiënten languit aan een infuus.

Ze bewogen niet.

Hij zette zijn bril af. 'Ik heb er maar twaalf gebruikt, omdat ik ze op korte termijn kon krijgen. Ik wilde snel onderzoek doen naar de antistof voor het nieuwe virus. Ik heb je daar een maand geleden over verteld. Een gemeen klein ding.'

'En waar heb je het gevonden?'

'Bij een knaagdiersoort in de provincie Heilongjiang ten oosten van hier. We hadden verhalen over mensen gehoord die ziek werden nadat ze die dingen hadden gegeten. En inderdaad zit er een complex virus in de bloedsomloop van die ratten. Als je er een beetje aan sleutelt krijgt het meer kracht. Dood binnen een dag.' Hij wees naar het scherm. 'Dit is het bewijs.'

Ze had zelf om een krachtiger middel verzocht. Iets wat nog sneller werkte dan de achtentwintig middelen die ze al bezat.

'Ze worden allemaal kunstmatig in leven gehouden. Ze zijn al dagen klinisch dood. Ik moet secties verrichten om de infectueuze parameters te verifiëren, maar ik wilde je dit laten zien voordat we ze in stukken snijden.'

'En het antimiddel?'

'Eén dosis en ze waren alle twaalf op weg naar een goede gezondheid. Totale genezing binnen enkele uren. Toen gaf ik ze allemaal een placebo, behalve die eerste vrouw. Zij is de controlepersoon. Zoals verwacht vielen de anderen snel terug en gingen ze dood.' Hij liet de eerste vrouw weer op het scherm verschijnen. 'Maar zij is virusvrij. Volkomen normaal.'

'Waarom was die proef nodig?'

'Je wilde een nieuw virus. Ik moest kijken of de aanpassingen werkten.' Lyndsey glimlachte. 'En zoals ik al zei moest ik ook het antimiddel uittesten.'

'Wanneer krijg ik het nieuwe virus?'

'Je kunt het vandaag al meenemen. Daarom belde ik.'

Ze hield er niet van de virussen te vervoeren, maar alleen zij wist waar het lab was. Ze had die afspraak met Vincenti zelf gemaakt. Het was een persoonlijke regeling tussen hen tweeën. Ze kon de vruchten van die ruil beslist niet aan iemand anders toevertrouwen. Bovendien zou haar helikopter nooit door de Chinezen worden aangehouden.

'Breng het virus in gereedheid,' zei ze.

'Het is al ingevroren en verpakt.'

Ze wees naar het scherm. 'En zij?'

Hij haalde zijn schouders op. 'Ze wordt opnieuw besmet. Morgen is ze dood.'

Haar zenuwen waren nog gespannen. Ze had enigszins lucht aan haar frustraties kunnen geven door de moordenaar in spe te vertrappen, maar er bleven nog veel vragen over de moordaanslag onbeantwoord. Hoe had Vincenti het geweten? Had hij soms zelf opdracht tot de moord gegeven? Moeilijk te zeggen. Maar ze was erdoor verrast. Vincenti was haar een stap voor geweest. En dat stond haar helemaal niet aan.

En Lindsey stond haar ook niet aan.

Ze wees naar het scherm. 'Laat haar ook vertrekken. Nu meteen.'

'Is dat verstandig?'

'Dat is míjn zaak.'

Hij grijnsde. 'Een beetje amusement?'

'Wil je meekomen om het te zien?'

'Nee, dank je. Het bevalt me hier aan de Chinese kant van de grens wel.'

Ze stond op. 'En als ik jou was, zou ik hier blijven.'

19

Denemarken

MALONE HIELD ZIJN pistool in de aanslag toen Thorvaldsen zijn regelingen met Viktor trof.

'We kunnen de uitwisseling hier doen,' zei Thorvaldsen. 'Morgen.'

'Jij komt niet op me over als iemand die geld nodig heeft,' zei Viktor.

'Nou, ik wil graag zoveel hebben als ik kan krijgen.'

Malone bedwong een glimlach. In werkelijkheid gaf zijn Deense vriend miljoenen euro's aan goede doelen over de hele wereld. Malone had zich vaak afgevraagd of hij een van die goede doelen was, want Thorvaldsen was twee jaar geleden speciaal naar Atlanta gekomen om hem de kans te geven een nieuw leven in Kopenhagen op te bouwen. Die kans had hij aangegrepen en daar had hij nooit spijt van gehad.

'Ik wil graag iets weten,' zei Viktor. 'Die vervalsing was opmerkelijk goed. Wie is de vakman?'

'Iemand met veel talent die trots is op zijn werk.'

'Geef mijn complimenten aan hem door.'

'Sommige van je euro's gaan die kant op.' Thorvaldsen zweeg even. 'Nu heb ik een vraag. Ga je ook achter de laatste twee penningen hier in Europa aan?'

'Wat denk je?'

'En de derde, in Samarkand?'

Viktor gaf geen antwoord, maar Thorvaldsens boodschap was duidelijk overgekomen: ik weet precies waar je mee bezig bent.

Viktor maakte aanstalten om weg te gaan. 'Ik bel morgen.'

Thorvaldsen bleef zitten toen de man de kamer verliet. 'Ik verheug me erop iets van je te horen.'

De voordeur ging open en dicht.

'Cotton,' zei Thorvaldsen, en hij haalde een papieren zak tevoorschijn. 'We hebben niet veel tijd. Voorzichtig. Laat het doosje met de penning hierin glijden.'

Hij begreep het. 'Vingerafdrukken? Dus daarom gaf je hem de munt.'

'Je hebt gezien dat hij niets aanraakte. Maar hij moest de penning vasthouden om ze te kunnen verwisselen.'

Malone gebruikte de loop van het pistool om het plastic doosje in de zak te schuiven en lette erop dat het plat neerkwam. Hij rolde de bovenkant dicht, al liet hij er een beetje lucht in zitten. Hij wist hoe het zat. In tegenstelling tot wat je op tv zag was papier, niet plastic, het beste bewaarmiddel voor materiaal met vingerafdrukken. Veel minder kans dat ze werden versmeerd.

Thorvaldsen stond op. 'Kom.' Hij zag zijn vriend met gebogen hoofd door de kamer schuifelen. 'We moeten opschieten.'

Hij zag dat Thorvaldsen naar de achterkant van het huis liep. 'Waar ga je heen?'

'Hier weg.' Hij liep achter zijn vriend aan. Een keukendeur leidde naar een veranda met uitzicht op zee. Op vijftig meter afstand stak een steiger vanaf de rotsige kust het water in. Daar lag een motorboot. De ochtendlucht was betrokken geraakt, met laaghangende slagschipgrijze wolken. Een straffe noordenwind joeg over de zeestraat en liet het schuimende bruine water kolken.

'Gaan we weg?' vroeg hij toen Thorvaldsen de veranda af stapte.

De Deen liep verrassend snel voor iemand met een kromme rug.

'Waar is Cassiopeia?' vroeg Malone.

'In moeilijkheden,' zei Thorvaldsen. 'Maar dat is onze enige uitweg.'

Cassiopeia zag de man uit het huis komen, in zijn huurauto stappen en snel over de oprijlaan die op de grote weg uitkwam wegrijden. Ze zette een lcd-monitor aan, die via de radio in verbinding stond met twee videocamera's die ze de week daarvoor had geïnstalleerd: de ene op de hoek van de snelweg, de andere vijftig meter bij het huis vandaan hoog in een boom.

Op het kleine schermpje stopte de auto.

Bandenprikker kwam tussen de bomen vandaan gedraafd. De bestuurder maakte zijn portier open en stapte uit. Beide mannen liepen een paar meter over de oprijlaan in de richting van het huis terug. Ze wist precies waar ze op wachtten. En dus zette ze het schermpje uit en kwam ze vlug uit haar schuilplaats.

Viktor wachtte af of hij gelijk had. Hij had de auto net voorbij een bocht op de oprijlaan gezet en keek vanachter een boomstam naar het huis.

'Ze kunnen nergens heen,' zei Rafael. 'Twee lekke banden.'

Viktor wist dat de vrouw moest hebben gekeken.

'Ik heb niets laten blijken,' zei Rafael. 'Ik deed alsof ik op wacht stond en niets merkte.'

Dat had Viktor zijn collega opgedragen.

Hij haalde de penning die hij had kunnen stelen uit zijn zak. De orders van minister Zovastina waren duidelijk. Hij moest alle penningen stelen en intact bij haar inleveren. Hij had er nu vijf bemachtigd. Er bleven nog drie over.

'Hoe gedroegen ze zich?' vroeg Rafael.

'Merkwaardig.'

En dat meende hij. Hij had bijna te goed kunnen voorspellen wat ze zouden doen. Dat zat hem dwars.

Dezelfde slanke vrouw met de bewegingen van een leeuwin kwam uit het bos. Natuurlijk had ze gezien dat de banden werden kapotgesneden en ze ging dat nu vlug aan haar landgenoten vertellen. Het deed hem goed dat hij gelijk had gehad. Maar waarom had ze niets ondernomen? Was het misschien alleen haar taak om toe te kijken?

Hij zag dat ze iets droeg. Het was klein en rechthoekig. Hij wou dat hij een kijker bij zich had.

Rafael greep in de zak van zijn jasje en haalde de radiobesturing eruit.

Hij legde zijn hand zacht op de arm van zijn collega. 'Nog niet.'

De vrouw bleef staan, keek naar de banden en liep toen op een drafje naar de voordeur.

'Geef haar wat tijd.'

Drie uur eerder, toen de afspraak voor de ontmoeting was gemaakt, waren ze meteen hierheen gereden. Na een grondige verkenning hadden ze geweten dat het huis leeg stond, en dus hadden ze pakken Grieks vuur onder de verhoogde fundering en op de zolder gelegd. Voor de ontsteking gebruikten ze nu geen schildpad maar radiobesturing.

De vrouw ging het huis in.

Viktor telde geluidloos tot tien en haalde toen zijn hand van Rafaels arm.

Malone stond in de boot. Thorvaldsen stond naast hem.

'Wat bedoelde je toen je zei dat Cassiopeia in moeilijkheden verkeert?'

'Het huis zit vol Grieks vuur. Ze waren hier eerder dan wij en hebben alles voorbereid. Nu hij de penning heeft, wil Viktor niet dat we de ontmoeting overleven.'

'En ze wachten tot ze er zeker van zijn dat Cassiopeia daar binnen is.'

'Dat denk ik wel. Maar we zullen nu zien of ze daar echt op wachten.'

Cassiopeia liet de voordeur dichtvallen en rende toen door het huis. Dit was riskant. Ze kon alleen maar hopen dat de dieven haar enkele seconden de tijd gaven voordat ze het mengsel tot ontploffing brachten. Haar zenuwen tintelden, haar hersens draaiden op volle toeren, en haar melancholie had plaatsgemaakt voor een door adrenaline aangejaagde opwinding.

Bij het museum had Malone haar spanning gevoeld. Blijkbaar had ze geweten dat er iets mis was.

En er was iets mis.

Maar op dit moment kon ze zich daar niet druk om maken. Ze had al genoeg emotie verspild aan dingen die ze niet kon veranderen. Op dit moment was er maar één ding dat telde: bij de achterdeur zien te komen.

Ze rende het volle daglicht in.

Malone en Thorvaldsen wachtten in de boot.

Het huis maakte hen onzichtbaar voor iemand die op de oprijlaan of aan de voorkant was. Ze had de compacte lcd-monitor nog in haar hand.

Zestig meter naar het water.

Ze sprong van de houten veranda af.

Malone zag Cassiopeia toen ze het huis ontvluchtte en recht op hen af rende.

Vijftien meter.

Tien.

Een gigantisch *swoesjjj*, en het huis stond opeens in brand. Het ene moment was er nog niets aan de hand, het volgende moment schoten de vlammen uit de ramen, onder het huis vandaan en dwars door het dak hoog de lucht in. Als flashpapier van een goochelaar, dacht hij. Geen explosie. Ogenblikkelijke ontbranding. Totaal. Volledig. En bij afwezigheid van zout water niet te bestrijden.

Cassiopeia kwam bij de steiger en sprong in de boot.

'Dat scheelde niet veel,' zei hij.

'Omlaag,' zei ze.

Ze hurkten in de boot neer en hij zag haar een video-ontvanger instellen. Er verscheen een auto in beeld.

Er stapten twee mannen in. Hij herkende Viktor. De auto reed weg, verdween van het scherm. Ze drukte op een knop en op het scherm was nu te zien dat de auto de weg op reed.

Thorvaldsen keek tevreden. 'Blijkbaar is onze list gelukt.'

'Had je me niet kunnen vertellen hoe het zat?' vroeg Malone.

Cassiopeia keek hem met een ondeugende grijns aan. 'Dat zou toch helemaal niet leuk zijn geweest?'

'Hij heeft de penning.'

'En dat was precies onze bedoeling,' zei Thorvaldsen.

Het huis bleef zichzelf verteren. Rook kolkte de lucht in. Cassiopeia startte de buitenboordmotor en stuurde de boot het open water op. Thorvaldsens landgoed aan zee lag enkele kilometers naar het noorden.

'Ik heb de boot kort na onze aankomst hierheen laten brengen,' zei Thorvaldsen. Hij pakte Malones arm vast en leidde hem naar de achtersteven. Een nevel van koud zeewater sloeg over de boeg. 'Ik stel het op prijs dat je hier bent. We wilden je vandaag om hulp vragen, nadat het museum was verwoest. Daarom wilde ze je ontmoeten. Ze heeft je hulp nodig, maar ik denk niet dat ze daar nu om gaat vragen.'

Malone wilde aandringen, maar wist dat dit niet het juiste moment was. Maar in zijn antwoord zat geen enkele twijfel. 'Die krijgt ze.' Hij zweeg even. 'Die krijgen jullie allebei.'

Thorvaldsen gaf een waarderend kneepje in zijn arm. Cassiopeia keek naar voren en navigeerde de boot door de golven.

'Hoe erg is het?' vroeg hij.

Zijn vraag ging in de wind en het bulderen van de motor verloren, zodat alleen Thorvaldsen hem hoorde.

'Erg genoeg. Maar nu hebben we hoop.'

20

Provincie Xinyang, China
15.30 uur

ZOVASTINA ZAT IN de gordel op haar stoel achter in de helikopter. Meestal gebruikte ze luxueuzer vervoer, maar dit keer reisde ze met de snellere militaire helikopter. Een lid van haar Heilige Schare zat aan de stuurknuppel. De helft van haar persoonlijke garde, ook Viktor, had een vliegbrevet. Ze zat tegenover de vrouwelijke gevangene uit het laboratorium, en naast de vrouw zat ook een gardist. De vrouw was met handboeien om aan boord gebracht, maar Zovastina had de boeien laten verwijderen.

'Hoe heet je?' vroeg ze aan de vrouw.

'Doet dat er iets toe?'

Ze spraken via hun koptelefoons in het Khask, waarvan ze wist dat geen van de buitenlanders aan boord het verstonden.

'Hoe voel je je?'

De vrouw aarzelde voordat ze antwoord gaf, alsof ze zich afvroeg of ze zou liegen. 'Beter dan in jaren.'

'Daar ben ik blij om. Het is ons doel het leven van al onze burgers te verbeteren. Als je uit de gevangenis bent vrijgelaten, heb je misschien meer waardering voor onze nieuwe samenleving.'

Het pokdalige gezicht van de vrouw nam een minachtende uitdrukking aan. Niets aan haar was aantrekkelijk, en Zovastina vroeg zich af hoeveel nederlagen eraan te pas hadden moeten komen om haar van haar zelfrespect te beroven.

'Ik denk niet dat ik deel zal uitmaken van uw nieuwe samenleving, minister. Ik heb een lange straf.'

'Ik heb gehoord dat je bij cocaïnehandel betrokken was. Als de Sovjets hier nog waren, zou je geëxecuteerd zijn.'

'De Russen?' Ze lachte. 'Die kochten de drugs juist.'

Dat verbaasde haar niet. 'Zo gaat dat in onze nieuwe wereld.'

'Wat is er met de anderen die met me mee kwamen gebeurd?'

Ze gaf eerlijk antwoord. 'Dood.'

Hoewel deze vrouw ongetwijfeld aan moeilijkheden gewend was, zag Zovastina haar toch onbehaaglijk kijken. Dat was ook wel begrijpelijk. Ze zat in een helikopter met de minister-president van de Centraal-Aziatische Federatie, nadat ze eerst uit de gevangenis was gehaald en aan een onbekende medische proef was blootgesteld, waarvan ze de enige overlevende was. 'Ik zal ervoor zorgen dat je straf wordt verkort. Misschien moet je niets van ons hebben, maar de Federatie stelt je medewerking op prijs.'

'Moet ik nu dankbaar zijn?'

'Je deed vrijwillig mee.'

'Ik kan me niet herinneren dat iemand zei dat ik een keuze had.'

Ze keek uit het raam naar de toppen van de Pamirs, die het begin van haar eigen territorium vormden.

Ze zag de vrouw ook kijken. 'Wil je niet deel uitmaken van wat er gaat gebeuren?'

'Ik wil vrij zijn.'

Iets uit haar studententijd, iets wat Sergej langgeleden had gezegd, ging door haar hoofd. *Woede is altijd gericht op individuen – haat richt zich meer tegen groepen. De tijd geneest woede, maar nooit haat.* En dus vroeg ze: 'Waar komt je haat vandaan?'

De vrouw keek haar met een onbewogen gezicht aan. 'Ik had ook dood moeten gaan.'

'Waarom?'

'Uw gevangenissen zijn verschrikkelijke oorden, waar maar weinigen uit komen.'

'Dat is ook de bedoeling. Ze moeten mensen afschrikken.'

'Velen hebben geen keus.' De vrouw zweeg even. 'In tegenstelling tot u, minister-president.'

Het bastion van bergen werd in het raam groter. 'Eeuwen geleden kwamen de Grieken naar het Oosten en veranderden ze de wereld. Wist je dat? Ze hebben Azië veroverd en onze cultuur veranderd. Nu staan

Aziaten op het punt naar het Westen te gaan en hetzelfde te doen. Jij helpt dat mogelijk te maken.'

'Ik geef niets om uw plannen.'

'Mijn naam, Irina – Eirene in het Grieks – betekent vrede. Daar streven we naar.'

'En die vrede komt tot stand door het doden van gevangenen?'

De vrouw gaf niet om het lot. Zovastina's hele leven was blijkbaar door het lot bepaald. Tot nu toe had ze een nieuwe politieke orde gecreeerd, zoals Alexander de Grote ook had gedaan. Er kwam nog een les van Sergej bij haar op. *Vergeet niet, Irina, wat Arrianus over Alexander zei. Hij was altijd de rivaal van zichzelf.* Pas in de afgelopen jaren had ze dat begrepen. Ze keek naar de vrouw die haar leven voor een paar duizend roebel had verwoest.

'Ooit van Menander gehoord?'

'Vertelt u het maar.'

'Dat was een Griekse toneelschrijver uit de vierde eeuw voor Christus. Hij schreef komedies.'

'Ik hou meer van tragedies.'

Ze had genoeg van dat defaitisme. Niet iedereen kon worden veranderd. In tegenstelling tot kolonel Enver, die had ingezien welke mogelijkheden ze hem bood en zich dan ook had laten bekeren. Mannen als hij konden in de komende jaren van nut zijn, maar deze erbarmelijke ziel was een en al mislukking.

'Menander schreef iets waarvan ik altijd heb gevonden dat het waar was. *Als je je hele leven vrij van pijn wilt blijven, moet je een god of een lijk zijn.*'

Ze stak haar hand uit en maakte de gordel van de vrouw los. De gardist, die naast de gevangene zat, maakte de deur van de cabine open. De vrouw schrok blijkbaar van de scherpe lucht en het motorgebulder.

'Ik ben een god,' zei Zovastina. 'Jij bent een lijk.'

De gardist trok de koptelefoon van de vrouw af, die nu besefte wat er ging gebeuren en zich verzette. Maar hij duwde haar door de deuropening.

Zovastina zag de vrouw door de kristallijne lucht vallen en in de bergen beneden verdwijnen.

De gardist trok de deur dicht en de helikopter vervolgde zijn weg naar Samarkand. Voor het eerst die ochtend voelde ze zich tevreden.

Alles was nu op zijn plaats.

DEEL 2

21

STEPHANIE NELLE STAPTE uit de taxi en zette vlug de capuchon van haar jas op. De aprilregen was met bakken omlaaggekomen en het water had plassen tussen de ruwe keistenen gevormd om vervolgens verwoed naar de grachten te stromen. De bron van al die nattigheid, een hevige storm die van de Noordzee was komen aanwaaien, lag nu verscholen achter donkerblauwe wolken, maar in het zwakke licht van de straatlantaarns was nog een gestage motregen te zien.

Met haar blote handen in haar jaszakken stapte ze door de regen. Ze stak een boogbrug voor voetgangers over en kwam op het Rembrandtplein, waar ze zag dat de regenachtige avond de menigten bij de peepshows, clubs, homobars en stripteasezaken niet had uitgedund.

Ze ging de rosse buurt in en kwam langs bordelen met spiegelglazen ruiten waarachter meisjes bevrediging beloofden met leer en kant. Achter een van de ramen zat een Aziatische vrouw in strakke bondage-uitrusting op een gecapitonneerde kruk in een tijdschrift te bladeren.

Er was Stephanie verteld dat de avond niet de gevaarlijkste tijd was om een bezoek aan deze vermaarde wijk te brengen. 's Morgens had je te duchten van wanhopige junks en 's middags van nerveuze pooiers die ongeduldig naar de activiteiten van de avond uitkeken. Toch was haar verteld dat er in het noordelijke gedeelte, bij de Nieuwmarkt, waar je voorbij de ergste drukte was, voortdurend een dreigende atmosfeer heerste. En dus was ze op haar hoede toen ze over die onzichtbare streep ging. Als een jagende kat keek ze steeds heen en weer, en intussen liep ze recht op het café aan het eind van de straat af.

Café Jan Heuvel nam de begane grond van een pakhuis van drie verdiepingen in beslag. Het was een bruin café, een van de honderden in het stadsdeel rond het Rembrandtplein. Toen ze de voordeur openduwde, kwam de geur van brandende cannabis haar tegemoet. Ze zag nergens een bordje met GEEN DRUGS A.U.B.

Het café zat stampvol. De warme lucht was van een hallucinogene nevel verzadigd die naar geschroeid touw rook. De lucht van gebakken vis en gepofte kastanjes vermengde zich met de bedwelmende walm. Haar ogen prikten. Ze zette de capuchon af en schudde regendruppels op de al vochtige tegels van de hal.

Toen zag ze Klaas Diehr. Halverwege de dertig, blond haar, een bleek, verweerd gezicht; precies zoals hij haar beschreven was.

Niet voor het eerst herinnerde ze zichzelf eraan waarom ze hier was. Ze bewees een wederdienst. Cassiopeia Vitt had haar verzocht contact met de man op te nemen. En omdat ze haar vriendin minstens één wederdienst verschuldigd was, had ze moeilijk kunnen weigeren. Voordat ze het contact legde, had ze onderzoek gedaan en ontdekt dat Klaas Diehr in Nederland geboren en in Duitsland opgeleid was en als chemicus op een plasticfabriek werkte. Zijn obsessie was het verzamelen van munten, hij scheen een indrukwekkende collectie te bezitten. Met name één van zijn munten mocht zich in de belangstelling van haar islamitische vriendin verheugen.

De Nederlander stond in zijn eentje aan een hoge tafel. Hij had een glas bruin bier voor zich staan en at een gebakken visje. In de asbak lag een gerolde sigaret en de groene walm die ervan opsteeg was geen tabaksrook.

'Ik ben Stephanie Nelle,' zei ze in het Engels. 'Ik heb u gebeld.'

'U zei dat u iets wilde kopen.'

Ze hoorde zijn norse toon: zeg wat je wilt, betaal me, en ik ga weg. Ze zag ook dat zijn ogen glazig waren, iets wat hier bijna niet te vermijden was. Ze raakte zelf ook enigszins beneveld. 'Zoals ik door de telefoon zei, wil ik de olifantpenning.'

Hij nam een slok bier. 'Waarom? Die is van geen belang. Ik heb veel andere munten die veel meer waard zijn. Voor een goede prijs.'

'Ongetwijfeld. Maar ik wil de penning. U zei dat hij te koop was.'

'Ik zei dat het ervan afhing wat u wilt betalen.'

'Mag ik hem zien?'

Klaas greep in zijn zak. Ze pakte aan wat hij haar gaf en bestudeerde de penning, die in een plastic hoes zat. Een krijger aan de ene kant, een bereden krijgsolifant die een ruiter aanviel aan de andere kant. Ongeveer zo groot als een munt van vijftig cent. De afbeeldingen waren bijna weggesleten.

'U weet er helemaal niets van, hè?' vroeg Klaas.

Ze gaf eerlijk antwoord. 'Ik doe dit voor iemand anders.'

'Ik wil zesduizend euro.'

Cassiopeia had haar gezegd dat ze elke prijs moest betalen. De prijs deed er niet toe.

Maar toen ze naar dat schamele muntje keek, vroeg ze zich af waarom zo'n dingetje zo belangrijk kon zijn.

'Er zijn er maar acht van bekend,' zei hij. 'Zesduizend euro is een koopje.'

'Niet meer dan acht? Waarom verkoopt u hem dan?'

Hij pakte de brandende peuk op, nam een diepe trek, hield de rook even binnen en blies hem toen in een dikke straal uit. 'Ik heb het geld nodig.' Zijn vettige ogen gingen weer naar zijn bier.

'Is het zo erg?' vroeg ze.

'Zo te horen kan het u iets schelen.'

Er kwamen twee mannen naast Klaas staan. De een had een lichte teint, de ander was gebruind. Hun gezichten en trekken vormden een tegenstrijdige mengeling van Arabisch en Aziatisch. Buiten regende het nog hard, maar de jassen van de mannen waren droog. De man met de lichte huid pakte Klaas' arm vast en drukte het lemmet van een mes plat tegen zijn buik. De donkere man sloeg zijn arm om haar heen alsof hij haar vriendelijk omhelsde en bracht de punt van een ander mes dicht bij haar ribben, tot in haar jas.

'De penning,' zei de man met de lichte huid, en hij knikte ernaar met zijn hoofd. 'Op de tafel.'

Ze deed kalm wat hij zei.

'We gaan nu weg,' zei de donkere man, die de munt in zijn zak stopte. Zijn adem stonk naar bier. 'Blijf hier.'

Ze was niet van plan zich tegen hen te verzetten. Ze had altijd groot respect voor wapens die op haar gericht waren.

De mannen liepen door de menigte naar de voordeur en verlieten het café.

'Ze hebben mijn munt afgepakt,' zei Klaas met stemverheffing. 'Ik ga achter ze aan.'

Ze wist niet of het door de drugs kwam of dat hij gewoon zo dom was. 'Als je het nu eens aan mij overliet?'

Hij keek haar argwanend aan.

'Ik verzeker je dat ik weet wat ik doe,' zei ze.

22

Kopenhagen
19.45 uur

MALONE WAS BIJNA klaar met zijn diner. Hij zat in Café Norden, een restaurant van twee verdiepingen dat uitkeek op het hart van de Højbro Plads. Het was een verregende avond geworden, met een felle aprilbui die het bijna verlaten stadsplein blank zette. Hij zat hoog en droog op de bovenverdieping bij een open raam en genoot van de regen.

'Ik stel het op prijs dat je me vandaag hebt geholpen,' zei Thorvaldsen, die tegenover hem zat.

'Dat ik bijna de lucht in vloog? Twee keer? Waar heb je vrienden voor?'

Hij nam de laatste hap tomatenkreeftensoep. Het restaurant had zo ongeveer de beste soep die hij ooit had gegeten. Hij zat vol vragen, maar Thorvaldsen kennende wist hij dat de antwoorden hem maar mondjesmaat verstrekt zouden worden. 'In dat huis hadden Cassiopeia en jij het over het lijk van Alexander de Grote. Jullie zeiden te weten waar het is. Hoe kan dat?'

'We zijn veel te weten gekomen over dat onderwerp.'

'Van Cassiopeia's vriend in het museum in Samarkand?'

'Het was meer dan een vriend, Cotton.'

Dat had hij al vermoed. 'Wie was het?'

'Ely Lund. Hij is hier in Kopenhagen opgegroeid. Mijn zoon Cai en hij waren vrienden.'

Malone hoorde de trieste ondertoon toen Thorvaldsen zijn overleden zoon ter sprake bracht. Zijn maag keerde zich ook bijna om bij de gedachte aan die dag, twee jaar geleden in Mexico-Stad, toen de jongeman werd vermoord. Malone was daar voor een missie van Magellan Billet geweest. Hij had de schutters uitgeschakeld, maar was zelf ook door een kogel getroffen. Thorvaldsen had een zoon verloren. Malone moest er niet aan denken dat Gary, zijn eigen vijftienjarige zoon, zou sterven. 'Terwijl Cai voor de overheid wilde werken, hield Ely van geschiedenis. Hij studeerde daarin af en werd een deskundige op het gebied van de Griekse oudheid. Hij werkte in verschillende Europese musea en kwam uiteindelijk in Samarkand terecht. Het culturele museum daar heeft een voortreffelijke collectie, en de Centraal-Aziatische Federatie stimuleerde kunst en wetenschappen.'

'Hoe heeft Cassiopeia hem leren kennen?'

'Ik heb ze aan elkaar voorgesteld. Drie jaar geleden. Ik dacht dat het goed voor hen beiden zou zijn.'

Malone nam een slokje uit zijn glas. 'Wat gebeurde er toen?'

'Hij is overleden. Een kleine twee maanden geleden. Dat heeft haar diep getroffen.'

'Hield ze van hem?'

Thorvaldsen haalde zijn schouders op. 'Dat is moeilijk te zeggen bij haar. Haar emoties komen bijna nooit aan de oppervlakte.'

Maar dat was eerder wel gebeurd. Haar verdriet toen ze het museum zag branden. De starende blik waarmee ze over de gracht keek. En dat ze hem niet had willen aankijken. Er was niets uitgesproken, maar hij had het gevoeld.

Toen ze de motorboot bij Christiangade hadden aangelegd, had Malone meer willen weten, maar Thorvaldsen had hem beloofd dat onder het diner alles zou worden uitgelegd. En dus had hij zich naar Kopenhagen terug laten brengen, waar hij een beetje had geslapen en de rest van de dag in de boekwinkel had gewerkt. Een paar keer was hij naar de geschiedenisafdeling gegaan om boeken over Griekenland en Alexander de Grote op te zoeken. Maar hij had zich vooral afgevraagd wat Thorvaldsen had bedoeld met: *Cassiopeia heeft je hulp nodig.*

Nu begreep hij het.

Hij keek door het open raam naar de andere kant van het plein en zag Cassiopeia uit zijn boekwinkel komen. Ze had iets in een plastic tasje onder haar arm en liep vlug door de regen. Een halfuur eerder had hij haar de sleutel van de winkel gegeven, zodat ze zijn computer en telefoon kon gebruiken.

'Bij de zoektocht naar Alexanders lichaam,' zei Thorvaldsen, 'draait het om Ely en de manuscriptpagina's die hij heeft gevonden. Eerst vroeg Ely aan Cassiopeia of ze kon nagaan waar de olifantpenningen waren. Toen we op zoek naar die penningen gingen, merkten we dat iemand anders dat ook deed.'

'Hoe legde Ely verband tussen die penningen en het manuscript?'

'Hij bestudeerde de penning in Samarkand en ontdekte de kleine lettertjes: ZH. Die staan in verband met het manuscript. Na Ely's dood wilde Cassiopeia weten wat er aan de hand was.'

'En dus vroeg ze jou om hulp?'

Thorvaldsen knikte. 'Ik kon niet weigeren.'

Malone glimlachte. Hoeveel vrienden zouden een heel museum kopen en alles wat daarin zat namaken om het vervolgens tot de grond toe te laten afbranden?

Cassiopeia verdween onder het raamkozijn. Hij hoorde de deur van het restaurant beneden open- en dichtgaan, en toen kwam er iemand de metalen trap op.

'Je bent vandaag veel in de regen geweest,' zei Malone toen ze bij hen was aangekomen.

Ze droeg haar haar in een staart, en op haar spijkerbroek en pullover zaten vlekken van de regen. 'Het valt niet mee voor een meisje om er goed uit te zien.'

'Welnee.'

Ze keek hem aan. 'Wat ben je vanavond een charmeur.'

'Soms wel, ja.'

Ze haalde zijn laptop uit de plastic tas en zei tegen Thorvaldsen: 'Ik heb alles gedownload.'

'Als ik had geweten dat je ermee door de regen ging lopen,' zei Malone, 'had ik om een borgsom gevraagd.'

'Dit moet je zien.'

'Ik heb hem over Ely verteld,' zei Thorvaldsen.

Het was stil en schemerig in het restaurant. Malone at hier drie of vier keer per week, altijd aan dezelfde tafel, bijna op dezelfde tijd. Hij genoot van de eenzaamheid.

Cassiopeia keek hem aan.

'Ik vind het heel erg,' zei hij, en dat meende hij.

'Dat stel ik op prijs.'

'Ik stel het op prijs dat jij mijn leven hebt gered.'

'Je zou er zelf ook wel uit zijn gekomen. Ik heb alleen maar geholpen.'

Hij herinnerde zich het lastige parket waarin hij had verkeerd en was niet zo zeker van haar conclusie.

Hij wilde meer over Ely Lund vragen, want hij vroeg zich af hoe die man kans had gezien haar emotionele kluis te kraken. Net als hijzelf had ze daar veel sloten en alarmsystemen op zitten. Maar zoals altijd wanneer gevoelens niet te vermijden waren, zweeg hij.

Cassiopeia zette de laptop aan en er verschenen gescande beelden op het scherm. Woorden. Spookachtig grijs, hier en daar wazig, en alles in het Grieks.

'Ongeveer een week nadat Alexander de Grote in 323 voor Christus was gestorven,' zei Cassiopeia, 'kwamen er Egyptische balsemers in Babylon aan. Hoewel het zomer was, en smoorheet, bleek zijn lichaam nog helemaal intact te zijn en was zijn huidskleur nog die van een levende. Ze dachten dat het een teken was, dat de goden wilden laten zien hoe groot Alexander was.'

Hij had daarover gelezen. 'Hm, een teken! Waarschijnlijk leefde hij nog en lag hij in een terminaal coma.'

'Dat is de moderne opinie. Maar ze kenden toen nog geen coma. En dus gingen ze aan het werk en balsemden ze het lichaam.'

Hij schudde zijn hoofd. 'Verbijsterend. De grootste veroveraar van zijn tijd, gedood door balsemers.'

Cassiopeia glimlachte instemmend. 'De mummificatie nam meestal zeventig dagen in beslag. Het lichaam kon dan uitdrogen voordat het verder wegrotte. Maar voor Alexander gebruikten ze een andere methode. Hij werd in witte honing ondergedompeld.'

Hij wist dat honing niet kon rotten. Na verloop van tijd kristalliseerde de honing, maar die ging niet verloren en kon door verwarming gemakkelijk worden hersteld.

'De honing,' zei ze, 'zal Alexander van binnen en van buiten beter hebben geconserveerd dan mummificatie. Het lichaam werd uiteindelijk met verguld karton omwikkeld en in een gouden sarcofaag gelegd, gekleed in gewaden en met een kroon op zijn hoofd, en dat alles omringd door honing. Zo bleef het een jaar in Babylon liggen terwijl er een met edelstenen bezet rijtuig werd gebouwd. Toen vertrok de uitvaartstoet uit Babylon.'

'En toen begon het begrafenisspel,' zei hij.

Cassiopeia knikte. 'Bij wijze van spreken. Perdiccas, een van de generaals van Alexander, riep op de dag na Alexanders dood alle generaals met spoed bijeen. Roxane, de Aziatische vrouw van Alexander, was zes maanden zwanger. Perdiccas wilde dat ze met een beslissing zouden wachten tot het kind geboren was. Als het kind een jongen was, zou het de rechtmatige opvolger zijn. Anderen verzetten zich daartegen. Ze wilden geen vorst die voor een deel barbaars was. Ze wilden Alexanders halfbroer Philippus als hun koning, al wijst alles erop dat de man geestesziek was.'

Malone herinnerde zich de bijzonderheden van wat hij eerder had gelezen. Uiteindelijk brak er een gevecht uit bij Alexanders sterfbed. Toen riep Perdiccas een vergadering van Macedoniërs bijeen. Om de orde te handhaven liet hij het lijk van Alexander in hun midden leggen. Het kwam tot een stemming en de aanwezigen besloten de voorgenomen Arabische veldtocht op te geven en het rijk te verdelen. Er werden gouverneurschappen aan de generaals toegekend. Er brak algauw opstand uit doordat de generaals onder elkaar vochten. Aan het eind van de zomer schonk Roxane het leven aan een zoon, die de naam Alexander IV kreeg. Om de vrede te bewaren werd er een regeling uitgedacht: het kind en de halfbroer Philippus zouden beiden koning worden, al zouden de generaals elk over hun deel van het rijk regeren en zich niets van de twee koningen aantrekken.

'Hoe ging het ook weer?' vroeg Malone. 'Zes jaar later werd de halfbroer vermoord door Olympias, de moeder van Alexander. Ze had vanaf zijn geboorte een hekel aan dat kind gehad, omdat Philippus van Macedonië van haar was gescheiden om met de moeder te trouwen. En een paar jaar later werden Roxane en Alexander IV allebei vergiftigd. Niemand van hen heeft ooit over iets geregeerd.'

'Uiteindelijk werd Alexanders zus ook vermoord,' zei Thorvaldsen. 'Zijn hele familie werd uitgeroeid. Er bleef niet één legitieme opvolger over. En het grootste rijk ter wereld verkruimelde.'

'Wat heeft dit alles met olifantpenningen te maken? En welke betekenis kunnen die penningen in onze tijd nog hebben?'

'Erg veel, geloofde Ely,' zei ze.

Hij zag dat er nog meer was. 'En wat geloof jíj?'

Ze bleef zwijgend zitten, alsof ze in onzekerheid verkeerde maar daar niets over wilde zeggen.

'Het geeft niet,' zei hij. 'Vertel het me maar als je er klaar voor bent.'
Toen schoot hem iets anders te binnen. Hij zei tegen Thorvaldsen:
'En die laatste twee penningen hier in Europa? Ik hoorde dat je Viktor
daarnaar vroeg. Hij zit daar waarschijnlijk al achteraan.'

'Wij zijn hem voor.'

'Iemand heeft ze al?'

Thorvaldsen keek op zijn horloge. 'Inmiddels minstens één, hoop ik.'

23

Amsterdam

STEPHANIE LIEP HET café uit en kwam weer in de regen terecht. Ze trok de capuchon over haar hoofd, pakte haar oordopje en sprak in de microfoon die onder haar jas verborgen zat.

'Twee mannen die net naar buiten gingen. Ze hebben wat ik wil.'

'Vijftig meter verder, op weg naar de brug,' luidde het antwoord.

'Hou ze tegen.'

Ze draafde de avond in.

Ze had twee agenten van de Geheime Dienst meegebracht. Die waren afkomstig uit het buitenlandse team van president Danny Daniels. Een maand geleden had de president haar gevraagd hem naar de jaarlijkse Europese economische top te vergezellen. De regeringsleiders waren zestig kilometer ten zuiden van Amsterdam bijeengekomen. Deze avond ging Daniel naar een formeel diner op een veilige plaats in Den Haag, zodat het haar was gelukt twee helpers mee te krijgen. Voor alle zekerheid, had ze tegen hen gezegd, en ze had hun een diner na afloop beloofd, waar ze maar wilden.

'Ze zijn gewapend,' zei een van de agenten in haar oor.

'In het café met messen,' zei ze.

'Hierbuiten met pistolen.'

Ze verstijfde meteen. Dit werd lastig. 'Waar zijn ze?'

'Bij de voetgangersbrug.'

Ze hoorde schoten en haalde een Beretta, verstrekt door de Magellan Billet, onder haar jasje vandaan.

Nog meer schoten.

Ze sloeg een hoek om.

Mensen stoven uiteen. De lichtgekleurde en donkere man zaten ineengedoken achter een ijzeren leuning op een brug en schoten op de twee agenten van de Geheime Dienst, die zich elk aan een kant van de gracht bevonden.

Een kogel trof een raam van een bordeel. Het glas versplinterde.

Een vrouw gilde.

Angstige mensen renden Stephanie voorbij. Ze liet haar pistool zakken om het bij haar zij te verbergen. 'Laten we dit binnen de perken houden,' zei ze in de microfoon.

'Zeg dat maar tegen hen,' antwoordde een van de agenten.

De week daarvoor, toen ze Cassiopeia had beloofd haar een dienst te bewijzen, had ze daar geen kwaad in gezien, maar de vorige dag had ze het gevoel gekregen dat ze zich goed moest voorbereiden, vooral omdat Cassiopeia had gezegd dat zij én Henrik Thorvaldsen de dienst op prijs zouden stellen. Als Thorvaldsen bij iets betrokken was, kwamen daar vaak moeilijkheden van.

Nog meer schoten op de brug.

'Jullie komen hier niet weg!' schreeuwde ze.

De lichtgekleurde man draaide zich om en richtte zijn pistool op haar.

Ze dook een portiek in. Een kogel ketste een meter bij haar vandaan tegen de bakstenen muur. Ze drukte zich tegen de trap en kwam voorzichtig overeind. De regen liep over elke trede en maakte haar kleren drijfnat.

Ze loste twee schoten.

De twee mannen bevonden zich nu in het midden van een driehoek. Ze konden niet weg komen.

De donkere man veranderde van houding om zich af te schermen, maar een van de agenten van de Geheime Dienst schoot hem in zijn borst. Hij wankelde even, en toen viel hij, getroffen door een tweede kogel, tegen de brugleuning. Hij klapte eroverheen en plonsde in de gracht.

Geweldig. Nu waren er lijken.

De man met de lichte huid ging vlug naar de leuning en probeerde in de gracht te kijken. Het leek erop dat hij ging springen, maar toen er opnieuw werd geschoten, zag hij daarvan af. Hij richtte zich op en stormde op de andere kant van de brug af, wild voor zich uit schietend. De agent van de Geheime Dienst die daar was beantwoordde het vuur, terwijl de agent aan haar kant van de brug naar voren rende en de man met drie schoten van achteren neerschoot.

Er waren sirenes te horen.

Ze sprong overeind en draafde de brug op. De lichtgekleurde man lag op de keistenen en de regen spoelde het bloed weg dat uit hem stroomde.

Beide mannen kwamen aanrennen.

De donkere man dreef op zijn buik in de gracht.

Op vijftig meter afstand doken rode en blauwe lichten op. Ze kwamen met grote snelheid naar de brug. Drie politiewagens.

Ze wees naar een van de agenten. 'Ik wil dat je het water in springt en een munt uit de zak van die man haalt. Hij zit in een plastic hoes en er staat een olifant op. Als je hem hebt zwem je weg. Zorg dat je niet wordt opgepakt.'

De man stak zijn pistool in de holster en sprong over de leuning. Dat vond ze zo prettig aan de Geheime Dienst. Ze stelden geen vragen en deden gewoon wat je zei.

De politiewagens kwamen met gierende banden tot stilstand.

Ze schudde de regen van haar gezicht en keek de andere agent aan. 'Ga hier weg en zorg dat ik diplomatieke hulp krijg.'

'Waar ben jij dan?'

Ze dacht weer aan de vorige zomer. Roskilde. Malone en zij.

'Onder arrest.'

24

Kopenhagen

CASSIOPEIA NAM EEN slokje wijn en keek toe terwijl Malone de dingen die Thorvaldsen en zij hem vertelden in zich opnam.

'Cotton,' zei ze, 'ik zal je vertellen hoe we geïnteresseerd raakten. We hebben je al eerder over röntgenfluorescentie verteld. Een onderzoeker in het culturele museum van Samarkand experimenteerde met die techniek, maar Ely kwam op het idee om middeleeuwse Byzantijnse teksten te onderzoeken. Daar ontdekte hij het geschrift op moleculair niveau.'

'Zo'n opnieuw gebruikt perkament heet een palimpsest,' zei Thorvaldsen. 'Eigenlijk is het heel vernuftig. Nadat monniken de oorspronkelijke inkt hadden afgekrabd en op de leeg gemaakte bladzijden hadden geschreven, sneden ze in de vellen en draaiden ze ze opzij, zodat ze iets maakten wat je boeken zou kunnen noemen.'

'Natuurlijk,' zei ze, 'is veel van het oorspronkelijke perkament door al die bewerkingen verloren gegaan, want het gebeurde bijna nooit dat oorspronkelijke perkamenten bij elkaar bleven. Toch vond Ely er een paar die relatief intact waren gebleven. Op een daarvan ontdekte hij enkele verloren gegane stellingen van Archimedes. Dat was opmerkelijk, want er is bijna niets van Archimedes' geschriften bewaard gebleven.' Ze keek hem aan. 'Op een ander perkament stond de formule voor Grieks vuur.'

'En aan wie vertelde hij het?' vroeg Malone.

'Aan Irina Zovastina,' zei Thorvaldsen. 'Minister-president van de Centraal-Aziatische Federatie. Zovastina vroeg hem de ontdekkingen geheim te houden. In elk geval voorlopig. Omdat zij de rekeningen betaalde kon hij moeilijk weigeren. Ze moedigde hem ook aan meer manuscripten van het museum te onderzoeken.'

'Ely,' zei ze, 'begreep dat dit geheim moest blijven. De technieken waren nieuw en ze moesten er zeker van zijn dat hun vondsten authentiek waren. Hij zag er geen kwaad in om te wachten. Eigenlijk wilde hij zelf ook zoveel mogelijk manuscripten onderzoeken voordat hij ermee in de openbaarheid kwam.'

'Maar hij vertelde het jou,' zei Malone.

'Hij moest zijn opwinding aan iemand kwijt. Hij wist dat ik niets zou zeggen.'

'Vier maanden geleden,' zei Thorvaldsen, 'stuitte Ely op iets buitengewoons in een van de palimpsesten. De geschiedenis van Hiëronymus van Cardia. Hiëronymus was een vriend en landgenoot van Eumenes, een van de generaals van Alexander de Grote. Eumenes fungeerde ook als privésecretaris van Alexander. Er zijn alleen maar fragmenten van Hiëronymus' werken bewaard gebleven, maar ze worden betrouwbaar geacht. Ely ontdekte een volledig verslag uit Alexanders tijd, verteld door een geloofwaardige tijdgenoot.' Thorvaldsen zweeg even. 'Het is een heel verhaal, Cotton. Je hebt al iets gelezen over Alexanders dood en de drank.'

Cassiopeia wist dat Malone gefascineerd was. Soms deed hij haar aan Ely denken. Beide mannen gebruikten humor om de spot met de realiteit te drijven, omzeilden bepaalde onderwerpen, gaven een draai aan een woordenwisseling en gingen betrokkenheid uit de weg. Dat laatste was nog het ergerlijkste. Maar terwijl Malone een fysiek zelfvertrouwen uitstraalde, de zekerheid dat hij zijn omgeving beheerste, was Ely's gezag op intelligentie en kalme emotie gebaseerd. Wat een contrast hadden zij en hij gevormd! Zij de moslim met donkere huid en donker haar. Hij de protestantse Scandinaviër met een lichte huid. Maar ze had het geweldig gevonden om bij hem te zijn.

Dat was voor haar na lange tijd een primeur geweest.

'Cotton,' zei ze. 'Ongeveer een jaar na de dood van Alexander, in de winter van 321 voor Christus, vertrok zijn uitvaartstoet eindelijk uit Babylon. Perdiccas had inmiddels besloten Alexander in Macedonië te begraven. Dat was in strijd met de wens die Alexander op zijn sterfbed had uitgesproken: begraven worden in Egypte. Ptolemaeus, een van de andere generaals, had Egypte als zijn deel van het rijk opgeëist en fungeerde daar al als gouverneur. Perdiccas was regent voor het kind, Alexander IV. Volgens de Macedonische grondwet moest de nieuwe heerser zijn voorganger een gepaste begrafenis geven...'

'En,' zei Malone, 'als Perdiccas toestond dat Alexander door Ptolemaeus in Egypte werd begraven, zou Ptolemaeus daardoor beter aanspraak kunnen maken op de troon.'

Ze knikte. 'En verder was er in die tijd een profetie dat er een einde aan de dynastie zou komen als koningen niet meer in Macedonische aarde werden begraven. Uiteindelijk werd Alexander de Grote niet in Macedonië begraven en kwam er een eind aan de dynastie.'

'Ik heb gelezen wat er is gebeurd,' zei Malone. 'Ptolemaeus kaapte de uitvaartstoet in wat nu het noorden van Syrië is en bracht het lichaam naar Egypte. Perdiccas probeerde twee keer een invasie over de Nijl te ondernemen. Uiteindelijk kwamen zijn officieren in opstand en staken ze hem dood.'

'Toen deed Ptolemaeus iets onverwachts,' zei Thorvaldsen. 'Hij sloeg het regentschap af dat hem door het leger werd aangeboden. Hij had koning van het hele rijk kunnen zijn, maar hij zei nee en richtte al zijn aandacht op Egypte. Vreemd, nietwaar?'

'Misschien wilde hij geen koning zijn. Als ik mag afgaan op wat ik heb gelezen, waren verraad en cynisme daar schering en inslag en bleef niemand lang in leven. Moord hoorde gewoon bij het politieke proces.'

'Misschien wist Ptolemaeus iets wat niemand anders wist.' Ze zag dat Malone op haar uitleg wachtte. 'Namelijk dat het lichaam in Egypte niet van Alexander was.'

Hij grijnsde. 'Daar heb ik ook over gelezen. Ptolemaeus zou na het kapen van de uitvaartstoet een evenbeeld van Alexander hebben gemaakt en dat voor het echte lijk in de plaats hebben gelegd, waarna hij Perdiccas en anderen de kans gaf het in handen te krijgen. Maar dat zijn verhalen. Er zijn geen bewijzen voor.'

Ze schudde haar hoofd. 'Ik heb het over heel iets anders. Het manuscript dat Ely heeft ontdekt vertelt ons precies wat er is gebeurd. Het lichaam dat in 321 voor Christus naar het westen werd gestuurd om daar te worden begraven was niet van Alexander. Het is het jaar daarvoor in Babylon verwisseld. Alexander zelf werd op een plaats die bij niet meer dan een handvol mensen bekend was ter aarde besteld. En ze hebben hun geheim goed bewaard. Drieëntwintighonderd jaar lang heeft niemand het geweten.'

Er waren twee dagen verstreken sinds Glaucias door Alexander was te-
rechtgesteld. De restanten van het lichaam van de arts bleven buiten de
muren van Babylon achter, op de grond en in de bomen. Dieren pikten
het vlees van de botten. De razernij van de koning bleef onverminderd.
Hij was driftig, achterdochtig en ongelukkig. Eumenes werd bij de ko-
ning ontboden en Alexander zei tegen zijn secretaris dat hij binnenkort
zou sterven. Die woorden schokten Eumenes, want hij kon zich geen
wereld zonder Alexander voorstellen. De koning zei dat de goden on-
geduldig waren en dat er binnenkort een eind aan zijn tijd onder de le-
venden zou komen. Eumenes luisterde maar hechtte weinig geloof aan
de voorspelling. Alexander had lang geloofd dat hij niet de zoon van
Philippus maar de sterfelijke nakomeling van Zeus was. Dat was een
buitensporige bewering, maar na al zijn grote overwinningen waren ve-
len het met hem eens. Alexander sprak over Roxane en het kind dat
ze in haar schoot droeg. Als het een jongen was, zou hij aanspraak op
de troon kunnen maken, maar Alexander wist dat de Grieken afke-
rig waren van een half buitenlandse heerser. Hij zei tegen Eumenes dat
zijn generaals onder elkaar om zijn rijk zouden vechten en dat hij niets
met hun strijd te maken wilde hebben. 'Ze moeten hun eigen lot maar
opeisen,' zei hij. Zijn lot was al bepaald. Hij zei tegen Eumenes dat hij
bij Hephaestion begraven wilde worden. Zoals Achilles wilde dat zijn
as vermengd werd met die van zijn minnaar, wilde Alexander dat ook.
'Ik zal ervoor zorgen dat uw as en de zijne met elkaar verenigd wor-
den,' zei Eumenes. Maar Alexander schudde zijn hoofd. 'Nee. Begraaf
ons bij elkaar.' Aangezien Eumenes nog maar enkele dagen eerder ge-
tuige was geweest van Hephaestions grote brandstapel, vroeg hij hoe dat
mogelijk was. Alexander vertelde hem dat het lichaam dat in Babylon
was verbrand niet van Hephaestion was. Hij had Hephaestion in de
afgelopen herfst laten balsemen, opdat hij naar een plaats kon worden
gebracht waar hij voor altijd in vrede zou liggen. Alexander wilde dat
ook voor zichzelf. 'Mummificeer me,' beval hij, 'en breng me dan naar
een plaats waar ook ik in zuivere lucht kan liggen.' Hij dwong Eume-
nes te zweren dat hij zijn wens heimelijk in vervulling zou laten gaan
en dat hij er slechts twee anderen bij zou betrekken, die de koning met
naam noemde.

Malone keek op van het scherm. Buiten was het harder gaan regenen. 'Waar hebben ze hem heen gebracht?'

'Het wordt nog ingewikkelder,' zei Cassiopeia. 'Ely heeft vastgesteld dat het manuscript ongeveer veertig jaar ná Alexanders dood is geschreven.' Ze pakte de laptop en zocht in de pagina's op het scherm. 'Lees dit maar eens. Nog meer van Hiëronymus van Cardia.'

Wat was het verkeerd dat de grootste aller koningen, Alexander van Macedonië, voor altijd op een onbekende plaats zou liggen. Hoewel hij een kalme rustplaats wilde en daar maatregelen voor nam, leek zo'n stil lot niet passend. Alexander had gelijk wat zijn generaals betrof. Ze vochten onder elkaar en doodden elkaar en iedereen die een bedreiging voor hen vormde. Ptolemaeus was wellicht de fortuinlijkste van hen. Hij heerste achtendertig jaar over Egypte. In het laatste jaar van zijn bewind hoorde hij van mijn pogingen om dit verslag te schrijven en liet hij me van de bibliotheek in Alexandrië naar het paleis komen. Hij wist van mijn vriendschap met Eumenes en las met belangstelling wat ik tot dan toe had geschreven. Vervolgens bevestigde hij dat het lichaam dat in Memphis was begraven niet dat van Alexander was. Ptolemaeus zei dat hij dat al had geweten vanaf het moment dat hij de uitvaartstoet had aangevallen. Jaren later was hij eindelijk nieuwsgierig geworden en had hij onderzoekers uitgezonden. Eumenes werd naar Egypte gebracht en vertelde aan Ptolemaeus dat Alexanders stoffelijk overschot verborgen lag op een plaats waar hij alleen van wist. Inmiddels was de grafplaats in Memphis, waar Alexander zogenaamd lag, een schrijn geworden. 'We hebben beiden aan zijn zijde gevochten en zouden graag voor hem zijn gestorven,' zei Ptolemaeus tegen Eumenes. 'Hij zou niet voor altijd in het verborgene moeten liggen.' Overmand door wroeging en met het gevoel dat Ptolemaeus in alle oprechtheid sprak, vertelde Eumenes hem waar de rustplaats was, ver weg, in de bergen, waar Alexander van de Scythen over het leven had geleerd. Kort daarna stierf Eumenes. Ptolemaeus herinnerde zich dat Alexander, gevraagd aan wie hij zijn koninkrijk naliet, had geantwoord: 'Aan de schranderste.' En dus sprak Ptolemaeus deze woorden tegen mij:

En jij, avonturier, hoor mij nu aan, opdat
mijn onsterfelijke stem van ver je oren vult.
Vaar naar de door Alexanders vader gestichte hoofdstad,
Waar wijzen de wacht houden.
Beroer het innerlijkste wezen van de gouden illusie.
Verdeel de feniks.
Het leven geeft de maat van het echte graf.
Maar pas op, want er is maar één kans van slagen.
Beklim de door goden gebouwde muren.
Kijk op de zolder in het geelbruine oog,
En durf op zoek naar het verre toevluchtsoord te gaan.

Vervolgens gaf Ptolemaeus me een zilveren penning waarop te zien was hoe Alexander tegen olifanten vocht. Hij vertelde me dat hij deze munten ter ere van die gevechten had laten slaan. Hij zei ook dat ik terug moest komen als ik zijn raadsel had opgelost. Maar een maand later was Ptolemaeus dood.

25

Samarkand
Centraal-Aziatische Federatie
23.50 uur

ZOVASTINA TIKTE ZACHT op een wit gelakte deur. Een waardige, goed verzorgde vrouw van achter in de vijftig met dof grijszwart haar deed open. Zoals altijd wachtte Zovastina niet tot ze werd uitgenodigd binnen te komen.

'Is ze wakker?'

De vrouw knikte en Zovastina liep door de gang. Het huis stond in een bebost perceel aan de oostelijke rand van de stad, voorbij de massa lage gebouwen en kleurrijke moskeeën, in een omgeving waar veel van de nieuwe landhuizen waren gebouwd, op heuvelachtig terrein waar ooit de wachttorens uit het Sovjettijdperk stonden. De welvaart van de Federatie had zowel een midden- als een bovenklasse voortgebracht, en zo langzamerhand wilden mensen laten zien dat ze geld hadden. Dit huis, tien jaar geleden gebouwd, was eigendom van Zovastina, al had ze hier nooit echt gewoond. In plaats daarvan had ze het aan haar minnares gegeven.

Ze keek naar het luxueuze interieur. Op een sierlijk bewerkte Louis XV-tafel stonden witte porseleinen beeldjes die ze van de Franse president cadeau had gekregen. De aangrenzende zitkamer had een cassetteplafond en een vloer van ingelegd parket, met daarop een Oekraïens tapijt. Ook een geschenk. Achter in de lange kamer hing een Duitse spiegel; drie hoge ramen waren voorzien van tafzijden gordijnen.

Telkens als ze door de marmeren gang liep gingen haar gedachten zes jaar in de tijd terug naar een middag waarop ze naar dezelfde dichte deur was gelopen. In de slaapkamer had ze Karyn naakt aangetroffen, en een man met een smalle borst, krullend haar en gespierde armen die boven op haar lag. Nog steeds kon ze hun gekreun horen; hun wilde verkenning van elkaar was verrassend opwindend geweest. Ze was een hele tijd blijven staan, tot ze zich van elkaar losmaakten.

'Irina,' zei Karyn kalm. 'Dit is Michele.'

Karyn was uit het bed gekomen en had haar lange golvende haar weggestreken, zodat haar borsten, waarvan Irina zo vaak had genoten, vrijkwamen. Karyn was slank als een jakhals en elke centimeter van haar smetteloze huid glansde met de kleur van kaneel. Ze had dunne lippen die minachtend opkrulden, een spitse neus met delicate neusgaten, wangen zo glad als porselein. Zovastina had wel vermoed dat haar minnares haar bedroog, maar het was heel iets anders om de daad met eigen ogen te aanschouwen.

'Je mag blij zijn dat ik je niet laat doden.'

Karyn keek haar onbekommerd aan. 'Kijk eens naar hem. Hij interesseert zich voor mijn gevoelens en hij geeft onvoorwaardelijk. Jij neemt alleen maar. Iets anders kun je niet. Je geeft bevelen en verwacht dat ze worden opgevolgd.'

'Je hebt anders nog nooit geklaagd.'

'Ik ben je hoer, maar daar moet ik een prijs voor betalen. Ik heb dingen opgegeven die waardevoller zijn dan geld.'

Zovastina's blik ging onwillekeurig naar de naakte Michele.

'Je vindt hem mooi, hè?' zei Karyn.

Ze gaf geen antwoord. In plaats daarvan beval ze: 'Ik wil dat je hier voor de avond weg bent.'

Karyn ging dichter naar haar toe, voorafgegaan door de zoete geur van een duur parfum. 'Wil je echt dat ik ga?' Haar hand ging naar Zovastina's dij. 'Misschien wil je die kleren uittrekken en met ons meedoen.'

Ze had haar minnares met de rug van haar hand een klap in haar gezicht gegeven. Het was niet de eerste keer, maar wel de eerste keer in woede. Er liep een beetje bloed uit Karyns gesprongen lip en ze zag haat in Karyns ogen.

'Weg. Voor de avond valt, of ik verzeker je dat je de ochtend niet meer ziet.'

Zes jaar geleden. Een lange tijd.

Tenminste, dat leek het.

Ze draaide de deurknop om en ging naar binnen.

De slaapkamer was nog steeds met delicaat Frans provinciaals meubilair ingericht. Een van de muren werd beheerst door een haard van marmer en verguld brons, geflankeerd door twee leeuwen van Egyptische purpersteen. Met dat alles in contrast waren het ademhalingsapparaat naast het hemelbed, de zuurstoffles aan de andere kant en een infuus aan een roestvrijstalen standaard, waarvan doorzichtige slangen naar een van Karyns armen leidden.

Karyn lag in kussens in het midden van een groot bed, met een koraalzijden dekbed tot aan haar middel. Haar huid had de kleur van bruine as, haar gelaat was als waspapier. Haar eens zo weelderige blonde haar hing in slierten, dun als nevel. Haar ogen, vroeger helder blauw, staarden nu uit diepe gaten als wezens die in grotten leefden. Haar hoekige wangen waren weg, hadden plaatsgemaakt voor een bleek en ingevallen gezicht. Haar spitse neus was krom geworden. Een kanten nachthemd hing om haar uitgemergelde lichaam als een vlag die slap aan een mast hangt.

'Wat wil je nu weer?' mompelde Karyn, haar stem broos en gespannen. Slangetjes in haar neusgaten gaven haar zuurstof bij elke ademtocht. 'Kom je kijken of ik al dood ben?'

Irina liep dicht naar het hemelbed toe. De geur in de kamer werd intenser. Een misselijkmakende mengeling van ziekte, verval en een desinfecterend middel.

'Niets te zeggen?' kon Karyn uitbrengen, haar stem grotendeels lucht.

Ze keek naar de vrouw. Er had niet veel planning in hun relatie gezeten, hetgeen nogal vreemd voor Irina was. Karyn was eerst een personeelslid van haar geweest, toen haar privésecretaresse en ten slotte haar minnares. Vijf jaar samen. Vijf jaar uit elkaar, totdat Karyn vorig jaar onverwachts en ziek naar Samarkand was teruggekeerd.

'Eigenlijk kwam ik kijken hoe het met je ging.'

'Nee, Irina. Je kwam kijken wanneer ik doodging.'

Ze wilde zeggen dat ze dat absoluut niet wilde, maar toen dacht ze weer aan Michele en Karyns bedrog en kon ze geen emotionele concessies doen. In plaats daarvan vroeg ze: 'Was het dit alles waard?'

Zovastina wist dat de jaren van onbeschermde seks, van man naar man en van vrouw naar vrouw, met alle risico's van dien, Karyn eindelijk te pakken hadden gekregen. Ergens had een van hen hiv aan haar doorgegeven. Eenzaam, bang, en blut had Karyn vorig jaar haar trots ingeslikt en was ze naar de enige plaats teruggekeerd waar ze misschien enig comfort zou krijgen.

'Blijf je daarom komen?' vroeg Karyn. 'Om bewezen te zien dat ik iets verkeerd heb gedaan?'

'Je dééd iets verkeerd.'

'Je bitterheid zal je verteren.'

'Dat zegt iemand die letterlijk verteerd is door haar eigen bitterheid.'

'Voorzichtig, Irina, je weet niet wanneer ik besmet ben. Misschien heb je het zelf ook wel.'

'Ik ben getest.'

'En welke arts was daar dwaas genoeg voor?' Karyn hoestte door haar woorden heen. 'Leeft hij nog? Kan hij nog vertellen wat hij weet?'

'Je hebt mijn vraag niet beantwoord. Was het dit alles waard?'

Er kwam een glimlach op het ingevallen gezicht. 'Je kunt me niet meer bevelen.'

'Je bent teruggekomen. Je wilde hulp. Ik help je.'

'Ik ben een gevangene.'

'Je mag weggaan wanneer je maar wilt.' Ze zweeg even. 'Waarom kun je de waarheid niet vertellen?'

'En wat is de waarheid, Irina? Dat je lesbisch bent? Je dierbare echtgenoot wist het. Dat moest wel. Je praat nooit over hem.'

'Hij is dood.'

'Een auto-ongeluk dat je goed uitkwam. Hoe vaak heb je die kaart met jóúw mensen gespeeld?'

Deze vrouw wist veel te veel van wat ze deed. Daardoor voelde Irina zich tot haar aangetrokken en was ze tegelijk van weerzin vervuld. Hun intimiteit, het uitwisselen van geheimen, was een deel van hun onderlinge band geweest. Ooit kon ze zichzelf bij Karyn helemaal vertrouwen.

'Hij wist waaraan hij begon toen hij met me trouwde. Maar hij was ambitieus, net als jij. Hij wilde de attributen. En dus kreeg hij mij er ook bij.'

'Wat moet het moeilijk zijn als je leven een leugen is.'

'Dat kun jij weten.'

Karyn schudde haar hoofd. 'Nee, Irina. Ik weet wat ik ben.' De woorden onttrokken kracht aan haar en Karyn zweeg even om een paar keer diep adem te halen. Toen zei ze: 'Waarom maak je me niet gewoon dood?'

In die bittere toon klonk iets van Karyns oude persoonlijkheid door. Ze zou deze vrouw niet kunnen doden. Maar haar redden... Dat was het doel. Het lot misgunde Achilles de kans om zijn Patrokles te redden.

Onbekwaamheid kostte Alexander de Grote zijn liefde toen Hephaestion stierf. Zij zou niet ten prooi vallen aan dezelfde fouten.

'Kun je echt geloven dat iemand dit verdient?' Karyn rukte haar nachthemd open. Kleine parelmoeren knoopjes sprongen op de lakens. 'Kijk naar mijn borsten, Irina.'

Het deed pijn om te kijken. Sinds Karyn was teruggekomen, had Irina zich in aids verdiept. Ze wist dat de ziekte zich op verschillende manieren kon manifesteren. Sommige mensen leden inwendig. Blindheid, darmontsteking, levensbedreigende diarree, hersenontsteking, tuberculose en, het ergste van alles, longontsteking. Anderen werden uitwendig aangetast. Hun huid was bedekt met de gevolgen van het kaposisarcoom of werd verwoest door herpes simplex, of teerde weg doordat de opperhuid onvermijdelijk naar het bot toe getrokken werd. Karyn had blijkbaar de veelvoorkomende combinatie van beide.

'Weet je nog hoe mooi ik was? Mijn prachtige huid? Vroeger aanbad je mijn lichaam.'

Dat herinnerde ze zich. 'Bedek jezelf.'

'Kun je er niet tegen om het te zien?'

Ze zei niets.

'Je schijt tot je reet er pijn van doet, Irina. Je kunt niet slapen en je maag zit in de knoop. Ik vraag me elke dag weer af welke nieuwe ziekte er in me opkomt. Dit is de hel.'

Ze had de vrouw uit de helikopter gegooid om haar een dodelijke val te laten maken. Ze had opdracht gegeven tot de eliminatie van tal van politieke tegenstanders. Ze had een Federatie tot stand gebracht door in het geheim duizenden mensen met biologische wapens te vermoorden. Geen van die sterfgevallen deed haar iets. Karyns dood was anders. Daarom had ze haar laten blijven en gaf ze haar de geneesmiddelen die ze nodig had om in leven te blijven. Ze had tegen die studenten gelogen. Hier lag haar zwakheid. Misschien wel haar enige.

Karyn glimlachte zwakjes. 'Telkens als je hier komt zie ik het in je ogen. Je geeft om mij.' Karyn pakte haar arm vast. 'Je kunt me toch helpen? Die bacillen waar je jaren geleden mee speelde. Je hebt vast wel iets ontdekt. Ik wil niet doodgaan, Irina.'

Ze deed haar best om een emotionele afstand te bewaren. Achilles en Alexander hadden allebei gefaald doordat ze dat niet deden. 'Ik zal voor je tot de goden bidden.'

Karyn lachte. Een schor grinniklachje, vermengd met gerochel. Dat verraste haar en deed haar ook pijn.

Karyn lachte maar door.

Ze vluchtte de slaapkamer uit en rende naar de voordeur. Deze bezoeken waren een vergissing. Ze moest het niet meer doen. Niet nu. Er stond te veel te gebeuren.

Het laatste wat ze hoorde voordat ze wegging was het afschuwelijke geluid van Karyn die bijna stikte in haar eigen speeksel.

26

Vincenti betaalde de watertaxi, hees zich naar het straatniveau en liep het San Silva binnen, een van de voornaamste hotels van Venetië. Het was een hotel zonder weekendarrangementen of actiekortingen, maar met tweeënveertig luxueuze suites in wat eens het huis van een doge was geweest, uitkijkend over het Canal Grande. De imposante hal straalde de decadentie van de oude wereld uit. Romeinse zuilen van geaderd marmer, accessoires van museumkwaliteit, de royale ruimte vervuld van mensen, activiteit en geluid.

Peter O'Conner zat geduldig in een stille nis te wachten. O'Conner was geen ex-militair of ex-inlichtingenagent. Hij was gewoon iemand die talent had voor het verzamelen van informatie, gecombineerd met een bijna volledige gewetenloosheid.

Philogen Pharmaceutique gaf miljoenen dollars per jaar uit aan uitgebreide beveiligingssystemen om geheimen en patenten te beschermen, maar O'Conner rapporteerde rechtstreeks aan Vincenti: een persoonlijk stel ogen en oren dat hem in staat stelde om zijn belangen op alle mogelijke manieren te beschermen.

Het was een onmisbare luxe en hij was blij dat hij O'Conner had.

Vijf jaar geleden had O'Conner voorkomen dat Philogen-aandeelhouders met een groot gezamenlijk belang in opstand kwamen tegen Vincenti's beslissing om de activiteiten naar Azië uit te breiden. Drie jaar geleden, toen een Amerikaanse farmaceutische gigant een vijandige overname in de zin had, terroriseerde O'Conner genoeg aandeelhouders om te voorkomen dat het tot een grote uitverkoop kwam. En nog maar kort geleden, toen Vincenti met tegenstand in zijn raad van bestuur te kampen had, had O'Conner de schandaaltjes ontdekt die gebruikt konden worden om genoeg leden te chanteren: Vincenti behield niet alleen zijn baan als president-directeur, maar werd ook herkozen als voorzitter van de raad van bestuur.

Vincenti liet zich in een fauteuil van bewerkt leer zakken. Hij wierp even een blik op de klok die in het marmer achter de balie van de conciërge was gegraveerd. Om kwart over negen moest hij in het restaurant zijn. Zodra hij comfortabel zat, gaf O'Conner hem een stel aan elkaar geniete papieren en zei: 'Dit hebben we tot nu toe gevonden.'

Hij keek vlug naar de afschriften van telefoongesprekken en gewone gesprekken, afkomstig van apparatuur waarmee Irina Zovastina werd afgeluisterd. Toen hij klaar was vroeg hij: 'Zit ze achter die olifantpenningen aan?'

'We hebben geconstateerd,' zei O'Conner, 'dat ze enkele leden van haar persoonlijke garde eropuit heeft gestuurd om die penningen op te sporen. De leider van de garde zelf, Viktor Tomas, staat aan het hoofd van een team. Een ander team is naar Amsterdam vertrokken. Ze hebben in heel Europa gebouwen platgebrand om die diefstallen te maskeren.'

Vincenti wist alles van Zovastina's Heilige Schare. Ze werd geobsedeerd door alles wat Grieks was. 'Hebben ze de penningen?'

'Minstens vier. Ze probeerden er gisteren twee te pakken te krijgen, maar ik weet nog niet of dat resultaat had.'

Hij was verbaasd. 'We moeten weten wat ze doet.'

'Ik ben ermee bezig. Het is me gelukt enkele personeelsleden in het paleis om te kopen. Jammer genoeg werkt de elektronische surveillance alleen als ze blijft waar ze is. Ze is voortdurend in beweging. Eerder vandaag is ze naar het lab in China gevlogen.'

Hij had van zijn hoofdonderzoeker, Grant Lyndsey, al over dat bezoek gehoord.

'U had haar bij die mislukte moordaanslag moeten zien,' zei O'Conner. 'Ze reed recht op de schutter af, tartte hem te schieten. We zagen het met behulp van een langeafstandscamera. Natuurlijk had ze een scherpschutter op het paleis klaarstaan om de man uit te schakelen. Evengoed reed ze recht op hem af. Weet u zeker dat ze niet een paar ballen tussen haar benen heeft hangen?'

Hij grinnikte. 'Ik ga niet kijken.'

'Die vrouw is gek.'

Daarom had Vincenti een ander besluit genomen over de Florentijn. De Raad van Tien had collectief bevolen een voorlopig onderzoek in te stellen naar de mogelijkheid dat Zovastina geëlimineerd zou moeten worden, en de Florentijn was ingehuurd om dat verkenningswerk te doen. Vincenti had eerst de Florentijn willen gebruiken om een beslissing te forceren, want voor wat hij zelf van plan was moest Zovastina dood. Daarom had hij de Florentijn een groot bedrag beloofd als hij haar kon laten vermoorden.

Toen was hij op een beter idee gekomen.

Als hij Zovastina een tip over de voorgenomen moord gaf, zou dat eventuele twijfel van Zovastina aan de betrouwbaarheid van de Liga wegnemen. Dat zou hem tijd opleveren om iets beters voor te bereiden, iets wat hij in de afgelopen weken had uitgedacht. Het was subtieler en liet minder restanten achter.

'Ze is ook weer naar het huis geweest,' zei O'Conner. 'Kortgeleden. Ze glipte in haar eentje in een auto het paleis uit. Camera's in bomen hebben het bezoek vastgelegd. Ze bleef een halfuur.'

'Weten we hoe haar ex-minnares er momenteel aan toe is?'

'Ze houdt vol. We hebben met een parabolische monitor vanuit een ander huis naar hun gesprek geluisterd. Een vreemd stel. Haat en liefde tegelijk.'

Hij had het interessant gevonden dat een vrouw die zo meedogenloos regeerde zo'n obsessie kon koesteren. Ze was een paar jaar met een niet al te hoge diplomaat in de buitenlandse dienst van het voormalige Kazachstan getrouwd geweest. Dat moest wel een huwelijk om de uiterlijke schijn zijn geweest. Een manier om haar seksuele geaardheid te maskeren. Toch hadden de rapporten die hij had verzameld op een goede verhouding tussen man en vrouw gewezen. Zeventien jaar geleden was hij plotseling door een auto-ongeluk om het leven gekomen, kort nadat ze president van Kazachstan was geworden en enkele jaren voordat ze de Federatie tot stand bracht. Karyn Walde verscheen een paar jaar later ten tonele, en daarna kwam het tot de enige langdurige persoonlijke relatie van Zovastina. Die relatie was op een lelijke manier beëindigd, maar een jaar geleden was de vrouw weer opgedoken. Zovastina had haar meteen opgenomen en via Vincenti voor de noodzakelijke hiv-medicijnen gezorgd.

'Moeten we in actie komen?' vroeg hij.

O'Conner knikte. 'Als we nog langer wachten, is het misschien te laat.'

'Regel het maar. Ik ben aan het eind van de week in de Federatie.'

'Het kan een vuil karwei worden.'

'Dat moet dan maar. Als er maar geen vingerafdrukken achterblijven. Niets wat het met mij in verband kan brengen.'

27

Amsterdam
21.20 uur

STEPHANIE HAD DE vorige zomer een Deense cel van binnen gezien toen Malone en zij gearresteerd waren. Nu maakte ze kennis met een Nederlandse cel. Die was niet veel anders. Ze was zo verstandig geweest haar mond te houden toen de politie de brug op kwam rennen en de dode man zag. Beide agenten van de Geheime Dienst hadden kans gezien te ontsnappen, en ze hoopte dat de agent in het water de penning had bemachtigd.

Evengoed waren haar vermoedens nu bevestigd. Cassiopeia en Thorvaldsen voerden iets in hun schild, en dat was niet het verzamelen van oude munten.

De deur van de arrestantencel ging open en een magere man van begin zestig met een lang, scherp gezicht en borstelig zilvergrijs haar kwam binnen. Edwin Davis. Plaatsvervangend nationaal veiligheidsadviseur van de Verenigde Staten. De opvolger van wijlen Larry Daley. En wat een verandering! Davis was van Buitenlandse Zaken gehaald. Hij was een carrièreman die twee academische studies had afgerond – Amerikaanse geschiedenis en internationale betrekkingen – en bovendien voortreffelijke organisatorische vaardigheden en een groot diplomatiek talent bezat. Hij had een hoffelijke, informele manier van doen, ongeveer net als president Daniels zelf, en mensen wilden hem nog wel eens onderschatten. Drie ministers van Buitenlandse Zaken hadden hem gebruikt om hun problematische ministerie in het gareel te krijgen. Nu werkte hij op het Witte Huis, waar hij de regering hielp de laatste drie jaar van haar tweede termijn af te maken.

'Ik zat aan een diner met de president. In Den Haag. Wat is dat trouwens een mooie stad. Ik genoot van de avond. Het eten was uitstekend, en dat terwijl ik niet eens zo'n liefhebber van de gourmetkeuken ben. Ze brachten me een briefje waarop stond waar jij was en ik zei tegen mezelf: er moet een logische reden zijn waarom Stephanie Nelle in Nederland is gearresteerd nadat ze in de regen met een pistool naast een dode man is aangetroffen.'

Ze deed haar mond open om iets te zeggen, maar hij stak zijn hand op om haar tegen te houden.

'Het wordt beter.'

Ze bleef rustig in haar natte kleren zitten.

'Toen ik net had besloten dat ik je hier rustig kon laten zitten, omdat ik er redelijk zeker van was dat ik niet wilde weten waarom je in Amsterdam zat, nam de president zelf me apart en zei hij dat ik hierheen moest gaan. Het schijnt dat er ook twee agenten van de Geheime Dienst bij betrokken zijn, al zijn die niet gearresteerd. Een van hen was nog drijfnat van een zwempartij in de gracht. Daar was hij in gesprongen om dit in handen te krijgen.'

Ze ving op wat hij naar haar toe gooide en zag de penning met de olifanten terug, nog steeds in zijn plastic hoes.

'De president heeft contact met de Nederlandse autoriteiten opgenomen. Je bent vrij.'

Ze stond op. 'Voordat we weggaan moet ik meer over die dode mannen weten.'

'Omdat ik al wist dat je dat zou zeggen, heb ik ontdekt dat ze allebei een paspoort van de Centraal-Aziatische Federatie hadden. We hebben ze nagetrokken en het blijkt dat ze deel uitmaken van de persoonlijke garde van minister-president Irina Zovastina.'

Ze zag iets in zijn ogen. Davis was gemakkelijker te doorgronden dan Daley. 'Dat verrast je niet.'

'Er zijn niet veel dingen meer die me kunnen verrassen.' Hij zei fluisterend: 'We hebben een probleem, Stephanie, en nu ben jij daarbij betrokken. Het hangt van je standpunt af of dat een geluk is of niet.'

Ze ging met Davis mee naar de hotelsuite. President Danny Daniels zat onderuitgezakt op een bank, gehuld in een ochtendjas en met zijn blote voeten op een vergulde tafel met glazen blad. Hij was een lange man met een grote bos blond haar, een bulderende stem en een ontwapenende manier van doen. Hoewel ze vijf jaar voor hem had gewerkt, had ze hem pas het afgelopen najaar goed leren kennen toen ze aan de zaak van de verdwenen bibliotheek van Alexandrië had gewerkt. Hij had haar toen ontslagen en weer in dienst genomen. Daniels had een drankje in zijn ene en een afstandsbediening in zijn andere hand.

'Er is hier verdomme niks op tv wat niet ondertiteld is, of in een taal die ik niet versta. En ik kan niet meer tegen BBC News of CNN International. Die laten steeds weer dezelfde berichten zien.' Daniels zette het toestel uit en gooide de afstandsbediening neer. Hij nam een slokje uit zijn glas en zei toen tegen haar: 'Ik hoorde dat je weer zo'n carrièreverwoestende avond hebt gehad.'

Ze zag de twinkeling in zijn ogen. 'Dat schijnt mijn weg naar het succes te zijn.'

Hij maakte een gebaar en ze ging zitten. Davis hield zich enigszins afzijdig.

'Ik heb nog meer slecht nieuws,' zei Daniels. 'Je agente in Venetië is verdwenen. Ze heeft twaalf uur lang niets van zich laten horen. Buren in het gebouw waar ze was geposteerd, zeiden dat er vanmorgen een opstootje was. Vier mannen. Een deur ingetrapt. Natuurlijk heeft niemand iets gezien. Typisch Italiaans.' Hij stak zijn hand op en zwaaide ermee. 'In godsnaam, hou mij erbuiten.' De president zweeg even. Zijn gezicht betrok. 'Dit alles klinkt helemaal niet goed.'

Stephanie had Naomi Johns aan het Witte Huis uitgeleend, want daar wilden ze een verkenningsonderzoek naar een zekere Enrico Vincenti laten instellen, een internationale financier die banden onderhield met een organisatie die zich de Venetiaanse Liga noemde. Ze kende die groep wel. Een van de talloze kartels op de wereld. Naomi werkte al heel wat jaren voor Stephanie en was ook de agente geweest die een onderzoek naar Larry Daley had ingesteld. Ze was het vorige jaar bij de Billet weggegaan om er vervolgens terug te keren, en Stephanie was daar blij om geweest. Naomi was goed. Deze verkenningsmissie was niet erg riskant geweest. Alleen vastleggen met wie Vincenti in contact kwam. Stephanie had zelfs tegen haar gezegd dat ze een paar vrije dagen in Italië mocht nemen als ze klaar was. Nu was ze misschien dood.

'Toen ik haar uitleende zeiden uw mensen dat het alleen om het verzamelen van informatie ging.'

De twee mannen gaven geen antwoord. Ze zag dat ze elkaar even aankeken.

Daniels wees. 'Waar is de penning?'

Ze gaf hem de munt.

'Wil je me erover vertellen?'

Ze voelde zich vies. Het liefst zou ze gaan douchen en slapen, maar dat zat er voorlopig niet in. Ze had er een hekel aan om ondervraagd te worden, maar hij was de president van de Verenigde Staten en hij had haar hachje gered, en dus vertelde ze hem over Cassiopeia, Thorvaldsen en de wederdienst. De president luisterde met ongewone aandacht en zei toen: 'Vertel het haar, Edwin.'

'Hoeveel weet je van minister-president Zovastina?'

'Genoeg om te weten dat ze geen vriend van ons is.'

Haar vermoeide geest haalde Zovastina's voorgeschiedenis naar boven. Zovastina kwam uit een arbeidersgezin in het noorden van Kazachstan. Haar vader was gesneuveld toen hij voor Stalin tegen de nazi's vocht. Kort na de oorlog had een aardbeving haar moeder en de rest van haar naaste familieleden het leven gekost. Ze groeide op in een weeshuis, maar later nam een verre neef van haar moeder haar op. Uiteindelijk studeerde ze economie aan het Leningrad-instituut. Ze werd lid van de Communistische Partij toen ze in de twintig was en werkte zich op tot hoofd van het plaatselijke Comité van Vertegenwoordigers van de Werkers. Vervolgens bemachtigde ze een plaats in het Centrale Comité van Kazachstan en kwam ze in de Opperste Sovjet. In het begin bevorderde ze landhervormingen en andere economische maatregelen, maar later stelde ze zich kritisch tegenover Moskou op. Toen Kazachstan onafhankelijk van Rusland werd, was ze een van de zes partijleden die zich kandidaat stelden voor het presidentschap. Omdat de twee succesvolste kandidaten geen meerderheid van de stemmen kregen, mochten ze volgens de grondwet niet deelnemen aan de tweede ronde, die door haar werd gewonnen.

'Ik heb lang geleden geleerd,' zei Daniels, 'dat als je tegen iemand moet zeggen dat je zijn vriend bent, de relatie te wensen overlaat. Deze vrouw denkt dat we een stel idioten zijn. Zulke vrienden kunnen we niet gebruiken.'

'Maar toch moeten we haar hielen likken.'

Daniels nam nog een slok. 'Jammer genoeg wel.'

'We moeten niet te licht over de Centraal-Aziatische Federatie denken,' legde Davis uit. 'Veel harde mensen met een ijzeren geheugen. Achtentwintig miljoen mannen en vrouwen beschikbaar voor militaire dienstplicht. Tweeëntwintig miljoen van hen geschikt voor de dienst. Elk jaar komen er ongeveer anderhalf miljoen nieuwe rekruten bij. Dat is een hele strijdmacht. Op dit moment geeft de Federatie één komma twee miljard dollar per jaar aan Defensie uit, maar dan rekenen we het geld dat wij erin pompen niet mee, en dat is twee keer zoveel.'

'En het ergste is nog dat de mensen gek op haar zijn,' ging Daniels verder. 'De levensstandaard is enorm toegenomen. Voor haar tijd leefde vierenzestig procent van de bevolking in armoede. Nu is dat nog geen vijftien procent. Dat is niet slechter dan bij ons. Ze investeert overal: waterkrachtcentrales, katoen, goud... Ze heeft grote overschotten. Die Federatie neemt ook nog een uitmuntende geo-economische positie in. Rusland, China, India. Precies in het midden. En ze is nog een slimme tante ook. Ze zit op zo ongeveer de grootste olie- en aardgasvoorraden ter wereld, die ooit volledig in handen van de Russen waren. De Russen zijn nog steeds kwaad vanwege de onafhankelijkheid, en dus heeft ze het met ze op een akkoordje gegooid. Ze verkoopt ze olie en gas onder de marktprijs. Op die manier houdt ze zich Moskou van het lijf.'

Ze vond het indrukwekkend dat Daniels die regio zo goed kende.

'Een paar jaar geleden,' zei de president, 'sloot ze een langdurig huurcontract met Rusland over het Kosmodroom in Baikonoer. Dat Russische ruimtevaartcentrum bevindt zich midden in het oude Kazachstan. Vijftienduizend vierkante kilometer waarover de Russen tot 2050 exclusief kunnen beschikken. In ruil daarvoor kreeg ze natuurlijk kwijtschelding van een aantal schulden. Daarna paaide ze de Chinezen door een eeuwenoud grensgeschil op te lossen. Niet slecht voor een econome die in een weeshuis is opgegroeid.'

'Hebben we problemen met Zovastina?' vroeg ze. Opnieuw gaf geen van beide mannen antwoord, en ze gooide het over een andere boeg. 'Wat heeft Enrico Vincenti hiermee te maken?'

'Zovastina en Vincenti staan via de Venetiaanse Liga met elkaar in contact,' zei Daniels. 'Ze zijn er allebei lid van. Meer dan vierhonderd mensen. Veel geld, tijd en ambitie, maar de leden van de Liga willen de wereld niet veranderen. Ze willen juist met rust gelaten worden. Ze hebben een hekel aan regeringen, restrictieve wetten, invoerrechten, belastingen, mij, alles wat ze in het gareel houdt. Ze hebben invloed in veel landen...'

Ze zag dat Daniels haar gedachten had gelezen.

De president schudde zijn hoofd. 'Deze keer niet. Niet als de vorige keer. We zijn het nagegaan. Niets. Ze houden zich vooral bezig met de Centraal-Aziatische Federatie.'

Davis zei: 'Al die staten die eindigen op -stan gingen onder buitenlandse schulden gebukt. Dat kwam door de Sovjetoverheersing en door hun pogingen om onafhankelijk te worden. Het is Zovastina gelukt om opnieuw over die verplichtingen met de regeringen te onderhandelen die geld te goed hebben, en als gevolg daarvan is een groot deel van die schulden kwijtgescholden. Evengoed zou een toestroom van nieuw kapitaal welkom zijn. Niets houdt de vooruitgang meer tegen dan langetermijnschuld.' Hij zweeg even. 'Er staat drie komma zes miljard dollar bij allerlei banken over de hele wereld. Dat geld is te herleiden tot leden van de Venetiaanse Liga.'

'Een inzet in een gigantisch pokerspel,' zei Daniels.

Ze begreep dat het menens was, want presidenten hadden niet de gewoonte om op grond van een oppervlakkig vermoeden alarm te slaan. 'En dat spel gaat nu beginnen?'

Daniels knikte. 'Tot nu toe hebben ondernemingen die in de Centraal-Aziatische Federatie geregistreerd staan bijna tachtig ondernemingen over de hele wereld opgekocht of overgenomen. Farmaceutische bedrijven, IT-firma's, fabrikanten van personenauto's en vrachtwagens, telecombedrijven, en zo kan ik nog wel even doorgaan. Ze hebben zelfs de grootste producent van theezakjes ter wereld overgenomen. Goldman Sachs voorspelt dat als dit zo doorgaat de Federatie wel eens de op twee of drie na grootste economie ter wereld kan worden, na de Verenigde Staten, China en India.'

'Het is alarmerend,' zei Davis. 'Vooral omdat het met weinig of geen ophef gebeurt. Meestal brengen concerns hun acquisities in de publiciteit. Deze keer niet. Alles wordt stilgehouden.'

Daniels maakte een gebaar met zijn arm. 'Om de raderen van haar overheid te laten draaien heeft Zovastina een voortdurende toestroom van kapitaal nodig. Wij hebben belastingen; zij heeft de Liga. De Federatie is rijk aan katoen, goud, uranium, zilver, koper, lood, zink...'

'En opium,' maakte ze voor hem af.

'Zovastina heeft zelfs daarmee geholpen,' zei Davis. 'De Federatie is wereldwijd momenteel nummer drie wat in beslag genomen opiaten betreft. Ze heeft de drugshandel in die hele regio de kop ingedrukt, en de Europeanen zijn dan ook verzot op haar. In dat werelddeel wil niemand een kwaad woord over haar horen. Natuurlijk verkoopt ze ook goedkope olie en gas aan veel van die landen.'

'Waarschijnlijk,' zei ze, 'is Naomi dood vanwege dit alles.' Haar maag dreigde bij die gedachte in opstand te komen. Het verlies van een agent was het ergste wat ze zich kon voorstellen. Gelukkig gebeurde het bijna nooit. Maar als het gebeurde streden woede en ongeduld in haar om de voorrang.

'Dat weten we,' zei Davis. 'En het zal niet ongestraft blijven.'

'Cotton Malone en zij hadden een nauwe band. Ze hebben vaak in de Billet samengewerkt. Een goed team. Hij zal geschokt zijn als hij het hoort.'

'Dat is ook een reden waarom je hier bent,' zei de president. 'Een paar uur geleden was Cotton betrokken bij een brand in een Grieks-Romeins museum in Kopenhagen. Henrik Thorvaldsen was eigenaar van dat museum en Cassiopeia Vitt hielp hem aan de vlammen te ontkomen.'

'U bent blijkbaar goed op de hoogte.'

'Dat hoort bij mijn functieomschrijving, al krijg ik een steeds grotere hekel aan dit onderdeel.' Daniels hield de penning omhoog. 'In dat museum lag net zo'n penning als deze.'

Ze herinnerde zich wat Klaas Diehr had gezegd. *Niet meer dan acht.*

Davis wees met zijn lange vinger naar de munt. 'Het heet een olifantpenning.'

'Belangrijk?' vroeg ze.

'Blijkbaar wel,' zei Daniels. 'Maar we hebben jouw hulp nodig om meer aan de weet te komen.'

28

MALONE PAKTE EEN deken en liep naar de bank in de andere kamer. Toen zijn huis na de brand van de afgelopen herfst werd opgebouwd, had hij een paar muren doorgebroken en andere laten plaatsen, zodat de derde verdieping van zijn boekwinkel nu een leefruimte met een praktische indeling was.

'Leuk meubilair heb je,' zei Cassiopeia. 'Het past bij jou.'

Hij had afstand gedaan van Deense eenvoud en alles uit Londen laten komen. Een bank, stoelen, tafels, lampen. Veel hout en leer, warm en comfortabel. Hij had gemerkt dat er niet veel in het decor veranderde, tenzij een boek zijn weg van de begane grond naar boven vond of er weer een foto van Gary per e-mail binnenkwam en aan de verzameling werd toegevoegd. Hij had voorgesteld dat Cassiopeia hier in de stad zou blijven slapen, dan hoefde ze niet helemaal met Thorvaldsen naar Christiangade terug te rijden, en ze had hem niet tegengesproken. Onder het diner had hij naar hun verhalen geluisterd. Intussen besefte hij dat Cassiopeia zich bij de beoordeling van de gebeurtenissen door persoonlijke gevoelens liet leiden.

En dat was niet goed.

Hij had dat kortgeleden zelf ook meegemaakt, toen Gary werd bedreigd.

Ze ging op de rand van zijn bed zitten. Lampen met veel charme en weinig licht wierpen hun schijnsel op mosterdgele muren. 'Henrik zegt dat ik je hulp misschien nodig heb.'

'Ben je het daar niet mee eens?'

'Jij misschien ook niet.'

'Hield je van Ely?'

Het verbaasde hem zelf dat hij dat vroeg. Ze gaf niet meteen antwoord.

'Moeilijk te zeggen.'

Geen antwoord.

'Hij moet heel bijzonder zijn geweest.'

'Ely was buitengewoon. Intelligent. Intens. Grappig. Je had hem moeten zien toen hij die verdwenen teksten ontdekte. Het leek wel of hij een nieuw werelddeel had ontdekt.'

'Hoe lang gingen jullie met elkaar om?'

'Drie jaar, zo'n beetje.'

Haar blik dwaalde weer weg, net als toen het museum in brand stond. Ze leken zoveel op elkaar. Beiden verborgen hun gevoelens. Maar iedereen had een grens. Hij had nog steeds niet helemaal verwerkt dat Gary niet zijn natuurlijke zoon was maar het product van een verhouding die zijn ex-vrouw lang geleden had gehad. Er stond een foto van de jongen op een van de nachtkastjes en hij keek er even naar. Hij had geconstateerd dat genen er niet toe deden. De jongen was nog steeds zíjn zoon, en hij en zijn ex-vrouw hadden vrede gesloten. Cassiopeia daarentegen worstelde blijkbaar nog met haar demonen. Daarom hoefde hij er niet omheen te draaien.

'Wat wil je doen?'

Haar hals en handen verstijfden. 'Mijn leven leiden.'

'Gaat dit over Ely of over jou?'

'Waarom doet dat er iets toe?'

Voor een deel had ze gelijk. Het zou er niet toe moeten doen. Dit was haar gevecht. Niet het zijne. Maar hij voelde zich tot deze vrouw aangetrokken, al gaf ze duidelijk om iemand anders. En dus zette hij de emotie uit zijn hoofd en vroeg hij: 'Wat hebben Viktors vingerafdrukken opgeleverd? Daar heeft niemand onder het eten iets over gezegd.'

'Hij werkt voor minister-president Irina Zovastina. Hij heeft de leiding van haar persoonlijke garde.'

'Waren jullie van plan me dat te vertellen?'

Ze haalde haar schouders op. 'Uiteindelijk wel. Als je het wilde weten.'

Hij bedwong zijn woede, want hij besefte dat ze hem provoceerde. 'Denk je dat de Centraal-Aziatische Federatie er rechtstreeks bij betrokken is?'

'De olifantpenning in het museum van Samarkand is met geen vinger aangeraakt.'

Een goed argument.

'Voor het eerst in eeuwen ontdekte Ely een tastbaar bewijs van het graf van Alexander de Grote. Ik weet dat hij dat aan Zovastina heeft doorgegeven, want hij heeft me over haar reactie verteld. Ze wordt geobsedeerd door Griekse geschiedenis en Alexander. Het museum in Samarkand krijgt een groot budget omdat zij zich voor de hellenistische tijd interesseert. Toen Ely het raadsel van Ptolemaeus over het graf van Alexander had ontdekt, was Zovastina gefascineerd.' Cassiopeia aarzelde. 'Nog geen week nadat hij het haar had verteld, was hij dood.'

'Denk je dat hij vermoord is?'

'Zijn huis is tot de grond toe afgebrand. Er was niet veel van over, en ook niet van hem.'

Hij dacht aan het Griekse vuur. 'En de manuscripten die hij heeft ontdekt?'

'We hebben een onderzoek laten instellen door deskundigen. Niemand in het museum wist iets.'

'En nu branden er meer gebouwen af en worden er penningen gestolen.'

'Inderdaad.'

'Wat gaan we doen?'

'Ik weet nog niet of ik jouw hulp nodig heb.'

'Reken daar maar op.'

Ze keek hem argwanend aan. 'Hoeveel weet je van de historische gegevens met betrekking tot het graf van Alexander de Grote?'

'Hij is eerst door Ptolemaeus in Memphis in het zuiden van Egypte begraven. Dat was ongeveer een jaar na zijn dood. Toen heeft Ptolemaeus' zoon het lichaam naar Alexandrië in het noorden gebracht.'

'Dat klopt. Ergens tussen 283 voor Christus, toen Ptolemaeus I stierf, en 274. Er werd een mausoleum in een nieuwe wijk van de stad gebouwd, op een kruispunt van twee grote wegen die langs het koninklijk paleis leidden. Uiteindelijk werd het de Soma genoemd. Dat is Grieks voor "lichaam". Het was de belangrijkste graftombe in de belangrijkste stad van die tijd.'

'Ptolemaeus was slim,' zei hij. 'Hij riep zich pas tot farao uit toen alle erfgenamen van Alexander dood waren. Zijn opvolgers waren ook slim. Ze veranderden Egypte in een Grieks koninkrijk. Terwijl de andere generaals hun deel van het rijk verkeerd beheerden of kwijtraakten, behielden de Ptolemaeërs driehonderd jaar lang hun deel. Ze haalden veel politiek voordeel uit de Soma.'

Ze knikte. 'Eigenlijk is het een verbazingwekkend verhaal. Alexanders graf werd een pelgrimsplaats. Caesar, Octavianus, Hadrianus, Caligula en wel tien andere keizers kwamen hulde bewijzen aan het graf. Het moet iets heel bijzonders zijn geweest. Een met goud bezette mummie met een gouden kroon, in een gouden sarcofaag, omringd door goudkleurige honing. Anderhalve eeuw bleef Alexander onverstoord liggen, totdat Ptolemaeus IX geld nodig had. Hij haalde al het goud van het lichaam, liet de kist smelten en verving hem door een glazen. De Soma is uiteindelijk zeshonderd jaar blijven bestaan. De laatste vermelding dateert van 391 na Christus.'

Hij kende de rest van het verhaal. Het gebouw en het stoffelijk overschot van Alexander de Grote waren verdwenen. Zestienhonderd jaar lang hadden mensen gezocht, maar de grootste veroveraar van de antieke wereld, een man die als een levende god werd vereerd, was verdwenen.

'Weet jij waar het lichaam is?' vroeg hij.

'Ely dacht van wel.' De woorden klonken ver weg, alsof ze tegen zijn geest praatte.

'Denk je dat hij gelijk had?'

Ze haalde haar schouders op. 'We moeten gaan kijken.'

'Waar?'

Ze keek hem nu eindelijk met haar vermoeide ogen aan. 'In Venetië. Maar eerst moeten we die laatste penning hebben. Viktor is vast en zeker al op weg daarheen.'

'En waar is die penning?'

'Interessant genoeg ook in Venetië.'

29

Samarkand
2.50 uur

ZOVASTINA KEEK DE pauselijke nuntius glimlachend aan. Het was een aantrekkelijke man met scherpe, onderzoekende ogen en grijze vleugen in zijn kastanjebruine haar. Een Amerikaan, monseigneur Colin Michener. Hij maakte deel uit van het nieuwe Vaticaan, georganiseerd door de eerste zwarte paus in eeuwen. Twee keer eerder was deze gezant komen vragen of de Federatie de aanwezigheid van katholieken zou toestaan, maar ze had beide keren nee gezegd. Hoewel de islam de overheersende religie van het land was, hadden de nomadische volkeren die Centraal-Azië lange tijd hadden bewoond hun wet altijd zelfs boven de islamitische sharia gesteld. Geografisch isolement leidde tot sociale onafhankelijkheid, zelfs van God, en dus betwijfelde ze of katholieken welkom waren. Aan de andere kant had ze iets van deze gezant nodig en was het tijd om met hem te onderhandelen.

'U bent geen nachtmens?' vroeg ze. Ze had de vermoeidheid gezien die Michener nauwelijks probeerde te verbergen.

'Zijn deze uren niet van oudsher bestemd voor de slaap?'

'Het zou in het belang van geen van ons beiden zijn als u hier midden op de dag werd gezien. Uw kerk is hier niet zo populair.'

'Daar zouden we graag verandering in willen brengen.'

Ze haalde haar schouders op. 'Dan zou u van de mensen vragen dingen op te geven die hun eeuwenlang dierbaar zijn geweest. Zelfs de moslims, met al hun discipline en morele voorschriften, waren daar niet toe in staat. U zult merken dat de organisatorische en politieke toepassingen van religie hier veel belangrijker zijn dan de spirituele aspecten.'

'De Heilige Vader wil de Federatie niet veranderen. Hij wil alleen dat de Kerk de vrijheid krijgt om degenen te helpen die ons geloof willen belijden.'

Ze grijnsde. 'Bent u op een van onze heilige plaatsen geweest?'

Hij schudde zijn hoofd.

'Dan raad ik u dat aan. U zult daar veel interessante dingen zien. Mannen kussen vereerde voorwerpen, wrijven erover, lopen eromheen. Vrouwen kruipen onder heilige stenen om hun vruchtbaarheid te vergroten. En kijkt u dan ook eens naar de wensbomen en de Mongoolse palen met paardenharen kwasten bij de graven. Amuletten en toverspreuken zijn heel populair. De mensen geloven in dingen die niets met uw christelijke god te maken hebben.'

'Er zijn onder die volkeren steeds meer katholieken, baptisten, lutheranen en zelfs enkele boeddhisten. Blijkbaar willen sommige mensen een andere religie. Hebben ze daar geen recht op?'

Een andere reden waarom ze eindelijk deze boodschapper wilde ontvangen was de Partij van de Islamitische Wedergeboorte. Die partij was jaren geleden al verboden maar bloeide in stilte, vooral in de Ferganavallei in het vroegere Oezbekistan. Ze had de voornaamste onruststoker heimelijk besmet en dacht dat ze de leiders had geëlimineerd, maar de partij bleef hardnekkig voortbestaan. Als ze meer religieuze concurrentie toestond, vooral van een organisatie als de rooms-katholieken, zouden de islamieten zich gedwongen zien hun woede op een vijand te richten die nog gevaarlijker was dan zij. En dus zei ze: 'Ik wil uw kerk toegang tot de Federatie geven.'

'Daar ben ik blij om.'

'Onder voorwaarden.'

Het sympathieke gezicht van de priester betrok.

'Het valt wel mee,' zei ze. 'Eigenlijk heb ik maar één simpel verzoek. Morgenavond zal in de San Marcokerk in Venetië de graftombe van de heilige Marcus worden geopend.'

De afgezant keek haar stomverbaasd aan.

'U kent toch wel het verhaal van de heilige Marcus en waarom hij in Venetië is begraven?'

Michener knikte. 'Een vriend van me werkt in die kerk. Hij en ik hebben erover gepraat.'

Ze kende het verhaal. Marcus, een van de twaalf discipelen van Christus, was door Petrus tot bisschop van Alexandrië benoemd en in 67 door de heidenen van de stad vermoord. Toen ze zijn lichaam wilden verbranden, doofde een storm de vlammen en kregen christenen de tijd het weg te halen. Marcus werd gemummificeerd en lag tot aan de vierde eeuw op een geheime plaats begraven. Toen de christenen de stad Alexandrië hadden overgenomen, werd er een grote graftombe gebouwd, die zo heilig werd dat nieuwe patriarchen van Alexandrië op Marcus' graf in hun ambt werden geïnstalleerd. De schrijn overleefde de komst van de islam en de invasies van de Perzen en Arabieren in de zevende eeuw.

Maar in 828 stal een groep Venetiaanse kooplieden het lichaam. Venetië wilde een symbool van zijn politieke en theologische onafhankelijkheid. Rome had Petrus, en Venetië zou Marcus hebben. Tegelijk maakte de geestelijkheid van Alexandrië zich grote zorgen om de heilige relikwieën in de stad. De islamitische heersers stelden zich steeds vijandiger op. Schrijnen en kerken werden gesloopt. En dus werd het lichaam van de heilige Marcus met de hulp van de gardisten van de tombe weggehaald.

Zovastina hield van de details.

Om de diefstal te camoufleren werd het dichtbij begraven lichaam van de heilige Claudianus op de plaats van Marcus gelegd. De geur van de balsemvloeistoffen was zo sterk dat er koolbladeren en varkensvlees over het lijk werden gelegd om de havenautoriteiten ervan te weerhouden de lading van het vertrekkende schip te onderzoeken. Het werkte; mosliminspecteurs hielden zich verre van het varkensvlees. Vervolgens werd het lichaam in zeildoek verpakt en aan de nok van een ra gehangen. Op de terugtocht naar Italië zou de geest van de heilige Marcus hebben verhinderd dat het schip in een storm verging.

'Op 31 januari 828 werd Marcus aan de doge in Venetië gepresenteerd,' zei ze. 'De doge gaf het stoffelijk overschot een plaats in het paleis, maar uiteindelijk verdween het. In 1094 dook het weer op toen de nieuwe Basilica di San Marco werd ingewijd. Het stoffelijk overschot werd in een crypte onder de kerk gelegd, maar in de negentiende eeuw naar boven gebracht om een plaats onder het hoogaltaar te krijgen, en daar ligt het nog steeds. Er zitten nogal wat hiaten in de geschiedenis van dat lijk, vindt u niet?'

'Zo gaat het met relikwieën.'

'Het lichaam van de heilige Marcus was vierhonderd jaar verdwenen in Alexandrië, en daarna bijna driehonderd jaar in Venetië.'

De nuntius haalde zijn schouders op. 'Het is geloof, minister.'

'Die diefstal bleef Alexandrië altijd dwarszitten,' zei ze, 'met name het feit dat Venetië de daad eeuwenlang heeft verheerlijkt, alsof de dieven op een heilige missie waren geweest. Kom op, u weet net zo goed als ik dat het allemaal politiek was. De Venetianen waren over de hele wereld aan het stelen. Het waren plunderaars op grote schaal. Ze pikten alles wat ze in handen konden krijgen en gebruikten het in hun voordeel. De heilige Marcus was misschien wel hun productiefste diefstal. Tegenwoordig draait de hele stad om hem.'

'Waarom openen ze dan de tombe?'

'Bisschoppen en edelen van de Koptische en Ethiopische Kerk willen dat de heilige Marcus wordt teruggegeven. In 1968 gaf paus Paulus vi de patriarch van Alexandrië enkele relikwieën om ze tevreden te stellen. Maar die kwamen uit het Vaticaan, niet uit Venetië, en ze waren niet goed genoeg. Ze willen het lichaam terug. Daarover praten ze al een hele tijd met Rome.'

'Ik ben pauselijk secretaris van Clemens xv geweest. Ik ben op de hoogte van die gesprekken.'

Ze had al lang vermoed dat deze man meer dan een nuntius was. De nieuwe paus koos zijn gezanten blijkbaar met zorg. 'Dan weet u ook dat de kerk dat lichaam nooit zal overdragen. Maar de patriarch in Venetië is met instemming van Rome akkoord gegaan met een compromis. Dat gebeurt in het kader van de verzoening van uw Afrikaanse paus met de wereld. Een deel van het lichaam, uit de tombe, zal worden teruggegeven. Op die manier kunnen beide partijen tevreden zijn. Maar het is een delicate aangelegenheid, vooral voor de Venetianen. Hún heilige wordt verstoord.' Ze schudde haar hoofd. 'Daarom zal de tombe morgenavond in het geheim worden geopend. Een deel van het stoffelijk overschot zal worden verwijderd en daarna gaat de tombe weer dicht. Niemand zal er iets van weten, totdat er na een paar dagen een bekendmaking komt.'

'U bent uitstekend op de hoogte.'

'Ik interesseer me hiervoor. Het lichaam in die tombe is niet van de heilige Marcus.'

'Van wie is het dan wel?'

'Ik zeg alleen dat het lichaam van Alexander de Grote in de vierde eeuw uit Alexandrië is verdwenen, ongeveer op het moment dat het lichaam van de heilige Marcus weer opdook. Marcus lag in zijn eigen versie van de Soma van Alexander, en die tombe werd vereerd, zoals die van Alexander zeshonderd jaar eerder vereerd werd. Mijn geleerden hebben allerlei oude teksten bestudeerd, waarvan sommige nooit in de openbaarheid zijn gekomen...'

'En u denkt dat het lichaam in de Venetiaanse kerk in werkelijkheid dat van Alexander de Grote is?'

'Ik zeg niets, alleen dat met DNA-onderzoek tegenwoordig het ras kan worden vastgesteld. Marcus is uit Arabische ouders in Libië geboren. Alexander was Grieks. Er moeten duidelijke chromosomale verschillen zijn. Ik heb ook gehoord dat isotopenonderzoek van het gebit, tomografie en koolstofdatering ons veel kunnen vertellen. Alexander stierf in 323 voor Christus, Marcus in de eerste eeuw na Christus. Ook dat levert verschillen op die wetenschappelijk aan te tonen zijn.'

'Wilt u het lichaam schenden?'

'Niet meer dan u van plan bent. Wat gaan ze wegsnijden?'

Ze zag dat de Amerikaan over haar woorden nadacht. Ze had algauw het gevoel gekregen dat hij met veel meer gezag dan tevoren naar Samarkand was teruggekomen. Nu was het tijd om na te gaan of dat echt zo was. 'Ik wil alleen maar enkele minuten met de open sarcofaag alleen zijn. Als ik iets weghaal is het niet te zien. In ruil daarvoor mag uw Kerk zich vrijelijk door de Federatie bewegen en kijken hoeveel christenen de boodschap aanvaarden. Maar voor het bouwen van kerken zult u toestemming van de overheid nodig hebben. Dat is net zo goed voor uw veiligheid als voor de onze. Als de bouw van kerken niet zorgvuldig wordt aangepakt, breekt er geweld uit.'

'Bent u van plan zelf naar Venetië te reizen?'

Ze knikte. 'Ik wil dat er weinig ruchtbaarheid aan het bezoek wordt gegeven en dat het door uw Heilige Vader wordt geregeld. Ik heb gehoord dat uw Kerk veel connecties in de Italiaanse regering heeft.'

'U beseft zeker wel, minister, dat alles wat u vindt zoiets zou zijn als de lijkwade van Turijn of de Mariaverschijningen. Een kwestie van geloof.'

Maar ze wist dat er heel goed iets concreets uit kon komen. Wat had Ptolemaeus in zijn raadsel geschreven? *Beroer het innerlijkste wezen van de gouden illusie.*

'Een paar minuten alleen bij de tombe. Meer vraag ik niet.'

De pauselijke nuntius zweeg.

Ze wachtte.

'Ik zal de patriarch in Venetië opdracht geven u die tijd ter beschikking te stellen.'

Ze had gelijk. Hij was niet met lege handen teruggekomen. 'Veel gezag voor een eenvoudige nuntius.'

'Een halfuur. Te beginnen om één uur 's nachts op woensdag. We zeggen tegen de Italiaanse autoriteiten dat u op uitnodiging van de Kerk voor een privéceremonie bent gekomen.'

Ze knikte.

'Ik zal ervoor zorgen dat u de kathedraal door de Porta dei Fiori in het westelijke atrium kunt binnenkomen. Om die tijd zijn er niet veel mensen op het plein. Zult u alleen zijn?'

Ze had genoeg van die bemoeizieke priester. 'Als dat er iets toe doet, kunnen we het misschien beter vergeten.'

Ze zag dat Michener haar ergernis had opgemerkt.

'Minister, brengt u mee wie u maar wilt. De Heilige Vader wil alleen maar dat u tevreden bent.'

30

Hamburg
1.15 uur

Viktor zat in de bar van het hotel. Rafael lag boven te slapen. Ze waren vanuit Kopenhagen door Denemarken naar het noorden van Duitsland gereden. In Hamburg zouden ze de twee leden van de Heilige Schare ontmoeten die naar Amsterdam waren gestuurd om de zesde penning op te halen. Die zouden in de loop van de nacht in Hamburg aankomen. Rafael en hij hadden de andere diefstallen afgehandeld, maar omdat de tijd drong, had Zovastina nog een team het veld in gestuurd.

Hij dronk een biertje en genoot van de stilte. Er zaten maar weinig gasten in de zwak verlichte nissen.

Zovastina gedijde op spanning. Ze hield mensen graag op hun quivive. Complimenten waren schaars; kritiek was aan de orde van de dag. Het paleispersoneel. De Heilige Schare. Haar ministers. Niemand wilde haar teleurstellen. Toch had hij achter haar rug om horen praten. Het was interessant dat een vrouw die zozeer op macht was belust niet besefte hoeveel weerzin die macht opriep. Oppervlakkige loyaliteit was een gevaarlijke illusie. Rafael had gelijk; er stond iets te gebeuren. Als hoofd van de Heilige Schare had hij Zovastina vaak naar het laboratorium in de bergen ten oosten van Samarkand vergezeld, het lab aan háár kant van de Chinese grens, waar háár mensen werkten en waar ze háár bacillen bewaarde. Hij had de proefpersonen uit de gevangenis en hun gruwelijke dood gezien. Hij had ook voor vergaderkamers op wacht gestaan terwijl zij met haar generaals complotten smeedde. De Federatie bezat een indrukwekkend leger, een redelijke luchtmacht en een beperkte capaciteit op het gebied van korteafstandsraketten. Het meeste daarvan was voor defensieve doeleinden door het Westen geleverd en gefinancierd, want de Federatie grensde aan Iran, China en Afghanistan.

Hij had het Rafael niet verteld, maar hij wist wat ze van plan was. Hij had haar horen praten over de chaos in Afghanistan, waar de taliban zich nog aan een beetje macht vastklampten. Over Iran, waar de radicale president voortdurend met zijn sabel kletterde. En over Pakistan, een land dat blind was voor het geweld dat het exporteerde.

Die naties waren haar eerste doel.

En er zouden miljoenen sterven.

Er trilde iets in zijn zak.

Hij pakte zijn telefoon, keek naar het schermpje en nam op. Zijn maag trok zich samen.

'Viktor,' zei Zovastina. 'Ik ben blij dat ik je heb gevonden. Er doet zich een probleem voor.'

Ze vertelde hem wat er in Amsterdam was gebeurd. Twee leden van de Heilige Schare waren omgekomen toen ze een penning wilden bemachtigen. 'De Amerikanen hebben een officieel onderzoek ingesteld. Ze willen weten waarom mijn mensen op agenten van de Geheime Dienst schoten. En dat is een goede vraag.'

Hij wilde zeggen dat ze zich waarschijnlijk zo roekeloos hadden gedragen omdat ze doodsbang waren haar teleur te stellen, maar hij wist wel beter en zei alleen: 'Ik zou de zaak daar liever zelf hebben afgehandeld.'

'Goed, Viktor. Vanavond geef ik dat toe. Jij was ertegen dat er nog een team werd gestuurd en dat heb ik toch gedaan.'

Hij was zo verstandig niet op die concessie in te gaan. Het was al ongelooflijk genoeg dat ze het had gezegd. 'Maar nu, minister, wilt u misschien weten waarom de Amerikanen daar waren?'

'Die gedachte is bij me opgekomen.'

'Misschien hebben ze ons door.'

'Het kan ze vast niet schelen wat wij doen. Ik denk eerder aan onze vrienden in de Venetiaanse Liga. Vooral de dikke.'

'Evengoed waren de Amerikanen daar,' zei hij.

'Dat kan toeval zijn geweest.'

'Wat zeggen ze zelf?'

'Hun vertegenwoordigers willen geen bijzonderheden verstrekken.'

'Minister,' zei hij op gedempte toon, 'weten we nu eindelijk waar we achteraan zitten?'

'Daar werk ik nog aan. Er zit niet veel schot in, maar ik weet nu dat we Ptolemaeus' raadsel alleen kunnen oplossen als we het lichaam vinden dat ooit in de Soma in Alexandrië heeft gelegen. Ik ben ervan overtuigd dat we bij het stoffelijk overschot van de heilige Marcus in de Basilica di San Marco in Venetië moeten zijn.'

Dat had hij nog niet eerder gehoord.

'Daarom ga ik morgenavond naar Venetië.'

Dat was nog schokkender. 'Is dat verstandig?'

'Het is noodzakelijk. En ik wil jou bij me hebben, in de kerk. Je moet die andere penning in handen krijgen en om één uur 's nachts bij de kerk zijn.'

Hij wist wat het juiste antwoord was. 'Ja, minister.'

'En je hebt het nog niet verteld, Viktor. Hebben we de penning uit Denemarken?'

'Ja.'

'Dan moeten we het zonder die uit Nederland stellen.'

Hij merkte dat ze niet kwaad was. Dat was vreemd, want hij had gefaald.

'Viktor, ik had een reden om te bevelen dat de penning uit Venetië de laatste moest zijn.'

En nu wist hij waarom. De kerk. En het lichaam van de heilige Marcus. Toch zaten die Amerikanen hem nog dwars. Gelukkig had hij de moeilijkheden in Denemarken binnen de perken gehouden. Alle tegenstanders die hem te slim af hadden willen zijn waren dood en Zovastina hoefde dat nooit te weten.

'Ik werk hier al een tijdje naartoe,' zei ze. 'Er liggen spullen voor je klaar in Venetië. Kom dus niet met de auto maar neem het vliegtuig. Ze zijn op de volgende plaats.'

Ze gaf het adres op van een pakhuis en een toegangscode voor een elektronisch slot. 'Het is niet belangrijk wat er in Amsterdam is gebeurd. Wat in Venetië gebeurt, is van vitaal belang. Ik wil die laatste penning.'

31

STEPHANIE LUISTERDE MET grote belangstelling naar wat Edwin Davis en president Daniels te vertellen hadden.

'Wat weet je van zoönose?' vroeg Davis haar.

'Een ziekte die van dieren op mensen kan worden overgedragen.'

'Het is nog specifieker,' zei Daniels. 'Het is een ziekte die bij dieren onschuldig is maar mensen met verwoestende resultaten kan besmetten. Enkele van de bekendste voorbeelden zijn antrax, pest, ebola, rabies, vogelgriep, zelfs doodgewone ringworm.'

'Ik wist niet dat u zo goed was in biologie.'

Daniels lachte. 'Ik geef geen moer om wetenschap. Maar ik ken veel mensen die er veel van weten. Vertel het haar, Edwin.'

'Er zijn ongeveer vijftienhonderd zoönotische ziekteverwekkers bekend. De helft blijft rustig bij de dieren, leeft van de gastheer en besmet nooit iemand. Maar als ze op een ander dier worden overgedragen, een dier waarvoor de ziekteverwekker geen vaderlijke instincten koestert, worden ze wild. Zo is de pest begonnen. Ratten waren drager van de ziekte en vlooien voedden zich met ratten. Toen werd de ziekte door vlooien op mensen overgedragen en werd het een epidemie...'

'Totdat,' zei Daniels, 'we immuun werden voor die verrekte bacil. Jammer genoeg duurde dat in de veertiende eeuw enkele tientallen jaren. In die tijd ging een derde van de Europese bevolking dood.'

'De Spaanse griep van 1918 was ook een zoönose, nietwaar?' vroeg ze.

Davis knikte. 'Die sprong van vogels op mensen over en muteerde daarna om van mens op mens te kunnen overgaan. En of het dat kon!

Twintig procent van de wereld heeft de ziekte gekregen. Ongeveer vijf procent van de hele wereldbevolking is eraan gestorven. Vijfentwintig miljoen mensen in een halfjaar tijd. Om het in een perspectief te zetten: aids heeft vijfentwintig miljoen mensen gedood in vijfentwintig jáár.'

'En die cijfers uit 1918 zijn niet erg betrouwbaar,' merkte Daniels op. 'China en de rest van Azië hebben vreselijk geleden zonder dat we weten hoeveel mensen er gestorven zijn. Sommige historici geloven dat er over de hele wereld maar liefst honderd miljoen slachtoffers zijn gevallen.'

'Een zoönotische ziekteverwekker is het volmaakte biologische wapen,' zei Davis. 'Je hoeft er alleen maar een te vinden, of het nu een virus, een bacterie, een eencellig diertje of een parasiet is. Als je het isoleert, kan het naar hartenlust op iedereen overslaan. Als je slim bent, maak je twee versies. De eerste gaat alleen van dier naar mens, zodat je het slachtoffer direct moet besmetten. De tweede, gemuteerde versie, gaat van mens naar mens. De eerste kan voor beperkte aanvallen op specifieke doelen worden gebruikt, met de minimale kans dat het ding op nog iemand anders overslaat. De tweede versie zou een massavernietigingswapen zijn. Je besmet een paar mensen en er komt geen eind aan het sterven.'

Ze besefte dat het maar al te waar was wat Edwin Davis zei.

'Je kunt die dingen tegenhouden,' zei Daniels, 'maar het kost tijd om tegenmaatregelen te isoleren, bestuderen en ontwikkelen. Gelukkig hebben de meeste bekende zoönoses antimiddelen. Voor een paar zijn er zelfs vaccins die een epidemie voorkomen. Maar het kost tijd om die middelen te ontwikkelen, en intussen sterven er veel mensen.'

Stephanie vroeg zich af waar dit heen ging. 'Waarom is dit alles zo belangrijk?'

Davis pakte een map op die naast Daniels' blote voeten op het glazen blad van de tafel lag. 'Negen jaar geleden zijn twee ganzen, die tot een bedreigde soort behoorden, uit een particuliere dierentuin in België gestolen. Ongeveer in dezelfde tijd werden bedreigde knaagdieren en zeldzame slakken uit dierentuinen in Australië en Spanje gestolen. Meestal hebben zulke dingen niet veel betekenis, maar we gingen op onderzoek uit en ontdekten dat het minstens veertig keer over de hele wereld is gebeurd. De doorbraak kwam vorig jaar in Zuid-Afrika. Daar werden de dieven betrapt. We camoufleerden hun arrestatie met zogenaamde sterfgevallen. De mannen werkten mee, want ze voelden er weinig voor om een paar jaar in een Zuid-Afrikaanse gevangenis door te brengen. Toen hoorden we dat Irina Zovastina achter de diefstallen zat.'

'Wie deed dat onderzoek?' vroeg ze.

'Painter Crowe van Sigma,' zei Daniels. 'Daar hebben ze veel wetenschappelijke kennis. Dat is hun specialiteit. Maar nu gaat het over naar jouw domein.'

Dat hoorde ze niet graag. 'Kan Painter het niet houden?'

Daniels glimlachte. 'Na vanavond? Nee, Stephanie. Dit is helemaal van jou. Ik heb je van de Nederlanders gered. Nu moet je iets terugdoen.'

De president had de olifantpenning nog in zijn hand en ze vroeg: 'Wat heeft die munt ermee te maken?'

'Zovastina heeft ze verzameld,' zei Daniels. 'Dan nu het echte probleem. We weten dat ze een flinke voorraad zoönoses bijeen heeft gebracht. Bij de laatste telling waren het er ongeveer twintig. En o ja, ze is slim geweest en heeft meer versies. Zoals Edwin zei: een versie voor beperkte aanvallen, en een versie voor overdracht van mens op mens. Ze heeft een biologisch lab in de buurt van haar hoofdstad Samarkand. Maar interessant genoeg heeft Enrico Vincenti ook nog een biologisch lab net over de grens, in China. Zovastina gaat daar graag op bezoek.'

'Wilden jullie daarom onderzoek naar Vincenti laten doen?'

Davis knikte. 'Het is altijd nuttig om de vijand te kennen.'

'De CIA heeft lekken binnen de Federatie gecultiveerd,' zei Daniels, en hij schudde zijn hoofd. 'Dat is moeilijk. En onaangenaam. Maar we zijn een beetje verder gekomen.'

Toch bespeurde ze iets. 'Hebben jullie een bron?'

'Als je het zo wilt noemen,' zei de president. 'Ik heb mijn twijfels. Zovastina is in veel opzichten een probleem.'

Ze begreep in welk dilemma hij verkeerde. In een deel van de wereld waar Amerika weinig vrienden had, had Zovastina zich openlijk tot vriend van Amerika uitgeroepen. Ze was vaak behulpzaam geweest met inlichtingen waardoor terroristische activiteit in Afghanistan en Irak kon worden gedwarsboomd. Uit noodzaak had de Verenigde Staten haar voorzien van geld, militaire steun en verfijnde apparatuur, en dat was riskant.

'Ooit gehoord van de man die een slang midden op de weg zag liggen?'

Ze grijnsde. Een van Daniels' befaamde verhalen.

'De man stopte en zag dat de slang gewond was. En dus nam hij het beest mee naar huis en verzorgde hij het tot het weer gezond was. Toen de slang hersteld was, zette de man de voordeur open om hem naar buiten te laten gaan. Maar toen de ratelslang naar buiten kroop, beet dat verrekte ding hem in zijn been. Kort voordat het gif hem bewusteloos maakte, riep hij naar de slang: "Ik nam je in huis, gaf je eten, verpleegde je wonden, en bij wijze van dank bijt je me?" De slang zei: "Dat is helemaal waar. Maar toen je dat deed wist je dat ik een slang was."'

Ze begreep de boodschap.

'Zovastina,' zei de president, 'voert iets in haar schild en dat heeft met Enrico te maken. Ik hou niet van biologische oorlogvoering. De wereld heeft het meer dan dertig jaar geleden verboden. En deze vorm is de ergste. Ze is iets afschuwelijks van plan, en die Venetiaanse Liga, waar Vincenti en zij lid van zijn, helpt haar daar in Azië. Gelukkig heeft ze nog niets gedaan. Maar we hebben reden om aan te nemen dat ze binnenkort gaat beginnen. Die idioten om haar heen, in wat ze met een groot woord naties noemen, hebben geen oog voor wat er gebeurt. Ze maken zich te druk om Israël en ons. Die domheid gebruikt ze in haar voordeel. Ze denkt dat ik ook dom ben. We moeten haar laten weten dat we haar door hebben.'

'We zouden liever nog wat langer in de schaduw zijn gebleven,' zei Davis. 'Maar nu haar gardisten door twee agenten van de Geheime Dienst zijn gedood, gaan er alarmbellen bij haar over.'

'Wat wil je dat ik doe?'

Daniels gaapte en ze smoorde zelf ook een geeuw. De president zwaaide met zijn hand. 'Ga gerust je gang. Het is midden in de nacht. Let maar niet op mij. Gaap maar een eind weg. Je kunt in het vliegtuig slapen.'

'Waar ga ik heen?'

'Naar Venetië. Als Mohammed niet naar de berg wil komen, brengen we de berg naar hem toe.'

32

Venetië
8.50 uur

VINCENTI GING DE salon van zijn *palazzo* binnen en bereidde zich voor. Meestal hield hij zich niet bezig met dit soort presentaties. Per slot van rekening had Philogen Pharmaceutique een grote marke-ting- en verkoopafdeling met honderden personeelsleden. Maar dit was iets bijzonders, iets wat hij zelf moest doen, en dus had hij een privépre-sentatie in zijn huis georganiseerd.

Hij zag dat het externe reclamebureau, dat in Milaan gevestigd was, blijkbaar niets aan het toeval had overgelaten. Ze hadden vier mensen, drie vrouwen en een man, en onder hen een directielid, gestuurd om hem in te lichten.

'Damaris Corrigan,' zei het directielid in het Engels, en ze stelde zich-zelf en haar drie medewerkers aan hem voor. Ze was een aantrekkelijke vrouw van begin vijftig, gekleed in een donkerblauw krijtstreeppak.

Bij een van de wanden dampte koffie in een zilveren pot. Hij liep er-heen en schonk een kopje voor zichzelf in.

'We vroegen ons onwillekeurig af,' zei Corrigan, 'of er iets te gebeuren staat.'

Hij maakte de knopen van zijn jasje los en ging in een gecapitonneer-de stoel zitten. 'Wat bedoelt u?'

'Toen u ons zes maanden geleden in de arm nam, vroeg u om sugges-ties voor het op de markt brengen van een mogelijke hiv-remedie. We vroegen ons toen af of Philogen op het punt stond iets te ontdekken. Nu u wilde zien wat we hebben, dachten we dat er misschien een doorbraak was geweest.'

Hij feliciteerde zichzelf in stilte. 'Ik denk dat u het juiste woord gebruikt. Een "mogelijke" remedie. Zeker, het is onze hoop de eerste te zijn die met een geneesmiddel komt – we besteden miljoenen aan research – maar als er een doorbraak komt, en je weet nooit wanneer dat gebeurt, wil ik niet eerst nog maanden op een goed marketingplan moeten wachten.' Hij zweeg even. 'Nee. Op dit moment hebben we nog niets, maar het kan geen kwaad om enigszins voorbereid te zijn.'

Zijn gast reageerde met een hoofdknikje op zijn uitleg en liep toen naar een presentatiestandaard. Hij wierp een blik op een van de vrouwen die naast hem zaten. Een fraaie brunette, niet ouder dan dertig of vijfendertig, in een strakke wollen rok. Hij vroeg zich af of ze echt een account executive was of alleen maar als decoratie was meegekomen.

'Ik heb de afgelopen paar weken fascinerende dingen gelezen,' zei Corrigan. 'Het lijkt erop dat hiv een gespleten persoonlijkheid heeft. Het hangt ervan af welk deel van de wereld je bestudeert.'

'Dat is een waar woord,' zei hij. 'Hier en in een werelddeel als Noord-Amerika is de ziekte redelijk goed in de hand te houden. Het is geen belangrijke doodsoorzaak meer. Mensen kunnen er gewoon mee leven. Symptoombestrijdende drugs hebben het sterftecijfer met meer dan de helft teruggebracht. In Afrika en Azië daarentegen is het een heel ander verhaal. Over de hele wereld zijn vorig jaar drie miljoen mensen aan hiv gestorven.'

'Dat hebben we eerst gedaan,' zei ze. 'Een projectie maken van de markt die ons voor ogen staat.'

Ze vouwde het bovenste vel papier weg van het grote schrijfblok dat aan de standaard was vastgemaakt. Er kwam een schema tevoorschijn.

'Deze cijfers geven de recentste gevallen van hiv-infectie over de hele wereld weer.'

REGIO	AANTAL
Noord-Amerika	1.011.000
West-Europa	988.000
Australië-Oceanië	22.000
Latijns-Amerika	1.599.000
Afrika sub-Sahara	20.778.000
Caribisch gebied	536.000
Oost-Europa	2.000

Zuidoost-Mediterraan	893.000
Noordoost-Azië	6.000
Zuidoost-Azië	11.277.000
Totaal	37.112.000

'Wat is de bron van die gegevens?' vroeg Vincenti. 'De World Health Organization. En dit is de totale markt die momenteel beschikbaar is voor een geneesmiddel.' Corrigan sloeg het papier weer om. 'Dit is een schema van de beschikbare markt. Zoals u kunt zien, tonen de gegevens aan dat ongeveer een kwart van de hiv-besmettingen op de wereld tot een manifestatie van aids heeft geleid. Negen miljoen seropositieven hebben momenteel aids.'

REGIO	AANTAL
Noord-Amerika	555.000
West-Europa	320.500
Australië-Oceanië	14.000
Latijns-Amerika	573.500
Afrika sub-Sahara	6.300.000
Caribisch gebied	160.500
Oost-Europa	10.800
Zuidoost-Mediterraan	15.000
Noordoost-Azië	17.600
Zuidoost-Azië	1.340.000
Totaal	9.306.900

Corrigan sloeg het papier weer om. 'Dit zijn de projecties voor de komende vijf jaar. Ook deze gegevens zijn afkomstig van de World Health Organization.'

REGIO	SCHATTING
Noord-Amerika	8.150.000
West-Europa	2.331.000
Australië-Oceanië	45.000
Latijns-Amerika	8.554.000
Afrika sub-Sahara	33.609.000
Caribisch gebied	6.962.000

Oost-Europa	20.000
Zuidoost-Mediterraan	3.532.000
Noordoost-Azië	486.000
Zuidoost-Azië	45.059.000
Totaal	108.748.000

'Verbijsterend. Misschien hebben we binnenkort honderdtien miljoen mensen met hiv op de wereld. Uit recente gegevens blijkt dat vijftig procent van die personen uiteindelijk aids zal krijgen. Veertig procent van die vijftig procent zal binnen twee jaar dood zijn. Natuurlijk zal de overgrote meerderheid van die gevallen zich in Afrika en Azië voordoen.' Corrigan schudde haar hoofd. 'Een grote markt, nietwaar?'

Vincenti liet de cijfers op zich inwerken. Als je uitging van een gemiddelde van zeventig miljoen hiv-gevallen, en van behandelingskosten van minstens vijfduizend euro per jaar, dan kon een geneesmiddel in de eerste fase driehonderdvijftig miljard euro opleveren. Zeker, als de aanvankelijk besmette populatie eenmaal genezen was, zou de markt verschrompelen. Nou en? Dan was het geld al binnen. Het was meer dan iemand in een mensenleven kon uitgeven. Daarna kwamen er vast wel nieuwe besmettingen, en die zouden ook omzet genereren, niet de miljarden die de eerste campagne zou opbrengen, maar wel gestage inkomsten.

'Toen hebben we naar de concurrentie gekeken. Als we mogen afgaan op wat de who heeft bekendgemaakt, worden er over de hele wereld momenteel ongeveer zestien middelen gebruikt om symptomen van aids te bestrijden. Er doen ongeveer twaalf spelers aan dit spel mee. De omzet van uw eigen middel was vorig jaar ruim een miljard euro.'

Philogen bezat patenten op zes medicijnen die in combinatie met andere middelen hadden bewezen werkzaam te zijn bij het tot staan brengen van het virus. Hoewel de patiënt gemiddeld vijftig pillen per dag moest nemen, was deze zogeheten cocktailtherapie de enige die echt werkte. Het was geen genezing, want de stortvloed van medicatie bracht het virus alleen maar in verwarring, en het was een kwestie van tijd voordat de natuur de microbiologen te slim af was. Er waren in Azië en China al hiv-stammen opgedoken die resistent waren tegen de middelen.

'We keken ook naar de combinatiebehandelingen,' zei Corrigan. 'Een kuur van drie middelen kost gemiddeld ongeveer twintigduizend euro per jaar, maar zo'n behandeling is in feite een westerse luxe. In Afrika en

Azië bestaat zoiets niet. Philogen doneert met korting medicamenten aan enkele getroffen overheden, maar het zou miljarden euro's per jaar kosten om die patiënten dezelfde behandeling te geven, geld dat geen enkele Afrikaanse regering heeft.'

Zijn eigen marketingmensen hadden hem hetzelfde verteld. Eigenlijk was behandeling geen optie voor de geteisterde Derde Wereld. Alleen wanneer de verspreiding van hiv een halt werd toegeroepen, zou de crisis effectief bestreden kunnen worden. Condooms waren het eerste aangewezen middel, en een van Philogens dochterbedrijven draaide op volle toeren om die dingen te maken. De omzet was in de loop van de afgelopen twintig jaar met duizenden procenten gestegen. En de winst ook. Maar de laatste tijd was het gebruik van condooms geleidelijk afgenomen. Mensen werden nonchalant.

Corrigan zei: 'Volgens zijn eigen propaganda heeft een van uw concurrenten, Kellwood-Lafarge, alleen al vorig jaar meer dan honderd miljoen euro's uitgegeven aan onderzoek naar een aids-geneesmiddel. U hebt ongeveer een derde daarvan uitgegeven.'

Hij keek de vrouw met een grijns aan. 'Concurreren met Kellwood-Lafarge is net zoiets als met een hengel op walvissen vissen. Dat is het grootste geneesmiddelenconcern op aarde. Het is moeilijk om evenveel euro's uit te geven als iemand die een brutowinst van meer dan honderd miljard per jaar maakt.'

Hij nam een slokje van zijn koffie en Corrigan sloeg weer een papier om.

'Laten we los van dat alles eens naar productideeën kijken. Voor elk geneesmiddel is een naam natuurlijk van kritiek belang. Momenteel lopen de namen van de zestien symptoombestrijdende middelen uiteen. Het zijn namen als Bactrim, Diflucan, Intron, Pentam, Videx, Crixivan, Hivid en Retrovir. Omdat een middel over de hele wereld gebruikt zal worden, dachten we dat een eenvoudige, meer universele naam, zoals AZT, vanuit een marketingstandpunt beter zou zijn. Er is ons verteld dat Philogen momenteel acht mogelijke geneesmiddelen in ontwikkeling heeft.' Corrigan ging over op het volgende papier, waarop verpakkingsideeën te zien waren. 'We weten niet of een geneesmiddel vast of vloeibaar zal zijn en of het oraal dan wel door middel van een injectie zal worden toegediend, en dus hebben we variaties gecreëerd. De kleuren hebben we in uw huisstijl van zwart en goud gehouden.'

Hij keek naar de tekeningen.

Ze wees naar het papier. 'We hebben de plaats voor de naam opengelaten. Die naam willen we in goudkleurige letters aanbrengen. Daar werken we nog aan. Het gaat er bij dit alles vooral om dat als de naam niet bij een specifieke taal hoort de verpakking bijzonder genoeg moet zijn voor onmiddellijke herkenning.'

Hij was tevreden, maar het leek hem beter een glimlach te onderdrukken. 'Ik heb misschien wel een naam. Iets wat al een tijdje door mijn hoofd gaat.'

Corrigan keek geïnteresseerd.

Hij stond op, liep naar de standaard, nam een markeerstift en schreef ZH op.

Hij zag ze allemaal verbaasd kijken. 'Zèta. Eta. Oudgrieks. Het betekende "leven".'

Corrigan knikte. 'Heel toepasselijk.'

Dat vond hij ook.

33

Eiland Vozrozjdenja
Centraal-Aziatische Federatie
13.00 uur

ZOVASTINA KEEK GEFASCINEERD naar de menigte. Haar medewerkers hadden beloofd dat er vijfduizend mensen zouden komen. In plaats daarvan had haar reissecretaresse haar tijdens de helikoptervlucht van Samarkand naar het noordwesten verteld dat er meer dan twintigduizend mensen op haar komst wachtten. Dat bewees weer eens hoe populair ze was. Nu ze die heksenketel van goodwill zag, ideaal voor de televisiecamera's die op het spreekgestoelte waren gericht, moest ze zich wel bijzonder tevreden voelen.

'Kijk om je heen,' zei ze in de microfoon, 'naar wat we kunnen bereiken als onze geest en ons hart samenwerken.' Ze liet de woorden even op de menigte inwerken en maakte toen een weids gebaar. 'Kantoebek is herboren.'

De menigte, opeengedrongen als mieren, juichte met het enthousiasme waaraan ze geleidelijk gewend was geraakt.

Het eiland lag in het midden van het Aralmeer. Het was een afgelegen wildernis waar ooit de Dienst Microbiologische Oorlogvoering van de Sovjet-Unie gevestigd was geweest. Het was ook een tragisch voorbeeld van de uitbuiting van Azië door haar vroegere heersers. Op dit eiland waren antraxsporen en pestbacillen ontwikkeld en opgeslagen. Na de val van de communistische regering in 1991 verliet het laboratoriumpersoneel het eiland. In de tien jaar daarna lekten de containers met de dodelijke sporen. Het gevaar van een biologische ramp werd vergroot doordat het Aralmeer geleidelijk verdroogde. Het wonderbaarlijke meer, gevoed door de grote Amoe Darja, had ooit voor een deel tot Kazachstan en voor een deel tot Oezbekistan behoord. Maar toen de Sovjets de loop van de Darja veranderden en het water van de rivier naar een twaalfhonderd kilometer lang kanaal leidden – water dat werd gebruikt om katoen voor Sovjetfabrieken te verbouwen – begon de binnenzee, ooit een van de grootste zoetwatermeren ter wereld, te verdwijnen om plaats te maken voor een woestijn waarin geen leven mogelijk was.

Maar zij had dat alles veranderd. Het kanaal was nu weg, de rivier hersteld. De meesten van haar collega's hadden weinig anders gekund dan hun veroveraars imiteren, maar haar hersens waren niet verschrompeld door wodka. Ze had altijd precies geweten wat ze wilde, en ze had geleerd de macht te grijpen en vast te houden.

'Er is hier tweehonderd ton communistische antrax gesaneerd,' zei ze tegen de menigte. 'Al hun gif is weg. En we hebben de Sovjets daarvoor laten betalen.'

De menigte bulderde van instemming.

'Ik zal jullie iets vertellen. Toen we eenmaal vrij waren, bevrijd van de wurggreep van Moskou, hadden ze de euvele moed om te zeggen dat ze geld van ons tegoed hadden.' Ze stak haar armen in de lucht. 'Kunnen jullie je dat voorstellen? Ze verkrachten ons land. Vernietigen ons meer. Vergiftigen de bodem met hun bacillen. En dan zouden ze nog geld van óns te goed hebben?' Ze zag duizenden hoofden schudden. 'Dat zei ik ook. Nee.'

Ze tuurde langs de gezichten die naar haar terugkeken, elk badend in het licht van de middagzon.

'En dus lieten we de Sovjets ervoor betalen dat hun eigen rommel werd opgeruimd. En we sloten hun kanaal, dat het leven aan ons oude meer onttrok.'

Ze gebruikte nooit het enkelvoudige 'ik'. Altijd 'we'.

'Velen van jullie kunnen zich ongetwijfeld, net als ik, de tijgers, wilde zwijnen en watervogels herinneren die overal in de delta van de Amoe Darja te vinden waren. De miljoenen vissen in het Aralmeer. Onze biologen weten dat hier ooit honderdachtenzeventig soorten leefden. Nu zijn er nog maar achtendertig over. Sovjetvooruitgang.' Ze schudde haar hoofd. 'De deugden van het communisme.' Ze grijnsde. 'Criminelen. Dat waren het. Je reinste criminelen.'

Het kanaal was niet alleen ecologisch maar ook structureel een mislukking geweest. Weglekkend water en overstromingen waren aan de orde van de dag geweest. Het kanaal verloor meer water dan het ooit afleverde. Zoiets was niet zo bijzonder voor de Sovjets, die weinig om efficiency gaven. Doordat het Aralmeer bijna helemaal opdroogde, werd het eiland Vozrozjdenja een schiereiland. De vrees bestond dat landzoogdieren en reptielen de dodelijke biologische gifstoffen naar het vasteland zouden verspreiden. Nu was die vrees er niet meer. Het land was schoon. Dat was bevestigd door een inspectieteam van de Verenigde Naties, dat de operatie 'meesterlijk' had genoemd.

Ze stak haar vuist in de lucht. 'En we zeiden tegen die Sovjetcriminelen dat we ze, als het enigszins kon, allemaal in onze gevangenissen zouden zetten.'

De mensen bulderden opnieuw van instemming.

'Deze stad Kantoebek, waar we nu staan, hier op het plein, is uit de as herrezen. De Sovjets lieten hem tot puin vervallen. Nu zullen hier vrije burgers van de Federatie in vrede en harmonie wonen, op een eiland dat ook herboren is. Het Aralmeer zelf komt terug, het waterpeil stijgt elk jaar en de door de mens gemaakte woestijn wordt weer bodem. Dit is een voorbeeld van wat we kunnen bereiken. Ons land. Ons water.' Ze aarzelde. 'Ons erfgoed.'

De menigte barstte in gejuich uit.

Ze liet haar blik over de gezichten gaan en genoot van het enthousiasme dat haar woorden wekten. Ze hield ervan om onder de mensen te zijn. En zij hielden van haar. Macht verwerven was tot daaraan toe. Macht behouden was heel iets anders.

En ze was van plan de macht te behouden.

'Mijn medeburgers, wij kunnen alles doen wat we willen. Hoeveel mensen over de hele wereld hebben niet gezegd dat onze Federatie niet zou standhouden? Hoevelen hebben niet gezegd dat we door burgeroorlogen uiteen zouden vallen? Hoevelen hebben niet beweerd dat we niet in staat waren onszelf te regeren? We hebben twee keer landelijke verkiezingen gehouden. Vrij en open, met veel kandidaten. Niemand kan zeggen dat die verkiezingen niet eerlijk waren.' Ze zweeg even. 'We hebben een grondwet die niet alleen mensenrechten maar ook persoonlijke, politieke en intellectuele vrijheid garandeert.'

Ze genoot van dit moment. De heropening van het eiland Vozrozjdenja was beslist een gebeurtenis waar zij bij moest zijn. De televisie van de Federatie en drie nieuwe onafhankelijke stations waarvoor ze een licentie aan leden van de Venetiaanse Liga had gegeven, verspreidden haar boodschap door het hele land. Die eigenaren van die nieuwe televisiestations hadden haar heimelijk beloofd dat ze strikte toezicht zouden houden over alles wat werd uitgezonden. Het maakte deel uit van de diensten die leden van de Liga aan andere leden bewezen, en ze was blij met hun aanwezigheid. Mensen konden moeilijk beweren dat ze de media beheerste, want het had er alle schijn van dat ze dat niet deed.

Ze keek naar de herbouwde stad, naar de huizen en gebouwen die waren opgetrokken in de stijl van honderd jaar geleden. Kantoebek zou weer bewoond worden. Haar ministerie van Binnenlandse Zaken had gemeld dat tienduizend mensen een aanvraag hadden ingediend voor een perceel op het eiland. Het feit dat zo veel mensen op een eiland wilden wonen waar zich nog maar twintig jaar geleden niets in leven kon houden, bewees hoeveel vertrouwen de mensen in haar hadden.

'Stabiliteit is de basis van alles!' riep ze uit.

Die frase had ze de afgelopen vijftien jaar steeds weer gezegd.

'Vandaag dopen we dit land in de naam van het volk van de Centraal-Aziatische Federatie. Moge ons verbond voor altijd blijven bestaan.'

Onder het applaus van de menigte ging ze bij het spreekgestoelte vandaan.

Drie van haar gardisten kwamen vlug naar voren en leidden haar het podium af. Haar helikopter stond klaar, evenals een vliegtuig dat haar naar het westen zou brengen, naar Venetië, waar de antwoorden op zo veel vragen lagen te wachten.

34

Venetië

14.15 uur

MALONE STOND NAAST Cassiopeia, die de motorboot de lagune in stuurde. Ze hadden een rechtstreekse vlucht vanuit Kopenhagen genomen en waren een uur geleden op het vliegveld Marco Polo geland. Hij was de afgelopen jaren vele malen voor Magellan Billet-missies in Venetië geweest. Het was vertrouwd terrein. Het was groot en geïsoleerd, maar het hart was compact gebleven, ongeveer drie kilometer lang en anderhalve kilometer breed, en het was er eeuwenlang in geslaagd de wereld op een afstand te houden.

De boeg van de boot was naar het noordoosten gericht, weg van het centrum. Ze kwamen langs de glasmakerijen van Murano en gingen recht op Torcello af, een van de vele stukken land in de Venetiaanse lagune.

Ze hadden de boot bij het vliegveld gehuurd, een rank houten vaartuig met hutten voor en achter. Pittige buitenboordmotoren stuwden de lage boot over de woelige golven en trokken een spoor van kalkwit schuim door het groene water.

Onder het ontbijt had Cassiopeia hem over de laatste olifantpenning verteld. Thorvaldsen en zij hadden de diefstallen in Europa in kaart gebracht en algauw geconstateerd dat de dekadrachmen in Venetië en Samarkand genegeerd werden. Daarom waren ze er redelijk zeker van geweest dat de penning in Kopenhagen nu aan de beurt zou zijn. Nadat de vierde penning drie weken geleden van een particuliere verzamelaar in Frankrijk was gestolen, hadden Thorvaldsen en zij geduldig afgewacht.

'Ze moeten een reden hebben om tot het laatst met de penning in Venetië te wachten,' zei Cassiopeia boven het motorgeronk uit. Een van de waterbussen van de stad tufte in tegenovergestelde richting voorbij. 'Je zult wel willen weten waarom?'

'Die vraag is bij me opgekomen.'

'Ely dacht dat Alexander de Grote misschien in de graftombe van de heilige Marcus ligt.'

Een interessant idee. Apart. Idioot.

'Het is een lang verhaal,' zei ze, 'maar misschien heeft hij gelijk. Het lichaam in de San Marco zou dat van een tweeduizend jaar oude mummie zijn. Marcus is in de eerste eeuw in Alexandrië gestorven en gemummificeerd. Alexander leefde driehonderd jaar eerder en is ook gemummificeerd. In de vierde eeuw, toen Alexander uit zijn tombe verdween, dook het stoffelijk overschot van Marcus plotseling weer in Alexandrië op.'

'Ik neem aan dat je nog meer aanwijzingen hebt?'

'Irina Zovastina wordt geobsedeerd door Alexander de Grote. Ely heeft me daar alles over verteld. Ze heeft een particuliere verzameling Griekse kunst, en een grote bibliotheek, en ze doet zich voor als een expert op het gebied van Homerus en de *Ilias*. En nu stuurt ze gardisten naar Europa om olifantpenningen te verzamelen en nergens een spoor achter te laten. En de munt in Samarkand wordt ongemoeid gelaten.' Ze schudde haar hoofd. 'Omdat ze tot het laatst met deze diefstal hebben gewacht, zouden ze nu in de buurt van de San Marco kunnen zijn.'

'Ik ben in de kerk geweest,' zei hij. 'De sarcofaag van de heilige bevindt zich onder het hoofdaltaar, dat tonnen weegt. Je zou hydraulisch materieel en veel tijd nodig hebben om binnen te komen. Dat is onmogelijk, want de kerk is de grootste toeristenattractie van de stad.'

'Ik weet niet hoe ze het wil doen, maar ik ben ervan overtuigd dat ze zal proberen bij die tombe te komen.'

Maar eerst, dacht hij, hadden ze blijkbaar de zevende penning nodig.

Hij liep bij het roer vandaan en daalde een trapje af naar de voorste hut, waar hij gordijnen met kwastjes, zitplaatsen met borduurwerk en glanzend mahoniehout zag. Rijk versierd voor een huurboot. Hij had op het vliegveld een gids van Venetië gekocht en las daarin nu over Torcello.

In de vijfde en zesde eeuw hadden zich Romeinen op het kleine eilandje gevestigd. In de achtste eeuw hadden bewoners van het vasteland, op de vlucht voor binnenvallende Lombarden en Hunnen, het eiland in bezit genomen. Rond 1500 woonden twintigduizend mensen in een bloeiende kolonie met kerken, kloosters, paleizen, markten en een grote haven. De kooplieden die in 828 het lichaam van de heilige Marcus uit Alexandrië stalen, waren burgers van Torcello. De gids noemde het een plaats waar 'Rome en Byzantium elkaar voor het eerst ontmoetten'. Een waterscheiding. In het westen stonden de Houses of Parliament. In het oosten stond de Taj Mahal. Daarna hadden pest, malaria en aanslibbing van de kanalen tot verval geleid. De energiekste burgers verhuisden naar Venetië zelf. De koopmanshuizen zakten in elkaar. Alle paleizen raakten in vergetelheid. Bouwers van andere eilanden zochten tussen het puin naar de juiste steen of kroonlijst, en geleidelijk verdween alles. Het moeras won aan terrein en nu woonden er nog geen zestig mensen in een handjevol huizen.

Hij keek door de ramen naar buiten en zag een toren van rode baksteen – oud, trots en eenzaam – naar de hemel reiken. Een foto in de gids kwam met de contouren overeen. Hij las dat de klokkentoren naast de overgebleven trots van Torcello stond. De Basilica di Santa Maria Assunta, gebouwd in de zevende eeuw, het oudste bedehuis van Venetië. Daarnaast stond volgens de gids een plompe kerk in de vorm van een Grieks kruis, de zeshonderd jaar later gebouwde Santa Fosca.

Cassiopeia gaf minder gas en de boot kwam rustiger in het water te liggen. Hij ging het trapje op en kwam bij haar aan het stuurwiel staan. Voor hen uit waren smalle stroken okergele zandbank in riet, biezen en knokige cipressen gehuld. De boot ging nog langzamer varen en ze kwamen in een modderig kanaal, waarvan de ene wal door overwoekerde velden en de andere door een verharde weg werden geflankeerd. Links van hen nam een van de waterbussen van Venetië passagiers in op de enige halteplaats van openbaar vervoer van het eiland.

'Torcello,' zei ze. 'Laten we hopen dat we hier het eerst zijn.'

Viktor stapte uit de *vaporetto*, gevolgd door Rafael.

De waterbus had hen in een moeizaam tempo over de Venetiaanse lagune van de San Marco naar Torcello gebracht. Hij had het openbaar vervoer genomen omdat het de onopvallendste manier was om het doelwit van die avond te verkennen. Over een smal straatje langs het lusteloze kanaal volgden ze een menigte toeristen met camera's die zich naar de twee beroemde kerken van het eiland begaven. Het pad kwam uit bij een groepje lage gebouwen: een paar restaurants, wat souvenirwinkels en een café. Hij had de indeling van het eiland bestudeerd en wist dat Torcello een minuscule strook land was met artisjokboerderijen en enkele dure huizen. Twee eeuwenoude kerken en een restaurant waren de voornaamste attracties.

Ze waren van Hamburg naar Venetië gevlogen, met een tussenstop in München. Hierna zouden ze naar de Federatie terugkeren; dan zat hun Europese expeditie erop. Op bevel van de minister-president moest Viktor de zevende penning voor middernacht in handen krijgen. Om één uur 's nachts werd hij in de San Marco verwacht. Het was heel ongewoon dat Zovastina zelf naar Venetië kwam. Ze verwachtte iets, en blijkbaar was dat al in gang gezet. Maar deze diefstal zou tenminste geen probleem opleveren.

Malone keek neer op de elegante klokkentoren van het eiland, een massa baksteen en marmer die vernuftig bijeengehouden werd door bogen en pilaren. Hij was vijftig meter hoog, als een talisman in de woestijn, en onderweg naar de top, over trappen langs de buitenmuren, had hij aan de Ronde Toren in Kopenhagen moeten denken. Ze hadden de zes euro toegangsgeld betaald en waren naar boven geklommen om het eiland vanaf het hoogste punt te bestuderen.

Hij stond voor het muurtje en keek door open bogen. Het leek wel of land en water elkaar in strakke omhelzing achtervolgden. Witte reigers scheerden vanaf drassig gras de lucht in. Boomgaarden en artisjokkenvelden lagen er verstild bij. Het sombere tafereel deed hem denken aan een spookstad in het Amerikaanse westen.

Beneden stond de kerk, die niets warms of verwelkomends had, een schuurachtig bouwwerk dat er onvoltooid uitzag. Malone had in een gids gelezen dat het inderhaast was opgetrokken door mensen die dachten dat de wereld in het jaar 1000 zou vergaan.

'Het is een geweldige allegorie,' zei hij tegen Cassiopeia. 'Een Byzantijnse kathedraal naast een Griekse kerk. Oost en west naast elkaar. Net als Venetië zelf.'

Voor de twee kerken strekte zich een grotendeels met gras begroeide *piazzetta* uit. Dat was ooit het middelpunt van het stadsleven, maar nu niet meer dan de brink van een dorp. Stoffige paden gingen in verschillende richtingen, twee naar een volgend kanaal en andere die zich naar boerderijen in de verte slingerden. Er stonden nog twee natuurstenen gebouwen aan de piazzetta, allebei klein, zo'n twaalf bij zes meter, gebouwen van twee verdiepingen met schuine daken. Samen vormden ze het Museo di Torcello. Volgens de gids waren het ooit *palazzo's* geweest, eeuwen geleden bewoond door rijke kooplieden. Tegenwoordig waren ze eigendom van de staat.

Cassiopeia wees naar het gebouw aan de linkerkant. 'Daar is de penning, op de bovenverdieping. Het museum stelt niet veel voor. Mozaiekfragmenten, kapitelen, een paar schilderijen, wat boeken en munten. Griekse, Romeinse en Egyptische voorwerpen.'

Hij keek naar haar. Ze bleef over het eiland uitkijken. In het zuiden doemden de contouren van het eigenlijke Venetië op, met campaniles die naar een verduisterende hemel reikten. Er was regen op komst. 'Wat doen we hier?'

Ze gaf niet meteen antwoord. Hij legde zijn hand op haar arm. Ze huiverde bij het contact maar verzette zich niet. Haar ogen traanden en hij vroeg zich af of de trieste atmosfeer van Torcello haar aan dingen deed denken waaraan ze liever niet terugdacht.

'Hier is alles weg,' mompelde ze.

Behalve hen was er niemand boven op de toren. De lome stilte werd alleen verstoord door voetstappen, stemmen en gelach van mensen die op weg naar boven waren.

'Ely ook,' zei hij.

'Ik mis hem.' Ze beet op haar lip.

Hij verbaasde zich over die oprechtheid en vroeg zich af of ze meer vertrouwen in hem kreeg. 'Je kunt niets doen.'

'Dat zou ik niet willen zeggen.'

De klank van haar woorden stond hem niet aan. 'Wat ben je van plan?'

Ze gaf geen antwoord en hij drong niet aan. In plaats daarvan keek hij met haar over de kerkdaken uit. Aan een weggetje dat van het dorp naar de met gras begroeide *piazzetta* leidde stonden kraampjes met kant, glaswerk en souvenirs. Een groep toeristen liep naar de kerken. Onder hen zag Malone een bekende. Viktor.

'Ik zie hem ook,' zei Cassiopeia.

De mensen op de trap kwamen bij hen aan.

'De man naast hem heeft de banden doorgesneden,' zei ze.

Ze zagen de twee mannen recht op het museum af lopen.

'We moeten vlug naar beneden,' zei hij. 'Misschien komen ze ook boven om het terrein te verkennen. Vergeet niet dat ze denken dat wij dood zijn.'

'Zoals alles hier,' mompelde ze.

35

Venetië

15.20 uur

STEPHANIE SPRONG UIT de watertaxi en liep door het labyrint van nauwe straatjes. Ze had bij haar hotel de weg gevraagd en hield zich zo goed mogelijk aan de instructies, maar Venetië was een immens doolhof. Ze was nu midden in de wijk Dorsoduro, een kalm, schilderachtig deel van de stad dat al eeuwen welvarend was. Ze liep door drukke, smalle straatjes waar van alles te koop werd aangeboden.

Voor haar uit zag ze de villa. Hij was strak symmetrisch en straalde vergane glorie uit. De schoonheid kwam van het aangename contrast van bakstenen muren met smaragdgroene klimop. Er liep een marmeren lijst langs de bovenkant.

Ze passeerde een smeedijzeren hek en klopte op de voordeur. Een oudere vrouw in een personeelsuniform deed open en keek haar uit de hoogte aan.

'Ik kom voor meneer Vincenti,' zei Stephanie. 'Zegt u tegen hem dat ik hem de groeten van president Danny Daniels overbreng.'

De vrouw keek haar nieuwsgierig aan en Stephanie vroeg zich af of de naam van de president van de Verenigde Staten haar iets zei. Daarom gaf ze haar voor alle zekerheid een opgevouwen stukje papier. 'Geef dit aan hem.'

De vrouw aarzelde en deed de deur dicht.

Stephanie wachtte.

Twee minuten later ging de deur weer open.

Ditmaal was de opening breder.

En ze werd uitgenodigd binnen te komen.

'Een fascinerende introductie,' zei Vincenti tegen haar.

Ze gingen in een rechthoekige kamer met een verguld plafond zitten. De elegantie van de kamer werd benadrukt door de doffe glans van lakwerk dat het meubilair ongetwijfeld al eeuwen had bedekt. Ze snoof de muffe geur op en meende een zweem van katten, vermengd met citroenboenwas, op te vangen.

Haar gastheer hield het briefje omhoog. '"Ik word gestuurd door de president van de Verenigde Staten." Dat is nogal wat.' Blijkbaar deed het hem goed dat hij zo belangrijk was.

'U bent een interessante man, meneer Vincenti. Opgegroeid in de staat New York. Amerikaans Staatsburger. August Rothman.' Ze schudde haar hoofd. 'Enrico Vincenti? U hebt uw naam veranderd. Ik vraag me af waarom.'

Hij haalde zijn schouders op. 'Het is een kwestie van image.'

'De nieuwe naam klinkt...' Ze aarzelde. 'Hij klinkt continentaler.'

'Nou, ik heb goed over die naam nagedacht. Enrico komt van Enrico Dandolo, de negenendertigste doge van Venetië, eind twaalfde eeuw. Hij leidde de Vierde Kruistocht. Ze veroverden Constantinopel en maakten een eind aan het Byzantijnse rijk. Een heel bijzondere man. Legendarisch, kun je wel zeggen.

'De naam Vincenti nam ik over van een andere Venetiaan uit de twaalfde eeuw. Benedictijner monnik en edelman. Toen zijn hele familie in de Egeïsche Zee verdronk, vroeg hij dispensatie van zijn kloostergeloften. Het verzoek werd ingewilligd en hij trouwde en stichtte via zijn kinderen vijf nieuwe familietakken. Heel vindingrijk. Ik had bewondering voor zijn flexibiliteit.'

'En zo werd u Enrico Vincenti. Venetiaanse aristocratie.'

Hij knikte. 'Klinkt erg goed, nietwaar?'

'Wilt u dat ik verderga met wat ik weet?'

Hij maakte een instemmend gebaar.

'U bent zestig jaar oud. U hebt biologie gestudeerd aan de University of North Carolina en de Duke University. U promoveerde in de virologie aan de University of East Anglia, het John Innes Centre, in Engeland. Daar werd u gerekruteerd door een Pakistaans farmaceutisch bedrijf dat banden met de regering van Irak onderhield. U werkte al in een vroeg stadium voor de Irakezen, kort nadat Saddam Hoessein in 1979 aan de macht was gekomen. U werkte aan hun programma voor biologische wapens in Salman Pak ten noorden van Bagdad. Daar werd onder toezicht van het Centrum voor Technisch Onderzoek naar ziekteverwekkers gezocht. Hoewel Irak de Conventie tegen Biologische Wapens van 1972 had ondertekend, is Saddam nooit tot ratificatie overgegaan. U bleef voor hen werken tot 1990, kort voordat de eerste Golfoorlog helemaal in de soep liep voor de Irakezen. Toen gooiden ze alles dicht en maakte u dat u weg kwam.'

'Dat is helemaal correct, mevrouw Nelle, of mag ik Stephanie zeggen?'

'Mij best.'

'Oké, Stephanie, waarom ben ik zo interessant voor de president van de Verenigde Staten?'

'Ik was nog niet klaar.'

Hij gaf weer met een gebaar te kennen dat ze verder kon gaan.

'Antrax, botuline, cholera, pest, ricine, salmonella, zelfs pokken... Jullie hebben daar in Irak met dat alles geëxperimenteerd.'

'Zijn je mensen in Washington er uiteindelijk niet achter gekomen dat het maar verzinsels waren?'

'Misschien wel in 2003, toen Bush het land binnenviel, maar beslist niet in 1990. Toen was het echt. Ik was vooral gek op het kameelpokkenvirus. Jullie dachten dat jullie het ideale wapen hadden. In het laboratorium veiliger dan gewone pokken, maar een geweldig goed etnisch wapen aangezien Irakezen er over het algemeen immuun voor zijn dankzij de kamelen waarmee ze eeuwenlang zijn omgegaan. Voor westerlingen en Israëliërs is het een heel andere zaak. Een dodelijke zoönose.'

'Ook verzinsels,' zei Vincenti, en ze vroeg zich af hoe vaak hij diezelfde leugen met evenveel overtuiging had uitgesproken.

'Er zijn te veel documenten, foto's en getuigen om die ontkenning geloofwaardig te laten zijn,' zei ze. 'Daarom ben je na 1990 uit Irak weggegaan.'

'Wees nou eens reëel, Stephanie. In de jaren tachtig zag niemand in biologische oorlogvoering een wapen voor massavernietiging. Washington interesseerde zich er niet voor. Saddam zag tenminste de mogelijkheden.'

'We weten nu beter. Het vormt een grote bedreiging. Veel mensen geloven trouwens dat de eerste biologische oorlog geen wereldramp zal zijn. Het wordt een regionaal conflict met een matige intensiteit. Een schurkenstaat tegen zijn buurman. Geen kwestie van wereldwijde consensus over moraliteit, maar van regionale haat en lukraak moorden. Ongeveer als de oorlog tussen Irak en Iran in de jaren tachtig, toen sommige van jullie bacillen trouwens ook op mensen zijn uitgeprobeerd.'

'Een interessante theorie, maar is dat niet het probleem van je president? Waarom zou ik me er iets van aantrekken?'

Ze gooide het over een andere boeg. 'Je bedrijf, Philogen Pharmaceutique, is een groot succes. Je bezit persoonlijk twee komma vier miljoen aandelen in het bedrijf. Dat is tweeënveertig procent van het totaal en daardoor ben je de grootste afzonderlijke aandeelhouder. Een indrukwekkend conglomeraat. De waarde van de activa is bijna tien miljoen euro, met dochters in volledige eigendom die onder andere cosmetica, toiletartikelen, zeep en diepvriesvoedsel produceren en een keten van Europese warenhuizen bezitten. Je hebt het bedrijf vijftien jaar geleden voor een appel en een ei gekocht...'

'Uit jullie onderzoek is vast wel gebleken dat het indertijd bijna bankroet was.'

'Dat roept de vraag op: hoe en waarom is het je gelukt het bedrijf te kopen en te redden?'

'Ooit van openbare aanbieding gehoord? Mensen investeerden in het bedrijf.'

'Nauwelijks. Het meeste startkapitaal heb je er zelf naartoe gesluisd. Ongeveer veertig miljoen dollar, schatten we. Je had met je werk voor een schurkenstaat een leuk bedragje opzij gelegd.'

'De Irakezen waren royaal. Ze hadden ook een voortreffelijke ziektekostenverzekering en een geweldig pensioenstelsel.'

'Daar hebben veel mensen van geprofiteerd. We volgden in die tijd veel belangrijke microbiologen. Ook jou.'

Blijkbaar ving hij haar ondertoon op. 'Heeft dit bezoek zin?'

'Je bent een goede zakenman. Je schijnt een uitmuntende entrepreneur te zijn. Maar je neemt te grote financiële risico's. Het onderhoud van je schulden legt beslag op al je middelen, en toch ga je door.'

Edwin Davis had haar goed op de hoogte gesteld.

'Wil Daniels investeren? Over drie jaar is hij geen president meer. Zeg maar tegen hem dat ik wel een plaatsje in mijn raad van bestuur voor hem heb.'

Ze greep in haar zak en gooide hem de olifantpenning in zijn hoes toe. Hij ving het ding verrassend snel op.

'Weet je wat dat is?'

Hij keek aandachtig naar de dekadrachme. 'Zo te zien een man die tegen een olifant vecht. En dan een man die met een speer in zijn hand staat. Ik ben bang dat geschiedenis niet mijn sterkste kant is.'

'Bacillen zijn je specialiteit.'

Hij keek haar met een overtuigde blik aan.

'Toen de wapeninspecteurs van de VN je na de eerste Golfoorlog over het Irakese programma voor biologische wapens ondervroegen, zei je dat er niets ontwikkeld was. Er was veel onderzoek gedaan, maar de hele onderneming was te slecht gefinancierd en te slecht geleid.'

'Al die toxines die je noemde zijn omvangrijk, moeilijk op te slaan, lastig te verwerken en bijna onmogelijk te beheersen. Geen praktische wapens. Ik had gelijk.'

'Slimme mensen als jij kunnen die problemen overwinnen.'

'Zo goed ben ik niet.'

'Dat zei ik ook, maar anderen zijn het er niet mee eens.'

'Je zou niet naar hen moeten luisteren.'

Ze negeerde dat. 'Binnen drie jaar nadat je Irak had verlaten, draaide Philogen Pharmaceutique op volle toeren en was je lid van de Venetiaanse Liga.' Ze keek of haar woorden een reactie ontketenden. 'Voor dat lidmaatschap moet een prijs worden betaald. Een hoge prijs, heb ik gehoord.'

'Ik geloof niet dat het illegaal is wanneer mannen en vrouwen graag in elkaars gezelschap zijn.'

'Jullie zijn de Rotary niet.'

'We hebben een doel, kwalitatief hoogwaardige leden en een missie die we nastreven. Dat gaat op voor elke serviceclub.'

'Je hebt nog steeds mijn vraag niet beantwoord,' merkte ze op. 'Heb je ooit eerder een van die munten gezien?'

Hij gooide hem naar haar terug. 'Nooit.'

Ze probeerde iets af te lezen van deze omvangrijke man wiens gezicht even bedrieglijk was als zijn stem. Voor zover ze had kunnen nagaan, was hij een middelmatige viroloog met een buitengewone opleiding en veel gevoel voor zaken. Maar hij was misschien ook verantwoordelijk voor de dood van Naomi Johns.

Tijd om dat uit te zoeken. 'Je bent niet half zo slim als je denkt.'
Vic streek een opstandige lok van zijn dunne haar terug. 'Dit wordt vervelend.'

'Als zij dood is ben jij dat ook.'

Ze zocht weer naar een reactie. Blijkbaar was hij de minimale waarheid die hij kon uitspreken aan het afwegen tegen een leugen die ze niet zou tolereren.

'Zijn we klaar?' vroeg hij, nog steeds met een warme, beleefde stem. Ze stond op. 'Eigenlijk zijn we nog maar net begonnen.' Ze hield de penning omhoog. 'Op de voorkant van deze munt staan heel kleine lettertjes. Ze zijn in de plooien van de mantel van de krijger verborgen. Het is verbazingwekkend dat ze in die tijd zoiets kleins konden graveren. Maar ik heb experts ingeschakeld en die konden ze vinden. Die lettertjes zijn een soort watermerk. Een beveiligingsmiddel. Deze munt heeft er twee. ZH. Zèta. Eta. Zegt dat je iets?'

'Nee.'

Maar ze zag hem heel even met zijn ogen knipperen van belangstelling. Of was het verbazing? Misschien zelfs een nanoseconde van schrik.

'Ik heb kenners van het Oudgrieks geraadpleegd. Die zeiden dat ZH "leven" betekent. Interessant, nietwaar, dat iemand de moeite nam om die minuscule letters met een boodschap te graveren, terwijl in die tijd zo weinig mensen ze konden lezen? Lenzen waren in die tijd praktisch onbekend.'

Hij haalde zijn schouders op. 'Daar heb ik niets mee te maken.'

Vincenti wachtte vijf minuten nadat de voordeur van het *palazzo* was dichtgegaan. Hij zat in de salon en liet zijn spanningen wegzakken. De stilte werd alleen verstoord door het ritselen van gekooide vleugels en het klikken van de snavels van zijn kanaries. Het *palazzo* was eeuwen geleden eigendom geweest van een bon vivant met een intellectuele smaak die het tot een middelpunt van de Venetiaanse literaire wereld had gemaakt. Een andere eigenaar had het Canal Grande voor begrafenisstoeten gebruikt. In de kamer waar Vincenti nu zat waren in die tijd secties verricht en lijken bewaard. Later gebruikten smokkelaars het huis als markt voor hun waren en verzonnen ze griezelverhalen om nieuwsgierigen op een afstand te houden.

Hij verlangde naar die tijd.

Stephanie Nelle, in dienst van het Amerikaanse ministerie van Justitie en naar haar eigen zeggen gestuurd door de president van de Verenigde Staten, had hem uit zijn evenwicht gebracht.

Niet omdat de Amerikanen iets over zijn verleden wisten; dat zou gauw genoeg irrelevant zijn. En niet vanwege wat er gebeurd kon zijn met hun agente die ze hadden gestuurd om hem te bespioneren; die was dood en begraven en zou nooit worden gevonden. Nee. Zijn maag dreigde in opstand te komen vanwege de letters op de munt.

ZH.

Zèta. Eta.

Leven.

'Je kunt nu binnenkomen,' riep hij.

Peter O'Conner liep de salon in. Hij had het hele gesprek vanuit de aangrenzende kamer kunnen horen. Een van Vincenti's vele huiskatten trippelde ook de salon in.

'Wat denk je?' vroeg Vincenti.

'Ze is een boodschapper die haar woorden met zorg heeft gekozen.'

'Zovastina zit achter die penning aan die ze me liet zien. Hij komt overeen met de beschrijving die ik gisteren heb gelezen in de papieren die je me in het hotel hebt gegeven.' Toch wist hij nog steeds niet waarom de munten zo belangrijk waren.

'Er doet zich iets nieuws voor. Zovastina komt naar Venetië. Vandaag.'

'Op staatsbezoek? Daar heb ik niets over gehoord.'

'Niet officieel. Ze gaat vannacht meteen weer weg. Privévliegtuig. Speciale regeling met de douane, via het Vaticaan. Een bron heeft me gebeld om het te vertellen.'

Nu wist hij het. Er stond iets te gebeuren en Zovastina was hem enkele stappen voor. 'We moeten weten wanneer ze aankomt en waar ze heen gaat.'

'Daar ben ik al mee bezig. We zullen er klaar voor zijn.'

Het werd voor hem ook tijd om in beweging te komen. 'Zijn we klaar in Samarkand?'

'U zegt het maar.'

Hij besloot gebruik te maken van de afwezigheid van zijn vijand. Het had geen zin om tot het weekend te wachten. 'Laat het vliegtuig klaarstaan. We vertrekken binnen een uur. Maar terwijl we weg zijn, moeten we precies weten wat de minister-president hier komt doen.'

O'Conner knikte.

En nu iets wat hem echt dwarszat: 'Nog één ding. Ik moet een boodschap naar Washington sturen. Een boodschap die heel goed begrepen moet worden. Laat Stephanie Nelle elimineren. En zorg dat we die penning in handen krijgen.'

36

MALONE GENOOT VAN zijn bord spinaziepasta met kaas en ham. Viktor en zijn collega waren een uur geleden van het eiland vertrokken. Ze waren eerst twintig minuten in het museum geweest en hadden daarna de omgeving van de kerk verkend, vooral de tuin die de kerk van het Canale Borgognoni scheidde, een rivierachtige waterweg die zich tussen Torcello en het volgende eilandje uitstrekte. Cassiopeia en hij hadden hen vanuit verschillende posities gadegeslagen. Viktor had blijkbaar niets gemerkt. Waarschijnlijk had hij op zijn anonimiteit vertrouwd en zich geconcentreerd op de taak die hem te wachten stond.

Nadat Viktor en zijn handlanger met de waterbus waren vertrokken, waren Cassiopeia en hij naar het dorp gegaan. Bij een souvenirkraam hoorden ze dat restaurant Locanda Cipriani al tientallen jaren bestond en als een van Venetiës beroemdste eetgelegenheden werd beschouwd. Elke avond kwamen er mensen met een boot naar het eiland om van de ambiance te genieten. Binnen hing tussen de houten plafonds, terracottamuren en indrukwekkende bas-reliëfs een galerie van foto's – Hemingway, Picasso, Diana en Charles, koningin Elizabeth, Churchill, talloze acteurs en artiesten – elk met een persoonlijke dankbetuiging.

Ze zaten in de tuin onder een pergola met zoet ruikende rozen, in de schaduw van de twee kerken en de campanile, een stille oase, omlijst door bloeiende granaatappelbomen. Hij moest toegeven dat het eten uitstekend was. Zelfs Cassiopeia had blijkbaar honger. Geen van hen had sinds het ontbijt in Kopenhagen iets gegeten.

'Hij komt terug als het donker is,' zei ze kalm.

'Weer een vreugdevuur?'

'Dat is blijkbaar hun gewoonte, al is het niet nodig. Niemand zal die munt missen.'

Toen Viktor weg was, waren ze het museum binnengegaan. Cassiopeia had gelijk gehad. Er was daar niet veel bijzonders te zien. Stukjes en beetjes, fragmenten van zuilen, kapitelen en mozaïeken, een paar schilderijen. Op de bovenverdieping twee gammele vitrinekasten met potscherven, sieraden en oude huishoudelijke voorwerpen, die in en bij Torcello gevonden zouden zijn. De olifantpenning lag in een van die kasten tussen allerlei munten. Malone had gezien dat het gebouw geen alarm- of beveiligingssysteem had en dat de enige beheerder, een zwaargebouwde vrouw in een effen witte jurk, er blijkbaar alleen maar op lette dat niemand foto's maakte.

'Ik ga die schoft vermoorden,' mompelde Cassiopeia.

Die woorden verbaasden hem niet. Hij had in de klokkentoren al gevoeld dat ze zich kwaad maakte. 'Jij denkt dat Irina Zovastina opdracht heeft gegeven Ely te vermoorden.'

Ze was klaar met eten.

'Heb je daar enig bewijs voor, afgezien van het feit dat zijn huis tot de grond toe is afgebrand?'

'Ze heeft het gedaan. Ik weet het gewoon.'

'Eigenlijk weet je helemaal niks.'

Ze bleef onbeweeglijk zitten. Voorbij de tuin kwam de schemering opzetten. 'Ik weet genoeg.'

'Cassiopeia, je trekt voorbarige conclusies. Ik ben met je eens dat die brand verdacht is, maar als zij het heeft gedaan, moet je weten waarom.'

'Toen Gary bedreigd werd, wat deed jij toen?'

'Ik haalde hem terug. Ongedeerd.'

Hij zag dat ze wist dat hij gelijk had. Regel één van een missie. Verlies het doel nooit uit het oog.

'Ik heb je advies niet nodig.'

'Je moet eerst eens goed nadenken.'

'Cotton, er is meer aan de hand dan jij weet.'

'Goh, wat schrik ik daarvan.'

'Ga naar huis. Laat mij begaan.'

'Dat kan ik niet doen.'

Hij voelde getril in zijn broekzak, haalde zijn mobieltje tevoorschijn, keek naar het nummer en zei tegen haar: 'Het is Henrik.' Hij nam op.

'Cotton, president Daniels heeft net gebeld.'

'Dat was vast wel interessant.'

'Stephanie is in Venetië. Ze is daarheen gestuurd om met een zekere Enrico Vincenti te praten. De president maakt zich zorgen. Ze hebben het contact verloren.'

'Waarom belde hij jou?'

'Hij zocht jou, al had ik het gevoel dat hij wist dat je hier al was.'

'Dat was niet moeilijk te ontdekken, met die paspoortscans op het vliegveld. Als je maar weet op welk land je moet letten.'

'Blijkbaar wist hij dat.'

'Waarom is Stephanie hierheen gestuurd?'

'Hij zei dat Vincenti in verbinding staat met Irina Zovastina. Ik weet wie Vincenti is. Hij is een probleem. Daniels heeft me ook verteld dat een andere agente nu al meer dan een dag wordt vermist. Vermoedelijk is ze dood. Hij zei dat jij haar kende. Het is Naomi Johns.'

Hij deed zijn ogen dicht. Ze waren samen bij de Magellan Billet gekomen en hadden verscheidene keren met elkaar samengewerkt. Een goede agente. Een nog betere vriendin. Dat was het probleem met zijn vroegere beroep: er werd bijna nooit iemand ontslagen. Je nam ontslag, ging met pensioen of ging dood. Hij was naar veel uitvaartdiensten geweest.

'Was Vincenti daarbij betrokken?' vroeg hij.

'Daniels dacht van wel.'

'Vertel me over Stephanie.'

'Ze logeert in het Montecarlo, een blok achter de San Marco, aan de Calle degli Specchieri.'

'Waarom gebruikten ze niet een van hun eigen mensen?'

'Hij zei dat Naomi Johns hun persoon ter plaatse was. Verder is daar niemand. Hij hoopte dat ik je kon vragen of je wilde kijken hoe het met Stephanie gaat. Kan dat?'

'Ik zal ervoor zorgen.'

'Hoe staan de zaken daar?'

Hij keek Cassiopeia over de tafel aan. 'Niet goed.'

'Zeg tegen Cassiopeia dat het pakje dat ze heeft besteld daar binnenkort aankomt.'

Hij verbrak de verbinding en vroeg haar: 'Heb je Henrik gebeld?'

Ze knikte. 'Drie uur geleden. Nadat we onze dieven hadden gezien.'

Ze waren uit elkaar gegaan en hadden de twee musea afzonderlijk verkend.

'Stephanie is in Venetië en verkeert misschien in moeilijkheden,' zei hij. 'Ik moet kijken hoe het met haar gaat.'

'Ik kan het hier wel aan.'

Dat betwijfelde hij.

'Ze zullen pas terugkomen als het donker is,' zei ze. 'Ik heb geïnformeerd. Dit eiland is 's avonds verlaten, afgezien van mensen die hier komen eten. Om negen uur is het sluitingstijd. De laatste waterbus vertrekt om tien uur. Dan is iedereen weg.'

Een ober bracht een zilveren kistje met een wit lint eromheen, en ook een tas van textiel, misschien wel een meter lang, ook met een decoratieve strik. Hij vertelde dat een watertaxi beide voorwerpen enkele ogenblikken geleden had afgeleverd. Malone gaf hem twee euro fooi.

Cassiopeia pakte het kistje uit, keek erin en gaf het aan hem. Er lagen twee pistolen met extra magazijnen in.

Hij wees naar de tas. 'En dat?'

'Een verrassing voor onze dieven.'

De implicaties daarvan stonden hem niet aan.

'Ga jij maar bij Stephanie kijken,' zei ze. 'Het wordt tijd dat Viktor een geest ziet.'

37

MALONE ONTDEKTE HOTEL Montecarlo precies op de plaats waar Thorvaldsen hem heen had gestuurd, verscholen aan een smal straatje met winkels en drukke cafés, een meter of dertig bij de kerk vandaan. Hij liep door de avonddrukte naar de glazen ingang en kwam in een hal waar een oosterse man in een zwarte broek en een wit overhemd achter een balie stond.

'Prego,' zei Malone. 'Engels?'

De man glimlachte. 'Natuurlijk.'

'Ik zoek Stephanie Nelle. Een Amerikaanse. Ze logeert hier.'

Omdat hij meteen herkenning op het gezicht van de andere man zag, vroeg hij: 'Welke kamer?'

De man keek in het sleutelrek achter hem. '210.'

Malone wilde naar de marmeren trap lopen.

'Maar ze is er niet.'

Hij draaide zich om.

'Ze is een paar minuten geleden het plein op gegaan. Voor een *gelato*. Ze heeft haar sleutel hier neergelegd.' De man hield een zwaar stuk koper omhoog, met '210' in de zijkant.

Wat was het in Europa toch gemakkelijk om dingen te weten te komen. In Amerika had deze informatie hem minstens honderd dollar gekost.

Evengoed zat dit alles hem niet lekker. Thorvaldsen zei dat Washington het contact met Stephanie had verloren, maar het was duidelijk dat ze in het hotel was geweest, en net als alle andere Magellan Billet-agenten had ze een satelliettelefoon.

En dan was ze toch zomaar het hotel uit geslenterd om een ijsje te gaan eten?

'Enig idee waar?'

'Ik heb haar naar de zuilengang gestuurd. Voor de kerk. Daar hebben ze lekker ijs.'

Hij hield ook van ijs. Dus waarom niet?

Ze zouden er allebei een nemen.

Cassiopeia koos positie bij de plaats waar het modderige kanaal in de lagune uitkwam, niet ver van de botenterminal van Torcello. Als haar intuïtie haar niet bedroog, zouden Viktor en zijn collega hier in de loop van de komende uren terugkomen.

Het eiland was in duisternis gehuld.

Alleen het restaurant waar Malone en zij hadden gegeten was nog open, maar ze wist dat het over een halfuur dicht zou gaan. Ze had ook in de twee kerken en het museum gekeken. Die waren nu gesloten en alle personeelsleden waren met de waterbus van een uur geleden vertrokken.

Boven de lagune hing een steeds dichtere mist, maar ze zag nog boten in alle richtingen varen. Ze wist dat ze zich aan de vaargeulen moesten houden die op het ondiepe water als wegen fungeerden. Ze stond nu op het punt een morele grens over te steken, een grens waar ze altijd binnen was gebleven. Ze had mensen gedood, maar alleen als het echt niet anders kon. Dit was anders. Haar bloed werd koud, en dat maakte haar bang.

Maar ze was het aan Ely verschuldigd.

Ze dacht elke dag aan hem.

Vooral aan hun tijd in de bergen.

Ze keek uit over de rotsmassa die afglooide naar steile heuvels, ravijnen, kloven en afgronden. Ze had gehoord dat de Pamirs soms geteisterd werden door hevige stormen en aardbevingen, en dat er altijd nevel hing en roofvogels hoog door de lucht scheerden. Eenzaam en verlaten, de stilte alleen onderbroken door een woest geblaf.

'Je bent hier graag, hè?' zei Ely.

'Ik ben graag bij jou.'

Hij glimlachte. Hij was achter in de dertig en had brede schouders, een opgewekt rond gezicht en ondeugende ogen. Hij was een van de wei-

nige mannen die ze ooit had ontmoet die haar het gevoel gaven dat ze geestelijk hun mindere was, en ze vond dat een prettig gevoel. Hij had haar zoveel geleerd.

'Ik zie het als een van de grote voordelen van mijn baan dat ik hier kan komen,' zei Ely.

Hij had haar verteld over zijn hut in de bergen ten oosten van Samarkand, dicht bij de Chinese grens, maar dit was haar eerste bezoek. De berghut met drie kamers was opgetrokken van dik hout en stond ergens in de bossen op enige afstand van de weg, tweeduizend meter boven de zeespiegel. Een korte wandeling door de bomen voerde hen naar dit punt, vanwaar ze een spectaculair uitzicht op de bergen hadden.

'Is die hut je eigendom?' vroeg ze.

Hij schudde zijn hoofd. 'Hij is van de weduwe van een winkelier in het dorp. Ze heeft hem me vorig jaar aangeboden, toen ik hier een keer was. Ze kan de huur goed gebruiken en ik kan van dit alles genieten.'

Ze hield van zijn kalme manier van doen. Hij verhief nooit zijn stem en gebruikte nooit een krachtterm. Hij was een eenvoudige man die van het verleden hield. 'Heb je gevonden wat je zocht?'

Hij wees naar de rotsige grond en de rode aarde. 'Hier?'

Ze schudde haar hoofd. 'In Azië.'

Hij dacht blijkbaar ernstig over haar vraag na. Ze gunde hem de luxe van zijn gedachten en keek naar de sneeuw die van een van de flanken in de verte schoof.

'Dat geloof ik wel,' zei hij.

Ze grijnsde om zijn woorden. 'En wat heb je bereikt?'

'Ik heb jou ontmoet.'

Vleierij werkte nooit bij haar. Mannen probeerden het steeds weer. Maar in het geval van Ely lag het anders. 'Afgezien daarvan,' zei ze.

'Ik heb geleerd dat het verleden nooit sterft.'

'Kun je daarover praten?'

Er kwam een eind aan het blaffen en ze hoorden in de verte het zwakke kabbelen van een beekje.

'Niet nu,' zei hij.

Ze sloeg haar arm om hem heen, trok hem dicht naar zich toe en zei: 'Wanneer je er klaar voor bent.'

Haar ogen werden vochtig bij de herinnering. Ely was in zo veel opzichten bijzonder geweest. Zijn dood kwam als een schok, te vergelijken met het moment waarop ze hoorde dat haar vader was gestorven, of toen haar moeder aan kanker bezweek terwijl niemand had geweten dat ze daaraan leed. Te veel verdriet. Te veel hartzeer.

Ze zag twee gele lichten haar kant op komen. De boot kwam recht op Torcello af. Er waren al twee watertaxi's gekomen en gegaan om gasten naar het restaurant te brengen en op te halen.

Dit zou er ook een kunnen zijn.

Ze had gemeend wat ze tegen Malone zei. Ely was vermoord. Dat kon ze niet bewijzen. Maar ze voelde het gewoon. Dat gevoel was haar altijd goed van pas gekomen. Thorvaldsen, God zegene hem, had aangevoeld dat ze het moest afsluiten, en daarom had hij haar zonder tegenstribbelen de tas gestuurd die ze nu tegen zich aan drukte, en het pistool dat aan haar riem zat. Ze haatte Irina Zovastina, en Viktor, en ieder ander die ervoor had gezorgd dat ze hier nu stond.

De boot ging langzamer varen en het motorgeluid nam af.

Het ranke vaartuig leek op de boot die Malone en zij hadden gehuurd. Hij volgde een rechte koers naar de ingang van het kanaal, en toen hij dichterbij kwam zag ze in het oranjegele boordlicht geen onopvallende taxibestuurder maar Viktor.

Hij was te vroeg.

En dat was goed.

Ze wilde dit zonder Malone afhandelen.

Stephanie liep over het plein voor de San Marco. De hoge goudkleurige rondingen van de San Marco waren verlicht. Vanuit de zuilengangen verspreidden terrassen zich in symmetrische rijen over het befaamde plein. Enkele muziekgezelschapjes speelden in montere disharmonie. Omdat het niet zulk goed weer was, waren er minder toeristen, gidsen, venters, bedelaars en sjacheraars dan gewoonlijk.

Ze liep langs de vermaarde bronzen vlaggenstokken en de indrukwekkende campanile, die nu gesloten was. De geur van vis en peper met een zweem van kruidnagel trok haar aandacht. Zwakke lichtkringen legden een gouden sluier over het plein. Duiven, overdag alom aanwezig, waren weg. Op elk ander moment zou de sfeer romantisch zijn geweest.

Maar nu was ze op haar hoede.

Ze was er klaar voor.

Terwijl de klokken hoog in de campanile lieten horen dat het tien uur 's avonds was, zocht Malone in de menigte naar Stephanie. Een bries uit het zuiden bracht de nevelige lucht in beroering. Hij was blij dat hij zijn jasje droeg. Daaronder verborg hij een van de pistolen die Thorvaldsen aan Cassiopeia had gestuurd.

De ene kant van het oude plein werd beheerst door de fel verlichte kerk, de andere kant door een museum. Dat alles was zachtgetint door de jaren van pracht en glorie. Toeristen liepen in drommen door de lange zuilengangen en keken in etalages, op zoek naar schatten. De *trattorias*, cafetaria's en ijskramen werden door de zuilengang tegen het slechte weer afgeschermd en deden allemaal goede zaken.

Hij keek over de *piazza*. Die was zo'n tweehonderd bij honderd meter groot en werd aan drie kanten door artistieke gebouwen begrensd die één immens marmeren paleis leken te vormen. Aan de andere kant van het vochtige plein, voorbij de deinende paraplu's, zag hij Stephanie, die met ferme pas in de richting van de zuidelijke zuilengang liep.

Hij stond in de noordelijke zuilengang, die zich aan zijn rechterkant bij de kerk naar het museum in de verte uitstrekte.

In de menigte viel één man hem op.

De man stond in zijn eentje, met zijn handen in de zakken van een olijfgroene jas. Hij bleef even staan, liep toen door de zuilengang, aarzelde bij elke boogpoort en was zich voortdurend bewust van zijn omgeving. Dat alles trok Malones aandacht.

Malone besloot gebruik te maken van zijn anonimiteit en naar het probleem toe te lopen. Hij lette op Stephanie en tegelijk op de man in de olijfgroene jas. Na enige tijd wist hij dat de man in haar geïnteresseerd was.

Toen zag hij nog meer moeilijkheden in de vorm van een beige regenjas aan de andere kant van de zuilengang. De aandacht van de andere man was ook op de *piazza* gericht.

Twee vrijers.

Malone liep door en nam de stemmen, het gelach, een zweem van parfum en het klakken van hakken in zich op. De twee mannen kwamen bij elkaar en liepen naar links, naar de zuidelijke zuilengang, waar Stephanie inmiddels was aangekomen.

Malone ging naar links, de mist in, en draafde over het plein. De twee mannen liepen evenwijdig met hem en waren telkens in de boogpoorten te zien. De ijle akkoorden van een van de caféorkestjes maskeerden alle andere geluiden.

Malone ging langzamer lopen en bewoog zich tussen een labyrint van terrastafels door, die nu verlaten waren omdat het zulk guur weer was. In de overdekte zuilengang stond Stephanie voor een vitrine naar het ijs te kijken.

De twee mannen kwamen dertig meter bij haar vandaan de hoek om.

Hij ging naast haar staan en zei: 'Het chocolade-ijs is erg lekker.'

Ze keek verrast op. 'Cotton, wat...'

'Geen tijd. We hebben gezelschap, achter me. Ze komen deze kant op.'

Hij zag dat ze een blik achterom wierp.

Hij draaide zich om.

Er kwamen pistolen tevoorschijn.

Hij duwde Stephanie bij de vitrine vandaan. Samen vluchtten ze door de zuilengang naar de *piazza* terug.

Hij pakte zijn eigen pistool en bereidde zich voor op een gevecht.

Maar ze zaten in de val. Achter hen strekte zich een plein ter grootte van een voetbalveld uit. Ze konden nergens heen.

'Cotton,' zei Stephanie, 'ik weet wat ik doe.'

Hij keek haar aan en hoopte vurig dat ze gelijk had.

Viktor manoeuvreerde de boot door het smalle kanaal en kwam onder een gammele boogbrug door. Hij was niet van plan bij het restaurant aan het eind van de waterweg aan te leggen. Hij wilde zich er alleen van vergewissen dat het dorp die avond al was leeggelopen. Hij was blij met het natte weer, een typisch Italiaanse bui die van zee kwam, regen af en aan, eerder ergernis dan echte hinder maar genoeg om hem veel dekking te verschaffen.

Rafael keek naar de donkere oevers. Omdat het twee uur geleden hoog tij was geweest, zouden ze gemakkelijk bij hun uiteindelijke aanlegpunt kunnen komen. Hij had die plaats al eerder uitgekozen: grenzend aan de kerk, aan een traag stromend kanaal dat een breed pad door het eiland trok. Er was daar een betonnen ligplaats.

Voor zich uit zag hij het dorp.

Donker en stil.

Geen boten.

Ze waren net uit het pakhuis gekomen waar Zovastina hen heen had gestuurd. Zoals ze had gezegd, had de minister-president haar plannen gemaakt. Ze hadden daar Grieks vuur, wapens en munitie aangetroffen. Toch had hij zijn twijfels over het in brand steken van het museum. Het leek hem overbodig, maar Zovastina had duidelijk gemaakt dat er niets overeind mocht blijven staan.

'Ziet er goed uit,' zei Rafael.

Hij beaamde dat.

En dus schakelde hij over op de neutrale stand, waarna hij de boot in zijn achteruit zette.

Cassiopeia glimlachte. Ze had gelijk gehad. Ze zouden niet zo dom zijn om in het dorp aan te leggen. Ze hadden het andere kanaal, dat langs de kerk liep, verkend en tot bestemming gekozen.

Ze zag de contouren van de boot honderdtachtig graden draaien en het kanaal verlaten. Ze greep achter zich, pakte het pistool dat Thorvaldsen had gestuurd en laadde het door. Met het pistool en de tas verliet ze haar schuilplaats, waarbij ze haar blik op het water gericht hield.

Viktor en zijn kompaan kwamen in de lagune.

De motoren ronkten.

De boot zwenkte naar rechts en begon om het eiland heen te varen.

Ze draafde door de verregende avond naar de kerken. Onderweg moest ze één keer ergens stoppen.

38

STEPHANIE VOND HET vreemd dat Malone daar was. Daar kon maar één reden voor zijn, maar ze had nu geen tijd om over de implicaties daarvan na te denken.

'Doe het nu,' zei ze in de microfoon op haar lapel.

Er galmden drie knallen over de *piazza* en een van de gewapende mannen zakte in elkaar. Malone en zij doken naar de vochtige straattegels, terwijl de overgebleven man dekking zocht. Malone reageerde met de snelheid van de agent die hij ooit was geweest en rolde de zuilengang weer in. Hij schoot twee keer om de overgebleven aanvaller het open plein op te krijgen.

Op het San Marcoplein stoven mensen in paniek uiteen.

Malone sprong overeind en drukte zich tegen de natte kant van een van de bogen. Zijn tegenstander stond op vijftien meter afstand, vastgepind in een kruisvuur van Malone en de schutter die Stephanie op het gebouw aan de noordkant had geposteerd.

'Wil je me vertellen wat er aan de hand is?' vroeg Malone zonder zijn blik van de man af te wenden.

'Ooit van lokaas gehoord?'

'Ja, en er zit een lastig ding aan die haak.'

'Mijn mannen zijn op het plein.'

Hij waagde het een blik om zich heen te werpen, maar zag niets. 'Zijn ze onzichtbaar?'

Zij keek ook om zich heen. Er kwam niemand hun kant op. Iedereen vluchtte naar de kerk. Er kwam een bekende woede in haar opzetten.

'De politie kan hier elk moment zijn,' zei hij.

Ze zag het probleem. Ze had zelf bij de Magellan Billet de regel ingevoerd dat agenten de plaatselijke politie niet mochten inschakelen. Die was meestal niet behulpzaam of regelrecht vijandig, zoals ze in Amsterdam persoonlijk had ondervonden.

'Hij is in beweging,' zei Malone terwijl hij naar voren rende.

Ze kwam achter hem aan en zei in de microfoon: 'Ga hier weg.'

Malone rende naar een uitgang van de zuilengang, weg van het plein, de donkere straatjes van Venetië weer in. Aan het eind van de uitgang welfde een voetgangersbrug zich over een kanaal.

Ze zag Malone over die brug rennen.

Malone bleef rennen. Aan weerskanten van het belachelijk smalle straatje waren gesloten winkels. Voor hem uit maakte de straat een hoek naar rechts. Er kwamen een paar voetgangers de hoek om. Hij ging langzamer lopen en verborg het pistool onder zijn jasje, zijn vinger strak aan de trekker.

Hij bleef bij de volgende hoek staan, tegen een glanzende etalageruit aan. Hij ademde diep in en gluurde langs de rand.

Een kogel vloog voorbij en ketste tegen de steen.

Stephanie vond hem.

'Is dit niet idioot?' vroeg ze.

'Dat weet ik niet. Het is jouw feestje.'

Hij waagde nog een blik.

Niets.

Hij gaf zijn positie op en rende tien meter door naar de volgende bocht in het straatje. Hij wierp een blik op de hoek en zag nog meer gesloten winkels en diepe schaduwen, en een dichte mist die bijna alles kon verbergen.

Stephanie kwam met haar pistool in de aanslag naar hem toe.

'Je lijkt wel een echte veldagent,' zei hij. 'Met pistool en al.'

'Ik kan er de laatste tijd wel een gebruiken.'

Hij ook, maar ze had gelijk. 'Dit is idioot. Als we zo doorgaan worden we gearresteerd. Wat doe jij hier?'

'Dat wou ik jou net vragen. Dit is mijn werk. Jij bent boekverkoper. Waarom heeft Danny Daniels je gestuurd?'

'Hij zei dat ze het contact met je hadden verloren.'

'Niemand heeft contact met me opgenomen.'

'Blijkbaar wil onze president dat ik erbij betrokken ben, maar kan hij niet de beleefdheid opbrengen het me te vragen.'

Op het plein achter hen was geschreeuw te horen.

Iets anders zat hem meer dwars. Torcello. 'Mijn boot ligt vlak achter de San Marco, aan de kade.' Hij wees naar rechts, een ander straatje in. 'Als we die kant op gaan, moeten we daar komen.'

'Waar gaan we heen?' vroeg Stephanie.

'Iemand helpen die nog meer hulp nodig heeft dan jij.'

Viktor zette de motor uit en liet de boot zachtjes tegen de stenen kade aankomen. Om hen heen was een dof kleurenpalet van leigrijs, moddergroen en vaalblauw. Het strakke silhouet van de kerk verhief zich dertig meter bij hen vandaan, voorbij de spichtige schaduwen van een tuin en boomgaard. Rafael kwam met twee schoudertassen uit de achterhut en zei: 'Acht pakken en één schildpad moeten genoeg zijn. Als we de benedenvloer in brand steken, gaat de rest gemakkelijk in vlammen op.'

Rafael had verstand van het eeuwenoude middel en Viktor was op die expertise gaan vertrouwen. Hij zag dat zijn collega de schoudertassen voorzichtig neerlegde en de hut weer binnenging om vervolgens met een van de robotschildpadden terug te komen.

'Hij is opgeladen en klaar.'

'Waarom is het een "hij"?'

'Weet ik niet. Dat gevoel heb ik.'

Viktor glimlachte. 'We hebben vakantie nodig.'

'Een paar dagen vrij zou al mooi zijn. Misschien geeft de minister ons die dagen als beloning.'

Hij lachte. 'De minister gelooft niet in beloningen.'

Rafael trok de riemen van de twee schoudertassen strak. 'Een paar dagen op de Malediven zou niet gek zijn. Op het strand liggen. Warm water.'

'Hou op met dromen. Dat gaat niet gebeuren.'

Rafael hing een van de zware schoudertassen om. 'Er is niets mis met dromen. Vooral niet hier in die regen.'

Viktor pakte de schildpad op terwijl Rafael de andere schoudertas nam. 'Erin en eruit. Snel. Oké?'

Zijn collega knikte. 'Dit wordt een makkie.'

Dat dacht hij ook.

Cassiopeia stond in het voorportaal van de kerk. Ze gebruikte de schaduw en de zes torenhoge zuilen als dekking. De mist was overgegaan in motregen, maar gelukkig was het niet koud. Een gestage bries hield het water in beroering en maskeerde geluiden die ze graag zou willen horen. Zoals de motor van de boot ergens voorbij de tuin rechts van haar. Die boot zou daar inmiddels moeten zijn.

Twee kiezelpaadjes leidden bij haar vandaan, het ene naar een stenen pier waar Viktor vast en zeker zou aanleggen, het andere naar het water zelf. Ze moest geduld oefenen. Ze zou wachten tot ze in het museum waren en naar de bovenverdieping waren gegaan.

En dan zouden ze een koekje van eigen deeg krijgen.

39

STEPHANIE STOND NAAST Malone toen hij de boot van de betonnen kade losmaakte. Er kwamen politieboten aan. Ze gingen naar de aanlegplaatsen waar het San Marcoplein aan de lagune grensde. Hun schijnwerpers tastten de duisternis af.

'Straks is het hier een heksenketel,' zei Malone. 'Daar had Daniels aan moeten denken voordat hij tussenbeide kwam.'

Malone volgde de verlichte kanaalbakens naar het noorden, evenwijdig met de kust. Er kwamen nog meer politieboten met loeiende sirenes op grote snelheid voorbij. Ze nam haar wereldtelefoon en toetste een nummer in. Ze ging toen dicht bij Malone staan en zette het apparaat op de luidspreker.

'Edwin,' zei ze. 'Je mag blij zijn dat je hier niet bent, want dan zou ik je een schop verkopen.'

'Werk je niet voor mij?' vroeg Davis.

'Ik zou drie mannen op dat plein hebben. Waarom waren ze er niet toen ik ze nodig had?'

'We hebben Malone gestuurd. Ik heb gehoord dat hij gelijkstaat aan drie mannen.'

'Wie je ook bent,' zei Malone, 'met vleierij zou je normaal gesproken een heel eind komen. Maar ik ben bij haar. Heb je haar assistentie teruggeroepen?'

'Ze had de scherpschutter op het dak en jou. Dat was genoeg.'

'Nu ga ik je echt schoppen,' zei ze.

'Zullen we dit eerst afwachten? Dan krijg je daarna de gelegenheid.'

'Wat is er aan de hand?' zei ze met stemverheffing. 'Waarom is Cotton hier?'

'Ik moet weten wat er is gebeurd.'

Ze hield haar woede in en bracht in het kort verslag uit. Toen zei ze: 'Er gebeurt op dit moment van alles op het plein. Dat krijgt veel aandacht.'

'Dat hoeft geen slechte zaak te zijn,' zei Davis.

Oorspronkelijk had hij willen nagaan of Vincenti in actie zou komen. Er hadden de hele avond mannen bij haar hotel gestaan, en toen ze wegging waren ze meteen naar boven gegaan, natuurlijk om de penning te zoeken. Ze vroeg zich af waarom Davis van tactiek was veranderd – door Malone erbij te betrekken – maar vroeg daar niet naar en zei in de telefoon: 'Je hebt nog steeds niet gezegd waarom Cotton hier is.'

Malone stuurde naar links. Ze gingen met de bocht van de kustlijn mee, richting noordoost. Hij gaf meer gas.

'Wat doen jullie nu?' vroeg Davis.

'We zijn op weg naar een ander probleem,' zei Malone. 'Je moet antwoord geven op haar vraag.'

'We willen dat het San Marcoplein vanavond in rep en roer is.'

Ze wachtte op de rest.

'We hebben gehoord dat Irina Zovastina op weg is naar Venetië. Ze landt daar in de komende twee uur. Dat is op zijn zachtst gezegd ongewoon: een staatshoofd dat zonder duidelijke reden een onaangekondigd bezoek aan een ander land brengt. We moeten uitzoeken wat ze hier doet.'

'Waarom vraag je het haar niet?' zei Malone.

'Ben jij altijd zo behulpzaam?'

'Dat is een van mijn betere eigenschappen.'

'Malone,' zei Davis. 'We weten van de brand in Kopenhagen en van de penningen. Stephanie heeft er een bij zich. Zou je zo goed willen zijn ons te helpen?'

'Is het zo erg?' vroeg ze.

'Het is niet goed.'

Ze besefte dat er geen moment aan Malones medewerking werd getwijfeld. 'Waar gaat Zovastina heen?'

'Om één uur vannacht is ze in de kerk.'

'Blijkbaar beschik je over goede informatie.'

'Een heel goede bron. Zo goed dat ik ga twijfelen.'

Enkele ogenblikken bleef het stil op de lijn.

'Ik ben niet enthousiast over dit alles,' zei Davis ten slotte. 'Maar geloof me, we hebben geen keus.'

Viktor kwam op het dorpsplein van Torcello, met de kerk en de kerk daarnaast. Hij keek naar het Museo di Torcello. Zijn schoudertas legde hij op een brok marmer dat in de vorm van een soort troon was uitgehakt. Hij had eerder gehoord dat het de Sedia d'Attila, de zetel van Attila, werd genoemd. Ze zeiden dat Attila de Hun daar zelf had gezeten, maar hij betwijfelde dat.

Hij keek naar hun laatste doel. Het museum was een plomp, rechthoekig gebouw van twee verdiepingen, twintig bij tien meter, met aan elke kant een stel dubbele ramen, boven en beneden, voorzien van smeedijzeren tralies. Aan de ene kant verhief zich een klokkentoren. Op de *piazzetta* om hem heen stonden hier en daar bomen, en aan de andere kant van het strakke gazon ook overblijfselen van marmeren zuilen en beeldhouwwerk.

Twee deuren in het midden van het museum vormden de enige toegang. Ze gingen naar buiten open en waren afgesloten met een dikke, zwart uitgeslagen balk die over het midden lag en met ijzeren beugels op zijn plaats werd gehouden. Aan weerskanten hielden hangsloten de balk op zijn plaats.

Hij wees naar de deuren en zei: 'Brand ze weg.'

Rafael haalde een plastic fles uit een van de schoudertassen. Viktor volgde zijn collega naar de deuren, en daar besprenkelde Rafael beide hangsloten zorgvuldig met Grieks vuur. Hij ging een paar stappen terug toen Rafael een lucifer pakte en beide sloten in een felblauw lichterlaaie zette.

Verbazingwekkend materiaal. Zelfs metaal was er niet tegen bestand. Het smolt niet, maar verzwakte wel.

Hij keek naar de vlammen, die bijna twee minuten brandden en toen vanzelf uitgingen.

Op dertig meter afstand hield Cassiopeia de wacht. Ze zag twee punten van intens blauw licht, als verre sterren, opgloeien en na een tijdje doven. Twee rukken aan een koevoet en de dieven hadden de deuren van het museum open.

Ze droegen hun materieel naar binnen.

Cassiopeia zag dat ze een van de robotapparaatjes bij zich hadden. Dat betekende dat het Museo di Torcello straks in de as werd gelegd. Een van de mannen deed de deuren achter hen dicht. De *piazzetta* was weer donker, regenachtig en sinister. Alleen het tikken van de regen in de plassen verbrak de stilte. Ze stond in het portaal van de kerk en dacht aan wat ze ging doen. Toen zag ze dat de houten balk die de deuren had afgesloten buiten was blijven liggen.

Viktor ging een wenteltrap naar de bovenverdieping op. Zijn ogen raakten aan het halfduister gewend en hij kon genoeg silhouetten onderscheiden om zijn weg tussen de weinige museumstukken te vinden en bij drie grote kasten met een glazen bovenkant te komen. Zoals hij al eerder had geconstateerd, lag de olifantpenning in de middelste.

Rafael was beneden. Hij legde pakken Grieks vuur neer om zoveel mogelijk verwoesting te bewerkstelligen. Viktor had twee pakken bij zich die voor de bovenverdieping bestemd waren. Met een snelle slag van de koevoet verbrijzelde hij het glas. Voorzichtig pakte hij de penning tussen de scherven vandaan. Vervolgens gooide hij een van de vacuümpakken van drie liter in de kast.

Het andere pak legde hij op de grond.

Hij liet de penning in zijn zak glijden.

Het was moeilijk te zeggen of de penning echt was, maar toen ze eerder die dag in het museum waren geweest, had hij er echt genoeg uitgezien.

Viktor keek op zijn horloge. Tien over halfelf. Ze lagen voor op het schema en hadden meer dan genoeg tijd om naar de ontmoeting met de minister-president te gaan. Misschien zou Zovastina hen inderdaad met een paar vrije dagen belonen.

Hij ging de trap af naar de benedenverdieping.

Ze hadden al eerder geconstateerd dat beide verdiepingen een houten vloer hadden. Als het vuur eenmaal woedde zou het maar enkele minuten duren voordat de pakken op de bovenverdieping meededen.

In het halfduister zag hij dat Rafael over de schildpad gebogen stond. Hij hoorde een klik en het ding ging op weg. De robot bleef achter in de zaal staan en spoot zijn sterk ruikende Griekse vuur op de buitenmuur.

'Alles klaar,' zei Rafael.

De schildpad ging verder met zijn werk, onkundig van het feit dat hij straks zou vergaan. Het was maar een machine. Zonder gevoelens.

Zonder wroeging. Precies, dacht hij, wat Irina Zovastina van hemzelf verwachtte.

Rafael duwde tegen de buitendeuren.

Ze gingen niet open.

Rafael duwde opnieuw.

Niets.

Viktor kwam dichterbij en drukte met zijn vlakke hand tegen het hout. De twee deuren waren afgesloten. Aan de buitenkant. Er ging een golf van woede door hem heen en hij gooide zijn hele gewicht tegen het hout, maar daarmee bereikte hij niets anders dan dat hij zijn schouder bezeerde. De zware deuren, overeind gehouden met ijzeren scharnieren, kwamen niet in beweging.

Hij keek het halfduister in.

Toen ze eerder die dag het gebouw hadden verkend, had hij gezien dat er tralies voor de ramen zaten. Die waren geen obstakel geweest, want ze waren van plan het gebouw door de voordeur binnen te gaan en te verlaten. Maar nu kregen die tralies opeens veel meer betekenis.

Hij keek Rafael aan. Hoewel hij het gezicht van zijn collega niet kon zien, wist hij precies wat hij dacht.

Ze zaten in de val.

DEEL 3

40

Vincenti liep voorzichtig de trap van het privévliegtuig af. De vliegreis van Venetië naar de Centraal-Aziatische Federatie had bijna zes uur in beslag genomen, maar hij had deze reis al vele malen gemaakt en geleerd tijdens de lange vlucht van de luxe en rust te genieten. Peter O'Conner kwam achter hem aan de milde avond in.

'Ik hou van Venetië,' zei Vincenti, 'maar ik zal blij zijn als ik hier eindelijk woon. Ik zal al die regen niet missen.'

Er stond een auto op het platform klaar en hij liep er recht op af. Het deed hem goed zijn stijve benen te strekken en zijn vermoeide spieren aan het werk te zetten. Een chauffeur stapte uit en maakte het achterportier open. Vincenti stapte in; O'Conner ging voorin zitten, naast de chauffeur. Een scheidingswand van plexiglas verschafte het achtergedeelte enige privacy.

Op de achterbank zat al een man met zwart haar, een olijfbruine huid en ogen die het leven zelfs in tijden van tegenslag altijd komisch schenen te vinden. Zijn hoekige kaak en dikke nek waren bedekt met stoppels en zijn jeugdige trekken waren zelfs op dit late uur nog levendig en alert.

Kamil Karimovitsj Revin was de minister van Buitenlandse Zaken van de Federatie. Hij was amper veertig, bezat weinig of geen kwalificaties en werd algemeen beschouwd als het schoothondje van de minister-president dat precies deed wat zij beval. Toch had Vincenti enige jaren geleden iets anders bij hem opgemerkt.

'Welkom terug,' zei Kamil. 'Het is een paar maanden geleden.'

'Ik heb het druk, mijn vriend. De Liga neemt veel van mijn tijd in beslag.'

'Ik heb met je leden te maken gehad. Velen van hen zoeken hier al naar een plaats om een huis te bouwen.'

Er was met Zovastina afgesproken dat Ligaleden naar de Federatie zouden verhuizen. Dat was gunstig voor beide partijen. Hun nieuwe zakelijke Utopia zou hen van elke vorm van belastingdruk bevrijden, maar de toestroom van hun kapitaal naar de economie van het land, in de vorm van goederen, diensten en directe investeringen, zou de Federatie ruimschoots compenseren voor de belastingen die ze misliep. Beter nog: er zou meteen een complete bovenklasse in het land zijn, zonder het doordruppelsysteem dat westerse democratieën graag mochten opleggen, waarbij – en Vincenti had dat altijd heel oneerlijk gevonden – weinigen voor velen betaalden.

Ligaleden waren aangemoedigd om land te kopen en velen van hen, onder wie hijzelf, hadden de overheid daarvoor betaald, want dankzij de Sovjets was het meeste land in de Federatie staatsbezit. Vincenti had zelf in de commissie gezeten die namens de Liga over dat aspect van de overeenkomst met Zovastina had onderhandeld. Hij was ook een van de eersten geweest die grond kochten: tachtig hectare berg en dal in wat ooit het oosten van Tadzjikistan was geweest.

'Hoeveel leden hebben grond gekocht?' vroeg hij.

'Tot nu toe honderdtien. De voorkeuren lopen uiteen, maar Samarkand en omgeving zijn het populairst.'

'Dicht bij de bron van de macht. Die stad en Tasjkent zijn binnenkort financiële centra van wereldniveau.'

De auto verliet de terminal om aan de rit van vier kilometer naar de stad te beginnen. Een nieuw vliegveld zou een hele verbetering zijn. Drie Ligaleden hadden al plannen voor modernere voorzieningen gemaakt.

'Waarom ben je hier?' vroeg Kamil. 'Toen ik O'Conner sprak, was hij niet erg mededeelzaam.'

'We stellen de informatie over Zovastina's reis op prijs. Enig idee waarom ze in Venetië is?'

'Daar heeft ze niets over gezegd. Ze zei alleen dat ze gauw terug zou zijn.'

'Dus ze is in Venetië en niemand weet wat ze daar doet.'

'En als ze hoort dat jij hier aan het complotteren bent,' zei Kamil, 'zijn we allemaal dood. Tegen haar kleine bacillen kun je je niet verdedigen.'

De minister van Buitenlandse Zaken behoorde tot een nieuwe generatie politici die in de Federatie was opgekomen. En hoewel Zovastina de eerste was die minister-president werd, zou ze niet de laatste zijn.

'Ik kan haar bacillen tenietdoen.'

Er kwam een glimlach op het gezicht van de Aziaat. 'Kun je haar vermoorden? De zaak definitief regelen?'

Hij hield wel van zulke rauwe ambitie. 'Dat zou onverstandig zijn.'

'Wat ben je van plan?'

'Iets beters.'

'Zal de Liga achter je staan?'

'De Raad van Tien heeft me gemachtigd voor alles wat ik doe.'

Kamil grijnsde. 'Niet alles, mijn vriend. Ik weet wel beter. Die aanslag op haar leven. Daar zat jij achter. Dat kon ik merken. En je hebt die moordenaar opgeofferd. Hoe kon ze er anders op voorbereid zijn?' Hij zweeg even. 'Soms vraag ik me af of je mij ook zult opofferen.'

'Wil je haar opvolgen?'

'Ik wil liever in leven blijven.'

Hij keek uit het raam naar platte daken, blauwe koepels en dunne minaretten. Samarkand lag in een natuurlijke kom, omringd door bergen. De avond camoufleerde een smog die voortdurend over de oude aarde lag. In de verte verspreidden fabrieken wazige kransen van licht. Wat eens de Sovjet-Unie van fabrieksproducten had voorzien, werkte nu aan het bruto nationaal product van de Federatie. De Liga had al miljarden in modernisering geïnvesteerd. Er was nog meer geld op komst. En dus moest hij het weten: 'Hoe graag wil je minister-president worden?'

'Dat hangt ervan af. Kan je Liga het laten gebeuren?'

'Haar bacillen maken me niet bang. Ze zouden jou ook niet bang moeten maken.'

'O, mijn stevige vriend, ik heb te veel vijanden plotseling zien sterven. Het is verbazingwekkend dat het niemand is opgevallen. Maar haar ziekten werken goed. Het lijkt steeds op een verkoudheid of griep die erger wordt.'

Hoewel de bureaucraten van de Federatie, Zovastina incluis, een hekel hadden aan alles wat met de Sovjets te maken had, hadden ze ook goed van hun corrupte voorgangers geleerd. Daarom was Vincenti altijd voorzichtig met zijn woorden maar royaal met beloften. 'Zonder risico is niets te bereiken.'

Revin haalde zijn schouders op. 'Dat is waar, maar soms zijn de risico's te groot.'

Vincenti keek door de ruit naar Samarkand. Een oude stad, daterend uit de vijfde eeuw voor Christus. De Stad van Schaduwen, Tuin van de Ziel, Juweel van de Islam, Hoofdstad van de Wereld. Een christelijk diocees voordat de islam en de Russen kwamen. Door toedoen van de Sovjets was Tasjkent, tweehonderd kilometer naar het noordoosten, veel groter en welvarender geworden. Toch was Samarkand de ziel van de regio gebleven.

Hij keek Kamil Revin aan. 'Ik sta persoonlijk op het punt een gevaarlijke stap te zetten. Binnenkort moet ik aftreden als hoofd van de Raad van Tien. Als we dit gaan doen, moet het nu gebeuren. Waar ik vandaan kom zouden we zeggen: tijd dat je gaat schijten of van de pot af komt. Doe je mee of niet?'

'Ik denk niet dat ik morgen nog leef als ik nee zeg. Ik doe mee.'

'Ik ben blij dat we elkaar begrijpen.'

'En wat ga je doen?' vroeg de minister van Buitenlandse Zaken.

Vincenti keek weer naar de stad. Op een van de honderden moskeeën die het stadsbeeld beheersten werd in fel verlichte Arabische kalligrafische letters van minstens een meter hoog verkondigd: GOD IS ONSTERFELIJK. Ondanks zijn veelbewogen geschiedenis ging er van Samarkand nog steeds een kalme, institutionele plechtigheid uit, voortgekomen uit een cultuur die al lang geleden elke verbeeldingskracht had verloren. Zovastina was blijkbaar van plan daar iets aan te doen. Haar visie was groots en duidelijk. Hij had gelogen toen hij tegen Stephanie Nelle zei dat geschiedenis niet zijn sterke kant was. In werkelijkheid was de geschiedenis juist zijn doel. Nu maar hopen dat het geen vergissing van hem was als hij het verleden nieuw leven inblies.

Het deed er niet toe. Het was nu te laat om terug te krabbelen.

En dus keek hij zijn medesamenzweerder aan en beantwoordde hij de vraag in alle eerlijkheid.

'De wereld veranderen.'

41

Torcello

VIKTOR DACHT KOORTSACHTIG na. De schildpad ging verder met zijn geprogrammeerde aanslag op de benedenverdieping van het museum, met achterlating van een stinkend spoor van Grieks vuur. Hij zou samen met Rafael kunnen proberen de deuren te forceren, maar hij wist hoe dik het hout en de balk waren en dat het dus geen enkele zin zou hebben.

De ramen leken de enige uitweg.

'Neem een van de vacuümpakken,' zei hij tegen Rafael. Hij keek om zich heen en koos voor de ramen links van hem.

Rafael pakte een van de doorzichtige plastic zakken van de grond.

Het Griekse vuur zou de oude smeedijzeren tralies en de moeren waarmee ze aan de buitenmuur vastzaten zozeer moeten verzwakken dat ze ze konden forceren. Viktor trok een van de pistolen die ze uit het pakhuis hadden gehaald en wilde net de ruiten kapotschieten toen er glas versplinterde aan de andere kant van de zaal.

Iemand had van buiten op het raam geschoten.

Rafael en hij doken tegelijk weg en wachtten op wat er nu ging gebeuren. De schildpad ging verder met zijn ritmische kruiptocht. Telkens als hij op obstakels stuitte bleef hij staan en ging hij een andere kant op. Viktor wist niet hoeveel mensen er buiten waren en of hij en Rafael beschoten konden worden door de drie andere ramen.

Hij voelde de afgrond waarboven ze balanceerden. Eén ding was duidelijk. Ze moesten de schildpad tegenhouden. Dat zou hun een beetje tijd opleveren.

Maar evengoed.

Ze wisten niets.

Cassiopeia stak het pistool weer weg en pakte de fiberglazen boog die ze uit de grote tas had gehaald. Thorvaldsen had niet gevraagd waarvoor ze een boog en snelle pijlen nodig had, en ze had ook niet zeker geweten of het wapen van pas zou komen.

Maar nu was dat zeker het geval.

Ze stond dertig meter bij het museum vandaan, droog in het portaal van de kerk. Toen ze op weg was naar de andere kant van het eiland, had ze in het dorp een van de olielampen meegenomen waarmee de waterkant bij het restaurant werd verlicht. Ze had die lantaarns gezien toen Malone en zij pas op het eiland waren. Dat was ook een van de redenen waarom ze Thorvaldsen om de boog had gevraagd. Vervolgens had ze in een afvalbak bij een kraampje een stel lappen gevonden. Terwijl de dieven met hun missie in het museum bezig waren, had ze vier pijlen voorbereid. Ze had lappen om de metalen punten geslagen en ze nat gemaakt met lampenolie.

Lucifers had ze tijdens het diner met Malone bemachtigd: een paar boekjes uit een bak in de toiletten.

Ze stak de licht ontvlambare lappen op twee van de pijlen aan en legde het eerste vlammende projectiel zorgvuldig op de boog. Ze mikte op de ruiten die ze zojuist met kogels had verbrijzeld. Als Viktor vuur wilde kon hij het krijgen.

Ze had als kind leren boogschieten. Gejaagd had ze nooit, daar moest ze niet aan denken, maar ze had wel graag mogen oefenen op haar Franse landgoed. Omdat ze er goed in was, vooral op grotere afstand, waren de dertig meter naar het raam aan de andere kant van de *piazzetta* geen probleem. En de tralies zelf schrikten haar niet af. Er was daar veel meer lucht dan ijzer.

Ze spande de boog.

'Voor Ely,' fluisterde ze.

Viktor zag vlammen door het open raam vliegen en tegen een hoge glasplaat achter een van de museumstukken dreunen. Wat er ook aan kracht achter die vlammen zat, het doorboorde het glas en de plaat kletterde op de hardhouten vloer, met medeneming van het vuur. De schildpad was al in dat deel van het museum geweest, zoals bleek uit het bulderend geluid waarmee het Griekse vuur tot leven kwam.

Oranje en geel gingen meteen over in schroeiend blauw. De vloer verteerde zichzelf.

Maar dan de vacuümpakken.

Hij zag dat Rafael aan hetzelfde had gedacht. Vier pakken lagen verspreid over de benedenverdieping, twee op vitrinekasten en twee op de grond, waarvan een zijn aanwezigheid kenbaar maakte met een werveling van opkolkende vlammen.

Om zich tegen de hitte te beschermen dook Viktor onder een van de overgebleven vitrinekasten.

'Kom hier terug,' riep hij naar Rafael.

Zijn collega kwam naar hem toe. De halve benedenverdieping stond nu in lichterlaaie. Alles brandde: vloer, muren, plafonds, lampen. Omdat de schildpad niet op de plaats was geweest waar hij stond, was het vuur daar nog niet doorgedrongen, maar meer dan enkele kostbare seconden respijt leverde dat hem niet op. De trap naar boven begon rechts van hem en de weg daarheen was vrij. Aan de andere kant zou de bovenverdieping weinig redding bieden, want die zou gauw genoeg vernietigd worden door het vuur dat van beneden kwam.

Rafael kwam dicht bij hem staan. 'De schildpad. Zie je hem?'

Hij zag het probleem. Het apparaat was warmtegevoelig en geprogrammeerd om te exploderen zodra de temperatuur een vooraf ingesteld niveau bereikte. 'Hoe hoog is hij afgesteld?'

'Laag. Ik wilde dat het gebouw snel afbrandde.'

Viktor tuurde naar de vlammen. Toen zag hij de schildpad, die nog over de vlammende vloer hobbelde. Telkens als er vloeistof uit het pijpje kwam ging dat gepaard met een gebulder als van een vuurspuwende draak.

Aan de andere kant van de zaal verbrijzelde nog meer glas.

Moeilijk te zeggen waar het door kwam: hitte of kogels.

De schildpad kwam recht op hen af uit het vuur. Hij had een deel van de vloer gevonden waar hij nog niet was geweest. Rafael stond op en rende, voordat Viktor hem kon tegenhouden, op het apparaat af. Het programma kon alleen worden uitgeschakeld door het apparaat stop te zetten.

Een vlammende pijl drong in Rafaels borst binnen.

Zijn kleren vatten vlam.

Viktor kwam overeind en wilde zijn collega net te hulp komen toen hij zag dat de schildpad zijn pijpje introk en tot stilstand kwam.

Hij wist wat er nu ging gebeuren.

Hij dook op de trap af, vloog door de deuropening en krabbelde de metalen treden op.

Wanhopig, op handen en knieën, klom hij naar boven.

De schildpad ontplofte.

Cassiopeia was niet van plan geweest een van de dieven neer te schieten, maar de man was opgedoken op het moment dat ze de pijl afschoot. Ze zag dat de vlammende pijl zich in zijn borst boorde en zijn kleren in brand stak. Toen werd het hele interieur van het museum verteerd door een gigantische vuurbal. De hitte kolkte het open raam uit en liet de intact gebleven ruiten exploderen.

Ze sprong op de natte grond.

Door alle openingen likte het vuur de duisternis in.

Ze had het portaal van de kerk verlaten en zich tegenover de klokkentoren van het museum geposteerd. Minstens een van de mannen was dood. Het was moeilijk te zeggen wie van de twee, maar eigenlijk deed dat er ook niet toe.

Ze kwam overeind en liep naar de voorkant van het gebouw, haar blik op de gevangenis gericht die ze in brand had geschoten.

Ze pakte de volgende vlammende pijl.

42

Venetië

ZOVASTINA STOND NAAST de pauselijke nuntius. Ze was een uur geleden geland en monseigneur Michener had op het platform staan wachten. Michener, zij en twee van haar gardisten waren per watertaxi van het vliegveld naar de binnenstad gegaan. Ze hadden gebruik willen maken van de noordelijke ingang van de kerk, bij de Piazzetta dei Leoncini, maar dat bleek niet mogelijk te zijn. Een groot deel van het San Marcoplein was vanwege een of andere schietpartij afgezet, had de nuntius haar verteld. En dus waren ze naar een zijstraat achter de kerk gegaan en via het kantoor van het diocees in de kerk gekomen.

De pauselijke nuntius zag er anders uit dan de vorige dag, want hij had zijn zwarte gewaad en priesterboord door gewone kleding vervangen. Blijkbaar hield de paus zich aan zijn belofte dat het bezoek onopvallend zou zijn.

Ze stond nu in de spelonkachtige kerk, waarvan het gouden mozaiekwerk schitterde in het licht. Het was duidelijk een Byzantijns ontwerp, alsof de kerk niet in Italië maar in Constantinopel was gebouwd. Vijf koepels in de vorm van halve bollen overwelfden het geheel. De koepels van Pinksteren, de heilige Johannes, de heilige Leonardus, de Profeten en die waar zij nu onder stond: de Hemelvaart. Dankzij een warm schijnsel van strategisch geplaatste gloeilampen kon ze in stilte beamen dat de kerk terecht de Gouden Kerk werd genoemd.

'Een schitterende kerk,' zei Michener. 'Vindt u ook niet?'

'Dit kunnen religie en handel samen tot stand brengen. De Venetiaanse kooplieden waren de plunderaars van de wereld. Wat we hier zien is daar een goed bewijs van.'

'Bent u altijd zo cynisch?'

'De Sovjets hebben me geleerd dat de wereld hard is.'

'En dankt u ooit úw goden?'

Ze grijnsde. De Amerikaan had onderzoek naar haar gedaan. In hun vorige gesprekken hadden ze nooit over haar geloofsovertuigingen gesproken. 'Mijn goden zijn mij even trouw als de uwe u.'

'We hopen dat u uw heidendom opnieuw in overweging wilt nemen.'

Ze werd nijdig bij die aanduiding. Het woord zelf suggereerde dat het geloof in veel goden inferieur was ten opzichte van het geloof in één god. Zo zag zij het niet. In de hele geschiedenis waren veel beschavingen op de wereld het met haar eens geweest, en dat maakte ze goed duidelijk: 'Mijn geloof heeft me goed gediend.'

'Ik wilde niet suggereren dat het verkeerd is. Alleen hebben wij misschien nieuwe mogelijkheden te bieden.'

Na deze avond zou ze de katholieke Kerk nauwelijks nog nodig hebben. Ze zou een beperkte aanwezigheid van katholieken binnen de Federatie toelaten, genoeg om de radicale moslims dwars te zitten, maar een organisatie die in staat was alles in stand te houden wat ze nu om haar heen zag zou nooit een vaste voet aan de grond in haar domein mogen krijgen.

Ze wees naar het hoogaltaar, voorbij een sierlijk veelkleurig koorhek dat verdacht veel op een Byzantijnse iconostase leek. Ze hoorde activiteit in de fel verlichte ruimte achter het hek.

'Ze treffen voorbereidingen om de sarcofaag te openen. We hebben besloten een hand, arm of ander belangrijk relikwie terug te geven, iets wat gemakkelijk te verwijderen is.'

Ze kon het niet laten: 'U ziet de belachelijkheid daar niet van in?'

Michener haalde zijn schouders op. 'Als de Egyptenaren er tevreden mee zijn, kan het toch geen kwaad?'

'En de onschendbaarheid van de doden? Uw religie predikt daar steeds weer over. Toch is het blijkbaar niet verkeerd om iemands graf te verstoren, een deel van zijn stoffelijk overschot weg te halen en het weg te geven.'

'Het is onfortuinlijk maar noodzakelijk.'

Ze kon voor zijn nuchtere onschuld alleen maar minachting opbrengen. 'Dat bevalt me zo aan úw Kerk. Flexibel wanneer het noodzákelijk is.'

Ze keek naar het verlaten schip van de kerk, waarvan de meeste kapellen, altaren en nissen in diepe schaduw gehuld waren. Haar twee gardisten stonden maar een meter bij haar vandaan. Ze keek naar de marmeren vloer, die even verfijnd was als de mozaïekmuren. Veel kleurrijke geometrische figuren en dieren- en bloemenmotieven, en ook onmiskenbare golvingen, die volgens sommigen de zee weergaven maar volgens haar het gevolg waren van een zwakke fundering.

Ze dacht aan de woorden van Ptolemaeus: *En jij, avonturier, hoor mij nu aan, opdat mijn onsterfelijke stem van ver je oren vult. Vaar naar de door Alexanders vader gestichte hoofdstad, waar wijzen de wacht houden.*

Hoewel Ptolemaeus zichzelf ongetwijfeld erg slim had gevonden, had de tijd dat deel van het raadsel opgelost. In de tijd van Alexander de Grote heerste Nectanebo als farao over Egypte. Toen Alexander een tiener was werd Nectanebo door een Perzische invasiemacht uit het land verdreven. Egyptenaren waren er in die tijd van overtuigd dat Nectanebo op een dag zou terugkeren en de Perzen het land uit zou jagen. En bijna tien jaar na zijn nederlaag kwam die voorspelling min of meer uit, want toen kwam Alexander en gaven de Perzen zich prompt over en gingen ze weg. Om hun bevrijder op een hoger plan te brengen en zijn aanwezigheid acceptabeler te maken vertelden de Egyptenaren in verhalen dat Nectanebo kort na zijn troonsbestijging vermomd als magiër naar Macedonië was gegaan en daar gemeenschap had gehad met Olympias, Alexanders moeder, zodat niet Philippus maar Nectanebo de vader van Alexander was. Het verhaal was volslagen nonsens, maar het was hardnekkig genoeg om vijfhonderd jaar later zijn weg te vinden naar de *Alexanderroman*, een staaltje van historische fantasie waaraan veel historici, wist ze, een zeker gezag toekenden. Tijdens zijn bewind als laatste Egyptische farao zou Nectanebo de stad Memphis tot zijn hoofdstad hebben uitgeroepen. Dat verklaarde de frase *vaar naar de door Alexanders vader gestichte hoofdstad.*

Het volgende deel, *waar wijzen de wacht houden*, versterkte die conclusie.

In de tempel van Nectanebo in Memphis stond een halve kring van elf kalkstenen beelden die Griekse wijzen en dichters voorstelden. Homerus, die door Alexander werd aanbeden, was een centrale figuur. Plato, de leraar van Aristoteles, en Aristoteles zelf, de leraar van Alexander, waren er ook, samen met andere vermaarde Grieken met wie Alexander in nauw verband had gestaan. Er waren alleen fragmenten van die sculpturen overgebleven, zij het genoeg om te weten dat ze ooit hadden bestaan.

Ptolemaeus had het lichaam waarvan hij dacht dat het van Alexander was in de tempel van Nectanebo begraven. Daar was het gebleven tot na Ptolemaeus' dood, toen zijn zoon het naar Alexandrië in het noorden had gebracht.

Vaar naar de door Alexanders vader gestichte hoofdstad, waar wijzen de wacht houden.

Ga naar Memphis in het zuiden, naar de tempel van Nectanebo.

Ze dacht aan de volgende woorden van het raadsel.

Beroer het innerlijkste wezen van de gouden illusie.

En ze glimlachte.

43

Torcello

VIKTOR DRUKTE ZICH plat tegen de trap en bracht zijn arm omhoog om zijn gezicht af te schermen tegen de verzengende hitte die door de deuropening op de begane grond naar boven kwam. De schildpad had op de stijgende temperatuur gereageerd door automatisch uiteen te vallen en dus datgene te doen waarvoor hij was gemaakt. Rafael kon het onmogelijk hebben overleefd. De begintemperatuur van Grieks vuur was enorm hoog, zo hoog dat zelfs metaal zacht werd en steen verbrandde, maar de secundaire hitte was nog heviger. Menselijk vlees was daar niet tegen bestand. Zoals ook met de man in Kopenhagen was gebeurd, zou Rafael straks niets dan as zijn.

Viktor draaide zich om.

Het vuur woedde drie meter bij hem vandaan.

De hitte werd ondraaglijk.

Hij kroop naar boven.

Het oude gebouw was in een tijd opgetrokken waarin het plafond van de benedenverdieping ook als vloer van de bovenverdieping fungeerde. Het plafond beneden stond inmiddels volledig in lichterlaaie. Snelle verspreiding van het vuur was een van de redenen waarom ze de schildpad lieten ontploffen. Aan gekraak en gekreun van de vloerplanken op de bovenverdieping was te horen dat ze het niet lang meer zouden maken. Het gewicht van de drie vitrinekasten en de andere zware museumstukken was ook al niet bevorderlijk. Hoewel er nog geen brand op de bovenverdieping was uitgebroken, besefte hij dat het wel eens erg stom zou kunnen zijn om over de vloer te lopen. Gelukkig was het trappenhuis waarin hij stond van steen.

Dicht bij hem werd de muur onderbroken door een dubbel raam dat op de *piazzetta* uitkeek. Hij waagde het erop en liep vlug langs de muur naar de ruiten om naar beneden te kijken.

Cassiopeia zag het gezicht in het raam. Ze liet meteen de boog vallen, pakte haar pistool en loste twee schoten.

Viktor sprong in het trappenhuis terug zodra de ruit aan splinters vloog. Hij pakte zijn pistool om terug te schieten. Hij had in die korte tijd aan het silhouet van zijn aanvaller kunnen zien dat het een vrouw was. Ze had een boog in haar handen gehad maar snel een pistool gepakt.

Voordat hij van zijn hogere positie gebruik kon maken, vloog er een vlammende pijl tussen de smeedijzeren tralies door, dwars door het open raam heen. De pijl bleef in de pleisterkalk aan de andere kant van de ruimte steken. Gelukkig was hier geen schildpad geweest om vloeistof te sproeien. Alleen de twee pakken die hij eerder had neergelegd, een op de vloer en een in de geplunderde vitrinekast, zouden een probleem kunnen vormen.

Hij moest iets doen.

Hij volgde het voorbeeld van zijn aanvaller en schoot uit het dubbele raam aan de achterkant van het gebouw.

Cassiopeia hoorde stemmen links van haar, aan de kant van het restaurant. De schoten hadden natuurlijk de aandacht van de restaurantbezoekers getrokken. Ze zag donkere silhouetten over het pad het dorp uit komen en gaf haar positie op de *piazzetta* vlug op om zich in het portaal van de kerk terug te trekken. Ze had de laatste vlammende pijl afgeschoten in de hoop dat de bovenverdieping ook in brand zou vliegen. In het schijnsel van het vuur had ze Viktors gezicht door het raam herkend.

Er kwamen mensen. Een man hield een mobieltje bij zijn oor. Er was geen politie op het eiland; dat leverde haar extra tijd op. En ze betwijfelde of Viktor de hulp van omstanders zou inroepen. Dan zou hij namelijk te veel vragen over het lijk op de begane grond moeten beantwoorden.

En dus ging ze weg.

Viktor keek over de hardhouten planken naar het pak Grieks vuur dat op de vloer lag. Hij koos voor een snelle aanval. Hij rende met lichte passen over de vloer, pakte de zak en rende vlug terug naar het raam dat hij zojuist had opengeschoten.

De vloerplanken hielden stand.

Hij legde het pak aan de buitenkant om de C-vormige smeedijzeren tralies heen.

De vloer in het midden van de kamer kreunde.

Hij had beneden balken onder de planken gezien, maar die werden natuurlijk ook met de seconde zwakker. Hij zette een paar stappen in de richting van de pijl die in de muur stak en trok hem los. De lappen om de punt brandden nog. Hij rende naar de trap en gooide de pijl toen onderhands in het open raamkozijn. De pijl landde op het pak en de vlammen flakkerden op enkele centimeters afstand van de plastic verpakking. Hij wist dat de zak binnen enkele ogenblikken zou zijn gesmolten.

Hij zocht bescherming in het trappenhuis.

Een *woesj* en er woedde weer een storm van vuur.

Hij keek achterom en zag dat het smeedijzer in brand stond. Gelukkig was de meeste vuurkracht buiten gebleven. De vlammen waren niet naar het raamkozijn overgeslagen.

De tweede verdieping zakte in en nam het andere pak met brandstof mee naar beneden. De overgebleven zak ontvlamde en een wolk van hitte kwam omhoog. Het Museo di Torcello zou niet lang meer overeind staan.

Hij was met een paar sprongen bij de open ramen.

Hij greep de lijst langs de bovenkant van het kozijn vast en zocht naar houvast. Toen spande hij de spieren in zijn hele lichaam en zwaaide zijn voeten naar buiten, tegen de brandende tralies aan.

Er kwam niets in beweging.

Hij stak zijn kin weer omhoog en trapte opnieuw. De adrenaline gaf kracht aan zijn voeten, maar intussen tastte de hitte zijn ademhaling aan.

De tralies gaven mee.

Hij schopte nog een paar keer en een van de hoeken brak los van de moer waarmee hij in de buitenmuur verankerd was.

Nog twee trappen en het hele geval vloog naar buiten.

Er zakte opnieuw een deel van de vloer omlaag. Er stortte weer een vitrinekast naar de begane grond, tegelijk met stukken van een zuil, wervelend in het vuur als hardere stukjes een stoofpot.

Hij keek uit het raam. Het was een sprong van drie of vier meter omlaag. De vlammen spatten uit de ramen op de begane grond. Hij sprong.

Malone hield een noordoostelijke koers aan en liet de boot zo snel naar Torcello varen als het woelige water toestond. Hij zag een regelmatig flakkerende gloed aan de horizon.

Vuur.

De rook kolkte omhoog en lostte in de vochtige lucht op tot grijze slierten. Ze waren nog minstens tien tot vijftien minuten van het eiland verwijderd. 'Zo te zien zijn we te laat,' zei hij tegen Stephanie.

Viktor bleef aan de achterkant van het museum. Hij hoorde geschreeuw en stemmen achter de heg die het terrein van de kerk van de tuin en de boomgaard scheidde die voor het kanaal lagen waar zijn boot klaarlag.

Hij ploegde zich door de heg en kwam in de tuin.

Gelukkig was er zo vroeg in het voorjaar niet veel plantengroei. Hij zag een pad en vond zijn weg naar de betonnen aanlegplaats.

Daar sprong hij in de boot.

Hij maakte de touwen los en zette zich af. Niemand had hem gezien of was hem gevolgd. De boot dreef de rivierachtige waterweg op en de stroming voerde hem langs de kerk en het museum terug naar de noordelijke ingang van de lagune. Hij wachtte tot hij een heel eind op weg was en zette toen pas de motor aan. Hij liet hem niet te veel toeren maken en draaide langzaam bij. De lichten liet hij uit.

Het water was hier minstens vijftig meter breed en de oevers bestonden vooral uit modderbanken, ondiepten en riet. Hij keek op zijn horloge: tien voor halftwaalf.

Aan het eind van het kanaal gaf hij meer gas en ging hij het woelige water op. Hij deed nu eindelijk de lichten van de boot aan en volgde een koers om Torcello heen naar de waterweg die hem naar Venetië en de San Marco zou brengen.

Hij hoorde een geluid en draaide zich om. Uit de achterhut kwam een vrouw. Ze had een pistool in haar hand.

44

Samarkand
2.30 uur

VINCENTI SCHOOF DE stoel dichter naar de tafel, terwijl de ober zijn eten voor hem neerzette. De meeste hotels van de stad waren sombere graftombes waar weinig of niets het deed. Het Intercontinental was anders. Het had vijf sterren en leverde diensten van Europese kwaliteit – met Aziatische gastvrijheid, zoals de reclame verkondigde. Na de lange vlucht uit Italië had hij honger, en dus had hij opdracht gegeven een maaltijd voor hemzelf en een gast naar de kamer te brengen.

'Zeg tegen Ormand,' zei hij tegen de ober, 'dat ik er niet van hou dat hij er vijftig minuten over doet om de voorgerechten klaar te maken, zeker niet als ik vooruit heb gebeld. Beter nog: laat Ormand hierheen komen als we klaar zijn, dan zeg ik het zelf tegen hem.'

De ober knikte instemmend en trok zich terug.

Arthur Benoit, die tegenover hem zat, legde een servet op zijn schoot. 'Moet je zo hard voor hem zijn?'

'Het is jouw hotel. Waarom zat jij hem niet op de huid?'

'Omdat ik me niet druk maakte. Ze hebben het eten zo snel klaargemaakt als ze konden.'

Het kon hem niet schelen. Er gingen dingen mis en hij was prikkelbaar. O'Conner was vooruitgegaan om ervoor te zorgen dat alles was voorbereid. Hij wilde iets eten, een beetje uitrusten en dan midden in de nacht tijdens een maaltijd wat zakendoen.

Benoit pakte een vork. 'Ik neem aan dat je me niet hebt uitgenodigd omdat je graag in mijn gezelschap bent. Zullen we meteen ter zake komen, Enrico? Wat wil je?'

Hij nam een hap. 'Ik heb geld nodig, Arthur. Of misschien kan ik beter zeggen dat Philogen Pharmaceutique geld nodig heeft.'

Benoit legde de vork neer en nam een slokje van zijn wijn. 'Voordat mijn maag van streek raakt: hoeveel heb je nodig?'

'Eén miljard euro. Misschien anderhalf.'

'Is dat alles?'

Hij glimlachte om het sarcasme. Benoit had zijn fortuin gemaakt met banken, die hij nog steeds in Europa en Azië bezat. Hij was meermalen miljardair en al heel lang lid van de Venetiaanse Liga. Hotels waren een hobby van hem en hij had kortgeleden het Intercontinental gebouwd met het oog op de toestroom van Ligaleden en andere te verwachten welgestelde reizigers. Hij was ook een van de eerste Ligaleden geweest die naar de Federatie verhuisden. In de loop van de jaren had Benoit verscheidene keren geld gefourneerd om Philogens komeetachtige opkomst te financieren.

'Ik neem aan dat je de lening onder de internationale prime rate wilt.'

'Absoluut.' Hij stak een hap gevulde fazant in zijn mond en genoot van de subtiele smaak.

'Hoeveel eronder?'

Hij hoorde de scepsis. 'Twee punten.'

'Waarom geef ik het niet gewoon aan je?'

'Arthur, ik heb miljoenen van je geleend en ik heb elke cent op tijd terugbetaald, met rente. Dus ja, ik verwacht een voorkeursbehandeling.'

'Ik heb gehoord dat je momenteel verscheidene leningen bij mijn banken hebt lopen. Grote bedragen.'

'Ik heb geen enkele betalingsachterstand.'

Hij zag dat de bankier wist dat het waar was.

'Wat zou het voordeel van zo'n regeling zijn?'

Nu kwamen ze verder. 'Hoeveel aandelen Philogen bezit je?'

'Honderdduizend aandelen. Gekocht op advies van jou.'

Hij prikte weer een dampend stuk vogel aan zijn vork. 'Heb je de aandelenprijs van gisteren gezien?'

'Daar kijk ik nooit naar.'

'Eenenzestig en een kwartje; vijftig cent omhoog. Het is echt een goede investering. Ik heb vorige week zelf bijna vijfhonderdduizend nieuwe aandelen gekocht.' Hij doopte het stukje fazant in een vulling van gerookte mozzarella. 'In het geheim natuurlijk.'

Aan Benoits gezicht was te zien dat hij de boodschap had begrepen. 'Iets groots?'

Zijn collega-Ligalid mocht dan graag in hotels liefhebberen, maar hij mocht evengoed graag geld verdienen. En dus schudde hij zijn hoofd en zei hij ontwijkend: 'Tja, Arthur, wetten tegen handel met voorkennis verbieden me dat soort informatie te verstrekken. Ik schaam me er zelfs voor dat je het vraagt.'

Benoit glimlachte om het standje. 'Er zijn hier geen wetten tegen handel met voorkennis. Vergeet niet: wij schrijven de wetten. Dus vertel me nou maar wat je van plan bent.'

'Dat doe ik niet.' En hij bleef bij zijn weigering en wachtte tot de hebzucht het zoals gewoonlijk van het gezond verstand zou winnen.

'Wanneer zou je dat miljard of die anderhalf miljard nodig hebben?' Hij spoelde een mondvol met een slok wijn weg. 'Over uiterlijk zestig dagen.'

Benoit dacht blijkbaar over dat verzoek na. 'En de duur van de lening? Uiteraard vooropgesteld dat het zelfs maar mogelijk is.'

'Vierentwintig maanden.'

'Een miljard dollar, met rente, terug te betalen over twee jaar?' Hij zei niets. At gewoon door, liet de onthulling sudderen.

'Zoals ik al zei, zit je onderneming diep in de schulden. Mijn goedkeuringscommissies zullen slecht te spreken zijn over deze lening.'

Hij sprak eindelijk uit wat de man wilde horen. 'Je zult mij in de Raad van Tien opvolgen.'

Benoit keek verrast. 'Hoe weet jij dat? De Raad van Tien wordt bij toeval samengesteld uit het ledenbestand.'

'Je zult merken, Arthur, dat niets aan het toeval wordt overgelaten. Mijn tijd is bijna om. Jouw twee jaren beginnen binnenkort.'

Hij wist dat Benoit heel erg graag tot de Raad van Tien wilde behoren. En hij had daar vrienden nodig. Vrienden die wederdiensten aan hem verschuldigd waren. Tot nu toe waren vier van de vijf leden die niet aftraden vrienden van hem. Zojuist had hij er nog een gekocht.

'Oké,' zei Benoit. 'Maar ik heb een paar dagen nodig om het risico over mijn banken te verdelen.'

Hij grijnsde en bleef eten. 'Doe dat. Maar geloof me, Arthur: vergeet niet je effectenmakelaar te bellen.'

45

Zovastina keek op haar Louis Vuitton-horloge, een geschenk van de Zweedse minister van Buitenlandse Zaken dat ze een paar jaar geleden tijdens een staatsbezoek had gekregen. Dat was een charmante man geweest die zelfs met haar had geflirt. Ze had ook geflirt, al was er niet veel stimulerends van de diplomaat uitgegaan. Hetzelfde gold voor pauselijk nuntius Colin Michener, die er kennelijk behagen in schiep haar te ergeren. De afgelopen minuten waren de monseigneur en zij door het schip van de kerk gelopen. Ze nam aan dat ze wachtten tot alles bij het altaar in gereedheid was gebracht.

'Wat heeft u ertoe gebracht om voor de paus te werken?' vroeg ze. 'U was secretaris van de vorige paus, en nu alleen maar nuntius.'

'De Heilige Vader doet vaak een beroep op me voor speciale projecten.'

'Zoals ik?'

Hij knikte. 'U bent erg bijzonder.'

'En waarom dan wel?'

'U bent staatshoofd. Waarom anders?'

De man was goed, net als die Zweedse diplomaat met zijn Franse horloge: snel met gedachten en woorden, maar traag met antwoorden. Ze wees naar een van de enorme marmeren zuilen. Om de onderkant heen stond een stenen bank, die met koorden was afgezet om te voorkomen dat er iemand op ging zitten. 'Wat zijn dat voor zwarte vlekken?' Ze had ze op alle zuilen gezien.

'Dat heb ik ook een keer gevraagd.' Michener wees. 'Eeuwenlang hebben de gelovigen op de banken gezeten en met hun hoofd op het marmer gesteund. Het haarvet is in de steen getrokken. Stelt u zich voor hoeveel miljoenen hoofden ervoor nodig waren om die vlekken te maken.'

Ze benijdde het Westen om zulke historische nuances. Helaas was haar eigen land geteisterd door invasiemachten die het belangrijk vonden om alle sporen van wat er aan hen was voorafgegaan grondig uit te wissen. Eerst Perzen, toen Grieken, Mongolen, Turken en ten slotte, het ergst van alles, Russen. Hier en daar stond nog een gebouw overeind, maar niets wat met deze gouden kerk te vergelijken was.

Ze stonden links van het hoogaltaar, buiten de iconostase, met haar twee gardisten binnen roepafstand. Michener wees naar de mozaïekvloer. 'Ziet u die hartvormige steen?'

Ze zag hem. Klein, onopvallend, bijna in de uitbundige figuren eromheen opgaand.

'Niemand wist wat dat was, maar zo'n vijftig jaar geleden, toen de vloer werd gerestaureerd, werd de steen opgetild en troffen ze een kistje aan waar een verschrompeld menselijk hart in zat. Het was van doge Francesco Erizzo, die in 1646 is gestorven. Ik heb gehoord dat zijn lichaam in de kerk van San Martino ligt, maar hij wilde dat zijn innerlijkste wezen dicht bij de patroonheilige van de Venetianen werd begraven.'

Michener wees naar het hoogaltaar. 'De heilige Marcus.'

'U weet van het *innerlijkste wezen*?'

'Het menselijke hart? Wie niet? In de oudheid beschouwden ze het hart als de zetel van wijsheid, intelligentie, de essentie van de persoon.'

Dat was precies de reden, dacht ze, waarom Ptolemaeus die omschrijving had gebruikt. *Raak het innerlijkste wezen van de gouden illusie aan.*

'Ik zal u nog iets anders laten zien,' zei Michener.

Ze liepen langs de sierlijke iconostase met vierkanten, romboïden en quadriloben in kleurrijk marmer. Achter de iconostase werkten mannen op hun knieën onder de altaartafel, waar een stenen sarcofaag in fel licht lag. Een ijzeren rooster dat de voorkant beschermde, ongeveer twee meter lang en een meter hoog, werd verwijderd.

Michener zag haar belangstellend kijken en bleef staan. 'In 1835 werd de altaartafel uitgehold en werd er een prominente plaats gemaakt voor de heilige. Daar heeft hij zijn rustplaats gekregen. Vannacht is het de eerste keer sindsdien dat de sarcofaag wordt geopend.' De nuntius keek op zijn horloge. 'Bijna één uur. Ze zullen straks wel klaar zijn.'

Ze liep achter de irritante man aan naar de andere kant van de kerk, naar het halfduistere zuidelijke transept. Michener bleef voor een van de torenhoge marmeren zuilen staan.

'De kerk is in 976 door brand verwoest,' zei hij, 'en daarna herbouwd en ingewijd in 1094. Zoals u al zei toen ik in Samarkand was, is in die honderdachttien jaar vergeten geraakt waar het lichaam van de heilige Marcus zich bevond. Maar toen er op 26 juni 1094 een mis werd opgedragen om de nieuwe kerk in te wijden, kwam er een brokkelend geluid uit deze zuil. Er vielen stukjes steen weg. Er trilde iets. Ze zagen een hand, een arm en toen het hele lichaam van de heilige tevoorschijn komen. Priesters en mensen verdrongen zich, ook de doge zelf, en iedereen dacht dat alles goed was gekomen met de wereld nu de heilige Marcus weer was verschenen.'

Ze was eerder geamuseerd dan onder de indruk. 'Ik heb dat verhaal gehoord. Verbijsterend dat het lichaam plotseling opdook op het moment dat de nieuwe kerk en de doge politieke en financiële steun van de Venetianen nodig hadden. Hun patroonheilige die door een wonder tevoorschijn komt. Dat moet een hele show zijn geweest. Ik denk dat de doge of een slimme minister het in scène heeft gezet. Een briljante politieke stunt. Negenhonderd jaar later wordt er nog steeds over gepraat.'

Michener schudde geamuseerd zijn hoofd. 'Wat weinig geloof.'

'Ik kijk naar wat echt is.'

Hij wees. 'Zoals Alexander de Grote die in die tombe ligt?'

Zijn gebrek aan geloof zat haar dwars. 'En hoe weet u dat het niet zo is? De kerk weet helemaal niet wiens lichaam die Venetiaanse kooplieden meer dan duizend jaar geleden uit Alexandrië hebben gestolen.'

'Vertel me dan eens, minister, waarom ú daar zo zeker van bent.'

Ze keek naar de marmeren zuil die het immense plafond ondersteunde en kon het niet laten de zijkant te strelen. Ze vroeg zich af of het verhaal over de heilige die weer opdook waar was. Ze hield van zulke verhalen. En dus vertelde ze de nuntius er een van haarzelf.

Eumenes stond voor een ontzaglijke taak. Als Alexanders persoonlijke secretaris had hij opdracht gekregen ervoor te zorgen dat de koning naast Hephaestion ter aarde werd besteld. Sinds de dood van de koning waren er drie maanden verstreken, en het gemummificeerde lichaam lag nog in het paleis. De meeste generaals waren allang uit Babylon vertrokken om hun deel van het rijk in bezit te nemen. Het bleek niet eenvoudig te zijn een geschikt lijk te vinden dat met Alexander verwisseld kon worden, maar men vond een man van Alexanders groot-

te, postuur en leeftijd buiten de stad, in een dorp niet ver weg. Eumenes vergiftigde de man, en een van de Egyptische balsemers, die was gebleven omdat hem een grote beloning was beloofd, mummificeerde de andere man. Na afloop verliet de Egyptenaar de stad, maar een van Eumenes' twee medeplichtigen doodde hem. De verwisseling van de lijken vond plaats tijdens een zomers onweer dat de stad met een hevige regen teisterde. Toen hij eenmaal in het goudkarton was gewikkeld, gehuld in gouden gewaden, met een kroon op zijn hoofd, kon niemand het verschil tussen de twee lijken zien. Eumenes hield Alexander enkele maanden verborgen, totdat de koninklijke uitvaartstoet met de zogenaamde Alexander uit Babylon naar Griekenland was vertrokken. Vervolgens zakte de stad voorgoed weg in lethargie. Eumenes en zijn twee helpers slaagden erin zonder problemen te vertrekken. Ze brachten Alexander naar het noorden om de laatste wens van de koning in vervulling te laten gaan.

'Dus het lichaam hier is misschien helemaal niet van Alexander?' zei Michener.

'Voor zover ik me herinner heb ik niet beloofd een verklaring te geven.'

Hij glimlachte. 'Nee, minister, dat klopt. Maar ik heb van uw verhaal genoten.'

'Het was even interessant als uw fabel over de zuil.'

Hij knikte. 'Misschien zijn beide verhalen even geloofwaardig.'

Daar was ze het niet mee eens. Haar verhaal was van een moleculair manuscript afkomstig dat met röntgenanalyse aan het licht was gebracht, beelden die eeuwenlang hadden gesluimerd zonder zichtbaar te zijn voor het menselijk oog. Alleen de moderne technologie had ze zichtbaar kunnen maken. Haar verhaal was geen fabel. Alexander de Grote was nooit in Egypte begraven. Hij was ergens anders naartoe gebracht, naar een plaats die Ptolemaeus, de eerste Griekse farao, uiteindelijk ontdekte. Een plaats waarnaar de mummie in deze tombe haar zou kunnen leiden.

Er verscheen een man bij de iconostase. 'We zijn klaar,' zei hij tegen Michener.

De nuntius knikte en gaf haar met een gebaar te kennen dat ze kon voorgaan. 'Het lijkt erop, minister, dat het tijd wordt om te zien wiens fabel waar is.'

46

VIKTOR ZAG DE vrouw het trapje naar het middendek van de boot opkomen. Ze hield haar pistool op hem gericht.

'Wat vond je van het vuur?' vroeg ze.

Hij zette de boot in de neutrale stand en kwam naar haar toe. 'Stom kreng, ik zal je laten zien...'

Ze bracht het pistool omhoog. 'Toe dan. Ga je gang.'

De ogen die naar hem terugkeken zaten vol haat. 'Jij moordt gemakkelijk.'

'Jij ook.'

'En wie heb ik vermoord?'

'Misschien was jij het. Misschien iemand anders van je Heilige Schare. Twee maanden geleden. In Samarkand. Ely Lund. Zijn huis brandde door jullie Griekse vuur tot de grond toe af.'

Hij herinnerde zich die opdracht. Hij had dat persoonlijk voor Zovastina afgehandeld.

'Jij bent de vrouw uit Kopenhagen. Ik zag je bij het museum, en toen in het huis.'

'Toen je ons wilde vermoorden.'

'Blijkbaar hebben jij en je twee vrienden dat uitgelokt.'

'Wat weet je van Ely's dood? Jij hebt de leiding van de Heilige Schare van Zovastina.'

'Hoe weet je dat?' Toen schoot het hem te binnen. 'De munt die ik in dat huis heb bekeken. Vingerafdrukken.'

'Slimme jongen.'

Blijkbaar worstelde ze met een pijnlijke gedachte. Hij besloot haar emotionele vuurtje op te porren. 'Ely is vermoord.'

'Jouw werk?'

Hij zag dat ze een boog en een ritskoker met pijlen aan haar schouder had hangen. Ze had laten zien hoe koud haar hart was toen ze de museumdeuren had versperd en de pijlen had gebruikt om het gebouw in brand te steken. Daarom wilde hij niet te ver gaan. 'Ik was erbij.'

'Waarom wilde Zovastina hem dood hebben?'

De boot schommelde op de onzichtbare golven. Hij voelde dat ze met de wind meegingen. De enige verlichting kwam van het vage schijnsel van het instrumentenpaneel.

'Jij, je vrienden, die Ely... Jullie bemoeien je met dingen waar jullie je niet druk om moeten maken.'

'Ik zou zeggen dat jij degene bent die zich druk moet maken. Ik wilde jullie beiden doden. Eén heb ik gehad. Nu nummer twee nog.'

'En wat bereik je daarmee?'

'Het genoegen om jou te zien sterven.'

Ze richtte haar pistool op hem.

En schoot.

Malone zette de boot in zijn vrij. 'Heb je dat gehoord?'

Stephanie was ook alert. 'Het leek op een schot. Dichtbij.'

Hij stak zijn hoofd voorbij de voorruit en zag dat de brand op Torcello, een kleine twee kilometer bij hen vandaan, weer was opgelaaid. De mist was opgetrokken – blijkbaar kwam het weer hier in snelle golven – en het zicht was nu vrij goed. Lichten van boten kruisten hun pad in alle richtingen.

Hij spitste zijn oren.

Niets.

Hij gaf weer gas.

Cassiopeia mikte op de scheidingswand en de kogel ging rakelings langs Viktors been. 'Ely heeft nooit iemand kwaad gedaan. Waarom moest ze hem vermoorden?' Ze hield het pistool op hem gericht. 'Vertel op. Waarom?'

De vraag kwam er met één woord tegelijk uit, tussen haar opeengeklemde kaken door, eerder smekend dan kwaad.

'Zovastina is een vrouw met een missie. Jouw Ely liep haar voor de voeten.'

'Hij was historicus. Hoe kon hij nou een bedreiging vormen?' Ze nam het zichzelf kwalijk dat ze in de verleden tijd over hem sprak.

Het water kabbelde tegen de lage romp en de wind bleef tegen de boot beuken.

'Je zou ervan staan te kijken hoe gemakkelijk ze mensen vermoordt.' Het maakte haar razend dat hij haar vragen uit de weg ging. 'Neem het roer.' Ze keek naar hem vanaf de andere kant van het stuurwiel.

'Rustig doorvaren.'

'Waarheen?'

'De San Marco.'

Hij keerde en startte de motor. Toen liet hij de boot plotseling naar links zwenken, zodat het dek onder haar voeten wegdraaide. Op dat moment, toen ze even niet aan schieten dacht omdat ze zich in evenwicht moest houden, dook hij op haar af.

Viktor wist dat hij deze vrouw moest doden. Ze vertegenwoordigde mislukkingen op tal van niveaus. Als Zovastina over haar te weten kwam, zou ze geen enkel vertrouwen meer in hem hebben.

Om nog maar te zwijgen van wat er met Rafael was gebeurd.

Met zijn linkerhand pakte hij de bovenkant van de achterhutdeur vast. Hij gebruikte het houten paneel om los te komen van het draaiende dek en met zijn zware schoenen tegen de armen van de vrouw te dreunen.

Ze weerde hem af en viel voorover.

De cockpit was twee bij twee meter groot. Aan beide kanten zat een opening waardoor je van de boot af kon komen. De boot ploegde stuurloos en met gierende motoren door de golven. Het water stortte zich over de voorruit. De vrouw hield het pistool nog vast maar had er moeite mee zich in evenwicht te houden.

Hij haalde uit met zijn open handpalm en trof haar op haar kin. Haar nek klapte achterover en ze stootte met haar hoofd tegen iets aan. Hij maakte gebruik van haar verwarring door weer een ruk aan het stuurwiel te geven en gas terug te nemen. Hij maakte zich zorgen om de zandbanken en om gras dat in de schroef kon komen. Torcello doemde links van hem op; het brandende museum verlichtte de duisternis. De boot tolde rond in het ruwe water en de vrouw greep naar haar hoofd.

Hij besloot het aan de natuur over te laten.

En schopte haar de zee in.

47

ZOVASTINA PASSEERDE DE iconostase om in het presbyterium te komen en keek naar het schitterende baldakijn van de kerk. Vier albasten zuilen, elk voorzien van rijk reliëfwerk, ondersteunden een massief blok van groen marmer waarin kluizen waren uitgehakt. Daarachter glinsterde, omlijst door het baldakijn, de beroemde Pala d'Oro, het scherm dat rijk versierd was met goud, edelstenen en email.

Ze keek naar twee afzonderlijke delen van de stenen sarcofaag onder het altaar. De misvormde bovenkant bestond uit een stenen plaat, en aan de onderkant was een rechthoek glad gemaakt waarin de woorden CORPVS DIVI MARCI EVANGELISTAE waren gegraveerd. Haar Latijn was goed genoeg voor een ruwe vertaling. Lichaam van de goddelijke evangelist Marcus. Uit de bovenkant staken twee zware ijzeren ringen. Blijkbaar waren de zware stukken steen daarmee aanvankelijk op hun plaats gelegd. De mannen hadden dikke ijzeren staven door de ringen gestoken, en de uiteinden daarvan waren bevestigd aan vier hydraulische hefbomen.

'Dit valt nog niet mee,' zei Michener. 'Er is niet veel ruimte onder het altaar. Natuurlijk zouden we met zwaar materieel gemakkelijk binnen kunnen komen, maar daarvoor ontbreekt het ons aan de tijd en de privacy.'

Ze keek naar de mannen die met de hefbomen bezig waren. 'Priesters?'

Hij knikte. 'Hier uit Venetië. Het leek ons beter dit onder ons te houden.'

'Weet u wat erin ligt?' vroeg ze.

'U bedoelt of het stoffelijk overschot gemummificeerd is?' Michener haalde zijn schouders op. 'Het is meer dan honderdzeventig jaar geleden dat de tombe voor het laatst is geopend. Niemand weet wat daar ligt.'

Ze ergerde zich aan zijn zelfvoldaanheid. Ptolemaeus had van Eumenes' verwisseling geprofiteerd en optimaal politiek gebruikgemaakt van het lijk waarvan iedereen geloofde dat het van Alexander was. Ze wist niet of ze door wat ze nu te zien zou krijgen meer te weten zou komen, maar ze moest het absoluut zien.

Michener gaf een teken aan een van de priesters en de hydraulische hefbomen werden in werking gezet. De ijzeren ringen op de tombe kwamen recht overeind. Millimeter voor millimeter tilden de hefbomen het zware deksel op.

'Krachtige mechanismen,' zei Michener. 'Klein, maar ze kunnen een huis van onder af optillen.'

Het deksel was nu twee centimeter omhooggekomen, maar het inwendige van de sarcofaag was nog donker. Ze keek hoog boven het baldakijn in de felverlichte halve koepel van de apsis, waar zich een goudmozaïek van Christus bevond.

De vier mannen zetten de hefbomen stop.

Het deksel van de sarcofaag hing nu ongeveer vier centimeter boven de bodem. De ijzeren staven kwamen tot aan de bovenrand van het altaar.

Ze konden niet verder.

Michener gaf hun met een gebaar te kennen dat ze zich naar de iconostase moesten terugtrekken, weg van het altaar, en fluisterde toen: 'De Heilige Vader probeert aan uw verzoek te voldoen in de hoop dat u ook aan zijn verzoek voldoet. Maar laten we wel wezen. U zult uw beloften niet nakomen.'

'Ik ben het niet gewend beledigd te worden.'

'En de Heilige Vader is het niet gewend dat er tegen hem gelogen wordt.'

De diplomaat had alle schijn laten varen. 'U zult toegang tot de Federatie krijgen, zoals ik u heb verzekerd.'

'We willen meer.'

Nu begreep ze het. Hij had gewacht tot het deksel eraf was. Ze nam het zichzelf kwalijk, maar vanwege Karyn en Alexander de Grote en wat er nog ergens te vinden was had ze geen keus.

'Wat wilt u?'

Hij greep onder zijn jasje en haalde een opgevouwen pakje papieren tevoorschijn. 'We hebben een concordaat tussen de Federatie en de Kerk opgesteld. Schriftelijke verzekeringen dat we toegang zullen krijgen. Zoals u gisteren hebt verzocht, zullen er alleen kerken worden gebouwd wanneer de Federatie haar toestemming geeft.'

Ze vouwde de papieren open en zag dat de tekst in het Kazachstaans was opgesteld.

'We dachten dat het gemakkelijker was als het in uw taal was.'

'U dacht dat de tekst in mijn taal gemakkelijker te verspreiden zou zijn. Mijn handtekening is uw verzekering. Ik kan u dan niet meer de toegang ontzeggen.'

Ze bekeek het concordaat. Het was een overeenkomst tussen de rooms-katholieke Kerk en de Centraal-Aziatische Federatie om 'gezamenlijk de vrije uitoefening van godsdienst door middel van onbeperkte toelating van missiewerk te bevorderen en te stimuleren'. Verder werd verzekerd dat er geen geweld tegen de Kerk zou worden getolereerd en dat overtreders zouden worden gestraft. Bovendien werd gegarandeerd dat er royaal visa aan kerkpersoneel zouden worden verstrekt en dat er tegen eventuele bekeerlingen geen represailles zouden worden genomen.

Ze keek weer naar het altaar. De onderkant van de sarcofaag was nog steeds in schaduw gehuld. Zelfs op tien meter afstand kon ze niets van de binnenkant zien.

'Ik zou u graag in mijn team willen hebben,' zei ze.

'Ik hou ervan om de Kerk te dienen.'

Ze keek op haar horloge: tien voor één. Viktor had er al moeten zijn. Hij kwam nooit te laat. Je kon altijd op hem rekenen. Ze keek naar het schip van de kerk, naar de bovenste delen van het westelijke atrium, waar alleen de gouden plafonds werden verlicht. Er waren veel donkere plaatsen waar iemand zich kon verbergen. Ze vroeg zich af of ze echt alleen zou zijn als het één uur werd en ze haar halfuur kreeg.

'Als de ondertekening van het concordaat een probleem is,' zei Michener, 'kunnen we het misschien beter vergeten.'

Die woorden had ze de vorige dag tegen hem gebruikt.

Ze liet zich niet door hem overbluffen.

'Hebt u een pen?'

48

MALONE ZAG TWEE rode boordlichten op enkele honderden meters afstand. Ze bewogen zich grillig over het zwarte water, alsof de boot niet werd bestuurd.

'Zie je dat daar?' vroeg hij Stephanie.

Ze stond aan de andere kant van het stuurwiel. 'Het is voorbij de bebakende vaargeul.'

Dat had hij ook gedacht. Hij liet de boot door het water ploegen. Ze waren nu zo'n meter of tweehonderd bij het op drift geraakte vaartuig vandaan. Het leed geen twijfel meer dat de andere boot, die in grootte en vorm op die van hem leek, dicht bij de ondiepten was gekomen. Toen zag hij in het vage schijnsel van het instrumentenpaneel iemand in het water vallen.

Er verscheen iemand anders en er galmden drie schoten door de duisternis.

'Cotton,' zei Stephanie.

'Ik ben er al mee bezig.'

Hij gooide het stuurwiel naar links en ging recht op de lichten af. De andere boot kwam blijkbaar tot leven en verwijderde zich. Hij beschreef een boog door het water en joeg golven op die naar het andere lage vaartuig toe rolden. Het water plensde de boot in. Malone was nog op vijftien meter afstand en de andere boot ging hen nu voorbij. Aan het stuurwiel verschenen de schimmige contouren van een man met een gestrekte arm waarin hij een pistool had.

'Liggen!' schreeuwde hij naar Stephanie.

Ze had het gevaar blijkbaar ook gezien en sprong al op het natte dek. Hij dook met haar mee en er vlogen twee kogels voorbij. Een daarvan verbrijzelde een ruit in de achterhut.

Hij sprong overeind en greep het stuurwiel weer vast. De andere boot voer met grote snelheid naar Venetië. Hij moest hem achtervolgen maar vroeg zich nu af wie er in het water lag.

'Zoek een zaklantaarn,' zei hij. Hij vertraagde het tempo en manoeuvreerde de boot naar de plaats waar ze het andere vaartuig voor het eerst hadden gezien.

Stephanie ging vlug de voorste hut in en hij hoorde haar in de kastjes zoeken. Ze kwam terug met een zaklantaarn.

Hij zette de boot in zijn vrij.

Stephanie scheen met de zaklantaarn over het water. Hij hoorde in de verte sirenes en zag drie boten met knipperende zwaailichten om een van de eilanden heen komen, op weg naar Torcello.

Een drukke avond voor de Italiaanse politie.

'Zie je iets?' vroeg hij. 'Er is iemand in het water gevallen.'

Hij moest oppassen dat hij niet over de drenkeling heen voer, al was het te donker om veel te kunnen zien.

'Daar!' riep Stephanie.

Hij ging vlug naar haar kant van de boot en zag iemand spartelen. Binnen een seconde wist hij dat het Cassiopeia was. Voordat hij kon reageren, gooide Stephanie de zaklantaarn neer en sprong in het water.

Hij ging vlug naar het stuurwiel terug en manoeuvreerde met de boot.

Toen hij naar de andere kant van het dek ging waadde Stephanie met Cassiopeia naar de boot toe. Hij stak zijn hand uit, kreeg Cassiopeia te pakken en trok haar het water uit.

Hij legde haar slappe lichaam op het dek.

Ze was bewusteloos.

Er zaten een boog en een pijlenkoker aan haar schouders vast. Daar zou wel een heel verhaal achter zitten, dacht hij. Hij draaide Cassiopeia op haar zij. 'Hoest het uit.'

Dat deed ze niet.

Hij legde haar op haar rug. 'Hoesten.'

Nu spoog ze water uit. Ze kokhalsde maar haalde tenminste adem.

Stephanie klom het water uit.

'Ze is versuft, maar ze is niet door kogels geraakt.'

'Het is moeilijk om vanaf een deinend dek in het donker te schieten.'

Hij klopte nog steeds op haar rug en er kwam nog meer water uit haar longen. Ze kwam enigszins bij.

'Gaat het?' vroeg hij.

Zo te zien probeerde ze haar blik ergens op te focussen. Hij kende dat. Ze had haar hoofd gestoten.

'Cotton?' vroeg ze.

'Ik neem aan dat ik je niet hoef te vragen waarom je een boog en pijlen bij je hebt?'

Ze wreef over haar hoofd. 'Dat stuk verdr...'

'Wie was het?' vroeg Stephanie.

'Stephanie? Wat doe jij hier?' Cassiopeia stak haar hand uit en raakte Stephanies natte kleren aan. 'Heb jij me eruit getrokken?'

'Dat was ik je verschuldigd.'

Er was Malone maar een deel verteld van wat er de vorige herfst in Washington was gebeurd toen hij in de Sinaï werd belaagd, maar blijkbaar hadden die twee een nauwe band met elkaar gekregen. Nu moest hij iets weten: 'Hoeveel doden liggen er in het Museo di Torcello?'

Cassiopeia negeerde hem en stak haar hand naar achteren, op zoek naar iets. Haar hand kwam terug met een Glock. Ze schudde het water eraf en maakte de loop droog. Dat was een goed verkoopargument voor Glocks, wist hij uit persoonlijke ervaring: die dingen waren zo goed als waterdicht.

Ze stond op. 'We moeten gaan.'

'Was dat Viktor in de boot?' vroeg hij, nu duidelijk geërgerd.

Cassiopeia was bij haar positieven gekomen en hij zag weer woede in haar ogen. 'Ik heb je al eerder gezegd dat het je niet aangaat. Dit is niet jouw gevecht.'

'Nou, er is hier van alles aan de hand waar jij helemaal niks van weet.'

'Ik weet dat Ely door die schoften in Azië is vermoord, in opdracht van Irina Zovastina.'

'Wie is Ely?' vroeg Stephanie.

'Dat is een lang verhaal,' zei hij. 'Het bezorgt ons op dit moment veel problemen.'

Cassiopeia schudde nog meer sufheid uit haar hoofd en water uit haar pistool. 'We moeten gaan.'

'Heb je iemand gedood?' vroeg hij.

'Ik heb er eentje als een marshmallow geroosterd.'

'Daar krijg je later spijt van.'

'Bedankt voor je goede raad. Laten we gaan.'

Hij wilde tijd rekken en vroeg: 'Waar ging Viktor heen?'

Ze trok de boog van haar schouder.

'Heeft Henrik je dat ding gestuurd?' vroeg hij. Hij herinnerde zich de grote tas uit het restaurant.

'Zoals ik al zei, Cotton: dit zijn jouw zaken niet.'

Stephanie kwam naar voren. 'Cassiopeia. Ik weet nog niet de helft van wat er hier gebeurt, maar ik weet genoeg om te zien dat je niet nadenkt. Zoals je vorig najaar tegen me zei moet je je hoofd gebruiken. Laat ons helpen. Wat is er gebeurd?'

'Jij ook, Stephanie. Hou je hier buiten. Ik heb maandenlang op die mannen gewacht. Vanavond kreeg ik ze eindelijk in het vizier. Ik heb er een te pakken gekregen. Nu wil ik die andere ook. En ja, het is Viktor. Hij was erbij toen Ely stierf. Ze hebben hem laten verbranden. Waarvoor?' Haar stem was omhooggegaan. 'Ik wil weten waarom hij is gestorven.'

'Dan gaan we dat uitzoeken,' zei Malone.

Cassiopeia liep een beetje wankelend. Op dit moment zat ze in de val. Ze kon nergens heen, en blijkbaar was ze slim genoeg om te weten dat ze het geen van beiden zouden opgeven. Ze liet haar handpalmen op de reling rusten en bracht haar ademhaling tot bedaren. Ten slotte zei ze: 'Oké. Oké. Jullie hebben gelijk.'

Hij vroeg zich af of ze hun zin zouden krijgen.

Cassiopeia bleef staan. 'Dit is iets persoonlijks. Meer dan jullie beseffen.' Ze aarzelde. 'Het gaat om meer dan Ely.'

Dat was al de tweede keer dat ze daarop zinspeelde. 'Als je ons nu eens vertelde wat er op het spel staat?'

'Als ik dat nu eens niet doe?'

Hij wilde haar erg graag helpen en het leek hem zinloos om met haar in discussie te gaan. En dus keek hij Stephanie aan, die wist wat zijn ogen vroegen.

Ze knikte instemmend.

Hij stapte naar het stuurwiel toe en zette de motoren aan. Er kwamen nog meer politieboten voorbij, op weg naar Torcello. Hij zette koers naar Venetië en de lichten van Viktors boot in de verte.

'Maak je niet druk om een lijk,' zei Cassiopeia. 'Van het lijk en van dat museum zal helemaal niets meer over zijn.'

Hij wilde iets weten. 'Stephanie, is er nieuws over Naomi?'

'Niet sinds gisteren. Daarom ben ik gekomen.'

'Wie is Naomi?' vroeg Cassiopeia.

'Dat zijn míjn zaken,' zei hij.

Cassiopeia drong niet aan. In plaats daarvan zei ze: 'Waar gaan we heen?'

Hij keek op zijn horloge. De lichtgevende wijzerplaat gaf 0:45 aan. 'Zoals ik al zei is er hier veel aan de hand. En we weten precies waar Viktor heen gaat.'

49

Samarkand
4.50 uur

V INCENTI'S RUG TINTELDE. Zeker, hij had bevel gegeven mensen
te vermoorden, de vorige dag zelfs nog, maar dit was anders. Hij
stond op het punt een waagstuk te ondernemen. Het zou hem niet alleen tot de rijkste persoon ter wereld maken maar hem ook een plaats in
de geschiedenis bezorgen.

Over ruim een uur zou het licht worden. Hij zat achter in de auto,
terwijl O'Conner en twee andere mannen naar een huis toe liepen, afgeschermd door een bosje bloeiende kastanjebomen en een hoge ijzeren
omheining. Dit alles was eigendom van Irina Zovastina.

O'Conner bleef bij de auto staan en Vincenti liet het raam zakken.

'De twee gardisten zijn dood. Het was niet moeilijk ze uit te schakelen.'

'Nog meer beveiliging?'

'Nee, dat was alles. Zovastina maakte zich niet zo druk om dit huis.'

Omdat ze dacht dat niemand zich ervoor interesseerde. 'Zijn we
klaar?'

'Er is nu niemand binnen, behalve de vrouw die op haar past.'

'Eens kijken of ze willen meewerken.'

Vincenti ging door de voordeur naar binnen. De twee andere mannen die ze voor deze nacht hadden ingehuurd, hielden de verpleegster
van Karyn Walde vast, een oudere vrouw met een streng Aziatisch gezicht die een ochtendjas en pantoffels droeg. Ze keek angstig.

'Ik heb gehoord,' zei hij tegen haar, 'dat u voor mevrouw Walde
zorgt.'

De vrouw knikte.

'En dat u vindt dat de minister-president haar niet goed behandelt.'

'Ze behandelt haar verschrikkelijk.'

Hij was blij dat hun informatie correct bleek te zijn. 'Ik heb gehoord dat Karyn lijdt. Ze wordt steeds zieker.'

'En de minister-president wil haar niet laten rusten.'

Hij gaf een teken en de twee mannen lieten haar los. Hij ging dicht naar haar toe en zei: 'Ik wil haar leed verzachten. Maar ik heb uw hulp nodig.'

Ze keek argwanend. 'Waar zijn de bewakers?'

'Dood. Wacht hier terwijl ik bij haar ga kijken.' Hij maakte een gebaar. 'Door de gang?'

Ze knikte opnieuw.

Hij deed een lamp op een nachtkastje aan en keek naar de meelijwekkende figuur die onder een lichtroze dekbed lag.

Karyn Walde ademde met behulp van een zuurstoffles en een beademingsapparaat. Een infuuszakje was verbonden met haar arm. Hij haalde een injectiespuit weg, stak de naald in een van de infuuspoorten en liet hem daar zitten.

De ogen van de vrouw gingen open.

'U moet wakker worden,' zei hij.

Ze knipperde een paar keer met haar ogen. Blijkbaar begreep ze niet meteen wat er aan de hand was. Toen hees ze zich uit het kussen. 'Wie bent u?'

'Ik weet dat u er de laatste tijd weinig hebt gehad, maar ik ben een vriend.'

'Ken ik u?'

Hij schudde zijn hoofd. 'Er is geen reden waarom u mij zou kennen. Maar ik ken u. Vertel eens: hoe was het om van Irina Zovastina te houden?'

Dat was een merkwaardige vraag voor een vreemde die midden in de nacht naar haar toe was gekomen, maar ze haalde alleen haar schouders op. 'Waarom wilt u dat weten?'

'Ik heb vele jaren met haar te maken gehad. Ik heb nooit iets van enige genegenheid van haar of voor haar gemerkt. U wel?'

'Dat heb ik me heel vaak afgevraagd.'

Hij keek naar de inrichting van de kamer. Stijlvol en duur, net als de rest van het huis. 'U leeft hier goed.'

'Een schrale troost.'

'Maar toen u ziek werd en wist dat u seropositief was, bent u naar haar teruggekeerd. U kwam terug na jaren waarin u haar niet had gezien.'

'U weet veel van me.'

'U moet wel iets voor haar hebben gevoeld, anders was u niet teruggekomen.'

Ze liet zich weer in het kussen zakken. 'In sommige opzichten is ze een dwaas.'

Hij luisterde aandachtig.

'Ze ziet zichzelf als Achilles en mij als Patrokles. Of erger nog: ze is Alexander en ziet mij als Hephaestion. Ik heb vele malen naar die verhalen geluisterd. Kent u de *Ilias?*'

Hij schudde zijn hoofd.

'Achilles voelde zich verantwoordelijk voor de dood van Patrokles. Hij stond toe dat zijn minnaar soldaten in de strijd leidde en dan deed alsof hij Achilles was. Alexander voelde zich erg schuldig toen Hephaestion was gestorven.'

'U kent uw literatuur en geschiedenis.'

'Ik weet niets. Ik heb alleen naar haar geraaskal geluisterd.'

'In welk opzicht is ze een dwaas?'

'Ze wil me redden maar kan het niet opbrengen dat te zeggen. Ze komt hier, kijkt naar me, leest me de les, valt me zelfs aan, maar ze probeert me altijd te redden. Toen ik ziek werd wist ik dat ze zwak was, en dus keerde ik terug naar de plaats waar voor me gezorgd zou worden.'

'Toch is duidelijk dat u haar haat.'

'Ik verzeker u, wie u ook bent, dat iemand in mijn toestand weinig keus heeft.'

'U spreekt openhartig tegen een vreemde.'

'Ik heb niets te verbergen of te vrezen. Mijn leven is bijna voorbij.'

'U hebt het opgegeven?'

'Ik heb geen andere keus.'

Hij wilde nagaan wat hij nog meer te weten kon komen. 'Zovastina is in Venetië. Op dit moment. Ze zoekt iets. Weet u daarvan?'

'Het verbaast me niet. Ze is de grote held en onderneemt de queeste van een grote held. Ik ben de zwakke minnares. We mogen de held geen vragen stellen. We mogen alleen accepteren wat ons wordt aangeboden.'

'U hebt naar een hoop onzin geluisterd.'

Ze haalde haar schouders op. 'Ze verbeeldt zich dat ze mijn redder is, en dus sta ik dat toe. Waarom niet? Trouwens, ik hou ervan om haar te kwellen. Dat is mijn enige genoegen. De keuzen in het leven en zo.'

'Soms is het leven wispelturig.'

Hij zag dat ze nieuwsgierig was.

'Waar zijn de bewakers?'

'Dood.'

'En mijn verzorgster?'

'Die is ongedeerd. Ik geloof dat ze echt om u geeft.'

Ze knikte vaag. 'Ja.'

In haar beste jaren moest deze vrouw indrukwekkend zijn geweest, iemand die zowel mannen als vrouwen op hun nummer kon zetten. Het was niet moeilijk te zien waarom Zovastina zich tot haar aangetrokken had gevoeld. Maar het was ook niet moeilijk te zien hoe het tot een botsing tussen de twee vrouwen was gekomen. Allebei alfavrouwtjes. Allebei gewend hun zin te krijgen.

'Ik let al een tijd op u,' zei hij.

'Er is niet veel te zien.'

'Vertel me: als u iets op deze wereld kon krijgen, wat zou dat dan zijn?'

De ernstig zieke vrouw die daar voor hem lag, scheen echt over zijn vraag na te denken. Hij zag de woorden die zich in haar hoofd vormden. Hij had dezelfde vastbeslotenheid langgeleden bij anderen gezien, bij mensen die met een even verschrikkelijk lot geconfronteerd werden en zich vastklampten aan weinig of geen hoop, omdat ze niet door wetenschap of godsdienst te redden waren.

Alleen door een wonder.

Dus toen ze haar adem inhield en haar antwoord fluisterde, werd hij niet teleurgesteld.

'Leven.'

50

Venetië

VIKTOR LIEP VLUG langs de felverlichte westelijke gevel van de kerk. In de diepe duisternis hoog boven hem hield de heilige Marcus zelf de wacht boven een gouden leeuw met uitgespreide vleugels. De *piazza* strekte zich links van hem uit, afgezet en met overal politie. Er stond een menigte nieuwsgierigen omheen en uit de flarden van gesprekken die hij had opgevangen, had hij afgeleid dat er geschoten was. Hij liep om het spektakel heen naar de noordelijke ingang van de kerk. Zovastina had gezegd dat hij die moest gebruiken.

Het was een schok voor hem geweest om de vrouw met de boog te zien. Ze zou in Denemarken gestorven moeten zijn. En als zíj niet dood was, zouden de twee andere problemen vast ook nog ademhalen. De zaak liep helemaal uit de hand. Hij had niet bij haar weg moeten gaan tot hij zeker wist dat ze verdronken was, maar Zovastina wachtte en hij mocht niet te laat zijn.

Steeds weer zag hij Rafael doodgaan.

Zovastina zou alleen maar willen weten of dat sterfgeval verdenking zou wekken. Maar hoe zou dat kunnen? Ze zouden geen lijk vinden. Alleen wat botsplinters en as.

Zoals toen het huis van Ely Lund was afgebrand.

'Ga je me vermoorden?' vroeg Ely. 'Wat heb ik gedaan?' De indringer had een pistool. 'Hoe kan ik nu een bedreiging voor iemand vormen?'

Viktor stond in een andere kamer, uit het zicht, te luisteren.

'Waarom geef je me geen antwoord?' vroeg Ely met stemverheffing.

'Ik ben hier niet om te praten,' zei de man.

'Alleen om me dood te schieten?'

'Ik doe wat me is opgedragen.'

'En je hebt geen idee waarom?'

'Het kan me niet schelen.'

Het werd stil in de kamer.

'Ik wou dat ik nog een paar dingen had kunnen doen,' zei Ely. Hij klonk melancholiek, berustend, verrassend kalm. *'Ik heb altijd gedacht dat ik aan mijn ziekte zou sterven.'*

Viktor luisterde met nieuwe belangstelling.

'Ben je besmet?' vroeg de vreemde met enige argwaan in zijn stem. *'Je ziet er niet ziek uit.'*

'Dat hoeft ook niet. Maar ik ben het wel.'

Viktor hoorde het onmiskenbare geklik van een wapen.

Hij had buiten naar het brandende huis staan kijken. De povere brandweer van Samarkand had weinig gedaan. Uiteindelijk zakten de muren in en werd alles door het Griekse vuur verteerd.

Nu wist hij nog iets anders.

De vrouw uit Kopenhagen had genoeg om Ely Lund gegeven om zijn dood te wreken.

Hij liep om de kerk heen en zag het noordelijke portaal. Bij de open bronzen deuren stond iemand te wachten.

Viktor rechtte zijn rug.

De minister-president zou willen dat hij alert was en zich helemaal in de hand had.

Zovastina gaf het ondertekende concordaat aan Michener terug. 'En geeft u me nu mijn halfuur.'

De pauselijke nuntius maakte een gebaar en alle priesters verlieten het presbyterium.

'U zult er spijt van krijgen dat u me onder druk hebt gezet,' maakte ze duidelijk.

'Bedenkt u wel dat de Heilige Vader niet over zich heen laat lopen.'

'Hoeveel legers heeft uw paus?'

'Velen hebben die vraag gesteld. Maar er waren geen legers voor nodig om het communisme op de knieën te krijgen. Johannes Paulus II kon dat heel goed in zijn eentje.'

'En is uw paus even bekwaam?'

'Als u hem dwarszit zult u dat ontdekken.'

Michener draaide zich om. Hij liep door de iconostase naar het schip en naar de hoofdingang van de kerk. 'Ik ben over een halfuur terug,' riep hij in de duisternis.

Ze zag Viktor in het donker naderen. Hij passeerde Michener, die hem toeknikte. Haar twee andere gardisten bleven op een afstand.

Viktor kwam in het presbyterium. Zijn kleren waren vochtig en vuil en op zijn gezicht zaten vegen van roet.

Ze wilde maar één ding weten: 'Heb je hem?'

Hij gaf haar een olifantpenning.

'Wat denk je?' vroeg ze.

'Hij ziet er authentiek uit, maar ik heb geen gelegenheid gehad om hem te onderzoeken.'

Ze stopte de munt in haar zak. Dat kwam later wel.

De open sarcofaag stond op tien meter afstand klaar.

Daar ging het nu om.

Malone was de laatste die van de boot op de betonnen aanlegplaats sprong. Ze waren weer in Venetië zelf, op het beroemde San Marco-plein, dat aan de lagune grensde. De golven kabbelden tegen de sombere steigers en de gondels die daar waren aangelegd. Er was nog steeds veel politie en er waren ook veel meer toeschouwers dan een uur geleden.

Stephanie maakte een gebaar naar Cassiopeia, die zich al een weg langs een stel kramen baande, richting kerk, de boog en pijlkoker nog aan haar schouder. 'We moeten Pocahontas daar aan de lijn houden.'

'Meneer Malone.'

In de menigte zag hij een man van achter in de veertig, gekleed in een kaki broek, een overhemd en een katoenen jasje, hun kant op komen. Cassiopeia had de begroeting blijkbaar ook gehoord, want ze bleef staan en kwam naar Malone en Stephanie toe.

'Ik ben monseigneur Colin Michener,' zei de man toen hij bij hen aangekomen was.

'U ziet er niet uit als een priester.'

'Vanavond niet. Maar er was me gezegd dat ik u kon verwachten, en ik moet zeggen dat de beschrijving die ik heb gekregen precies klopt. Lang, met licht haar en met een andere, oudere vrouw op sleeptouw.'

'Pardon,' zei Stephanie.

Michener grijnsde. 'Ze zeiden dat u niet graag aan uw leeftijd wordt herinnerd.'

'En wie heeft u dat verteld?' wilde Malone weten.

'Edwin Davis,' zei Stephanie. 'Die zei dat hij een heel goede bron had. Dat bent u, neem ik aan?'

'Ik ken Edwin al heel lang.'

Cassiopeia wees naar de kerk. 'Is een andere man de kerk binnengegaan? Klein, stevig, in een spijkerbroek?'

De priester knikte. 'Ja. Met minister Zovastina. Hij heet Viktor Tomas en hij is de commandant van de persoonlijke garde van Zovastina.'

'U bent goed op de hoogte,' zei Malone.

'Ik zou zeggen dat Edwin veel weet. Maar één ding kon hij me niet vertellen. Hoe bent u aan de naam Cotton gekomen?'

'Dat is een lang verhaal. We moeten nu in de kerk zien te komen. En u weet vast wel waarom.'

Michener maakte een gebaar en ze trokken zich achter een van de kramen terug, uit de drukte van het voetgangersverkeer. 'Gisteren zijn we op informatie over minister Zovastina gestuit. Die informatie hebben we aan Washington doorgegeven. Ze wilde een blik in de graftombe van de heilige Marcus werpen, en de Heilige Vader dacht dat Amerika misschien wel met haar mee wilde kijken.'

'Kunnen we gaan?' vroeg Cassiopeia.

'U bent nerveus, nietwaar?' zei Michener.

'Ik wil alleen maar gaan.'

'U hebt een boog en pijlen.'

'Dat hebt u goed gezien.'

Michener negeerde haar opmerking en keek Malone aan. 'Zal dit uit de hand lopen?'

'Niet meer dan nu al het geval is.'

Michener wees naar het plein. 'Zoals die man die hier al is gedood.'

'En er staat een museum in brand op Torcello,' voegde Malone eraan toe. Op dat moment trilde zijn telefoon.

Hij viste het ding uit zijn zak, keek op het scherm – Henrik weer – en nam op.

'Het was niet slim om haar een boog en pijlen te sturen,' zei hij meteen.

'Ik moest wel,' zei Thorvaldsen in de telefoon. 'Ik moet haar spreken. Is ze bij jou?'

'Ja.'

Hij gaf de telefoon aan Cassiopeia en ze liep weg.

Cassiopeia hield de telefoon dicht tegen zich aan. Haar hand trilde. 'Luister goed,' zei Thorvaldsen in haar oor. 'Er zijn dingen die je moet weten.'

'Wat een puinhoop,' zei Malone tegen Stephanie.

'En het wordt steeds erger.'

Hij keek naar Cassiopeia, die met haar rug naar hen toe stond, de telefoon tegen haar oor.

'Ze is van streek,' legde hij uit.

'Dat zijn we allemaal wel eens, denk ik.'

Hij glimlachte om die waarheid.

Cassiopeia beëindigde het telefoongesprek en liep terug om hem de telefoon te geven.

'Heb je ontslag gekregen?' vroeg hij.

'Zoiets.'

Hij keek Michener aan. 'U ziet waarmee ik moet werken. Ik hoop dat ú me iets productiefs gaat vertellen.'

'Zovastina en Viktor zijn in het presbyterium van de kerk.'

'Mij best.'

'Maar ik moet u onder vier ogen spreken,' zei Michener tegen Stephanie. 'Er is informatie die ik van Edwin aan u moet doorgeven.'

'Ik ga liever met hen mee.'

'Hij zei dat het van kritiek belang was.'

'Ga maar,' zei Malone. 'Wij werken het binnen wel af.'

Zovastina liep naar de altaartafel en bukte zich.

Een van de priesters had een lichtstaaf op de vloer laten liggen. Ze gaf Viktor een teken dat hij naast haar moest neerknielen. 'Stuur die twee anderen de kerk in. Zeg dat ze moeten rondlopen, vooral boven. Ik wil zeker weten dat er niemand toekijkt.'

Viktor stuurde de gardisten weg en kwam terug.

Ze pakte de lichtstaaf op en scheen met ingehouden adem in het interieur van de stenen sarcofaag. Ze had zich dit moment al voorgesteld toen Ely Lund haar voor het eerst over deze mogelijkheid vertelde. Was dit het lijk dat met dat van Alexander was verwisseld? Had Ptolemaeus een aanwijzing achtergelaten die naar Alexanders werkelijke begraafplaats kon leiden? Die plaats ver weg, *in de bergen, waar Alexander van de Scythen over het leven had geleerd.* Leven in de vorm van de drank. Ze herinnerde zich wat Alexanders hofhistoricus in een van de manuscripten had geschreven die Ely had ontdekt. *De man had zulke erge bulten in zijn hals dat hij bijna niet kon slikken, alsof zijn keel vol zat met kiezelstenen. Telkens als hij uitademde, kwam er vloeistof mee. Hij zat onder de wonden. Er zat geen kracht meer in zijn spieren. Elke ademtocht kostte hem moeite.* Toch had de drank hem in één dag genezen. De onderzoekers in haar biologisch lab dachten dat de symptomen viraal waren. Was het mogelijk dat de natuur, die zo veel belagers voortbracht, ook een manier had gecreëerd om ze tegen te houden?

Maar er lag geen gemummificeerd lichaam in de stenen kist.

In plaats daarvan zag ze een lage houten kist van zo'n vijftig bij vijftig centimeter, rijk versierd en voorzien van twee koperen handgrepen. De teleurstelling trok haar maag samen. Ze camoufleerde die emotie meteen en beval: 'Haal hem eruit.'

Viktor stak zijn handen onder de hangende stenen dekplaat, tilde de kist eruit en zette hem op de marmeren vloer.

Wat had ze verwacht? Een mummie zou minstens tweeduizend jaar oud zijn geweest. Zeker, de Egyptische balsemers verstonden hun vak en er waren mummies die zo oud waren, of nog ouder, en nog steeds bestonden. Maar die hadden eeuwenlang ongestoord in hun graf gelegen en waren niet over de wereld versleept en soms honderden jaren achtereen verdwenen. Ely Lund was ervan overtuigd geweest dat het raadsel van Ptolemaeus authentiek was. Hij was er ook van overtuigd geweest dat de Venetianen in 828 niet met de heilige Marcus uit Alexandrië waren vertrokken maar met het stoffelijk overschot van een ander, misschien zelfs met het lichaam dat zeshonderd jaar in de Soma had gelegen en als dat van Alexander was aanbeden.

'Maak hem open.'

Viktor maakte de sluitingen los en tilde het deksel op. De binnen-kant was met verschoten rood fluweel bekleed. In de kist zelf lag nog meer van die broze stof. Ze pakte het zorgvuldig weg en zag tanden, een schouderblad, een dijbeen, een deel van een schedel, en as.

Ze deed haar ogen dicht.

'Wat had u dan verwacht?' vroeg iemand.

51

Samarkand

Vincenti dacht na over Karyn Waldes antwoord en vroeg: 'Wat zou u willen doen om uw leven te krijgen?'

'Ik kan niet veel doen. Kijk naar me. En ik weet niet eens hoe u heet.'

Deze vrouw had haar hele leven gemanipuleerd en was daar zelfs nu nog toe in staat.

'Enrico Vincenti.'

'Italiaans? Daar ziet u niet naar uit.'

'Ik vond het een mooie naam.'

Ze grijnsde. 'Ik heb het gevoel, Enrico Vincenti, dat u en ik veel met elkaar gemeen hebben.'

Hij beaamde dat. Hij was een man met twee namen, veel interesses en maar één ambitie. 'Wat weet u van hiv?'

'Alleen dat ik er dood aan ga.'

'Wist u dat het al miljoenen jaren bestaat? Dat is ongelooflijk, als je bedenkt dat het niet eens levend is. Het is alleen maar ribonucleïnezuur, RNA, omgeven door een beschermlaagje van eiwit.'

'Bent u een soort wetenschapper?'

'Eigenlijk wel, ja. Wist u dat hiv geen celstructuur heeft? Het kan nog geen spatje energie produceren. Het vertoont maar één eigenschap van een levend organisme en dat is het vermogen om zich te reproduceren. Maar zelfs daarvoor heeft het genetisch materiaal van een gastheer nodig.'

'Zoals ik?'

'Ik ben bang van wel. Er zijn ons ongeveer duizend virussen bekend, maar er worden elke dag nieuwe ontdekt. Ongeveer de helft zit in planten, de rest in dieren. Hiv zit in dieren, maar is ook bijzonder uniek.'

Hij zag de verbaasde uitdrukking op haar verschrompelde gezicht.

'Wilt u niet weten waaraan u doodgaat?'

'Doet dat er iets toe?'

'Nou, het zou er heel veel toe kunnen doen.'

'In dat geval, mijn nieuwe vriend, die hier is om wie weet welke reden, vraag ik u verder te gaan.'

Hij stelde haar houding op prijs. 'Hiv is bijzonder omdat het de genetische samenstelling van een andere cel door die van zichzelf kan vervangen. Daarom wordt het een retrovirus genoemd. Het hecht zich aan de cel vast en verandert hem in een duplicaat van zichzelf. Het is een inbreker die een andere cel van zijn identiteit berooft.' Hij zweeg even om de vergelijking op haar te laten inwerken. 'Tweehonderdduizend hiv-cellen bij elkaar zou je met het blote oog nauwelijks kunnen zien. Het virus is buitengewoon veerkrachtig, bijna onverwoestbaar, maar om te kunnen bestaan heeft het wel behoefte aan een exact mengsel van eiwit, zouten, suikers en vooral de exacte pH-waarde. Te veel van het een, te weinig van het ander en' – hij knipte met zijn vingers – 'het sterft.'

'En daarbij speel ik een rol?'

'Ja. De lichamen van warmbloedige zoogdieren zijn ideaal voor hiv. Hersenweefsel, ruggenmergvocht, beenmerg, moedermelk, baarmoederhalscellen, zaadvloeistof, slijmvliezen, vaginale afscheiding, in dat alles kan het virus bestaan. Maar bloed en lymfe zijn favoriet. Net als u, mevrouw Walde, wil het virus alleen maar in leven blijven.'

Hij keek op de klok op het nachtkastje. O'Conner en de twee andere mannen hielden buiten de wacht. Hij had zijn gesprek hier willen hebben, omdat niemand hen hier zou lastigvallen. Kamil Revin had hem verteld dat de bewakers van het huis steeds na een week werden afgelost. De leden van de Heilige Schare hielden niet van deze dienst, dus als het hun beurt niet was, besteedden ze niet veel aandacht aan het huis. Ze zagen het als een van Zovastina's vele obsessies.

'Nu komt het interessante,' zei hij. 'Hiv zou niet eens in staat moeten zijn in u te leven. In uw bloed zitten te veel cellen die infecties bestrijden. Maar het virus heeft een geraffineerde vorm van microscopische guerrillaoorlogvoering aangenomen. Het speelt verstoppertje met uw witte bloedlichaampjes. Het heeft geleerd zich te verbergen op een plaats waar ze nooit zouden kijken.'

Hij liet dat even op haar inwerken en zei toen: 'Lymfeknopen. Knobbeltjes ter grootte van een erwt, verspreid over het hele lichaam. Ze fungeren als filters en vangen nietsvermoedende indringers op, zodat die door de witte bloedlichaampjes vernietigd kunnen worden. De knopen zijn de leeuwenkuil van het immuunsysteem, de laatste plaats die een retrovirus als schuilplaats zou gebruiken, maar het blijkt dat ze ook de ideale plaats zijn. Eigenlijk is het verbazingwekkend. Hiv heeft geleerd de eiwitlaag te dupliceren die het immuunstelsel van nature in de lymfeknopen produceert. En zo leeft het virus onopgemerkt voort, onder de neus van het immuunstelsel. Het verandert lymfeknoopcellen van infectiebestrijders in duplicaten van zichzelf. Dat doet het jarenlang, totdat de knobbels opzwellen en achteruitgaan, en dan kom het virus overal in de bloedsomloop. Dat verklaart waarom het na de besmetting zo lang duurt voordat je weet dat het virus in je bloed zit.'

Zijn geest leefde op bij de analytische redenering van de wetenschapper die hij vele jaren was geweest. Maar nu was hij een ondernemer op wereldniveau, een manipulator, ongeveer zo iemand als Karyn Walde, en stond hij op het punt de allergrootste manipulatie te verrichten.

'En weet u wat nog verbazingwekkender is?' vroeg hij. 'Elke vervanging van een cel door hiv is individueel. Dus wanneer de lymfeknopen bezwijken, komt er niet één indringer maar een leger van miljarden verschillende indringers, allerlei variërende stammen van het retrovirus, in het bloed. Het immuunstelsel reageert zoals de bedoeling is, maar het moet voor elke afzonderlijke stam nieuwe, andere witte bloedlichaampjes voortbrengen. Dat is onmogelijk. En tot overmaat van ramp kunnen al die stammen van het retrovirus elk wit bloedlichaampje vernietigen. Het is een kwestie van miljarden tegen één, en het resultaat is in feite onvermijdelijk. U bent daar het levende bewijs van.'

'U bent hier vast niet alleen om mij een lesje wetenschap te geven.'

'Ik wilde nagaan of u wilt leven.'

'Tenzij u een engel of God zelf bent, is dat onmogelijk.'

'Weet u, dat is het nou juist. Hiv kan niemand doden, maar het maakt je weerloos wanneer een ander virus of fungus, een andere bacterie of parasiet in je bloedsomloop komt, op zoek naar een onderkomen. Je hebt niet genoeg witte bloedlichaampjes om het bloed te zuiveren. Het is dus alleen maar de vraag welke infectie de doodsoorzaak wordt.'

'Als u nou eens oprotte en mij rustig liet sterven.'

Karyn Walde was inderdaad een verbitterde vrouw, maar het inspireerde hem om tegen haar te praten. Hij stelde zich voor dat hij de pers toesprak, dat journalisten aan zijn lippen hingen, dat hij van de ene op de andere dag een wereldwijd erkende autoriteit werd. Hij dacht aan boekcontracten, filmrechten, televisieoptredens, lezingen, onderscheidingen. Op zijn minst de Albert Lasker Award. De National Medal for Science. Misschien zelfs een Nobelprijs. Waarom niet?

Maar dat alles hing af van de beslissing die hij nu ging nemen.

Hij keek naar de bijna lege huls van een menselijk wezen. Alleen haar ogen leken nog te leven.

Hij stak zijn hand uit naar de injectiespuit die uit de infuuspoort stak.

'Wat is dat?' vroeg ze met een blik op de doorzichtige vloeistof in de spuit.

Hij gaf geen antwoord.

'Wat doet u?'

Hij drukte op de spuit om de inhoud in de infuusstroom te brengen.

Ze wilde overeind komen, maar dat lukte niet. Haar pupillen werden groot en ze zakte op het bed terug. Hij zag dat haar oogleden zwaarder werden, en toen ging ze langzamer ademhalen. Ze verslapte. Haar ogen gingen dicht.

En niet meer open.

52

Venetië

ZOVASTINA STOND OP en keek de indringer aan. Hij was klein en had een kromme rug, stug haar en wenkbrauwen, en hij sprak met een broze, rijpe stem. Zijn gerimpelde trekken, ingevallen wangen, ruwe haar en dooraderde handen getuigden allemaal van ouderdom.

'Wie bent u?' vroeg ze.

'Henrik Thorvaldsen.'

Ze kende die naam. Het was een van de rijkste mannen in Europa. Een Deen. Maar wat deed hij hier?

Viktor reageerde meteen op de bezoeker. Hij richtte zijn wapen op hem. Ze stak haar hand uit om hem tegen te houden. Haar ogen zeiden: laten we afwachten wat hij wil.

'Ik weet wie u bent.'

'En ik weet wie u bent. Ooit Sovjetbureaucraat, nu samensmeder van naties. Een hele prestatie.'

Ze was niet in de stemming voor complimenten. 'Wat doet u hier?'

De oudere man schuifelde naar de houten kist toe. 'Dacht u werkelijk dat Alexander de Grote daar lag?'

Deze man wist wat ze deed.

En jij, avonturier, hoor mij nu aan, opdat mijn onsterfelijke stem van ver je oren vult. Vaar naar de door Alexanders vader gestichte hoofdstad, waar wijzen de wacht houden. Beroer het innerlijkste wezen van de gouden illusie. Verdeel de feniks. Het leven geeft de maat van het echte graf. Maar pas op, want er is maar één kans van slagen.

Ze moest zich beheersen, want de schok van Thorvaldsens woorden kwam hard aan.

Die man wist inderdaad wat ze deed.

'Denkt u dat u de enige bent die dat weet?' vroeg hij. 'Hoe pompeus bent u?'

Ze pakte Viktors pistool en richtte de loop op Thorvaldsen. 'Genoeg om u neer te schieten.'

Malone maakte zich zorgen. Cassiopeia en hij bevonden zich op vijftien meter hoogte, driekwart voetbalveld verwijderd van de plaats waar Thorvaldsen tegen Irina Zovastina sprak terwijl Viktor erbij stond. Michener had hen via het westelijke atrium in de kerk gebracht en een steile trap op geleid. Boven waren de muren, bogen en koepels een weerspiegeling van de architectuur beneden, maar in plaats van een prachtige marmeren façade en glinsterende mozaïeken waren het museum en de souvenirwinkel op de bovenverdieping van de kerk alleen omgeven door bakstenen muren.

'Wat doet hij hier toch?' mompelde Malone. 'Hij belde je net, toen we buiten waren.'

Ze zaten achter een stenen balustrade, vanwaar ze een panoramisch zicht hadden op de torenhoge koepels, die op enorme marmeren zuilen rustten. Gouden plafondmozaïeken glansden in het licht van gloeilampen. De marmeren vloer en onverlichte zijkapellen waren in uiteenlopende schakeringen van zwart en grijs gehuld. Het presbyterium helemaal aan het eind, waar Thorvaldsen stond, leek net een helder verlicht toneel in een donker theater.

'Ga je me geen antwoord geven?'

Cassiopeia bleef zwijgen.

'Ik erger me kapot aan jullie twee.'

'Ik heb je gezegd dat je naar huis moet gaan.'

'Henrik heeft te veel hooi op zijn vork genomen.'

'Ze schiet hem niet dood. In elk geval niet tot ze weet waarom hij hier is.'

'Waarom is hij hier?'

Nog meer stilte.

Ze moesten van positie veranderen. 'Als we nu eens daarheen gingen?'

Hij wees naar het noordelijke transept aan hun linkerkant, waar een andere galerij uitkeek op het presbyterium. 'Dit museum strekt zich in die richting uit. We zijn daar dichterbij en kunnen horen wat ze zeggen.'

Ze wees naar rechts. 'Ik ga die kant op. Er is vast wel een opening naar het bovenste zuidelijke transept. Dan zijn we aan weerskanten.'

Viktors hart ging tekeer. Eerst de vrouw, nu die zogenaamde museum-eigenaar. De tweede man zou ook wel in leven zijn. En waarschijnlijk in de buurt. Toch viel het hem op dat Thorvaldsen hem geen aandacht schonk.

Hij gaf geen enkel blijk van herkenning.

Zovastina keek langs de loop van het pistool naar Thorvaldsen.

'Ik weet dat u heiden bent,' zei de Deen kalm, 'maar zou u me hier neerschieten, op het altaar van een christelijke kerk?'

'Hoe kent u het raadsel van Ptolemaeus?'

'Ely heeft het me verteld.'

Ze liet het wapen zakken en keek naar de indringer. 'Hoe kende u hem?'

'Mijn zoon en hij kenden elkaar goed. Al sinds ze kinderen waren.'

'Waarom bent u hier?'

'Waarom is het belangrijk om het graf van Alexander de Grote te vinden?'

'Is er een reden waarom ik dat met u zou bespreken?'

'Eens kijken of ik een reden kan vinden. Momenteel bezit u bijna dertig zoönoses, afkomstig uit allerlei exotische dieren die u voor een groot deel uit dierentuinen en particuliere verzamelingen hebt gestolen. U hebt minstens twee laboratoria voor biologische wapens tot uw beschikking. Het ene lab is van uw overheid, het andere van Philogen Pharmaceutique, een onderneming die geleid wordt door een zekere Enrico Vincenti. U bent beiden lid van de Venetiaanse Liga. Zit ik in de goede richting?'

'U haalt toch nog adem?'

Thorvaldsen glimlachte alsof die woorden hem genoegen deden. 'Daar ben ik dankbaar voor. U hebt ook een geducht leger. Bijna een miljoen soldaten. Honderddertig gevechtsvliegtuigen. Allerlei transport- en ondersteuningsvliegtuigen, goede bases, een uitstekend communicatienetwerk – alles wat een ambitieuze despoot maar nodig heeft.'

Ze vond het niet prettig dat Viktor meeluisterde, maar ze wilde erg graag meer horen, en dus keek ze hem aan en zei: 'Ga kijken wat die twee andere gardisten doen, en zorg ervoor dat we alleen zijn.'

Twee anderen?

Malone hoorde de woorden toen hij zich achter een andere stenen leuning had verschanst, ditmaal hoog boven het presbyterium, een kleine vijftig meter boven Thorvaldsen en Zovastina. Cassiopeia bevond zich vijftig meter bij hem vandaan op gelijke hoogte in het zuidelijke transept aan de andere kant van het schip.

Hij kon haar niet zien, maar hoopte dat ze het had gehoord.

Zovastina wachtte tot Viktor weg was en keek Thorvaldsen toen fel aan. 'Is het een probleem dat ik mijn land wil verdedigen?'

'Hoed u voor oorlog. Die zal uw grote citadel spoedig te gronde richten.'

'Wat Sarpedon in de *Ilias* tegen Hector zei. U hebt me bestudeerd. Ik wil ook iets citeren. *U zult zien dat het ons niet aan moed ontbreekt, zolang onze kracht bestaat.*'

'U bent niet van plan iets te verdedigen. U wilt aanvallen. Die zoönoses zijn offensief. Iran, Afghanistan, Pakistan, India. Er is maar één man die al die landen heeft veroverd: Alexander de Grote. En hij kon ze maar een handvol jaren vasthouden. Daarna hebben alle veroveraars gefaald. Zelfs de Amerikanen hebben het met Irak geprobeerd. Maar u, minister-president, bent van plan het beter te doen dan hen allen.'

Ze had een lek, een groot lek. Ze moest naar huis terugkeren en dat probleem oplossen.

'U wilt doen wat Alexander deed, maar dan omgekeerd. Niet het Westen dat het Oosten verovert. Ditmaal zal het Oosten overheersen. U bent van plan al uw buren aan te vallen en u gelooft echt dat het Westen u die luxe zal gunnen, omdat het denkt dat u hun vriend bent. Maar u bent niet van plan het daarbij te laten, hè? U wilt het Midden-Oosten en Arabië ook. U hebt olie. Het vroegere Kazachstan is daar rijk aan. Maar u verkoopt het meeste daarvan voor weinig geld aan Rusland en Europa. En dus wilt u een nieuwe bron, die u een nog grotere macht in de wereld geeft. Uw zoönoses zullen dat misschien mogelijk maken. U zou een heel land binnen enkele dagen kunnen vernietigen. Het op de knieën brengen. De staten waarop u het hebt voorzien, zijn toch al niet goed in oorlogvoering, en als uw bacillen klaar zijn kunnen ze niets meer beginnen.'

Ze hield het pistool nog steeds in haar hand. 'Het Westen zou die verandering verwelkomen.'

'Wij hebben liever de duivels die we al kennen. En in tegenstelling tot wat al die Arabische staten denken is het Westen niet hun vijand.'

Hij wees recht naar haar.

'Maar u wel.'

Malone luisterde aandachtig. Thorvaldsen was niet gek en moest dus een reden hebben om Zovastina te provoceren. Het was op zichzelf al heel ongewoon dat de Deen hier was. Hij was voor het laatst in het buitenland geweest toen hij in het afgelopen najaar naar Oostenrijk ging. Maar nu stond hij midden in de nacht in een Italiaanse kerk en stak hij spaken in het wiel van een gewapende despoot.

Hij had gezien dat Viktor het presbyterium verliet en naar het zuidelijke transept ging, onder de plaats waar Cassiopeia zich bevond. Malone maakte zich nu vooral zorgen om een open trap op zeven meter afstand, die naar het schip omlaag leidde. Als er een portaal aan deze kant was, in het noordelijke transept, zou er vast en zeker ook een aan de zuidkant zijn, want als er iets was waar de middeleeuwse bouwers van hielden, dan was het symmetrie.

Hij werd omringd door nog meer kale bakstenen muren, met vitrinekasten en tafels waarop kunst, kleedjes, kant en schilderijen waren uitgestald.

Er verscheen een schaduw in het verlichte trappenhuis. Die schaduw danste over de marmeren muren en werd groter.

Een van Zovastina's gardisten.

Op weg naar de bovenverdieping.

Recht op hem af.

53

STEPHANIE LIEP ACHTER monseigneur Michener aan door de gangen van het dioceeskantoor. Ze kwamen in een onopvallend kamertje waar Edwin Davis onder een ingelijst portret van de paus zat.

'Ben je nog pissig op me?' vroeg Davis.

Ze was te moe om ruzie te maken. 'Wat doe je hier?'

'Ik probeer een oorlog te voorkomen.'

Ze wilde dat niet horen. 'Je beseft dat het in die kerk tot moeilijkheden kan komen.'

'Daarom ben jij daar niet.'

Het begon haar te dagen. 'Wat Malone en Cassiopeia doen, kan worden ontkend.'

'Zoiets. We weten niet wat Zovastina doet, maar ik wilde niet dat het hoofd van de Magellan Billet erbij betrokken was.'

Ze maakte aanstalten om weg te lopen.

'Als ik jou was zou ik hier blijven,' zei Davis.

'Rot op, Edwin.'

Michener posteerde zich in de deuropening.

'Maakt u ook deel uit van die waanzin?' vroeg ze.

'Zoals ik buiten al zei, zijn we op iets gestuit en hebben we dat doorgegeven aan personen van wie we dachten dat ze zich ervoor zouden interesseren. Irina Zovastina vormt een bedreiging voor de wereld.'

'Ze heeft een oorlog in de zin,' zei Davis. 'Er zullen miljoenen mensen omkomen, en dit is nog maar het begin.'

Ze draaide zich weer naar hem om. 'En dus nam ze de tijd en het risico om naar Venetië te gaan en naar een tweeduizend jaar oud lijk te kijken? Wat doet ze hier?'

'Waarschijnlijk zich kwaad maken,' zei Michener.

Ze zag een twinkeling in zijn ogen. 'U hebt haar erin laten tuinen?'

De priester schudde zijn hoofd. 'Dat heeft ze helemaal zelf gedaan.'

'Er zullen schoten vallen, daar in die kerk. Cassiopeia is in alle staten. Zou de politie op het plein die schoten niet horen?'

'De muren van de kerk zijn meer dan een meter dik,' zei Michener. 'Volkomen geluiddicht. Ze kunnen ongestoord hun gang gaan.'

'Stephanie,' zei Davis, 'we weten niet waarom Zovastina het erop waagde hierheen te komen. Maar het moet wel belangrijk zijn. En omdat ze zo graag wilde komen, wilden we iets voor haar doen.'

'Ik snap het. Ze was uit haar zandbak in de onze gekomen. Maar je hebt niet het recht om Malone en Cassiopeia in gevaar te brengen.'

'Kom nou. Dat heb ik niet gedaan. Cassiopeia was er al bij betrokken, met Henrik Thorvaldsen, die overigens jou erbij heeft betrokken. En Malone? Dat is een grote jongen die mag doen wat hij wil. Hij is hier omdat hij hier wil zijn.'

'Je vist naar informatie. Hoopt iets te weten te komen.'

'En we gebruiken het enige aas dat we hebben. Zij is degene die in die tombe wilde kijken.'

Stephanie begreep het niet goed. 'Blijkbaar weet je in grote lijnen wat ze van plan is. Waar wacht je op? Kom tegen haar in actie. Bombardeer haar installaties. Breng haar ten val. Oefen politieke druk op haar uit.'

'Zo simpel ligt het niet. Onze informatie is vaag. En we hebben geen concreet bewijs. Zeker niet iets wat ze niet gewoon kan ontkennen. Je kunt biologische wapens niet bombarderen. En jammer genoeg weten we niet alles. Daarom moeten Malone en anderen voor ons op verkenning gaan.'

'Edwin, jij kent Cotton niet. Hij houdt er niet van om bespeeld te worden.'

'We weten dat Naomi Johns dood is.'

Hij had dat achtergehouden tot aan het juiste moment, en de woorden kwamen hard bij haar aan.

'Ze is in een doodkist gestopt bij een andere man, een tweederangs gangster uit Florence. Haar nek is gebroken en hij kreeg een kogel in zijn hoofd.'

'Vincenti?' vroeg ze.

Davis knikte. 'Die is ook in beweging gekomen. Hij is de afgelopen dag naar de Centraal-Aziatische Federatie vertrokken. Een bezoek dat niet op het programma stond.'

Ze merkte dat hij nog meer wist.

'Hij heeft een vrouw ontvoerd voor wie Irina Zovastina sinds vorig jaar heeft gezorgd, een vrouw met wie ze ooit een verhouding schijnt te hebben gehad.'

'Is Zovastina lesbisch?'

'Zou dat niet een schok zijn voor haar Volksvergadering? Die vrouw en zij hebben een hele tijd iets met elkaar gehad. Maar haar vroegere minnares is stervende aan aids, en Vincenti kan haar blijkbaar ergens voor gebruiken.'

'En is er een reden waarom jij Vincenti laat doen wat hij doet?'

'Hij voert ook iets in zijn schild. En het gaat verder dan dat hij Zovastina bacillen en antistoffen levert. Het gaat verder dan dat hij de Venetiaanse Liga aan een veilige basis voor al hun zakelijke activiteiten helpt. We willen weten wat het is.'

Ze moest weg.

Er verscheen een andere priester in de deuropening. Hij zei: 'We hoorden daarnet een schot in de kerk.'

Op het moment dat de gardist schoot dook Malone achter een van de vitrinekasten weg. Hij had zich willen verstoppen voordat de man boven aan de trap was, maar blijkbaar was een heel kleine beweging van hem al genoeg geweest om een aanval te ontketenen.

De kogel trof een van de tafels waarop middeleeuws textiel te zien was. Door het gelamineerde hout veranderde de kogel van richting, en Malone had even de tijd om zich dieper in de schaduw terug te trekken. Het schot weergalmde door de kerk en had ongetwijfeld ieders aandacht getrokken.

Hij repte zich over glad hardhout en nam zijn toevlucht achter een lange stellage van paneelschilderingen en verluchte manuscriptpagina's.

Hij had zijn pistool in de aanslag.

Hij moest de man dichter naar zich toe lokken.

Dat was blijkbaar geen probleem.

Er kwamen voetstappen zijn kant op.

Zovastina hoorde het schot dat van de bovenkant van het noordelijke transept kwam. Rechts van haar bewoog iets, voorbij de stenen leuning, en toen zag ze het hoofd van een van haar gardisten.

'Ik ben niet alleen gekomen,' zei Thorvaldsen.

Ze hield haar pistool op de Deen gericht.

'Op het San Marcoplein wemelt het van de politie. Het zal je niet meevallen weg te komen. Je bent een staatshoofd en je bent in een ander land. Ga je me echt neerschieten?' Hij zweeg even. 'Wat zou Alexander doen?'

Ze wist niet of hij het serieus meende of de spot met haar dreef, maar ze kende het antwoord. 'Hij zou schieten.'

Thorvaldsen veranderde van positie en bevond zich nu enigszins links van haar. 'Dat denk ik niet. Hij was een groot tacticus. En slim. Denkt u maar eens aan de Gordiaanse knoop.'

'Wat gebeurt er daarboven?' riep ze.

Haar gardist gaf geen antwoord.

'In het dorp Gordium,' zei Thorvaldsen intussen, 'zat een ingewikkelde knoop aan een wagen vast. Niemand kon het ding losmaken. Alexander loste het probleem op door de knoop gewoon met zijn zwaard door te hakken en daarna los te maken. Een simpele oplossing voor een complex probleem.'

'U praat te veel.'

'Alexander liet zijn gedachten niet door verwarring beïnvloeden.'

'Viktor!' riep ze.

'Natuurlijk,' zei Thorvaldsen, 'lopen de verhalen over die knoop uiteen. Volgens een ervan trok Alexander een balk weg die met de wagen verbonden was, en ontdekte hij de uiteinden van het touw en maakte hij ze los. Dus wie weet?'

Ze was dat geleuter zat.

Staatshoofd of niet.

Ze haalde de trekker over.

54

Samarkand

Vincenti herinnerde zich de eerste tekenen van een probleem. In het begin bezat de ziekte alle eigenschappen van verkoudheid. Daarna dacht hij aan griep, maar algauw werd duidelijk dat het een virale invasie was.

Besmetting.

'*Ga ik dood?' riep Charlie Easton vanaf het bed. 'Ik wil het weten, verdomme. Vertel het me.'*

Hij hield een vochtige lap op Eastons drijfnatte voorhoofd, zoals hij het afgelopen uur had gedaan, en zei zacht: 'Je moet je niet zo druk maken.'

'*Neem me niet in de maling. Het is voorbij, nietwaar?'*

Ze hadden drie jaar zij aan zij gewerkt. Het had geen zin om eromheen te draaien. 'Ik kan niets doen.'

'*Shit. Ik wist het. Je moet hulp halen.'*

'*Je weet dat ik dat niet kan doen.'*

De afgelegen locatie van het complex was zorgvuldig door de Irakezen en de Sovjets gekozen. De geheimhouding kwam op de eerste plaats. En voor die geheimhouding moest een prijs worden betaald. Als er een fout werd gemaakt, had dat fatale gevolgen, en dat was nu precies gebeurd.

Easton trok met zijn gebonden armen en benen aan het bed. 'Snij die touwen door. Laat me hier uit.'

Hij had de idioot vastgebonden, want hij wist dat ze weinig konden doen. 'We kunnen niet weggaan.'

'*Die verrekte voorschriften. Verrekte kerel. Snij die touwen door.'*

Easton verstijfde. Zijn ademhaling werd moeizaam en toen kreeg hij koorts en verloor hij het bewustzijn.

Eindelijk.

Vincenti wendde zich van het bed af en pakte een notitieboek waarin hij drie weken geleden was begonnen, met de naam van zijn collega op de eerste bladzijde. Hij had notities gemaakt over de kleur van Eastons huid. Eerst normaal, toen geel, en nu zo asgrauw dat de man dood leek. Er had zich een ongelooflijk gewichtsverlies voorgedaan, twintig kilo in totaal, vijf kilo in één periode van twee dagen. De darmen namen niet meer in zich op dan af en toe een slok warm water en een paar teugjes sterkedrank.

En de koorts.

Een woedende uitbarsting van constant negenendertig vijf, soms nog hoger. Het vocht ontsnapte sneller dan het werd vervangen; de man verdampte letterlijk voor zijn ogen. Jarenlang hadden ze dieren voor hun onderzoek gebruikt. Bagdad leverde een eindeloze stroom van gibbons, bavianen, groene meerkatten, knaagdieren en reptielen aan. Maar nu konden ze voor het eerst de effecten op een mens registreren.

Hij keek naar zijn collega. Eastons borst ging op en neer met zijn moeizame ademhaling; het slijm rochelde diep in zijn keel; het zweet liep als regen van zijn huid. Hij noteerde elke waarneming in het notitieboek en stopte zijn pen toen weer weg.

Hij stond op en probeerde wat gevoel in zijn rubberachtige benen te krijgen. Hij liep naar buiten, de frisse avond in. Hij vroeg zich af hoeveel Eastons geteisterde weefsels nog konden verdragen.

Dat riep de vraag op wat ze met het lichaam zouden doen.

Omdat er geen protocol voor dit soort noodsituaties bestond, zou hij moeten improviseren. Gelukkig hadden de bouwers van het complex eraan gedacht een verbrandingsoven te bouwen voor de karkassen van de proefdieren. Maar het zou nog een probleem zijn om de oven zoiets groots als een menselijk lijk te laten verwerken.

'Ik zie engelen. Ze zijn hier. Overal om me heen!' riep Easton vanaf het bed.

Vincenti ging weer naar binnen.

Easton was nu blind. Vincenti wist niet of het door de koorts kwam of dat een secundaire infectie het netvlies had vernietigd.

'God is hier. Ik zie hem.'

'Natuurlijk, Charlie. Natuurlijk.'

Hij mat zijn hartslag. Het bloed raasde door de halsslagader. Hij luisterde naar het hart, dat roffelde als een trommel. Hij mat de bloeddruk. Bijna op het dieptepunt. De lichaamstemperatuur bleef negenendertig vijf.

'Wat ga ik God vertellen?' *vroeg Easton.*

Hij keek zijn collega aan. 'Doe hem de groeten.'

Hij trok een stoel bij en zag de dood naderen. Het einde kwam twintig minuten later en zag er niet heftig en niet pijnlijk uit. Alleen een laatste ademtocht. Diep. Lang. Zonder uitademing.

Hij noteerde de datum en de tijd in het boek en nam toen een bloed- en weefselmonster. Vervolgens rolde hij het dunne matras en de vuile lakens om het lichaam heen en droeg de stinkende bundel uit het gebouw naar een loods. Daar had hij al een scalpel neergelegd, zo scherp als gebroken glas, en ook een chirurgische zaag. Hij trok dikke rubberen handschoenen aan en zaagde de benen van het lichaam af. Het uitgemergelde vlees liet zich gemakkelijk wegsnijden, het bot was broos en de spieren boden ongeveer zo veel weerstand als een gekookte kip. Hij amputeerde beide armen, stopte alle vier de ledematen in de verbrandingsoven en zag zonder enige emotie hoe ze door de vlammen werden verteerd. Ontdaan van de ledematen, gingen de romp en het hoofd gemakkelijk door de ijzeren deur. Vervolgens sneed hij het bloederige matras in stukken en stopte het met de lakens en de handschoenen in het vuur.

Hij gooide de deur dicht en wankelde naar buiten.

Voorbij. Eindelijk.

Hij liet zich op de rotsige grond vallen en keek op in de duisternis. Tegen de donkerblauwe achtergrond van een berghemel stak als een extra donker silhouet de bakstenen schoorsteen van de verbrandingsoven omhoog. Er kwam rook uit met de stank van mensenvlees.

Hij ging op zijn rug liggen en liet zich door de slaap overmannen.

Vincenti herinnerde zich die slaap van meer dan vijfentwintig jaar geleden. En Irak. Wat een hel. Heet en ellendig. Een eenzaam, troosteloos oord. Wat had de VN-commissie na de eerste Golfoorlog geconcludeerd? Gezien hun missie waren de faciliteiten volkomen archaïsch, maar in de koortsachtige atmosfeer van de tijd werden ze als het nieuwste van het

---

nieuwste beschouwd. Tja. Die inspecteurs waren daar niet geweest. Hij wel. Jong en mager en met een hoofd vol haar en hersens. Een uitmuntende viroloog. Easton en hij waren uiteindelijk naar een afgelegen laboratorium in Tadzjikistan gestuurd, waar ze met de Sovjets samenwerkten, die de regio beheersten. Hun complex had in het voorgebergte van de Pamirs verscholen gelegen.

Naar hoeveel virussen en bacteriën hadden ze gezocht? Natuurlijke organismen die als biologisch wapen te gebruiken waren. Iets wat een vijand elimineerde maar de infrastructuur van een beschaving in stand hield. Het zou niet nodig zijn de bevolking te bombarderen, kogels te verspillen, nucleaire besmetting te riskeren of troepen in gevaar te brengen. Een microscopisch organisme kon al dat zware werk doen. Eenvoudige biologie kon een zekere overwinning brengen.

De criteria voor wat ze zochten waren eenvoudig geweest. Het moest snel zijn. Biologisch identificeerbaar. Beheersbaar. En het moest vooral te genezen zijn. Honderden stammen werden afgekeurd omdat er geen praktische manier kon worden ontdekt om ze tot staan te brengen. Wat had je eraan een vijand te besmetten als je je eigen bevolking niet kon beschermen? Voordat een organisme in de lijst werd opgenomen, moest het aan alle vier de criteria voldoen. Bijna twintig hadden het gehaald.

Hij had nooit geloofd wat de pers na de Conventie tegen Biologische Wapens van 1972 had gemeld, namelijk dat de Verenigde Staten uit de biologische oorlogvoering waren gestapt en alle arsenalen hadden vernietigd. De militairen zouden heus niet tientallen jaren van onderzoek in de prullenbak gooien omdat een paar politici daartoe unilateraal hadden besloten. Minstens enkele van die organismen, geloofde hij, lagen in een onopvallend militair instituut in de diepvries.

Hij vond zelf zes ziekteverwekkers die aan alle criteria voldeden.

Maar monster 65-G schoot in alle opzichten tekort.

Hij ontdekte het in 1979 in de bloedsomloop van de groene meerkatten die ze als proefdieren gebruikten. De conventionele wetenschap zou het nooit hebben opgemerkt, maar dankzij zijn unieke virologieopleiding en speciale apparatuur die de Irakezen hem verstrekten kon hij het vinden. Een vreemd ding – bolvormig – vol RNA en enzymen. Als je het aan lucht blootstelde verdampte het. In water bezweek de celwand. In plaats daarvan hunkerde het naar warm plasma en scheen het voor te komen bij alle groene meerkatten die zijn kant op kwamen.

Toch werd geen van de dieren ziek.

Charlie Easton daarentegen was wel ziek geworden. De idioot. Hij was twee jaar eerder door een van de apen gebeten maar had dat niemand verteld, tot drie weken voor zijn dood, toen de eerste symptomen zich aandienden. Uit bloedonderzoek bleek dat hij overal in zijn lichaam 65-G had. Uiteindelijk had hij Eastons besmetting gebruikt om de virale effecten op mensen te bestuderen en was hij tot de conclusie gekomen dat het organisme geen efficiënt biologisch wapen was. Het was te onvoorspelbaar, te sporadisch en veel te traag om effectief te zijn.

Hij schudde zijn hoofd.

Wat was hij toch onwetend geweest!

Een wonder dat hij het had overleefd.

Hij was terug in zijn hotelkamer in het Intercontinental, terwijl het langzaam avond werd in Samarkand. Hij moest rusten maar was nog opgewonden van zijn ontmoeting met Karyn Walde.

Hij dacht weer aan de oude genezer.

Was het in 1980? Of 1981?

In de Pamirs, ongeveer twee weken voordat Easton stierf. Hij was al verschillende keren in het dorp geweest om zoveel mogelijk te leren. De oude man zou nu wel dood zijn. Zelfs toen was hij al oud.

Maar dan nog.

De oude man draafde blootsvoets maar met de soepelheid van een kat de leverkleurige helling op, op voeten met zolen als leer. Vincenti kwam achter hem aan en kreeg ondanks zijn zware schoenen pijn in zijn enkels en tenen. Niets was vlak. Overal kwamen stukken rots als verkeersdrempels omhoog, scherp en genadeloos. Het dorp lag anderhalve kilometer achter hen, bijna driehonderd meter boven de zeespiegel, en de tocht die ze nu maakten zou hen nog hoger brengen.

De man was een traditionele genezer, een combinatie van huisarts, priester, waarzegger en tovenaar. Hij sprak nauwelijks Engels maar wel enigszins Chinees en Turks. Hij was bijna een dwerg, met Europese trekken en een gevorkte Mongoolse baard. Hij droeg een cape met gouddraad en een felgekleurd kalotje. In het dorp had Vincenti gezien dat de man de dorpelingen met een brouwsel van wortels en planten behandelde. Hij diende het spul zorgvuldig toe met kennis die in eeuwen van vallen en opstaan was ontstaan.

'Waar gaan we naartoe?' vroeg hij ten slotte.

'We gaan ergens heen om uw vraag te beantwoorden en het middel te zoeken dat de koorts bij uw vriend tot staan zal brengen.'

Om hem heen vormde een stadion van witte bergtoppen een galerij van onberoerde hoogten. Onweerswolken dampten van de hoogste toppen. Vleugen zilvergrijs en herfstrood in de dichte walnootbossen voegden kleur toe aan het gemummificeerde landschap. Ergens ver weg hoorden ze stromend water.

Ze kwamen op een plateau en hij volgde de oude man door een paarse ader in het gesteente. Hij had gelezen dat de bergen om hem heen nog leefden. Ze kwamen langzaam omhoog, ongeveer zes centimeter per jaar.

Ze kwamen in een ovale arena, ommuurd door nog meer gesteente. Er was hierbinnen niet veel licht en hij gebruikte de zaklantaarn die hij op aanraden van de oude man had meegenomen.

Er lagen twee plassen op de rotsbodem, elk ongeveer drie meter in doorsnee, en een daarvan borrelde met het schuim van thermale energie. Hij hield de zaklantaarn er dicht bij en zag hun contrasterende kleur. De actieve plas was roodbruin en zijn kalme metgezel was groen als zeeschuim.

'De koorts die u beschrijft is niet nieuw,' zei de oude man. 'Vele generaties wisten al dat die ziekte door dieren wordt verspreid.'

Hij was onder meer naar deze regio gestuurd om meer te weten te komen over de jaks, schapen en grote beren die hier leefden. 'Hoe weet u dat?'

'Wij kijken. Het gebeurt maar een enkele keer dat dieren de ziekte overdragen. Als uw vriend de koorts heeft, zal dit helpen.' Hij wees naar de groene plas, waarvan het roerloze oppervlak alleen door enkele drijvende planten werd verbroken. Het leken waterlelies, maar dan ruiger, en de bloem in het midden strekte zich in het halfduister uit, op zoek naar kostbare straaltjes zonlicht. 'De bladeren zullen hem redden. Hij moet erop kauwen.'

Hij stak zijn hand in het water en bracht twee natte vingers naar zijn mond. Geen smaak. Hij had min of meer de carbonaatsmaak verwacht die hij van andere bronnen in deze regio gewend was.

De man knielde en dronk uit de kom van zijn hand. 'Het is goed,' zei hij glimlachend.

Hij dronk ook. Warm als een kop thee, en fris. En dus nam hij nog wat meer.

'De bladeren zullen hem genezen.'

Hij moest het weten: 'Komt deze plant veel voor?'

De oude man knikte. 'Maar alleen de planten uit deze plas werken.'

'Hoe komt dat?'

'Dat weet ik niet. Misschien is het de goddelijke wil.'

Dat betwijfelde hij. 'Is dit bekend bij andere dorpen? Andere genezers?'

'Ik ben de enige die er gebruik van maakt.'

Hij trok een van de drijvende planten dichter naar zich toe en bestudeerde hem als bioloog. Het was een tracheophyta en de bladeren waren peltaat en voorzien van een uitgebreid vasculair stelsel. Acht dikke, moesachtige steunbladeren lagen om de basis heen en vormden een drijvend platform. Het epidermale weefsel was donkergroen en de bladwanden zaten vol glucose. Uit het midden stak een korte stengel omhoog die waarschijnlijk als fotosynthetisch oppervlak fungeerde, want er was maar weinig bladruimte. De zachte witte bloemblaadjes vormden een krans en verspreidden geen geur.

Hij keek aan de onderkant. Een wasbeerstaart van vezelige, bruine wortels stak het water in, op zoek naar voedingsmiddelen. Het had er alle schijn van dat het een goed aangepaste soort was.

'Hoe hebt u ontdekt dat het werkt?'

'Dat heeft mijn vader me geleerd.'

Hij tilde de plant uit het water en hield hem in zijn handen. Er sijpelde warm water tussen zijn vingers door.

'De bladeren moeten helemaal worden opgekauwd en het sap moet worden ingeslikt.'

Hij brak een stukje af en bracht het naar zijn mond. Hij keek de oude man aan, wiens vlijmscherpe ogen kalm en zelfverzekerd terugkeken. Hij stak het blad in zijn mond en kauwde. De smaak was bitter en scherp als aluin, en verschrikkelijk als tabak.

Hij kauwde het sap eruit, slikte het door en kokhalsde bijna.

55

Venetië

CASSIOPEIA KEEK EERST door het schip van de kerk naar het noordelijke transept, waar iemand op Malone schoot. Achter de leuning van een meter hoog had ze het hoofd en de borst van een van de gardisten gezien, maar niet Malone. Toen had ze gezien dat Zovastina schoot. De kogel was rakelings langs Thorvaldsen gegaan en tegen de marmeren vloer geketst. De Deen was gewoon blijven staan.

Een beweging rechts van haar trok haar aandacht. Er verscheen een man in de boogpoort van de trap, een pistool in zijn hand. Hij zag haar en bracht het wapen omhoog maar kreeg niet de kans om te schieten.

Ze schoot hem in zijn borst.

Hij vloog met zwaaiende armen achterover. Ze maakte hem met één welgemikt schot af. Aan de andere kant van het schip, veertig meter bij haar vandaan, zag ze de andere gardist dieper het museumgedeelte binnengaan. Ze haalde de boog van haar schouder en nam een pijl maar bleef bij de leuning vandaan om Zovastina niet de kans te geven een schot op haar te lossen.

Ze maakte zich zorgen. Kort voordat de aanvaller verscheen, was Viktor in het lagere deel van het transept verdwenen. Waar was hij heen?

Ze legde de keep van de pijl tegen de boogpees en pakte de handgreep van de boog vast.

Ze trok de pijl naar achteren.

De gardist was telkens even in het vage licht van het transept te zien.

Malone wachtte. Hij had zijn pistool in de aanslag en de gardist hoefde nog maar een paar meter verder te komen. Malone had zich aan het eind van een van de rij museumstukken teruggetrokken en de schaduw als bescherming gebruikt. Hij had heel licht over de houten vloer gestapt, terwijl zijn bewegingen ook nog gemaskeerd waren door drie schoten in het schip van de kerk. Het was onmogelijk te zeggen waar die schoten precies vandaan waren gekomen, want de galmende echo's verstoorden elk gevoel voor richting. Eigenlijk wilde hij niet op de gardist schieten. Boekhandelaren schoten meestal geen mensen dood. Maar hij betwijfelde of hij veel keus zou hebben. Hij haalde diep adem en kwam in actie.

Zovastina keek Henrik Thorvaldsen aan toen er boven hen opnieuw schoten vielen. De dertig minuten die ze in haar eentje in de kerk zou doorbrengen, werden steeds drukker en enerverender.

Thorvaldsen wees naar de houten kist op de vloer. 'Niet wat u had verwacht, hè?'

Ze gaf eerlijk antwoord. 'Het was een poging waard.'

'Dat raadsel van Ptolemaeus zou een grap kunnen zijn. Mensen zoeken al vijftienhonderd jaar naar het lichaam van Alexander de Grote. Altijd zonder succes.'

'En gelooft iemand echt dat de heilige Marcus in die kist ligt?'

Hij haalde zijn schouders op. 'Heel veel Venetianen wel.'

Ze moest vertrekken en riep dus: 'Viktor!'

'Is er een probleem, minister?' vroeg iemand.

Michener. De priester kwam het verlichte presbyterium in. Ze richtte haar pistool op hem. 'U hebt tegen me gelogen.'

Malone sloop naar links, terwijl de gardist bij de leuning bleef en naar rechts ging. Hij stapte om een houten leeuw heen die aan een rijk bewerkte hertogelijke troon was bevestigd en hurkte neer achter een lage stelling met wandtapijten die hem van zijn achtervolger scheidde.

Hij rende door. Hij wilde eromheen gaan voordat de man de kans had om te reageren. Hij bereikte het eind van de stelling, draaide om en wilde in actie komen.

Een pijl drong in de borst van de gardist en benam hem de adem. Malone zag een geschokte uitdrukking op het gezicht van de man, die naar de schacht van de pijl tastte. Het leven trok uit hem weg en hij zakte in elkaar. Malone keek snel naar links.

Aan de andere kant van het schip van de kerk stond Cassiopeia, haar boog in haar hand, haar gezicht strak, zonder enige emotie. Hoog in de buitenmuur achter haar doemde een verduisterd roosvenster op. Viktor kwam onder dat raam uit de schaduw en liep naar Cassiopeia toe. Hij bracht zijn pistool naar schouderhoogte.

Zovastina was kwaad. 'U wist dat er niets in die tombe lag,' zei ze tegen Michener.

'Hoe kon ik dat weten? Hij is in meer dan honderdzeventig jaar niet open geweest.'

'U kunt tegen uw paus zeggen dat de Kerk niet in de Federatie wordt toegelaten, concordaat of niet.'

'Ik zal de boodschap doorgeven.'

Ze keek Thorvaldsen aan. 'U hebt nog niet gezegd waarom u zich voor dit alles interesseert.'

'Ik wil u tegenhouden.'

'Dat zal niet meevallen.'

'Dat weet ik nog zo net niet. U moet deze kerk uit en het vliegveld is hier een heel eind varen vandaan.'

Ze besefte inmiddels dat ze hun val zorgvuldig hadden uitgekozen. Of beter gezegd: ze hadden ervoor gezorgd dat zij hem uitkoos. Venetië. Omringd door water. Geen auto's, bussen, treinen. Een heleboel trage boten.

Het zou inderdaad een probleem kunnen zijn om hier weg te komen. Hoe ver was het? Een uur naar het vliegveld?

En de zelfverzekerde blikken van de twee mensen die haar op vijf meter afstand aankeken, waren ook al niet geruststellend.

Viktor liep naar de vrouw met de boog toe. De vrouw die Rafael had vermoord en zojuist een van zijn gardisten in het tegenoverliggende transept met een pijl had doorboord. Ze moest sterven, maar hij besefte dat het absurd was. Hij had naar Zovastina geluisterd en wist dat het niet goed ging. Om weg te komen hadden ze een verzekering nodig. En dus drukte hij de loop van zijn pistool tegen haar nek.

De vrouw bewoog niet.

'Ik zou je moeten doodschieten,' snauwde hij.

'Lekker sportief.'

'De score staat dan wel gelijk.'

'Ik zou zeggen dat we al gelijk staan. Aan de ene kant Ely, aan de andere kant je collega.'

Hij vocht tegen zijn opkomende woede en dwong zichzelf om na te denken. Toen kwam hij op een idee. Hij zag een manier om de situatie weer in de hand te krijgen. 'Ga naar de leuning. Langzaam.'

Ze ging drie stappen naar voren.

'Minister!' riep hij over de balustrade.

Hij keek langs zijn gevangene en zag Zovastina opkijken. Ze hield haar pistool nog op de twee mannen gericht.

'Met deze,' zei hij tegen haar, 'komen we hier weg. Een gijzelaar.'

'Uitstekend idee, Viktor.'

'Ze weet niet wat een puinhoop jij ervan hebt gemaakt, hè?' fluisterde de vrouw hem toe.

'Je sterft voordat je het eerste woord uitspreekt.'

'Maak je geen zorgen. Ik vertel haar niets.'

Malone zag in wat voor een hachelijke situatie Cassiopeia verkeerde. Hij sprong naar de leuning en richtte zijn pistool op de andere kant van het schip van de kerk.

'Gooi dat neer,' riep Viktor.

Hij negeerde het bevel.

'Ik zou maar doen wat hij zegt,' zei Zovastina. Haar pistool was nog op Michener en Thorvaldsen gericht. 'Anders schiet ik deze twee neer.'

'De minister-president van de Centraal-Aziatische Federatie die in Italië een moord pleegt? Dat betwijfel ik.'

'Dat is waar,' zei Zovastina. 'Maar Viktor kan die vrouw gemakkelijk doden. Dat zou geen probleem voor mij zijn.'

'Gooi dat ding neer,' zei Cassiopeia tegen hem.

Hij besefte dat het dom was om te gehoorzamen. Hij kon zich beter in de schaduw terugtrekken. Dan bleef hij een bedreiging vormen.

'Cotton,' zei Thorvaldsen van beneden. 'Doe wat Cassiopeia zegt.'

Hij moest erop vertrouwen dat zijn beide vrienden wisten wat ze deden. Verkeerd? Waarschijnlijk wel. Maar hij had wel vaker stomme dingen gedaan. Hij liet het pistool over de leuning vallen.

'Breng haar naar beneden,' riep Zovastina naar Viktor. 'Jij,' zei ze tegen de andere man, die zojuist zijn pistool had weggegooid. 'Kom hier.'

Hij kwam niet van zijn plek.

'Alsjeblieft, Cotton,' zei Thorvaldsen. 'Doe wat ze zegt.'

Na een korte aarzeling ging de man bij de leuning vandaan.

'Luistert hij naar jou?' vroeg ze.

'Naar niemand.'

Viktor en zijn vrouwelijke gevangene kwamen in het presbyterium. De andere man, die zich door Thorvaldsen had laten commanderen, kwam even later ook.

'Wie ben jij?' vroeg ze hem. 'Thorvaldsen noemde je Cotton.'

'Ik heet Malone.'

'En jij?' Ze keek de vrouw met de boog aan.

'Ik ben een vriendin van Ely Lund.'

Wat was er aan de hand? Ze moest het absoluut weten, en dus dacht ze snel na en wees ze naar Viktors vrouwelijke gevangene. 'Die gaat met mij mee. Om een veilige doortocht te waarborgen.'

'Minister,' zei Viktor. 'Ik denk dat het beter is als ze hier bij mij blijft. Ik kan haar vasthouden tot u weg bent.'

Ze schudde haar hoofd en wees naar Thorvaldsen. 'Neem hem met je mee. Ga naar een veilige plaats. Zodra ik in de lucht ben, bel ik je en kun je hem laten gaan. Als hij moeilijk doet, dood je hem en zorg je ervoor dat zijn lichaam nooit wordt gevonden.'

'Minister,' zei Michener, 'ik ben de oorzaak van deze hele chaos. Wilt u mij als gijzelaar nemen en deze meneer erbuiten laten?'

'En als je nu eens mij meenam in plaats van haar?' vroeg Malone. 'Ik ben nog nooit in de Centraal-Aziatische Federatie geweest.'

Ze keek naar de Amerikaan. Hij was lang en zelfverzekerd. Waarschijnlijk een agent. Maar ze wilde meer over de connectie van de vrouw met Ely Lund weten. Iemand die Lund goed genoeg had gekend om hem te willen wreken en daarvoor desnoods haar leven op het spel zette, verdiende nader onderzoek. En Michener? Ze kon alleen maar hopen dat Viktor de kans kreeg dat liegende stuk verdriet te doden. 'Goed, priester, jij gaat met Viktor mee. En voor jou, Malone, komt er misschien een andere keer.'

56

Samarkand

VINCENTI WERD WAKKER.
Hij zat onderuit in de comfortabele leren stoel van de helikopter. Ze vlogen in oostelijke richting, bij de stad vandaan.

De telefoon op zijn schoot trilde.

Hij keek naar het lcd-schermpje. Grant Lyndsey. Hoofdonderzoeker op het laboratorium in China. Hij stopte een oordopje in zijn oor en drukte op een toets.

'We zijn klaar,' zei zijn ondergeschikte tegen hem. 'Zovastina heeft alle organismen en het lab is omgebouwd. Zuiver en volledig.'

Na wat Zovastina had gedaan, mocht het niet gebeuren dat het Westen of de Chinese overheid een inval in zijn complex deed en hem in verband met iets bracht. Er hadden maar acht onderzoekers aan het project gewerkt en Lyndsey was hun leider geweest. Alle sporen van hun werk waren nu verdwenen.

'Betaal iedereen en stuur ze weg. O'Conner zal ze opzoeken en hun pensionering regelen.' Er viel een stilte aan de andere kant van de lijn. 'Maak je geen zorgen, Grant. Verzamel de computergegevens en ga naar mijn huis over de grens. We kunnen pas in actie komen als we weten wat de minister-president werkelijk met haar arsenaal gaat doen.'

'Ik ga meteen weg.'

Dat wilde hij horen. 'Ik zie je vandaag nog. We hebben het druk. Aan de slag.'

Hij verbrak de verbinding en leunde naar achteren.

Hij dacht weer aan de oude dwerg in het Pamirgebergte. In die tijd was Tadzjikistan nog primitief en vijandig geweest. Er was daar bijna nooit medisch onderzoek gedaan. Er waren niet veel vreemden geweest. Daarom dachten de Irakezen dat die regio een geschikte plaats was om onderzoek naar onbekende zoönoses te doen.

Twee plassen hoog in de bergen.

De ene groen, de andere bruin.

En de plant waarvan hij op bladeren had gekauwd.

Hij herinnerde zich het water. Warm en helder. Maar toen hij met zijn zaklantaarn op de ondiepe bodem had geschenen, herinnerde hij zich iets wat nog vreemder was.

Twee ingehakte letters. Een in elke plas.

Een Z en een H.

Uitgehakt in blokken steen die op de bodem lagen.

Hij dacht aan de penning die Stephanie Nelle hem had laten zien. Een van de penningen die Irina Zovastina blijkbaar zo graag in handen wilde krijgen.

En aan de kleine lettertjes die volgens haar op de voorkant stonden. ZH.

Toeval? Dat betwijfelde hij. Hij wist wat die letters betekenden, want hij had met geleerden gepraat die hem hadden verteld dat ze in het Oudgrieks 'leven' betekenden. Hij had het een slim idee van hemzelf gevonden om een eventueel toekomstig geneesmiddel tegen hiv die oude aanduiding als naam te geven. Nu was hij daar niet zo zeker meer van. Hij had het gevoel dat zijn wereld op instorten stond en dat de anonimiteit die hij eens had genoten snel verdween. De Amerikanen zaten achter hem aan. Zovastina zat achter hem aan. De Venetiaanse Liga zelf zat misschien ook achter hem aan.

Maar hij had de teerling geworpen.

Hij kon niet terug.

Malone keek heen en weer tussen Thorvaldsen en Cassiopeia. Geen van zijn twee vrienden vertoonde ook maar enige bezorgdheid. Cassiopeia en hij samen konden Zovastina en Viktor uitschakelen. Hij probeerde dat met zijn ogen duidelijk te maken, maar blijkbaar wilden ze er niets van weten.

'Je paus maakt me niet bang,' zei Zovastina tegen Michener.

'Het is niet onze bedoeling iemand bang te maken.'

'Jij bent een schijnheilige hypocriet.'

Michener zei niets.

'Niet veel te zeggen?' vroeg ze.

'Ik zal voor u bidden, minister.'

Ze spuwde naar zijn voeten. 'Ik heb je gebeden niet nodig, priester.' Ze wees naar Cassiopeia. 'We moeten gaan. Laat de pijl-en-boog achter. Die zul je niet nodig hebben.'

Cassiopeia liet beide op de vloer vallen.

'Hier is haar pistool,' zei Viktor, en hij gaf haar het wapen.

'Zodra we weg zijn bel ik je. Als je niet binnen drie uur van me hoort dood je de priester. En Viktor,' zei ze, 'laat hem lijden.'

Viktor en Michener verlieten het presbyterium en liepen door het donkere schip van de kerk.

'Zullen we?' zei Zovastina tegen Cassiopeia. 'Ik neem aan dat je je zult gedragen?'

'Ik zal wel moeten.'

'De priester zal het op prijs stellen.'

Ze verlieten het presbyterium.

Malone keek Thorvaldsen aan. 'En we laten ze gewoon gaan?'

'Het moest gebeuren,' zei Stephanie, terwijl zij en een andere man uit de schaduw van het zuidelijke transept kwamen. Ze stelde de slanke man voor als Edwin Davis, plaatsvervangend nationaal veiligheidsadviseur, degene die ze eerder aan de telefoon had gehad. Alles aan hem was netjes en ingetogen, van zijn gestreken broek en stijve katoenen overhemd tot zijn glanzende, smalle kalfsleren schoenen. Malone negeerde Davis en vroeg aan Stephanie: 'Waarom moest het gebeuren?'

Thorvaldsen gaf antwoord: 'We wisten niet zeker hoe het zou gaan. We wilden alleen iets laten gebeuren.'

'Jullie wilden dat Cassiopeia werd gegijzeld?'

Thorvaldsen schudde zijn hoofd. 'Ik niet. Maar Cassiopeia blijkbaar wel. Ik zag het in haar ogen, en dus maakte ik van de gelegenheid gebruik om het te laten gebeuren. Daarom vroeg ik je je wapen te laten vallen.'

'Ben je niet goed bij je hoofd?'

Thorvaldsen kwam dichterbij. 'Cotton, drie jaar geleden heb ik Ely en Cassiopeia aan elkaar voorgesteld.'

'Wat heeft dat ermee te maken?'

'Toen Ely nog jong en onverstandig was experimenteerde hij met drugs. Hij was niet voorzichtig met naalden en kreeg hiv. Hij had de ziekte goed in de hand door allerlei cocktails te slikken, maar de prognose was niet gunstig. De meeste seropositieven krijgen uiteindelijk aids en gaan dood. Hij had geluk.'

Malone wachtte op meer.

'Cassiopeia heeft de ziekte ook.'

Had hij dat goed gehoord?

'Een bloedtransfusie, tien jaar geleden. Ze slikt de symptoombestrijders en heeft de ziekte ook goed in de hand.'

Hij was geschokt maar begreep veel dingen die ze had gezegd nu veel beter. 'Hoe kan dat? Ze is zo actief. Zo sterk.'

'Dat kun je zijn, als je de middelen elke dag inneemt en het virus een beetje meewerkt.'

Hij keek Stephanie aan. 'Wist jij het?'

'Edwin heeft het me verteld voordat we hierheen gingen. Hij had het van Henrik gehoord. Henrik en hij hebben op onze komst gewacht. Daarom nam Michener me apart.'

'Hoe zat het dan met Cassiopeia en mij? Kunnen wij worden opgeofferd? En kan dan alles worden ontkend?' vroeg hij Davis.

'Zoiets, ja. We wisten niet wat Zovastina zou doen.'

'Misselijke vent.' Hij liep naar Davis toe.

'Cotton,' zei Thorvaldsen. 'Ik ben akkoord gegaan. Wees maar kwaad op mij.'

Hij bleef staan en keek zijn vriend aan. 'Wat gaf jou dat recht?'

'Toen Cassiopeia en jij uit Kopenhagen vertrokken belde president Daniels. Hij vertelde me wat Stephanie in Amsterdam is overkomen en vroeg wat wij wisten. Ik vertelde het hem. Hij dacht dat ik hier van nut zou kunnen zijn.'

'Samen met mij? Loog je daarom tegen mij toen je zei dat Stephanie in moeilijkheden verkeerde?'

Thorvaldsen wierp een blik op Davis. 'Eigenlijk zit dat mij ook een beetje dwars. Ik heb je alleen verteld wat ze mij hebben verteld. Het schijnt dat de president ons er allemaal bij wilde betrekken.'

Hij keek Davis aan. 'Jullie manier van werken staat me niet aan.'

'Dat kan ik begrijpen. Maar ik moet doen wat ik moet doen.'

'Cotton,' zei Thorvaldsen. 'Er was weinig tijd om hierover na te denken. Ik moest improviseren.'

'Denk je dat?'

'Maar ik geloofde niet dat Zovastina hier in de kerk iets doms zou doen. Dat kon ze niet. En ze zou ook volkomen overrompeld zijn. Daarom vond ik het goed dat we iets tegen haar ondernamen. Natuurlijk ligt het in het geval van Cassiopeia heel anders. Zij heeft twee mensen gedood.'

'En nog een op Torcello.' Hij waarschuwde zichzelf dat hij helder moest denken. 'Waar gaat dit alles om?'

'Een van de dingen die we willen doen,' zei Stephanie, 'is Zovastina tegenhouden. Ze wil een vuile oorlog voeren en beschikt over de middelen om het ook nog een dure oorlog te maken.'

'Ze heeft contact met de Kerk opgenomen en die hebben ons een tip gegeven,' zei Davis. 'Daarom zijn we hier.'

'Dat hadden jullie ons allemaal kunnen vertellen,' zei hij tegen Davis.

'Nee, Malone, dat kon niet. Ik heb je dossier gelezen. Je was een voortreffelijke agent. Een lange lijst van geslaagde missies en eervolle vermeldingen. Je komt niet als naïef op me over. Uitgerekend jij zou moeten weten hoe het spel wordt gespeeld.'

'Dat is het nou juist,' zei hij. 'Ik speel het niet meer.'

Hij liep even heen en weer om tot bedaren te komen. Toen ging hij naar de houten kist die open op de vloer stond. 'Heeft Zovastina alles op het spel gezet om een blik op die botten te kunnen werpen?'

'Dat is het andere deel van dit alles,' zei Thorvaldsen. 'Het ingewikkelde deel. Je hebt een paar van de manuscriptpagina's gelezen die Ely heeft gevonden, die pagina's over Alexander de Grote en zijn drank. Op grond van de beschreven symptomen geloofde Ely, misschien ten onrechte, dat de drank misschien een uitwerking op virale ziekteverwekkers had.'

'Bijvoorbeeld op hiv?' vroeg hij.

Thorvaldsen knikte. 'We weten dat er in de natuur – in boomschors, bladerrijke planten, wortels – stoffen te vinden zijn die bacteriën en virussen, misschien zelfs sommige kankers, kunnen bestrijden. Hij hoopte dat dit er een van was.'

Hij dacht weer aan het manuscript. *Overmand door wroeging en met het gevoel dat Ptolemaeus in alle oprechtheid sprak, vertelde Eumenes hem waar de rustplaats was, ver weg, in de bergen, waar Alexander van de Scythen over het leven had geleerd.*

'De Scythen hebben Alexander de drank laten zien. Eumenes zei dat Alexander begraven lag op de plaats waar de Scythen hem over het leven leerden.'

Er schoot hem iets te binnen. Hij zei tegen Stephanie: 'Jij hebt een van de penningen, nietwaar?'

Stephanie gaf hem de munt. 'Uit Amsterdam. We hebben hem teruggekregen nadat Zovastina's mannen hem wilden stelen. Hij schijnt echt te zijn.'

Hij hield de dekadrachme in het licht.

'In de krijger zijn kleine lettertjes verborgen. ZH,' zei Stephanie. 'Oudgrieks voor "leven".'

Nog meer uit de Geschiedenis van Hiëronymus van Cardia. *Vervolgens gaf Ptolemaeus me een zilveren penning waarop te zien was hoe Alexander tegen olifanten vocht. Hij vertelde me dat hij deze munten ter ere van die gevechten had laten slaan. Hij zei ook dat ik terug moest komen als ik zijn raadsel had opgelost. Maar een maand later was Ptolemaeus dood.*

Nu wist hij het. 'De munten en het raadsel horen bij elkaar.'

'Ongetwijfeld,' antwoordde Thorvaldsen. 'Maar hoe?'

Dat kon hij niet uitleggen. 'Niemand van jullie heeft me ooit antwoord gegeven. Waarom heb je ze gewoon laten weggaan?'

'Het was duidelijk dat Cassiopeia wilde vertrekken,' zei Thorvaldsen. 'Zij en ik samen konden Zovastina genoeg informatie over Ely voorhouden om haar nieuwsgierig te maken.'

'Belde je haar daarom op?'

Thorvaldsen knikte. 'Ze had informatie nodig. Ik had geen idee wat ze zou doen. Je moet begrijpen, Cotton, dat Cassiopeia wil weten wat er met Ely is gebeurd. Het antwoord is in Azië te vinden.'

Die obsessie zat Malone dwars. Waarom? Dat wist hij niet. Maar het was duidelijk het geval. Haar verdriet zat hem ook dwars. En dat ze ziek was. Het was te veel om bij te houden. Te veel emoties voor een man die zijn best deed om emoties te negeren. 'Wat gaat ze doen als ze in de Federatie is?'

Thorvaldsen haalde zijn schouders op. 'Ik heb geen idee. Zovastina weet dat ik van haar grote plan op de hoogte ben. Dat heb ik duidelijk gemaakt. Ze weet dat Cassiopeia met mij in verbinding staat. Ze zal de gelegenheid die wij haar hebben gegeven waarschijnlijk gebruiken om zoveel mogelijk van Cassiopeia te weten te komen...'

'Voordat ze haar vermoordt.'

'Cotton,' zei Stephanie, 'dat is het risico dat Cassiopeia vrijwillig is aangegaan. Niemand heeft tegen haar gezegd dat ze moest gaan.'

Er stak nog meer van zijn melancholie de kop op. 'Nee. We hebben haar gewoon laten gaan. Is die priester er ook bij betrokken?'

'Hij moet zijn werk doen,' zei Davis. 'Daarom heeft hij zich aangeboden.'

'Maar er is meer,' zei Thorvaldsen. 'Het raadsel van Ptolemaeus dat Ely heeft ontdekt, is echt. En we hebben nu alle puzzelstukjes.'

Hij wees naar de kist. 'Daar is niets. Dit is een doodlopend spoor.'

Thorvaldsen schudde zijn hoofd. 'Dat is niet waar. Die botten hebben eeuwenlang hieronder in de crypte gelegen voordat ze naar boven werden gehaald.' Thorvaldsen wees naar de open sarcofaag. 'In 1835, toen ze werden verplaatst, is er nog iets anders bij de botten aangetroffen. Er zijn maar weinig mensen die dat weten.' Thorvaldsen wees naar het donkere zuidelijke transept. 'Het ligt in de schatkamer. Daar ligt het al een hele tijd.'

'En Zovastina moest weg zijn voordat je daar een kijkje kunt nemen?'

'Zoiets.' De Deen hield een sleutel omhoog. 'Ons toegangskaartje.'

'Je beseft zeker wel dat Cassiopeia misschien te veel hooi op haar vork heeft genomen?'

Thorvaldsen knikte langzaam. 'Dat besef ik heel goed.'

Hij moest nadenken, en dus keek hij naar het zuidelijke transept en vroeg: 'Weet je wat je moet doen met wat daar ligt?'

Thorvaldsen schudde zijn hoofd. 'Ik niet. Maar er is iemand die het misschien wel weet.'

Hij keek verbaasd.

'Henrik gelooft het,' zei Stephanie, 'en Edwin schijnt het ook te geloven...'

'Het is Ely,' zei Thorvaldsen. 'We denken dat hij nog in leven is.'

DEEL 4

57

Centraal-Aziatische Federatie
6.50 uur

VINCENTI STAPTE UIT de helikopter. De trip vanuit Samarkand had ongeveer een uur geduurd. Hoewel nieuwe snelwegen helemaal naar de Ferganavallei leidden, lag zijn landgoed verder naar het zuiden in het oude Tadzjikistan, en reizen door de lucht was nog steeds het snelst en het veiligst.

Het land dat hij had gekocht, had hij zorgvuldig uitgekozen. Het lag hoog in de met wolken omgorde bergen. Niemand had bezwaar tegen de aankoop gemaakt, zelfs Zovastina niet. Hij had alleen gezegd dat hij genoeg had van het vlakke, modderige Venetië en dus tachtig hectare bebost dal en rotsig Pamir-hoogland had gekocht. Dit zou zijn wereld worden. Hier zou hij niet te zien en te horen zijn, en omringd zijn door personeel, op veilige hoogte in een landschap dat ooit wild was geweest, maar nu was bijgeschaafd met vleugjes Italië, Byzantium en China.

Hij had zijn landgoed Attico genoemd en had vanuit de naderende helikopter gezien dat de hoofdingang nu bekroond was met een sierlijk bewerkte stenen boogpoort waarop die naam was aangebracht. Hij had ook gezien dat er meer steigers waren opgericht rondom het huis en dat de buitenkant gauw klaar zou zijn. De bouw was langzaam maar gestaag gevorderd, en hij zou blij zijn als het werk aan de muren eindelijk voorbij was.

Hij bukte voor de wervelende rotorbladen en liep door de tuin die hij op een berghelling tot bloei had gebracht om een zweem van een Engels landschap te creëren.

Peter O'Conner stond op de onregelmatige stenen van het achterterras te wachten.

'Alles in orde?' vroeg Vincenti aan zijn werknemer.

O'Conner knikte. 'Geen problemen.'

Hij bleef nog even buiten staan om op adem te komen. De verre oostelijke bergtoppen in China waren omkranst door onweerswolken. Kraaien patrouilleerden door het dal. Hij had zijn kasteel met grote zorg zo gepositioneerd dat het spectaculaire uitzicht ten volle werd benut. Het was hier heel anders dan in Venetië. Er hing geen vieze stank. De lucht was kristalzuiver. Hij had zich laten vertellen dat het Aziatische voorjaar ongewoon warm en droog was geweest en hij was blij met het respijt.

'Nieuws over Zovastina?' vroeg hij.

'Ze vertrekt op dit moment met een andere vrouw uit Italië. Het is een aantrekkelijke vrouw met een donkere huid. Bij de douane heeft ze de naam Cassiopeia Vitt opgegeven.'

Hij wachtte, want hij wist dat O'Conner grondig werk leverde.

'Vitt woont in het zuiden van Frankrijk. Momenteel financiert ze de herbouw van een middeleeuws kasteel. Een groot project. Duur. Haar vader bezat Spaanse productiebedrijven. Grote concerns. Ze heeft alles geërfd.'

'En zijzelf, de persoon?'

'Moslim, maar niet vroom. Goed opgeleid. Technologie en geschiedenis gestudeerd. Ongehuwd. Achtendertig jaar. Dat is alles wat ik op korte termijn te weten kon komen. Wilt u nog meer weten?'

Hij schudde zijn hoofd. 'Niet nu. Enig idee wat ze met Zovastina doet?'

'Mijn mensen wisten dat niet. Zovastina kwam samen met haar de kerk in Venetië uit en ze gingen regelrecht naar het vliegveld.'

'Is ze op de terugweg hierheen?'

O'Conner knikte. 'Ze zal er over vier of vijf uur zijn.'

Hij zag dat er nog meer was.

'Onze mannen die achter Nelle aan gingen. Een van hen is neergeschoten door een scherpschutter vanaf het dak van een huis. De ander is ontkomen. Blijkbaar was Nelle op ons voorbereid.'

Dat hoorde hij niet graag. Toch zou dat probleem nog even moeten wachten. Hij was al van de rotsen gesprongen. Het was nu te laat om terug te klimmen.

Hij ging het huis binnen.

Een jaar geleden was hij klaar geweest met de inrichting. Hij had miljoenen uitgegeven aan schilderijen, muurbedekkingen, gelakt meubilair en kunstvoorwerpen. Maar hij had erop gestaan dat al die pracht niet ten koste ging van het comfort, en dus had hij een theater, gezellige salons, slaapkamers, badkamers en de tuin toegevoegd. Jammer genoeg had hij hier nog maar enkele mooie weken kunnen doorbrengen. In die tijd had hij personeelsleden aangenomen die door O'Conner persoonlijk waren doorgelicht. Niettemin zou Attico binnenkort zijn persoonlijke toevluchtsoord worden, een plaats waar hij een luxe leven zou leiden en helder zou kunnen denken. Hij had zich daarop voorbereid door een verfijnd alarmsysteem en de modernste communicatieapparatuur te installeren en een ingewikkeld netwerk van verscholen gangen aan te leggen.

Hij liep door de kamers op de begane grond, die in Franse stijl in elkaar overgingen en tot in alle hoeken zo koel en schaduwrijk waren als schemering in de lente. Vanuit een fraai atrium in klassieke stijl verhief zich een marmeren wenteltrap naar de eerste verdieping.

Hij ging naar boven.

Boven hem lieten fresco's de opmars van de alfawetenschappen zien. Dit deel van het huis deed hem denken aan het beste wat Venetië te bieden had, al keek je door de hoge ramen niet uit op het Canal Grande maar op een berglandschap. Zijn bestemming was de gesloten deur aan zijn linkerkant, net voorbij de trap, een van de ruime logeerkamers.

Hij ging zachtjes naar binnen.

Karyn Walde lag nog op het bed.

O'Conner had haar en de verzorgster met een andere helikopter uit Samarkand overgebracht. Ze lag weer aan een infuus. Vincenti liep naar haar toe en pakte een van de injectiespuiten die op een roestvrijstalen tafel lagen. Hij injecteerde de inhoud in een van de infuuspoorten. Enkele seconden later gingen door het stimulerende middel Waldes ogen open. In Samarkand had hij haar bewusteloos gemaakt. Nu wilde hij dat ze bij kennis was.

'Kom op,' zei hij. 'Word wakker.'

Ze knipperde met haar ogen en hij zag dat ze haar ogen scherp stelde.

Toen deed ze ze weer dicht.

Hij pakte een kan met ijswater van het nachtkastje en goot het in haar gezicht.

Ze was meteen klaarwakker. Ze spuwde druppels uit en schudde water uit haar ogen.

'Hoe durf je?' snauwde ze, en ze hees zich overeind.

'Ik zei dat je wakker moest worden.'

Ze was niet vastgebonden. Dat was niet nodig. Ze keek om zich heen.

'Waar ben ik?'

'Bevalt het je hier? Het is hier even stijlvol als wat je gewend bent.'

Ze zag dat het zonlicht door de ramen en de open terrasdeuren naar binnen viel. 'Hoe lang ben ik buiten westen geweest?'

'Een hele tijd. Het is ochtend.'

Ze nam de realiteit in zich op en voelde zich meteen weer gedesoriënteerd. 'Wat is er aan de hand?'

'Ik wil je iets voorlezen. Wil je naar me luisteren?'

'Ik zal wel moeten, nietwaar?'

Ze kwam bij haar positieven.

'Dat is zo. Maar ik denk dat je het de moeite waard zult vinden.'

Ik stond al meteen argwanend tegenover Klinische Proef W12-23. Aanvankelijk gaf Vincenti de supervisie alleen aan zichzelf en mij. Dat was vreemd, want Vincenti bemoeit zich bijna nooit persoonlijk met zulke dingen, zeker niet met een proef waaraan maar twaalf personen deelnemen. Dat was ook de reden waarom ik argwanend werd. Bij onze proeven werken we meestal met honderd of (bij minstens één gelegenheid) duizend of meer deelnemers. Een proef met maar twaalf patiënten zou normaal gesproken niets over de effectiviteit van een middel aan het licht brengen, vooral gezien het uiterst belangrijke criterium van de giftigheid. Er bestond het gevaar dat de conclusies onvoldoende gefundeerd zouden zijn.

Toen ik tegen Vincenti zei dat ik me daar zorgen over maakte, legde hij uit dat het bij deze proef niet om de giftigheid ging. Ook dat vond ik vreemd. Ik vroeg naar de stof die werd uitgetest en Vincenti zei dat het iets was wat hij persoonlijk had ontwikkeld en dat hij wilde nagaan of zijn laboratoriumresultaten ook bij mensen opgingen. Ik wist dat Vincenti aan projecten werkte die intern geheim waren (waarmee werd bedoeld dat alleen bepaalde personen toegang tot gegevens hadden), maar in het verleden was ik altijd een van degenen geweest die toegang kregen. Wat deze proef betreft maakte Vincenti duidelijk dat alleen hij met de testsubstantie, die Zèta Eta werd genoemd, mocht omgaan.

Aan de hand van specifieke criteria die door Vincenti werden genoemd, vond ik twaalf vrijwilligers uit diverse klinieken in het hele land. Dat viel niet mee, want hiv is een onderwerp waarover Irakezen niet openlijk praten, en bovendien is de ziekte zeldzaam. Uiteindelijk werden er, nadat geld was aangeboden, proefpersonen gevonden. Drie personen in een vroeg stadium van de hiv-infectie hadden bijna duizend witte bloedlichaampjes per mm^3 en slechts een klein percentage van het virus. Geen van deze mensen vertoonde uiterlijke symptomen van aids. Vijf anderen waren van hiv naar aids overgegaan; hun bloedsomloop zat vol met het virus, ze hadden weinig witte bloedlichaampjes en ze kampten al met een breed scala van specifieke symptomen. Vier anderen waren al een heel eind op weg naar de dood; het aantal witte bloedlichaampjes lag onder de tweehonderd, allerlei secundaire infecties waren al duidelijk te zien en het einde was alleen een kwestie van tijd.

Eén keer per dag ging ik naar de kliniek in Bagdad en diende ik intraveneuze doses toe die door Vincenti waren bepaald. Tegelijk nam ik bloed- en weefselmonsters af. Vanaf de eerste injectie gaven ze alle twaalf een duidelijke verbetering te zien. Het aantal witte bloedlichaampjes nam drastisch toe en doordat hun immuunsysteem weer ging werken, kon hun lichaam de strijd aanbinden met allerlei ziekten en verdwenen secundaire infecties. Sommige ziekten, zoals het Kaposisarcoom dat vijf van de twaalf kregen, waren niet te genezen, maar infecties waartegen het immuunstelsel iets kon ondernemen, waren vanaf het begin van de tweede dag op de terugtocht.

Op de derde dag was het immuunstelsel bij alle twaalf weer gaan werken. Witte bloedlichaampjes kwamen terug. Tellingen liepen op. De patiënten kregen weer eetlust. Ze kwamen aan. De virale lading van hiv zakte tot bijna nul. Als we met de injecties waren doorgegaan, zouden ze ongetwijfeld allemaal zijn genezen, in elk geval van hiv en aids. Maar er kwam een eind aan de injecties. Op de vierde dag, toen Vincenti ervan overtuigd was dat de substantie werkte, werd het geïnjecteerde middel veranderd in een zoutoplossing. Alle twaalf patiënten vielen snel terug. Het aantal witte bloedlichaampjes nam snel af en hiv kreeg hen weer in zijn macht. Het is me nog steeds een raadsel wat het testmiddel *precies was. De weinige chemische tests die ik deed brachten alleen een enigszins alkalische, op water gebaseerde verbinding aan het licht. Vooral uit nieuwsgierigheid legde ik een monster onder de microscoop en ik ontdekte tot mijn verbazing levende organismen in de oplossing.*

Hij zag dat Karyn Walde aandachtig luisterde. 'Dit is een rapport van een man die vroeger voor me werkte. Hij wilde het bij mijn superieuren indienen. Natuurlijk heeft hij dat nooit gedaan. Ik heb ervoor betaald om hem te laten vermoorden. In Irak, in de jaren tachtig, toen Saddam het voor het zeggen had, was dat vrij gemakkelijk.'

'En waarom heb je hem gedood?'

'Hij was nieuwsgierig. Hij schonk te veel aandacht aan iets wat hem niet aanging.'

'Dat is geen antwoord. Waarom moest hij sterven?'

Hij hield een spuit met een heldere vloeistof omhoog.

'Nog meer van uw slaapmiddel?' vroeg ze.

'Nee. Eigenlijk is het je grootste verlangen. In Samarkand zei je niets liever te willen dan dat.'

Hij zweeg even.

'Leven.'

58

MALONE SCHUDDE ZIJN hoofd. 'Leeft Ely Lund nog?'
'Dat weten we niet,' zei Edwin Davis. 'Maar we vermoeden dat Zovastina door iemand werd ingelicht. Gisteren hoorden we dat Lund haar eerste bron van informatie was – Henrik heeft ons over hem verteld – en de omstandigheden van zijn dood zijn beslist verdacht.'

'Waarom gelooft Cassiopeia dat hij dood is?'

'Omdat ze dat moest geloven,' zei Thorvaldsen. 'Het tegendeel was niet te bewijzen. Toch denk ik dat ze er altijd aan heeft getwijfeld of hij echt is gestorven.'

'Henrik denkt, en dat denk ik ook,' zei Stephanie, 'dat Zovastina het verband tussen Ely en Cassiopeia in haar voordeel zal willen gebruiken. Alles wat hier is gebeurd, moet een schok voor haar zijn, en paranoia is een van de risico's van haar beroep. Cassiopeia kan daar gebruik van maken.'

'Die vrouw heeft een oorlog in de zin. Ze zal zich niet druk maken om Cassiopeia. Ze had haar nodig om op het vliegveld te komen. Daarna is Cassiopeia alleen maar bagage. Dit is krankzinnig.'

'Cotton,' zei Stephanie. 'Er is nog meer.'

Hij wachtte.

'Naomi is dood.'

Hij streek met zijn hand door zijn haar. 'Ik heb er genoeg van dat vrienden sterven.'

'Ik wil Enrico Vincenti,' zei ze.

Hij ook.

Hij dacht weer als een veldagent en vocht tegen zijn verlangen om snel wraak te nemen. 'Je zei dat er iets in de schatkamer was. Oké. Laat maar zien.'

Zovastina keek naar de vrouw die tegenover haar in de luxe cabine van de privéjet zat. Ongetwijfeld een moedige persoonlijkheid. En net als de gevangene uit het laboratorium in China kende deze schoonheid angst, maar in tegenstelling tot die zwakke ziel wist ze haar angst ook te beheersen.

Ze hadden niet gesproken sinds ze de kerk hadden verlaten, en ze had die tijd gebruikt om zich een beeld van haar gijzelaar te vormen. Ze wist nog steeds niet of de aanwezigheid van die vrouw toeval was geweest of niet. Er waren te veel dingen te snel gebeurd.

En dan die botten.

Ze was er zeker van geweest dat er iets te vinden zou zijn, iets waarvoor ze het risico van de reis wel kon lopen. Alles had erop gewezen dat ze succes zou behalen. Maar er was meer dan tweeduizend jaar verstreken. Misschien had Thorvaldsen gelijk. Wat zou er nu nog over kunnen zijn?

'Waarom was je in de kerk?' vroeg ze.

'Heb je me meegenomen om een babbeltje te maken?'

'Ik wilde erachter komen wat je weet.'

De vrouw deed haar te veel aan Karyn denken. Dat vervloekte zelfvertrouwen dat ze als een badge met zich meedroeg. En dan ook nog die behoedzaamheid, die vreemd genoeg zowel belangstelling als onzekerheid bij Zovastina wekte.

'Je kleding. Je haar. Je ziet eruit alsof je hebt gezwommen.'

'Je gardist heeft me de lagune in geduwd.'

Dat was nieuws. 'Mijn gardist?'

'Viktor. Heeft hij je dat niet verteld? Ik heb zijn collega gedood in het museum op Torcello. Ik wilde hem ook doden.'

'Dat zou wel eens lastig kunnen zijn.'

'Dat denk ik niet.' Haar stem was koud, scherp en superieur.

'Heb je Ely Lund gekend?'

Vitt zei niets.

'En je denkt dat ik hem heb gedood?'

'Dat weet ik wel zeker. Hij heeft je over het raadsel van Ptolemaeus verteld. Hij heeft je over Alexander verteld, en dat het lichaam in de

Soma niet van Alexander was. Hij heeft dat lichaam in verband gebracht met de diefstal van de heilige Marcus door de Venetianen. Zo wist je dat je naar Venetië moest gaan. Je hebt hem gedood, want dan kon hij het aan niemand anders vertellen. Toch heeft hij het iemand verteld. Aan mij.'

'En jij hebt het aan Henrik Thorvaldsen verteld.'

'Onder anderen.'

Dat was een probleem, en Zovastina vroeg zich af of er een verband bestond tussen deze vrouw en de mislukte moordaanslag. En Vincenti? Henrik Thorvaldsen was absoluut het soort man dat lid van de Venetiaanse Liga zou kunnen zijn, maar omdat de ledenlijst strikt geheim was, kon ze daar geen zekerheid over krijgen. 'Ely heeft het nooit over jou gehad.'

'Hij heeft het wel over jou gehad.'

Deze vrouw leek inderdaad op Karyn. Dezelfde beklemmende allure en openhartige manier van doen. Zo'n uitdagende houding trok Zovastina aan. Ze hield van mensen die alleen met geduld en vastbeslotenheid te temmen waren.

Maar het was te doen.

'En als Ely nu eens niet dood is?'

59

Venetië

MALONE LIEP MET de anderen mee naar het zuidelijke transept van de kerk. Ze bleven bij een schemerig verlichte deuropening staan, met daarboven een rijk bewerkte boog in Moorse stijl. Thorvaldsen haalde een sleutel tevoorschijn en maakte de bronzen deuren open. Binnen leidde een overwelfd portaal naar een sanctuarium. Links waren er nissen met iconen en relikwieënschrijnen. Rechts was de schatkamer, waar kwetsbaarder en kostbaarder symbolen van een verdwenen republiek tegen de muren stonden of in vitrines lagen.

'Het meeste hiervan is uit Constantinopel afkomstig,' zei Thorvaldsen, 'toen Venetië die stad in 1204 plunderde. Maar restauraties, branden en diefstallen hebben hun tol geëist. Toen de Venetiaanse republiek ten val kwam, werd een groot deel van de collectie omgesmolten om het goud, het zilver en de kostbare stenen. Maar zo'n tweehonderddrieentachtig voorwerpen hebben dat overleefd.'

Malone keek naar de glanzende miskelken, relikwieënschrijnen, juwelenkistjes, kruisen, schalen en iconen, gemaakt van steen, hout, kristal, glas, zilver en goud. Hij zag ook amforen, ampullen, manuscriptomslagen en rijk versierde wierookvaten, stuk voor stuk eeuwenoude trofeeën uit Egypte, Rome of Byzantium.

'Een hele verzameling,' zei hij.

'Een van de mooiste ter wereld,' vond Thorvaldsen.

'Wat zoeken we?'

Stephanie wees. 'Michener zei dat het hier was.'

Ze liepen naar een glazen vitrinekast met een zwaard, een bisschopsstaf, enkele zeshoekige schalen en vergulde relikwieënkistjes. Thorvaldsen gebruikte een andere sleutel om de kast open te maken. Vervolgens lichtte hij het deksel van een van de relikwieënkistjes op. 'Ze bewaren hem hier. Uit het zicht.'

Malone herkende het voorwerp dat erin lag. 'Een scarabee.'

Tijdens het mummificatieproces versierden Egyptische balsemers het gezuiverde lichaam met honderden amuletten. Vele daarvan dienden alleen als decoratie, andere hadden tot doel dode ledematen te versterken. Het amulet waar hij nu naar keek, was genoemd naar de mestkever, de *Scarabaeus*, die in het oude Egypte als het hoogste van alle insecten werd beschouwd. Hij had dat altijd vreemd gevonden, maar de Egyptenaren hadden gezien dat de kevers uit de mest leken voort te komen en identificeerden het insect met Chepera, de schepper van alle dingen, vader van de goden, die zichzelf uit de materie schiep die hij voortbracht.

'Dit is een hartamulet,' zei hij.

Stephanie knikte. 'Dat zei Michener ook.'

Hij wist dat bij het mummificeren alle organen werden verwijderd, met uitzondering van het hart. Een scarabee werd altijd op het hart gelegd als symbool van het eeuwige leven. Dit was een veel voorkomend type. Gemaakt van steen. Groen. Waarschijnlijk kornalijn. Maar één ding viel hem op. 'Geen goud. Meestal waren ze daarvan gemaakt of ermee versierd.'

'Waarschijnlijk is hij daardoor blijven bestaan,' zei Thorvaldsen. 'Volgens de geschiedenis werd de Soma in Alexandrië door de latere Ptolemaeën geplunderd. Het goud werd weggehaald, de gouden sarcofaag werd gesmolten, alles van waarde werd meegenomen. Misschien zagen ze niets in dat stuk steen.'

Malone pakte het amulet op. Het was ongeveer tien bij vijf centimeter. 'Het is groter dan normaal. Die dingen zijn meestal half zo groot.'

'Je weet er veel van,' zei Davis.

Stephanie grijnsde. 'De man leest. Per slot van rekening is hij boekhandelaar.'

Malone glimlachte, maar bleef naar het amulet kijken en zag gegraveerde hiërogliefen in de vleugels van de kevers.

'Wat zijn het?' vroeg hij.

'Michener zei dat ze leven, stabiliteit en bescherming betekenen,' antwoordde Thorvaldsen.

Hij keerde het amulet om. Op de andere kant stond de afbeelding van een vogel.

Thorvaldsen zei: 'Dit is bij de botten van de heilige Marcus aangetroffen toen die in 1835 uit de crypte werden gehaald en naar het altaar werden gebracht. Marcus stierf in Alexandrië de marteldood en werd daar gemummificeerd, zodat iedereen dacht dat dit amulet alleen maar deel uitmaakte van dat proces. Maar omdat het een heidense bijbetekenis heeft, wilden de kerkvaders het niet bij het stoffelijk overschot leggen. Ze zagen wel in dat het historische waarde had en legden het hier in de schatkamer. Toen de Kerk van Zovastina's belangstelling voor de heilige Marcus hoorde, kreeg het amulet een grotere betekenis. Maar toen Daniels me erover vertelde, herinnerde ik me wat Ptolemaeus had gezegd.'

Hij ook.

Beroer het innerlijkste wezen van de gouden illusie.

Puzzelstukjes vielen op hun plaats. 'De gouden illusie was het lichaam zelf in Memphis, want dat was in goud verpakt. Het innerlijkste wezen? Het hart.' Hij hield het amulet omhoog. 'Dit.'

'Dat betekent,' zei Davis, 'dat het stoffelijk overschot hier in de kerk niet dat van de heilige Marcus is.'

Malone knikte. 'Het is iets heel anders. Iets wat niets met het christendom te maken heeft.'

Thorvaldsen wees naar de munt. 'Dat is het Egyptische hiëroglief voor de feniks, het symbool van de wedergeboorte.'

Er ging nog meer van het raadsel door zijn hoofd.

Verdeel de feniks.

En hij wist precies wat hij moest doen.

Cassiopeia besefte dat Zovastina een spelletje speelde met haar vraag: als Ely nu eens niet dood is? En dus beheerste ze haar emoties en zei ze kalm: 'Maar hij is dood. Al maanden.'

'Weet je dat zeker?'

Cassiopeia had het zich natuurlijk vaak afgevraagd, maar ze vocht tegen het pijnlijke verlangen en zei: 'Ely is dood.'

Zovastina nam een telefoon en drukte op een van de toetsen. Na enkele ogenblikken zei ze in het apparaat: 'Viktor, je moet iemand vertellen wat er is gebeurd op de avond dat Ely Lund stierf.'

Zovastina gaf haar de telefoon.

Cassiopeia bewoog niet. Ze herinnerde zich wat hij op de boot had gezegd. Namelijk niets.

'Kun je het je veroorloven om niet te luisteren naar wat hij zegt?' vroeg Zovastina met een afschuwelijke voldane blik in haar donkere ogen.

De vrouw kende haar zwakheid, en op de een of andere manier vond Cassiopeia dat nog angstaanjagender dan wat Viktor misschien te zeggen had. Ze wilde het weten. De afgelopen maanden waren een kwelling geweest. En toch...

'Je weet waar je die telefoon in kunt stoppen.'

Zovastina aarzelde en glimlachte toen. Ten slotte zei ze in het apparaatje: 'Een andere keer misschien, Viktor. Je kunt de priester nu laten gaan.'

Ze verbrak de verbinding.

Het vliegtuig bleef in de wolken stijgen, op weg naar Azië.

'Viktor hield Ely's huis in de gaten. Op mijn bevel.'

Cassiopeia wilde niet luisteren.

'Hij ging aan de achterkant naar binnen. Ely was op een stoel vastgebonden en de moordenaar stond op het punt hem dood te schieten. Viktor schoot de moordenaar eerst dood, bracht toen Ely naar mij toe en liet het huis met de moordenaar erin afbranden.'

'Je kunt niet van me verwachten dat ik dat geloof.'

'Er zijn mensen in mijn regering die mij graag zouden zien verdwijnen. Jammer genoeg hoort verraad bij ons politieke leven. Ze zijn bang voor mij en wisten dat Ely me hielp. En dus gaven ze opdracht hem te doden, zoals ze ook anderen die mijn bondgenoten waren hebben laten elimineren.'

Cassiopeia bleef sceptisch.

'Ely is seropositief.'

Die waarheid trok Cassiopeia's aandacht. 'Hoe weet je dat?'

'Dat heeft hij me verteld. De afgelopen twee maanden heb ik hem zijn medicijnen gegeven. In tegenstelling tot wat jij doet vertrouwt hij me.'

Cassiopeia wist dat Ely nooit aan iemand zou hebben verteld dat hij besmet was. Alleen Henrik en Ely wisten daarvan.

Nu wist ze niet meer wat ze moest denken.

Maar ze vroeg zich iets af.

Was dat soms juist de bedoeling?

Malone streelde het gladde hartamulet. Zijn vingers bewogen zich over de contouren van de vogel die de Egyptische feniks voorstelde. 'Ptolemaeus zei dat de feniks moest worden verdeeld.'

Hij schudde het voorwerp heen en weer en luisterde.

Niets bewoog erin.

Thorvaldsen begreep blijkbaar wat hij wilde gaan doen. 'Dat ding is meer dan tweeduizend jaar oud.'

Het kon Malone niet schelen. Cassiopeia verkeerde in moeilijkheden en de wereld zou binnenkort misschien een biologische oorlog over zich heen krijgen. Ptolemaeus had een raadsel opgeschreven dat blijkbaar naar de plaats leidde waar Alexander de Grote begraven had willen worden. De Griekse krijger-die-farao-werd had blijkbaar over goede informatie beschikt. En als hij zei *verdeel de feniks*, was Malone van plan dat te doen.

Hij sloeg het amulet met de onderkant op de marmeren vloer.

Het stuiterde terug en ongeveer een derde van de scarabee brak af als een noot die openbarstte. Hij legde de stukjes op de vloer en bekeek ze.

Er viel iets uit de zijkanten.

De anderen knielden bij hem neer.

Hij wees en zei: 'De binnenkant was gekloofd, klaar om uit elkaar te vallen, en gevuld met zand.'

Hij pakte het grotere stuk op en liet de korrels eruit vallen.

Edwin Davis wees. 'Kijk.'

Malone zag het ook. Hij veegde het zand voorzichtig weg en zag een cilindrisch voorwerp van ruim een centimeter in doorsnee. Toen zag hij dat het helemaal geen cilinder was.

Een reep goud.

Opgerold.

Hij legde het kleine bundeltje voorzichtig op zijn kant en zag dat er letters in de zijkant waren gegraveerd.

'Grieks,' zei hij.

Stephanie boog zich er dichter naartoe. 'En kijk eens hoe dun die folie is. Als blad.'

'Wat is het?'

Malones geest legde de laatste puzzelstukjes aan elkaar. Het volgende deel van het raadsel van Ptolemaeus werd nu belangrijk: *Het leven geeft de maat van het echte graf. Maar pas op, want er is maar één kans van slagen.* Hij greep in zijn zak en vond de penning die Stephanie hem had laten zien. 'Hierop verborgen staan de kleine lettertjes ZH. En we weten dat Ptolemaeus die penningen heeft laten slaan toen hij het raadsel bedacht.'

Hij zag een minuscuul teken – ⚭ – op de ene kant en wist meteen het verband. 'Datzelfde teken stond op het manuscript dat je me hebt gegeven. Onderaan, onder het raadsel.' Hij zag de woorden weer duidelijk voor zich: *Het leven geeft de maat van het echte graf.*

'Wat is het verband tussen de olifantpenningen en dat reepje goud?' vroeg Davis.

'Om dat te weten,' zei Malone, 'moet je weten wat dat reepje is.'

Hij zag dat Stephanie hem begreep.

'En jij weet dat?' vroeg ze.

Hij knikte. 'Ik weet precies wat het is.'

Viktor zette de motor uit en liet de boot naar de kade bij het San Marcoplein terugdrijven. Hij had Michener uit de kerk naar zijn aanlegplaats meegenomen, want dat leek hem de veiligste plaats om op Zovastina's vertrek te wachten. Daar was hij gebleven, en hij had gekeken naar alles wat zich in het licht van schijnwerpers verhief: de koepels en torens, het roze en witte paleis van de doge, de campanile en rijen eeuwenoude gebouwen, breed en hoog, met overal balkons en ramen, dof in het zwart van de nacht. Hij zou blij zijn als hij uit Italië weg was.

Alles was hier verkeerd gegaan.

'Het wordt tijd dat jij en ik praten,' zei Michener.

Hij had de priester in zijn eentje in de voorste hut van de boot gehouden terwijl hij op Zovastina's telefoontje wachtte, en Michener had er rustig bij gezeten en geen woord gezegd.

'Waar moeten we over praten?'

'Misschien over het feit dat jij een Amerikaanse spion bent.'

60

Centraal-Aziatische Federatie

VINCENTI GUNDE KARYN Walde de tijd om te verwerken wat hij had gezegd. Hij herinnerde zich het moment waarop híj voor het eerst had beseft dat hij het geneesmiddel tegen hiv had ontdekt.

'Ik heb je verteld over de oude man in de bergen...'

'Heb je het daar gevonden?' vroeg ze, met hoop in haar stem.

'Ik denk dat we beter van terúgvinden kunnen spreken.'

Hij had dit nog nooit aan iemand verteld. Hoe zou dat ook hebben gekund? En dus wilde hij het nu erg graag uitleggen. 'Het is ironisch dat de eenvoudigste dingen vaak de ingewikkeldste problemen kunnen oplossen. In het begin van de twintigste eeuw heerste er beriberi in heel China. Honderdduizenden mensen kwamen om het leven. En waarom? Om de rijst beter te kunnen verkopen pelden kooplieden de korrels, waardoor thiamine – vitamine B – van het omhulsel werd verwijderd. Zonder thiamine in de voeding kon de beriberi zich door de hele bevolking verbreiden. Toen er een eind aan het pellen kwam maakte de thiamine korte metten met de ziekte.

'De schors van een bepaalde taxusboom, de *Taxus brevifolia*, is een effectief middel om kanker te behandelen. Het is geen geneesmiddel, maar het kan de ziekte afremmen. Uit eenvoudige broodschimmel zijn erg effectieve antibiotica te maken die bacteriële infecties elimineren. En iets zo elementairs als een ketogenisch dieet met veel vet kan bij sommige kinderen epilepsie tot staan brengen. Eenvoudige dingen. Ik heb ontdekt dat hetzelfde voor aids geldt.'

'Die plant waar je op kauwde, wat zat daarin dat werkte?'

'Verschillende dingen.'

Hij zag dat haar angst afnam. Blijkbaar had ze het gevoel dat iets wat eerst een dreiging was geweest snel in redding veranderde.

'Dertig jaar geleden zagen we een virus in de bloedsomloop van groene meerkatten. Dat zijn apen. Vergeleken met tegenwoordig wisten we toen niet veel van virussen af. We dachten dat het een vorm van rabiës was, maar de vorm, grootte en biologie van het organisme waren anders.

Uiteindelijk kreeg het de naam *simian immunodeficiency virus*: siv. We weten nu dat siv eindeloos in een aap kan voortleven zonder het dier kwaad te doen. We dachten eerst dat de apen resistent waren, maar later ontdekten we dat die resistentie afkomstig was van het virus, dat langs chemische weg besefte dat het niet elk biologisch organisme waarmee het in contact kwam kon verwoesten. Het virus leerde binnen de apen te bestaan zonder dat de apen zelfs maar wisten dat ze ermee rondliepen.'

'Dat heb ik gehoord,' zei ze. 'En de aidsepidemie is met een apenbeet begonnen.'

Hij haalde zijn schouders op. 'Wie weet? Het kan een beet of een krab zijn geweest of het kan met voeding naar binnen zijn gekomen. Apen worden veel gegeten. Hoe het ook is gebeurd, het virus ging van apen op mensen over. Ik heb dat zelf gezien bij een zekere Charlie Easton. Het virus in hem veranderde van siv in hiv.'

Hij vertelde haar meer over wat er tientallen jaren niet zo ver daarvandaan was gebeurd toen Easton stierf.

'Terwijl siv de apen ongemoeid liet, richtte hiv schade aan bij mensen. Het ging aan het werk en maakte van cellen in lymfeknopen vlug duplicaten van zichzelf. Binnen enkele weken was Charlie dood.

'Toch was hij niet de eerste. Het eerste duidelijke geval deed zich voor bij een man uit Engeland. In 1959. Toen in het begin van de jaren negentig een ingevroren serummonster werd getest, bleek dat hij hiv in zijn bloed had gehad, en uit medische gegevens kwamen de symptomen van aids naar voren. Waarschijnlijk bestaan siv en hiv al eeuwen. Mensen die in afgelegen dorpen doodgingen zonder dat iemand iets merkte. Omdat die mensen aan secundaire infecties als longontsteking stierven, zagen artsen aids voor andere dingen aan. In de Verenigde Staten werd de ziekte in het begin "longontsteking bij homo's" genoemd. Tegenwoordig vermoeden we dat in de jaren vijftig, toen Afrika moderniseerde en mensen in steden gingen wonen, de ziekte zich verspreidde. Uiteindelijk heeft iemand die van buiten kwam het virus naar een andere continent gebracht. In de jaren tachtig had hiv zich over de hele wereld verspreid.'

'Een van je natuurlijke biologische wapens.'

'Eigenlijk vonden we het totaal ongeschikt daarvoor. Het was te moeilijk te verspreiden en het duurde te lang voor de mensen doodgingen. Dat is trouwens wel goed. Als het gemakkelijker ging, zouden we een moderne pestepidemie hebben.'

'Die hebben we ook,' zei ze. 'Alleen maakt hij nog niet de juiste mensen dood.'

Hij wist wat ze bedoelde. Er waren momenteel twee hoofdstammen. In Afrika heerste vooral hiv-1, terwijl hiv-2 sterk aanwezig was onder drugsgebruikers en homo's. De laatste tijd waren er nieuwe stammen opgedoken, bijvoorbeeld een venijnige stam in het zuidoosten van Azië die sinds kort hiv-3 werd genoemd.

'Easton,' zei ze. 'Dacht je dat je door hem was besmet?'

'We wisten toen nog maar nauwelijks hoe het virus werd overgedragen. Vergeet niet dat elk offensief biologisch wapen nutteloos is als er geen geneesmiddel tegen is. Dus toen die oude genezer aanbood met me de bergen in te gaan, ging ik. Hij liet me de plant zien en zei dat het sap van de bladeren de koortsziekte kon tegenhouden, zoals hij het noemde. En dus at ik er iets van.'

'En gaf u Easton er ook iets van? Of liet u hem doodgaan?'

'Ik gaf hem het sap van de plant. Maar het hielp hem niet.'

Ze keek verbaasd en hij liet haar vraag in de lucht hangen.

'Toen Charlie was gestorven, ging ik ervan uit dat het virus onaanvaardbaar was. De Irakezen wilden alleen van successen weten. We hadden opdracht de mislukkingen in het veld achter te laten. Halverwege de jaren tachtig, toen hiv eindelijk in Frankrijk en de Verenigde Staten geïsoleerd werd, herkende ik de biologie. In het begin stond ik er nauwelijks bij stil. Ach, niemand buiten de homowereld maakte zich er druk om. Maar in 1985 hoorde ik wat ze in de farmaceutische wereld zeiden. Degene die het geneesmiddel vond, zou veel geld verdienen. En dus ging ik op zoek. Inmiddels wist ik veel meer. Ik ging naar Centraal-Azië terug, nam een gids in dienst om me de bergen in te brengen en vond de plant terug. Ik nam monsters mee, testte ze, en inderdaad, dat verrekte ding verdreef hiv bijna ogenblikkelijk.'

'Je zei dat het bij Easton niet werkte.'

'De plant is nutteloos. Toen ik het middel aan Charlie gaf waren de bladeren droog. Het zit niet in de bladeren. Het zit in het water. Daar heb ik ze gevonden.'

Hij hield de spuit omhoog.

'Bacteriën.'

61

Venetië

'Ooit van een skytale gehoord?' vroeg Malone.

Ze schudden hun hoofd.

'Je neemt een stok, wikkelt er een reep leer omheen, schrijft je boodschap op het leer, haalt het leer van de stok en voegt er een heleboel andere letters aan toe. Degene voor wie de boodschap bestemd is, heeft net zo'n stok, met dezelfde dikte, dus als hij de reep leer eromheen wikkelt is de boodschap te lezen. Als je een stok met een andere dikte gebruikt, krijg je een chaos van letters. De oude Grieken maakten veel gebruik van skytales om in het geheim te communiceren.'

'Hoe weet je die dingen in vredesnaam?' vroeg Davis.

Malone haalde zijn schouders op. 'De skytale was snel en effectief en het kon bijna niet fout gaan, dat was belangrijk op het slagveld. Een geweldig goede manier om een verborgen boodschap te versturen. En om antwoord op je vraag te geven: ik lees.'

'Wij hebben niet de goede stok,' zei Davis. 'Hoe kunnen we dit ontcijferen?'

'Denk aan het raadsel: *het leven geeft de maat van het echte graf.*' Hij hield de penning omhoog. 'ZH. Leven. Deze munt is de maat.'

'*Pas op, want er is maar één kans van slagen,*' zei Stephanie. 'Dat goudfolie is dun. Als je het los wikkelt, krijg je het er niet meer omheen. Je kunt dus maar één poging doen.'

Malone knikte. 'Dat denk ik ook.'

Hij ging voorop toen ze de kerk verlieten en met de folie en de olifantpenning naar het dioceeskantoor teruggingen. Hij schatte de middellijn van de dekadrachme op ongeveer tweeënhalve centimeter, en dus gingen ze op zoek naar iets wat ze konden gebruiken. Twee bezemstelen die ze in een kast vonden bleken te groot te zijn, enkele andere dingen te klein.

'Alle lichten zijn aan,' zei Malone. 'Maar er is niemand.'

'Michener heeft het gebouw ontruimd om Zovastina in haar eentje in de kerk achter te laten,' zei Davis. 'We wilden er zo min mogelijk getuigen bij hebben.'

Bij een kopieerapparaat op een plank zag Malone kaarsen liggen. Hij pakte de doos en zag dat hun middellijn maar iets groter was dan die van de penning. 'We maken onze eigen skytale.'

Stephanie begreep het meteen. 'Er is hiernaast een keuken. Ik ga een mes halen.'

Hij hield de reep dun goud in zijn handpalm. Het goud werd door een verkreukeld stuk papier beschermd dat ze in het kaartjesloket van de schatkamer hadden gevonden.

'Spreekt hier iemand Oudgrieks?' vroeg hij.

Davis en Thorvaldsen schudden hun hoofd.

'We hebben een computer nodig. Als er woorden op die strook staan, is het in het Oudgrieks.'

'Er staat er een in het kantoor waar we net doorheen kwamen,' zei Davis. 'Hier aan de gang.'

Stephanie kwam met een schilmesje terug.

'Weet je, ik maak me zorgen om Michener,' zei Malone. 'Wat weerhoudt Viktor ervan hem te vermoorden, al is Zovastina veilig weggekomen?'

'Dat is geen probleem,' zei Davis. 'Ik wilde dat Michener met Viktor meeging.'

Malone keek hem verbaasd aan. 'Hoezo?'

Edwin Davis keek hem strak aan, alsof hij zich afvroeg of hij te vertrouwen was.

Dat ergerde Malone. 'Wat is er?'

Stephanie knikte en Davis zei: 'Viktor werkt voor ons.'

Viktor was stomverbaasd. 'Wie ben jij?'

'Een priester in de katholieke kerk, zoals ik al zei. Maar jij bent veel meer dan je lijkt. De president van de Verenigde Staten wil dat ik met je praat.'

De boot dreef nog naar de kade. Straks zou Michener weg zijn. Deze priester had zijn onthulling op precies het juiste moment gedaan.

'Ik heb gehoord dat je, voordat Zovastina je in dienst nam, in de veiligheidsdienst van Kroatië werkte, waar je door de Amerikanen werd gerekruteerd. Je hebt ze in Bosnië geholpen, en toen ze hoorden dat je voor Zovastina ging werken, haalden de Amerikanen de banden met je aan.'

Viktor besefte dat deze informatie, die volkomen juist was, werd verstrekt om hem ervan te overtuigen dat deze afgezant echt was.

'Waarom doe je het?' vroeg Michener hem. 'Leven met een leugen?'

Hij antwoordde naar waarheid: 'Laten we zeggen dat ik niet graag voor een oorlogstribunaal wil verschijnen. Ik heb in Bosnië voor de andere kant gevochten. We hebben allemaal wel eens dingen gedaan waar we spijt van hebben. Ik heb mijn geweten gesust door naar de andere kant over te lopen en de Amerikanen te helpen de ergste daders te pakken te krijgen.'

'Dat betekent dat de andere kant je zou haten, als ze het wisten.'

'Zoiets.'

'Houden de Amerikanen die stok nog steeds boven je hoofd?'

'Moord verjaart niet. Ik heb familie in Bosnië. In dat deel van de wereld strekt vergelding zich uit tot iedereen uit je naaste omgeving. Ik ben daar weggegaan om dat alles achter me te laten, maar toen de Amerikanen hoorden dat ik voor Zovastina werkte gaven ze me een keus. Ze dreigden me aan de Bosniërs of aan haar te verraden. Het leek me gemakkelijker me bij hen aan te sluiten.'

'Je speelt een gevaarlijk spel.'

Hij haalde zijn schouders op. 'Zovastina wist niets van me. Dat is een van haar zwakheden. Ze denkt dat iedereen in haar omgeving te bang voor haar is of te veel ontzag voor haar heeft om een bedreiging voor haar te kunnen vormen.' Hij moest het weten. 'Die vrouw van vanavond, in de kerk, Cassiopeia Vitt, die met Zovastina meeging...'

'Ze maakt hier deel van uit.'

Viktor besefte nu dat hij een grote vergissing had begaan. Hij zou in de problemen kunnen komen. En dus moest hij zeggen: 'Zij en ik hebben in Denemarken met elkaar te maken gehad. Ik wilde haar doden, en ook die twee anderen in de kerk. Ik had geen idee. Maar als ze Zovastina vertelt wat er is gebeurd, ben ik dood.'

'Dat doet Cassiopeia niet. Ze is over jou ingelicht voordat ze van-avond naar de kerk kwam. Ze rekent in Samarkand op je hulp.'

Nu begreep hij waarom ze in het transept zo had gefluisterd, en waar-om niemand die in Denemarken was geweest daar iets over had gezegd waar Zovastina bij was.

De boot kwam tegen de wal aan. Michener sprong eruit. 'Help haar. Ik heb gehoord dat ze vindingrijk is.'

En ze doodde zonder enige emotie.

'God zij met je, Viktor. Ik denk dat je Hem nodig hebt.'

'Hij is nutteloos.'

Er kwam een glimlach op het gezicht van de priester. 'Dat dacht ik vroeger ook.' Michener schudde zijn hoofd. 'Maar ik vergiste me.'

Viktor was als Zovastina. Een heiden, zij het niet om religieuze of morele redenen. Alleen omdat het hem niet kon schelen wat er gebeur-de als hij dood was.

'Nog één ding,' zei Michener. 'In de kerk had Cassiopeia het over een zekere Ely Lund. De Amerikanen willen weten of hij in leven is.'

Die naam weer. Eerst van de vrouw, nu uit Washington.

'Hij leefde nog wel. Maar ik weet niet of dat nu nog het geval is.'

Malone schudde zijn hoofd. 'Jullie hebben iemand in haar omgeving? Waar hebben jullie ons dan nog voor nodig?'

'We willen hem niet in gevaar brengen,' zei Davis.

'Wist jij dit?' vroeg hij aan Stephanie.

Ze schudde haar hoofd. 'Ik hoorde het pas kortgeleden.'

'Michener werd het ideale doorgeefluik,' zei Davis. 'We wisten niet hoe het hier zou gaan, maar toen Zovastina tegen Viktor zei dat hij hem mee moest nemen, ging het precies zoals we wilden. We hebben Viktor nodig om Cassiopeia te helpen.'

'Wie is Viktor?'

'Hij is niet een van ons, niet geboren en getogen,' zei Davis. 'De CIA heeft hem jaren geleden erbij gehaald. Een losse informant.'

'Liet hij zich vrijwillig of onvrijwillig erbij halen?' Hij wist dat veel in-formanten werden gedwongen.

Davis aarzelde.

'Onvrijwillig.'

'Dat is een probleem.'

'Vorig jaar hebben we het contact hernieuwd. Hij is erg behulpzaam geweest.'

'Hij zit er zo diep in dat we hem niet kunnen vertrouwen. Hoe vaak ben ik niet bedrogen door dat soort informanten? Het zijn hoeren.'

'Zoals ik al zei: tot nu toe is hij behulpzaam geweest.'

Malone was niet onder de indruk. 'Blijkbaar zit je nog niet lang in dit spel.'

'Lang genoeg om te weten dat je risico's moet nemen.'

'Het verschil tussen risico's en dwaasheid is niet groot.'

'Cotton,' zei Stephanie, 'ik heb gehoord dat Viktor ons op Vincenti heeft gewezen.'

'Daarom is Naomi dood. Des te meer reden om hem niet te vertrouwen.'

Hij legde de prop verkreukeld papier op het kopieerapparaat en nam het mesje van Stephanie over. Hij drukte de olifantpenning tegen het uiteinde van de kaars. De munt was vervormd, afgesleten in al die eeuwen, maar de middellijn was bijna goed. Hij hoefde maar een klein beetje overtollige was weg te snijden.

Hij gaf de kaars aan Stephanie en wikkelde het papier zorgvuldig los. Zijn handpalmen waren vochtig, en dat verbaasde hem. Hij pakte het goudblad bij de rand vast, hield het licht tussen zijn wijsvinger en duim. Hij plukte het eind van de reep los en wikkelde de folie om de kaars, die Stephanie vasthield.

Langzaam wond hij de kronkelende folie los.

De chaotische hoeveelheid letters werd ordelijk doordat de oorspronkelijke spiraalvolgorde werd hersteld. Hij herinnerde zich iets wat hij eens over een skytale had gelezen. *Wat volgt, wordt aangesloten op wat voorafgaat.*

De boodschap werd duidelijk

Zes Griekse letters.

ΚΛΙΜΑΞ.

'Een goede manier om een codebericht te versturen, toen en tegenwoordig. Dit bericht is na drieëntwintighonderd jaar afgeleverd.'

Het goud vormde zich om de kaars en hij besefte dat Ptolemaeus's waarschuwing – *pas op, want er is maar één kans van slagen* – een goede raad was geweest. Als ze de folie zouden loswikkelen, zou het goud in stukjes breken.

'Kom, we gaan naar die computer,' zei hij.

62

Vincenti vond het prettig dat hij de leiding had. 'Je bent een intelligente vrouw. En het is duidelijk dat je wilt leven. Maar hoeveel weet je van het leven?'

Hij wachtte niet op een antwoord van Karyn Walde.

'De wetenschap heeft ons geleerd dat er in feite twee soorten zijn: bacteriën en al het andere. Het verschil? Bacteriën hebben een vrij rondzwevend DNA, en bij al het andere zit het DNA in een kern. In de jaren zeventig ontdekte microbioloog Carl Woese een derde type van leven. Hij noemde ze archaea. Een kruising van een bacterie en al het andere. Toen ze pas waren ontdekt, schenen ze alleen onder extreme omstandigheden te leven: de Dode Zee, midden in warme bronnen, duizenden meters onder de oceaan, Antarctica, moerassen met nauwelijks zuurstof. We dachten dat ze daarbuiten niet voorkwamen. Maar in de afgelopen twintig jaar zijn archaea overal aangetroffen.'

'Die bacteriën die je hebt gevonden vernietigen het virus?' vroeg ze.

'Nou en of. En ik heb het over hiv-1, hiv-2, siv en alle hybride stammen die ik kon vinden, inclusief de nieuwste uit Zuidoost-Azië. De bacteriën hebben een eiwitlaagje dat een vernietigende uitwerking heeft op de eiwitten die hiv bijeenhouden. Ze verwoesten het virus, zoals het virus gastheercellen verwoest. En snel. Je moet alleen voorkomen dat het immuunstelsel van het lichaam de archaea vernietigt voordat de bacteriën het virus kunnen verteren.' Hij wees naar haar. 'Bij mensen zoals jij, die bijna geen immuunstelsel meer hebben, is dat geen probleem. Er zijn gewoon niet genoeg witte bloedlichaampjes over om de binnendringende bacteriën te vernietigen. Maar wanneer de hiv nog maar kortgeleden ten tonele is verschenen en het immuunstelsel nog relatief sterk is, doden de witte bloedlichaampjes de bacteriën voordat ze bij het virus kunnen komen.'

'Heb je een manier gevonden om dat te voorkomen?'

Hij knikte. 'De bacteriën overleven de spijsvertering. Daarom kon de oude genezer ze in mensen krijgen, al dacht hij dat het de plant was die werkte. Ik kauwde niet alleen op de plant, maar dronk ook het water, dus als ik op die dag iets van het virus in me heb gehad, hebben ze daarmee afgerekend. Later heb ik ontdekt dat je een dosis beter door middel van een injectie kunt toedienen. Dan kun je het percentage beheersen. Bij vroege hiv-infecties, als het immuunstelsel nog sterk is, zijn er meer bacteriën nodig. In latere stadia, zoals bij jou, als er bijna geen witte bloedlichaampjes meer zijn, heb je er niet zoveel nodig.'

'Wilde je daarom uiteenlopende stadia van besmetting toen je die klinische proef deed? Je wilde weten hoe sterk een dosis moest zijn.'

'Slimme meid.'

'Dus de schrijver van dat rapport dat je me hebt voorgelezen, vond het ten onrechte vreemd dat je je niet druk maakte om de giftigheid.'

'Ik werd geobsedeerd door giftigheid. Ik moest weten hoeveel archaea er nodig waren voor verschillende stadia van een hiv-infectie. Het mooie van bacteriën is dat ze op zichzelf onschuldig zijn. Je kunt er miljarden van binnenkrijgen zonder dat er iets gebeurt.'

'En dus gebruikte je die Irakezen als proefkonijnen.'

Hij haalde zijn schouders op. 'Dat moest wel. Anders kon ik er niet achter komen of de archaea werkten. Ze wisten het niet. Uiteindelijk ontwikkelde ik een huls om de bacteriën werkzaam te laten blijven. Ze kregen meer tijd om het virus te verslinden. Het verbijsterende van die huls is dat hij uiteindelijk afvalt en dat het immuunstelsel de archaea dan opneemt als elke andere indringer in de bloedsomloop. Het ruimt alles op. Het virus is weg, en de archaea zijn ook weg. Je moet niet te veel van die bacteriën hebben, want ze oefenen te veel druk uit op het immuunstelsel. Maar over het geheel genomen is het een eenvoudige, volkomen werkzame genezing voor een van de dodelijkste virussen ter wereld. En ik heb niet één bijwerking ontdekt.'

Hij wist dat ze uit de eerste hand had meegemaakt hoeveel verwoesting de middelen aanrichtten die de symptomen van hiv bestreden. Uitslag, zweren, koorts, vermoeidheid, misselijkheid, lage bloeddruk, hoofdpijn, braken, zenuwbeschadiging, slapeloosheid – veelvoorkomende verschijnselen.

Hij hield de spuit omhoog. 'Dit zal je genezen.'

'Geef het me.' In haar smekende woorden klonk wanhoop door. 'Je weet dat Zovastina dit had kunnen doen.' Hij zag dat de leugen de gewenste uitwerking had. 'Ze weet ervan.' 'Dat wist ik. Met die bacillen van haar. Ze wordt er al jaren door geobsedeerd.' 'Zij en ik hebben samengewerkt. Toch heeft ze je nooit iets aangeboden.' Ze schudde haar hoofd. 'Nee. Ze kwam alleen maar kijken hoe ik doodging.' 'Ze bezat volledige macht. Je kon niets beginnen. Ik heb gehoord dat jullie breuk, jaren geleden, moeilijk was. Ze voelde zich bedrogen. Toen je terugkwam en om hulp vroeg, gaf je haar de gelegenheid om wraak te nemen. Ze zou je hebben laten sterven. Zou je iets terug willen doen?'

Hij zag dat de waarheid nu goed tot haar doordrong, maar zoals hij al had vermoed, was haar geweten allang verdwenen.

'Ik wil alleen maar ademhalen. Als dat de prijs daarvoor is, wil ik hem wel betalen.'

'Je wordt de eerste mens die van aids genezen is...'

'En die het kan navertellen.'

Hij knikte. 'Zo is het. We gaan geschiedenis maken.'

Zo te zien was ze niet onder de indruk. 'We weten waarom ik dit wil doen. Maar jij?'

'Voor een stervende vrouw heb je veel vragen.'

'Jij lijkt me iemand die wel antwoorden wil geven.'

'Zovastina zit mijn plannen in de weg.'

'Genees me, en ik help je dat probleem op te lossen.'

Hij twijfelde aan haar onvoorwaardelijke verzekering, maar er viel veel voor te zeggen om deze vrouw in leven te houden. Haar woede kon worden gekanaliseerd. Hij had eerst gedacht dat de dood van Zovastina de oplossing was; daarom had hij de Florentijn de vrije teugel gegeven. Toen was hij van gedachten veranderd en had hij zijn medeplichtige verraden. Een moord zou alleen maar een martelares van haar maken. Hij kon haar beter een slechte naam bezorgen. Ze had vijanden, maar die waren allemaal bang. Door middel van de verbitterde ziel die nu naar hem opkeek kon hij hun misschien moed geven.

Noch de Liga noch hij was geïnteresseerd in verovering van de wereld. Oorlogen waren duur in heel veel opzichten, vooral doordat ze rijkdommen en nationale voorraden uitputten. De Liga wilde de nieuwe utopie zoals die was, niet zoals Zovastina zich de utopie voor ogen stelde. Hijzelf wilde miljarden aan winsten en de status van degene die hiv had overwonnen. Louis Pasteur, Linus Pauling, Jonas Salk en nu Enrico Vincenti.

En dus drukte hij de inhoud van de injectiespuit in de infuuspoort.

'Hoe lang duurt het?' vroeg ze hoopvol. Haar vermoeide gezicht was tot leven gekomen.

'Over een paar uur zul je je beter voelen.'

Malone ging voor de computer zitten en riep Google op. Hij zocht naar websites over Oudgrieks en opende er uiteindelijk een die kon vertalen. Hij typte de zes letters in – ΚΛΙΜΑΞ – en verbaasde zich over zowel de uitspraak als de betekenis.

'*Klimax* in het Grieks. Ladder in het Engels,' zei hij.

Hij vond een andere site die vertalingen aanbood. Hij typte dezelfde letters in en kreeg hetzelfde antwoord.

Stephanie hield de kaars met goudfolie nog vast.

'Ptolemaeus heeft veel moeite gedaan om dit achter te laten,' zei Thorvaldsen. Dat woord moet grote betekenis hebben.'

'En wat gebeurt er als we erachter komen?' vroeg Malone. 'Waar gaat het om?'

'Het gaat erom,' zei iemand, 'dat Zovastina van plan is miljoenen mensen te doden.'

Ze draaiden zich om en zagen Michener in de deuropening staan.

'Ik heb Viktor net in de lagune achtergelaten. Hij was geschokt toen bleek dat ik van hem wist.'

'Dat kan ik me voorstellen,' zei Thorvaldsen.

'Is Zovastina weg?' vroeg Malone.

Michener knikte. 'Dat ben ik nagegaan. Ze is een tijdje geleden opgestegen.'

Malone vroeg: 'Hoe weet Cassiopeia van Viktor?' Toen drong het tot hem door. Hij keek Thorvaldsen aan. 'Dat telefoontje. Toen we net bij de aanlegplaats waren. Toen heb je het haar verteld.'

De Deen knikte. 'Ze had informatie nodig. We mogen blij zijn dat ze hem niet op Torcello heeft gedood. Maar natuurlijk wist ik toen nog niets van dit alles af.'

'Het was weer improviseren,' zei Malone. Die opmerking was voor Davis bestemd.

'Daarvoor neem ik de schuld op me. Maar het heeft goed uitgepakt.'

'Er zijn drie doden gevallen.'

Davis zei niets.

Hij vroeg: 'En als Zovastina er niet op had gestaan een gijzelaar mee te nemen naar het vliegveld?'

'Gelukkig stond ze daar wel op.'

'Jij bent me veel te roekeloos.' Hij ergerde zich. 'Als Viktor voor je werkt, waarom weet je dan niet of Ely Lund in leven is?'

'Dat werd pas gisteren belangrijk, toen jullie drie erbij betrokken raakten. Zovastina had een leraar; we wisten alleen niet wie. Het is natuurlijk Lund. Toen we dat hoorden moesten we contact met Viktor opnemen.'

'Viktor zei dat Ely Lund in leven was. Maar waarschijnlijk nu niet meer,' zei Michener tegen hen.

'Cassiopeia weet niet waar ze mee te maken heeft,' zei Malone. 'Ze gaat er blindelings op af.'

'Ze heeft dit alles zelf geregeld,' zei Stephanie. 'Misschien in de hoop dat Ely nog in leven zou zijn.'

'Cotton,' zei Thorvaldsen, 'je vroeg naar het belang van dit alles. Afgezien van de voor de hand liggende ramp van een biologische oorlog is er de mogelijkheid dat die drank een soort natuurlijk geneesmiddel is. In de oudheid dachten ze dat. Alexander dacht het. De schrijvers van die manuscripten dachten het. Als er nu eens iets ís? Ik weet niet waarom, maar Zovastina wil het. Ely wilde het. En Cassiopeia wil het.'

Hij bleef sceptisch. 'We weten helemaal niets.'

Stephanie wees met de kaars. 'We weten dat dit raadsel echt is.'

Daar had ze gelijk in, en hij moest toegeven dat hij nieuwsgierig was. Die vervloekte nieuwsgierigheid van hem bracht hem steeds weer in moeilijkheden.

'En we weten dat Naomi dood is,' zei ze.

Dat was hij niet vergeten.

Hij keek weer naar de skytale. Ladder. Een plaats? Zo ja, dan moest het een plaats zijn die betekenis had in de tijd van Ptolemaeus. Hij wist dat Alexander de Grote zijn rijk zorgvuldig in kaart had laten brengen. De cartografie stond toen nog in de kinderschoenen, maar hij had reproducties van die oude kaarten gezien. Daarom keek hij op het web. Hij zocht twintig minuten en vond niets waaruit kon blijken wat ΚΛΙΜΑΞ – klimax, ladder – zou kunnen zijn.

'Misschien is er een andere bron,' zei Thorvaldsen. 'Ely ging vaak naar het Pamirgebergte. Hij had daar een hut. Hij ging er naartoe om te werken en na te denken. Cassiopeia heeft me daarover verteld. Hij had daar zijn boeken en papieren. Heel veel over Alexander. Ze zei dat er kaarten uit zijn tijd waren.'

'Dat is in de Federatie,' merkte Malone op. 'Ik denk niet dat Zovastina ons een visum geeft.'

'Hoe dichtbij is de grens?' vroeg Davis.

'Vijftig kilometer.'

'We kunnen via China binnenkomen. Die werken wat dit betreft met ons samen.'

'En wat is "dit"?' vroeg Malone. 'Waarom zijn wíj erbij betrokken? Hebben jullie geen CIA en een heleboel andere inlichtingendiensten?'

'Nou, Malone, je hebt jezelf erbij betrokken, net als Thorvaldsen en Stephanie. Officieel is Zovastina de enige bondgenoot die we in die regio hebben en het mag dan ook niet bekend worden dat we haar tegenwerken. Als we officiële diensten inzetten, is de kans groot dat het bekend wordt. Omdat we Viktor bij haar hadden en hij ons op de hoogte hield, wisten we meestal wat ze deed. Maar dit escaleert. Ik zie het dilemma met Cassiopeia...'

'Volgens mij zie je dat niet. Maar het is wel de reden waarom ik blijf meedoen. Ik ga achter haar aan.'

'Ik heb liever dat je naar de hut gaat en kijkt wat daar ligt.'

'Dat is het mooie als je met pensioen bent. Ik kan doen wat ik wil.' Hij keek Thorvaldsen aan. 'Stephanie en jij gaan naar de hut.'

'Akkoord,' zei zijn vriend. 'Zorg jij voor Cassiopeia.'

Malone keek Thorvaldsen aan. De Deen had Cassiopeia geholpen, met de president samengewerkt en hen er allemaal bij betrokken. Maar zijn vriend vond het geen prettig idee dat Cassiopeia daar in haar eentje was.

'Je hebt een plan,' zei Thorvaldsen. 'Nietwaar?'

'Ik denk van wel.'

63

ZOVASTINA DRONK UIT een fles mineraalwater en gaf haar passagier de gelegenheid zich aan haar zorgelijke gedachten over te geven. Het afgelopen uur hadden ze in stilte gevlogen, vanaf het moment dat ze Cassiopeia Vitt had geschokt met de mogelijkheid dat Ely Lund misschien nog in leven was. Het was duidelijk dat haar gevangene een missie ondernam. Was het persoonlijk? Of iets professioneels? Dat stond nog te bezien.

'Hoe weten jij en de Deen wat ik doe?'

'Veel mensen weten wat je doet.'

'Als ze het zo goed weten, waarom heeft niemand me dan tegengehouden?'

'Misschien gaan we dat nu doen.'

Ze grijnsde. 'Een leger van drie? Jij, de oude man en Malone? O ja, is Malone een vriend van je?'

'Hij werkt voor het Amerikaanse ministerie van Justitie.'

Ze veronderstelde dat de gebeurtenissen in Amsterdam de belangstelling van de Amerikaanse autoriteiten hadden gewekt, maar toch begreep ze er niet veel van. Hoe konden de Amerikanen zo snel in actie komen, en weten dat ze in Venetië zou zijn? Hadden ze het van Michener gehoord? Het zou kunnen. Het Amerikaanse ministerie van Justitie. De Amerikanen. Er ging opeens een ander probleem door haar hoofd. Vincenti.

'Je hebt er geen idee van hoeveel we weten,' zei Vitt tegen haar.

'Ik heb geen idee nodig. Ik heb jou.'

'Ik kan gemist worden.'

Ze twijfelde daaraan. 'Ely heeft me veel geleerd. Meer dan ik ooit had kunnen denken. Hij opende mijn ogen voor het verleden. Ik vermoed dat hij de jouwe ook heeft geopend.'

'Het werkt niet. Je kunt hem niet gebruiken om mij te pakken te krijgen.'

Ze moest deze vrouw breken. Haar hele plan was erop gebaseerd dat ze in het geheim zou opereren. Als haar plannen bekend werden, zou ze niet alleen falen maar ook het gevaar lopen dat er vergeldingsacties kwamen. Cassiopeia Vitt was op dit moment de snelste en gemakkelijkste manier om vast te stellen wat het probleem precies inhield.

'Ik ben naar Venetië gegaan om meer te weten te komen,' zei ze. 'Ely raadde me dat aan. Hij dacht dat het lichaam in de kerk naar het echte graf van Alexander de Grote zou leiden. Hij dacht dat die plaats misschien het geheim van een eeuwenoud geneesmiddel bevatte. Iets waar zelfs hij iets aan zou kunnen hebben.'

'Dat is dromen.'

'Maar het is een droom waarover hij jou heeft verteld, nietwaar?'

'Leeft hij nog?'

Eindelijk een directe vraag. 'Wat ik ook antwoord, je gelooft me toch niet.'

'Probeer het maar.'

'Hij is niet omgekomen toen zijn huis afbrandde.'

'Dat is geen antwoord.'

'Meer krijg je niet.'

Het vliegtuig dook omlaag toen er turbulentie tegen de vleugels sloeg. De motoren behielden hun toonhoogte en brachten hen steeds verder naar het oosten. Behalve hen was er niemand in de cabine. De beide gardisten die naar Venetië waren meegevlogen, waren dood. De lichamen waren nu het probleem van Michener en de Kerk. Alleen Viktor had zich aan zijn woord gehouden en had zoals gewoonlijk goed gepresteerd.

Haar gevangene en zij leken veel op elkaar. Ze gaven allebei om mensen met hiv, Cassiopeia Vitt zozeer dat ze haar leven op het spel had gezet, Zovastina zozeer dat ze het waagstuk van een dubieuze reis naar Venetië had ondernomen en zichzelf in fysiek en politiek gevaar had gebracht. Dwaasheid? Misschien wel.

Maar helden moesten soms dwazen zijn.

64

Centraal-Aziatische Federatie
8.50 uur

VINCENTI ZAT IN het laboratorium dat hij onder zijn landgoed had gebouwd. Alleen hij en Grant Lyndsey waren in het gebouw. Lyndsey was regelrecht uit China gekomen toen hij daar klaar was met zijn werk. Twee jaar geleden had hij Lyndsey in vertrouwen genomen. Hij had iemand nodig gehad die toezicht hield op het hele onderzoek naar virussen en antistoffen. Bovendien moest iemand Zovastina paaien.

'Hoe is de temperatuur?' vroeg hij.

Lyndsey keek op de digitale schermpjes. 'Stabiel.'

Het lab was Vincenti's domein. Het was een passieve, steriele ruimte met een zwarte tegelvloer en roomwitte muren. Roestvrijstalen tafels stonden in twee rijen in het midden. Kolven, bekerglazen en reageerbuizen stonden op metalen standaarden boven een autoclaaf, destilleerapparatuur, een centrifuge, analytische balansen en twee computerterminals. Digitale simulatie speelde een essentiële rol in hun experimenten. Wat dat betrof was het heel anders dan de tijd waarin hij voor de Irakezen werkte, toen experimenten tijd en geld kostten en fouten onvermijdelijk waren. De verfijnde moderne programma's konden de meeste chemische en biologische effecten dupliceren, zolang er maar parameters waren. En in het afgelopen jaar had Lyndsey erg goed werk geleverd met het vaststellen van parameters voor het virtueel testen van ZH.

'De vloeistof is op kamertemperatuur,' zei Lyndsey. 'En ze zwemmen als gekken. Verbazingwekkend.'

De plas waarin hij de archaea had aangetroffen, werd gevoed door een warme bron en had een temperatuur van zo'n vijfendertig graden. Het zou wel eens onmogelijk kunnen zijn om de biljoenen bacteriën te produceren die ze nodig hadden en ze vervolgens op zo'n hoge temperatuur over de wereld te vervoeren. Daarom hadden ze die veranderd. Ze hadden de archaea geleidelijk geleerd zich aan steeds lagere temperaturen aan te passen. Interessant genoeg werd hun activiteit op kamertemperatuur alleen maar vertraagd en sluimerden ze bijna in, maar ze kwamen snel weer tot leven wanneer ze in een warme bloedsomloop van zevenendertig graden werden gebracht.

'De klinische test die ik een paar dagen geleden heb voltooid,' zei Lyndsey, 'bevestigt dat ze langdurig op kamertemperatuur kunnen worden opgeslagen. Ik had die partij vier maanden bewaard. Hun aanpassingsvermogen is ongelooflijk.'

'Daardoor zijn ze miljarden jaren in leven gebleven, net zolang tot wij ze vonden.'

Hij stond dicht bij een van de tafels en stak zijn dikke handen door rubberen handschoenen in een hermetisch afgesloten vat. Boven hem ging de lucht zoemend door laminaire microfilters om te worden gezuiverd. Het constante gerommel was bijna hypnotisch. Hij keek door plexiglas en werkte behendig met het indampschaaltje. Hij deed een beetje actieve hiv-cultuur op een objectglaasje en vermengde het met een monster dat daar al op lag. Vervolgens maakte hij het glaasje aan de ingebouwde microscoop vast. Hij trok zijn handen uit het zweterige rubber en stelde de microscoop in.

Na twee aanpassingen had hij de juiste vergroting.

Meer dan één blik had hij niet nodig.

'Het virus is weg. Bijna meteen. Het is of ze hadden gewacht tot ze het konden verslinden.'

Hij wist dat hun biologische wijzigingen de sleutel tot succes waren. Een paar jaar geleden had een advocatenkantoor in New York dat hij in de arm had genomen hem verteld dat je geen patent kon krijgen op een nieuw mineraal dat in de aarde werd ontdekt of een nieuwe plant die in de wildernis werd aangetroffen. Einstein had geen patent op zijn vermaarde $E=mc^2$ kunnen krijgen, en Newton niet op de wet van de zwaartekracht. Dat waren uitingen van de natuur die aan iedereen ter beschikking stonden. Maar je kon wel patent krijgen op genetisch gemanipuleerde planten, multicellulaire dieren die door de mens waren gemaakt en archaeabacteriën die uit hun natuurlijke staat waren gehaald en veranderingen hadden ondergaan.

Hij had een tijd later hetzelfde advocatenkantoor gebeld om de patentprocedure in gang te zetten. Hij zou goedkeuring van de FDA moeten krijgen, de federale instantie die toezicht hield op voedsel en geneesmiddelen. Twaalf jaar was de gemiddelde tijd die een laboratoriumresultaat nodig had om in medicijnkastjes te komen, het Amerikaanse toelatingssysteem voor geneesmiddelen was het strengste ter wereld. En hij kende de kansen. Niet meer dan vijf van de vierduizend stoffen die door de FDA werden onderzocht, mochten op mensen worden uitgeprobeerd. En maar één van die vijf werd uiteindelijk toegelaten. Zeven jaar geleden was het groene licht gegeven aan een nieuwe versnelde procedure voor stoffen die levensbedreigende ziekten bestreden. Met name aidsbehandelingen vielen in die categorie. Toch verstond de FDA onder 'snel' nog altijd zes tot negen maanden. Europese toelatingsprocessen waren streng, maar niet te vergelijken met die van de FDA. Afrikaanse en Aziatische naties, waar het probleem het grootst was, vereisten geen officiële toelating.

Dus daar zou hij het middel het eerst gaan verkopen.

De wereld zou zien dat de mensen daar genezen werden, terwijl Amerikaanse en Europese aidspatiënten stierven. Dan zou de toelating wel komen, zelfs zonder dat hij erom vroeg.

'Ik heb het nooit gevraagd,' zei Lyndsey, 'en jij hebt het nooit gezegd. Maar waar heb je die bacteriën ontdekt?'

De tijd om te zwijgen was voorbij. Hij moest Lyndsey aan boord hebben – volledig. Maar als hij vertelde wáár hij ze had aangetroffen, moest hij ook zeggen wannéér.

'Heb je ooit nagedacht over de waarde van een onderneming die condooms produceerde voordat hiv opkwam? Zeker, er was een markt voor. Misschien van enkele miljoenen per jaar. Maar na de opkomst van aids werden er miljarden geproduceerd en over de hele wereld verkocht. En wat denk je van de symptoombestrijdende middelen? De behandeling van aids is de ideale geldmachine. Behandeling met een cocktail van drie middelen kost twaalf- tot achttienduizend Amerikaanse dollars per jaar. Vermenigvuldig dat met de miljoenen patiënten en je hebt het over miljarden die aan middelen die niets genezen worden uitgegeven.

'Denk eens aan de overige benodigdheden, zoals rubberen handschoenen, operatieschorten, steriele naalden. Heb je er enig idee van hoeveel miljoenen steriele naalden er worden gekocht en verspreid om de hiv-verspreiding onder drugsgebruikers tegen te gaan? En de prijs daarvan is net als die van condooms omhooggeschoten. De mogelijkheden zijn onbegrensd. Voor een bedrijf dat medische producten produceert en levert, zoals Philogen, is hiv een goudmijn.

'In de afgelopen achttien jaar hebben we steeds betere zaken gedaan en is onze condoomfabriek drie keer zo groot geworden. De omzet van al onze producten schoot als een raket omhoog. We hebben zelfs een paar symptoombestrijdende middelen ontwikkeld die goed verkopen. Tien jaar geleden ging ik met de onderneming naar de beurs. Ik haalde geld op en gebruikte de steeds grotere divisies van geneesmiddelen en medische hulpmiddelen om nog meer expansie te financieren. Ik kocht een cosmeticabedrijf, een zeepbedrijf, een warenhuisketen en een diepvriesonderneming, want ik wist dat Philogen op een dag met gemak alle schulden zou kunnen afbetalen.'

'Hoe wist je dat?'

'Ik heb de bacterie bijna dertig jaar geleden ontdekt. Twintig jaar geleden besefte ik wat de mogelijkheden waren. Vanaf dat moment had ik de genezing van hiv in handen, in de wetenschap dat ik daar elk moment mee op de markt kon komen.'

Hij zag dat het tot Lyndsey doordrong.

'En je hebt het niemand verteld?'

'Niemand.' Hij moest weten of Lyndsey zo immoreel was als hij dacht. 'Is dat een probleem? Ik heb gewoon gewacht tot de markt groter werd.'

'In de wetenschap dat je niet een lapmiddel had waar het virus uiteindelijk wel raad mee wist. In de wetenschap dat je hét geneesmiddel had. De enige manier om hiv volledig te vernietigen. Zelfs wanneer iemand uiteindelijk een middel vond om het virus de kop in te drukken, werkte dat van jou beter, sneller en veiliger en was het goedkoper te produceren.'

'Dat was het idee.'

'Vond je het geen punt dat er miljoenen mensen doodgingen?'

'En denk jij dat de wereld iets om aids geeft? Denk nou eens na, Grant. Er wordt veel gepraat maar weinig gedaan. Het is een unieke ziekte. Veel mensen hebben het gevoel dat vooral zwarten, homo's en drugsgebruikers erdoor getroffen worden. De hele epidemie heeft een groot rottend houtblok opzij gerold, zodat je het wriemelende leven eronder kunt zien, de hoofdthema's van ons bestaan: seks, dood, macht, geld, liefde, haat, paniek. De beelden die mensen zich van aids hebben gevormd, het onderzoek, de financiering – het draait allemaal om politiek.'

En wat Karyn Walde eerder zei, kwam nu ook bij hem op. *Aids maakt nog niet de juiste mensen dood.*

'En de andere farmaceutische bedrijven?' zei Lyndsey. 'Was je niet bang dat ze een geneesmiddel zouden ontwikkelen?'

'Dat was een risico, maar ik hield onze concurrentie goed in de gaten. Hun onderzoek leverde weinig meer op dan fouten.' Hij voelde zich goed. Na al die tijd vond hij het prettig om erover te praten. 'Wil je zien waar de bacteriën leven?'

De man keek hem stralend aan. 'Hier?'

Hij knikte. 'Dichtbij.'

65

CASSIOPEIA WERD DOOR twee van Zovastina's gardisten uit het vliegtuig gehaald. Er was haar gezegd dat ze haar naar het paleis zouden brengen, waar ze zou worden vastgehouden.

'Je beseft zeker wel,' zei ze naast het open autoportier tegen Zovastina, 'dat je om moeilijkheden hebt gevraagd.'

Zovastina wilde dit gesprek beslist niet hier voeren, niet op het open platform met luchthavenpersoneel en haar gardisten in de buurt. In het vliegtuig, toen ze alleen waren, was daar gelegenheid voor geweest, maar Cassiopeia had de laatste twee uur van de vlucht gezwegen.

'Moeilijkheden horen hier bij het leven,' zei Zovastina.

Toen ze haar op de achterbank lieten zitten, haar handen geboeid op haar rug, diende Cassiopeia de dolkstoot toe: 'Je vergiste je in die botten.'

De minister-president dacht blijkbaar over haar uitdagende woorden na. Het zag ernaar uit dat haar reis naar Venetië op een mislukking was uitgelopen, en het was dan ook niet vreemd dat Zovastina naar haar toe kwam en vroeg: 'Hoezo?'

De lucht was vervuld van uitlaatgassen, het gierend geronk van straalmotoren en een straffe voorjaarsbries. Cassiopeia zat rustig op de achterbank en keek door de voorruit. 'Er was daar wel degelijk iets.' Ze keek de minister-president aan. 'En dat is jou ontgaan.'

'Met provocaties kom je niet verder.'

Ze negeerde de bedreiging. 'Als je het raadsel wilt oplossen, zul je moeten onderhandelen.'

Die vrouw was gemakkelijk te doorzien. Zeker, Zovastina had vermoed dat ze dingen wist. Waarom zou ze haar anders hierheen hebben gebracht? En Cassiopeia was tot nu toe voorzichtig geweest; ze had geweten dat ze niet te veel mocht loslaten. Per slot van rekening was haar leven letterlijk afhankelijk van de hoeveelheid informatie die ze kon achterhouden.

Een van de gardisten kwam naar voren en fluisterde iets in Zovastina's oor. De minister-president luisterde, en Cassiopeia zag heel even schrik op haar gezicht. Toen knikte Zovastina en trok de gardist zich terug.

'Moeilijkheden?' vroeg Cassiopeia.

'De risico's van het ambt van minister-president. Jij en ik praten nog wel.'

En ze liep weg.

De voordeur van het huis stond open. Er was niets beschadigd. Geen sporen van braak. Binnen stonden twee leden van haar Heilige Schare te wachten. Zovastina keek een van hen nors aan en vroeg: 'Wat is er gebeurd?'

'Onze twee mannen hebben een kogel in hun hoofd gekregen. In de loop van de afgelopen nacht. De zuster en Karyn Walde zijn weg. Hun kleren zijn er nog. De wekker van de zuster was op zes uur 's morgens afgesteld. Uit niets blijkt dat ze van plan waren vrijwillig weg te gaan.'

Ze liep naar de grote slaapkamer terug. Het beademingsapparaat stond er geluidloos bij; het infuus was met niemand verbonden. Was Karyn ontsnapt? En waar kon ze dan heen? Ze liep naar de hal terug en vroeg haar twee mannen: 'Getuigen?'

'We hebben bij de andere huizen geïnformeerd, maar niemand heeft iets gezien of gehoord.'

Dat alles was gebeurd terwijl ze weg was. Dat kon geen toeval zijn. Ze ging op haar intuïtie af. Ze liep naar een van de telefoons en belde haar privésecretaresse. Ze vertelde haar wat ze wilde en wachtte drie minuten tot de vrouw weer aan de lijn kwam en zei: 'Vincenti is de Federatie vannacht om tien over halftwee binnengekomen. Met zijn privévliegtuig en met gebruikmaking van zijn open visum.'

Ze geloofde nog steeds dat Vincenti achter de moordaanslag had gezeten. Hij moest hebben geweten dat ze uit de Federatie weg was. Het was duidelijk dat er in haar regering veel lekken zaten – Henrik Thorvaldsen en Cassiopeia Vitt waren daar het levende bewijs van – maar wat kon ze daaraan doen?

'Minister,' zei haar secretaresse door de telefoon. 'Ik was net naar u op zoek. U hebt bezoek.'

'Vincenti?' vroeg ze een beetje te vlug.

'Een andere Amerikaan.'

'De ambassadeur?' In Samarkand had je overal ambassades, en een groot deel van haar dagen werd gevuld met bezoeken van ambassadeurs.

'Edwin Davis, de plaatsvervangend nationale veiligheidsadviseur van de Amerikaanse president. Hij is het land enkele uren geleden op een diplomatiek paspoort binnengekomen.'

'Onaangekondigd?'

'Hij verscheen gewoon bij het paleis en vroeg u te spreken. Hij wil niemand vertellen wat hij hier komt doen.'

Dat was ook geen toeval.

'Ik kom eraan.'

66

Samarkand
10.30 uur

MALONE DRONK EEN cola light en zag de Lear Jet 36A naar de terminal taxiën. Het vliegveld van Samarkand lag ten noorden van de stad, met één start- en landingsbaan voor niet alleen commercieel maar ook particulier en militair verkeer. Hij was eerder dan Viktor en Zovastina uit Italië overgekomen dankzij een F16-E Strike Eagle die president Daniels hem ter beschikking had gesteld. Hij was snel met een helikopter naar de luchtmachtbasis Aviano, tachtig kilometer ten noorden van Venetië, gebracht, en daarna had de vlucht naar het oosten dankzij supersonische snelheden van meer dan tweeduizend kilometer per uur weinig meer dan twee uur gekost. Zovastina en de Lear Jet die hij nu zag taxiën hadden er bijna vijf uur over gedaan.

Twee F16's waren zonder problemen in Samarkand aangekomen, want de Amerikaanse overheid bezat onbeperkte landingsrechten op alle vliegvelden en bases van de Federatie. Officieel waren de Verenigde Staten een bondgenoot, maar dat onderscheid, wist hij, was in dit deel van de wereld altijd vaag en vluchtig. In de andere jager had Edwin Davis gezeten, die nu in het paleis zou zijn. President Daniels had het niet prettig gevonden Davis erbij te betrekken, hij had hem liever op een afstand gehouden, maar hij had ingezien dat Malone het absoluut wilde. Trouwens, zoals de president grinnikend had gezegd: het hele plan had minstens tien procent kans van slagen, dus wat gaf het?

Hij dronk zijn cola op, die voor Amerikaanse begrippen zwak was maar goed genoeg smaakte. Hij had in het vliegtuig een uur geslapen. Het was de eerste keer in twintig jaar dat hij in een gevechtsvliegtuig had gezeten. In het begin van zijn marinecarrière had hij geleerd ermee te vliegen, voordat hij jurist werd en voor JAG ging werken. Marinevrienden van zijn vader hadden er bij hem op aangedrongen dat hij dat zou doen.

Zijn vader.

Kapitein-luitenant-ter-zee. Tot aan een dag in augustus toen de onderzeeboot waarover hij het bevel voerde tot zinken kwam. Malone was tien geweest, maar de herinnering maakte hem nog steeds verdrietig. Toen hij bij de marine ging waren de leeftijdgenoten van zijn vader tot hoge rangen gestegen en hadden ze plannen met de zoon van Forrest Malone. Uit respect had hij gedaan wat ze vroegen, en uiteindelijk was hij agent van de Magellan Billet geworden.

Hij had nooit spijt van die beslissing gehad, en zijn carrière bij het ministerie van Justitie was erg goed verlopen. Zelfs nu hij daar niet meer werkte had de wereld hem niet links laten liggen. De tempeliers. De bibliotheek van Alexandrië. En nu het graf van Alexander de Grote. Hij schudde zijn hoofd. Beslissingen. Iedereen nam ze.

Zoals de man die nu uit de Lear Jet stapte. Viktor. Een informant van de Amerikaanse overheid.

Een probleem.

Hij gooide het flesje in een afvalbak en wachtte tot Viktor op het platform stond. Een AWACS E3 Sentry die voortdurend boven het Midden-Oosten cirkelde, had de Lear Jet vanuit Venetië gevolgd en Malone had precies geweten wanneer het toestel zou aankomen.

Viktor verscheen zoals hij er in de kerk had uitgezien, zijn gezicht gehavend, zijn kleren vuil. Hij liep met de stijfheid van een man die een lange nacht had doorstaan.

Malone trok zich achter een laag muurtje terug en wachtte tot Viktor naar de terminal liep. Toen kwam hij achter hem aan. 'Je hebt er lang genoeg over gedaan.'

Viktor bleef staan en draaide zich om. Er stond geen enkele verbazing op het gezicht van de man te lezen. 'Ik dacht dat ik Vitt moest helpen.'

'Ik ben hier om jou te helpen.'

'Jij en je vrienden hebben me in Kopenhagen in de val laten lopen. Daar hou ik niet van.'

'Wie wel?'

'Ga terug naar waar je vandaan komt, Malone. Ik handel dit wel af.'

Malone trok een pistool. Dat was een van de voordelen als je met een militaire straaljager arriveerde: Amerikaanse militairen en hun passagiers werden niet gecontroleerd. 'Ik heb opdracht je te helpen. Dat ga ik doen, of je het nu leuk vindt of niet.'

'Ga je me neerschieten?' Viktor schudde zijn hoofd. 'Cassiopeia Vitt heeft in Venetië mijn collega gedood en ook geprobeerd mij te doden.'

'Indertijd wist ze niet dat jij een witte hoed op had.'

'Zo te horen heb je daar een probleem mee.'

'Ik weet nog niet of jij een probleem bent of niet.'

'Die vrouw is het probleem,' zei Viktor. 'Ik denk niet dat ze zich door een van ons zal laten helpen.'

'Waarschijnlijk heb je gelijk, maar toch krijgt ze hulp.' Hij besloot het met een schouderklop te proberen. 'Ik heb gehoord dat je goed bent. Dus laten we haar helpen.'

'Dat was ik van plan. Ik had alleen niet op een assistent gerekend.'

Hij stopte het pistool weer onder zijn jasje weg. 'Breng me het paleis binnen.'

Viktor keek verbaasd. 'Is dat alles?'

'Dat moet voor de commandant van de Heilige Schare geen probleem zijn. Niemand zal je erop aanspreken.'

Viktor schudde zijn hoofd. 'Jullie zijn krankzinnig. Zijn jullie allemaal levensmoe? Het is al erg genoeg dat zij daarbinnen is. En nu jij? Ik kan de verantwoordelijkheid voor dit alles niet nemen. En trouwens, het is al idioot dat wij zelfs maar met elkaar staan te praten. Zovastina kent jou.'

Malone had al gekeken. Er waren geen camera's op het platform. Die waren verderop, in de terminal. Behalve hen was er niemand. Dat was de reden waarom hij deze plaats had uitgekozen. 'Breng me nou maar het paleis in. Als je me in de juiste richting stuurt kan ik het zware werk zelf wel doen. Dan ben jij gedekt. Je hoeft niets te doen, alleen mij rugdekking geven. Washington wil jouw identiteit tot elke prijs beschermen. Daarom ben ik hier.'

Viktor schudde ongelovig zijn hoofd. 'En wie is er op dit belachelijke plan gekomen?'

Malone grijnsde. 'Ik.'

67

VINCENTI LEIDDE LYNDSEY tot voorbij het terrein van het huis. Ze volgden een rotsig pad dat de bergen in ging. Hij had het oude pad vlak laten maken, hier en daar treden in de rotsen laten uithakken en elektriciteit laten installeren, want hij had geweten dat hij die tocht vaak zou maken. Zowel het pad als de berg lag binnen de grenzen van zijn landgoed. Telkens als hij hier terugkwam, dacht hij aan de oude genezer die als een kat de rotsen was opgeklommen en zich met zijn blote tenen en vingers aan het pad had vastgeklampt. Vincenti was hem met steeds meer opwinding gevolgd, als een kind dat achter een ouder de trap op loopt en zich afvraagt wat er op de zolder te vinden is.

En hij was niet teleurgesteld.

Ze waren nu omringd door grijze rots met gespikkelde aders van glimmende kristallen. Het leek net een natuurlijke kathedraal. Zijn benen deden pijn van de inspanning en zijn ademhaling trok aan zijn longen. Hij sleepte zich nog een eind omhoog en het zweet parelde op zijn voorhoofd.

Lyndsey, een magere, pezige man, scheen nergens last van te hebben.

Vincenti slaakte dankbaar een diepe zucht toen hij op het laatste plateau bleef staan. 'In het westen de Federatie. In het oosten China. We staan op het kruispunt.'

Lyndsey keek naar het vergezicht. De middagzon scheen op een uitgestrektheid van torenhoge steile rotswanden en piramides. Een kudde paarden draafde geluidloos door het dal voorbij het huis.

Vincenti genoot ervan om dit aan iemand te laten zien. Toen hij het Karyn Walde vertelde, had dat de behoefte aan erkenning bij hem wakker geroepen. Hij had iets opmerkelijks ontdekt en het was hem gelukt dat helemaal voor zichzelf te houden. Dat was geen geringe prestatie, want deze hele regio was ooit in handen van de Sovjets. De Federatie had verandering in dat alles gebracht, en via de Venetiaanse Liga had hij die veranderingen in zijn persoonlijke voordeel kunnen omzetten. 'Deze kant op,' zei hij. Hij wees naar een spleet in de rots. 'Hierdoor.' Dertig jaar geleden was het geen probleem geweest om door de smalle spleet te komen, maar toen was hij zeventig kilo lichter geweest. Nu kon hij zich er nog net doorheen persen.

De spleet kwam algauw uit op een grijze kamer onder een onregelmatig gewelf van scherpe rotsen. De ruimte was aan alle kanten ingesloten en er kwam alleen wat vaag licht door de spleet. Hij liep naar een schakelkast en deed een gloeilamp aan die aan het plafond hing. Er lagen twee plassen op de rotsvloer, elk ongeveer drie meter in doorsnee. De ene plas was roodbruin, de andere zeeschuimgroen, en ze werden allebei verlicht door lampen die in het water hingen.

'Er zijn veel warme bronnen in deze bergen,' zei hij. 'Van de oudheid tot op de dag van vandaag geloofde de plaatselijke bevolking dat ze waardevolle medicinale eigenschappen bezaten. In dit geval hadden ze gelijk.'

'Waarom verlicht je ze?'

Hij haalde zijn schouders op. 'Ik moest het water bestuderen, en zoals je kunt zien zijn de contrasterende kleuren schitterend om te zien.'

'En hier leven de archaea?'

Hij wees naar de groen getinte plas. 'Dit is hun leefomgeving.'

Lyndsey bukte zich en streek over het water. Een heleboel rimpels huiverden over het heldere oppervlak. De planten die Vincenti hier had gezien toen hij de eerste keer kwam waren allemaal weg. Blijkbaar waren ze langgeleden gestorven. Maar ze waren niet belangrijk.

'Bijna veertig graden,' zei hij over het water. 'Maar door de veranderingen die wij hebben aangebracht, kunnen ze nu ook op kamertemperatuur in leven blijven.'

Het was een van Lyndseys taken geweest een actieplan te ontwikkelen, dus te bepalen wat de onderneming zou doen als Zovastina in actie kwam en er dus grote hoeveelheden antistof nodig zouden zijn. Daarom vroeg Vincenti nu: 'Zijn we er klaar voor?'

'Het was geen probleem om de kleine hoeveelheden te kweken die we voor de zoönoses hebben gebruikt. Grootschalige productie is moeilijker.'

Dat had hij al gedacht, en daarom had hij de lening van Arthur Benoit in de wacht gesleept. Ze moesten infrastructuur opbouwen, mensen in dienst nemen, distributienetwerken organiseren, nog meer onderzoek doen. Voor dat alles waren enorme hoeveelheden kapitaal nodig.

'Onze productiefaciliteiten in Frankrijk en Spanje kunnen worden ingezet,' zei Lyndsey, 'maar uiteindelijk zou ik aanbevelen een afzonderlijke faciliteit te bouwen, want we zullen miljoenen liters nodig hebben. Gelukkig planten de bacteriën zich gemakkelijk voort.'

Tijd om na te gaan of de man werkelijk geïnteresseerd was. 'Heb je er ooit van gedroomd de geschiedenis in te gaan?'

Lyndsey lachte. 'Wie niet?'

'Ik bedoel, echt de geschiedenis in gaan, als iemand die een fantastische wetenschappelijke bijdrage heeft geleverd. Als ik je nu eens die eer ten deel laat vallen? Ben je geïnteresseerd?'

'Zoals ik al zei: wie niet?'

'Stel je voor dat schoolkinderen over tientallen jaren "hiv" en "aids" in een encyclopedie opzoeken en jou dan tegenkomen als de man die de gesel van het eind van de twintigste eeuw heeft helpen overwinnen.' Hij herinnerde zich de eerste keer dat hij zich dat had voorgesteld. Die ervaring leek wel wat op de blik vol nieuwsgierigheid en verbazing waarmee Lyndsey hem nu aankeek. 'Zou jij daar deel van willen uitmaken?'

Geen enkele aarzeling. 'Ja, natuurlijk.'

'Ik kan je dat geven. Maar er zijn voorwaarden aan verbonden. Onnodig te zeggen dat ik dit niet in mijn eentje kan. Ik heb iemand nodig die persoonlijk toezicht op de productie houdt, iemand die verstand heeft van de biologische aspecten. De beveiliging is natuurlijk van groot belang. Als onze patenten eenmaal zijn ingediend, zal ik me beter voelen, maar dan moet er toch nog iemand zijn die de dagelijkse leiding heeft. Jij bent de voor de hand liggende keuze, Grant. In ruil daarvoor deel je in de eer van de ontdekking en word je royaal beloond. En dan heb ik het over miljoenen.'

Lyndsey deed zijn mond open om iets te zeggen, maar Vincenti bracht hem tot zwijgen door zijn vinger op te steken.

'Dat is de positieve kant. Maar er is ook een negatieve kant. Als je een probleem wordt, of hebberig wordt, laat ik O'Conner een kogel in je hoofd jagen. In het huis heb ik je al verteld hoe we onze concurrentie hebben aangepakt. Ik zal je nu nog wat meer uitleggen.'

Hij vertelde Lyndsey over een Deense microbioloog die in 1997 comateus in de straat bij zijn laboratorium was aangetroffen. Een ander, in Californië, was verdwenen; zijn huurauto had bij een brug gestaan en zijn lichaam was nooit gevonden. Een derde was in 2001 langs de kant van een Engelse landweg komen te liggen, blijkbaar het slachtoffer van een automobilist die was doorgereden. Een vierde was op een Franse boerderij vermoord. Een ander was tien jaar geleden op een heel bijzondere manier gestorven: hij bleef klem zitten in de luchtsluis naar de koelruimte van zijn lab. Vijf stierven tegelijk in 1999 toen hun privévliegtuig in de Zwarte Zee neerstortte.

'Ze werkten allemaal voor onze concurrenten,' zei hij. 'Ze boekten vooruitgang. Te veel. En dus, Grant, kun je maar beter doen wat ik zeg. Wees dankbaar voor de kans die ik je heb gegeven, en we worden allebei rijk en oud.'

'Je zult van mij geen problemen krijgen.'

Hij dacht dat hij de juiste keuze had gemaakt. Lyndsey had Zovastina meesterlijk aangepakt. Hij had de antistoffen geen moment in gevaar gebracht. Bovendien had hij over de veiligheid in het lab gewaakt. Alles was perfect verlopen, en dat was voor een groot deel aan deze man te danken.

'Ik wil één ding weten,' zei Lyndsey.

Hij besloot hem ter wille te zijn.

'Waarom nu? Je hebt het geneesmiddel zo lang voor je gehouden. Waarom wacht je niet nog langer?'

'Door Zovastina's oorlogsplannen is dit het juiste moment. We hadden dankzij haar een mogelijkheid om het onderzoek te voltooien zonder dat iemand er iets van wist. Ik zie geen reden waarom we langer zouden wachten. Ik moet alleen Zovastina tegenhouden voordat ze te ver gaat. En jij, Grant? Zit dit alles je dwars, nu je ervan weet?'

'Je hebt dat geheim twintig jaar voor je gehouden. Ik heb het pas een uur geleden gehoord. Het is niet mijn probleem.'

Hij glimlachte. De juiste mentaliteit. 'Er zal veel publiciteit komen. Jij krijgt daar ook mee te maken. Maar ik maak uit wat je zegt, dus pas op je woorden. Je moet veel meer te zien zijn dan te horen. Binnenkort staat je naam tussen de groten.' Hij streek met zijn handen over een denkbeeldige spandoek. 'Grant Lyndsey, een van de overwinnaars van hiv.'

'Klinkt goed.'

'We komen er binnen dertig dagen mee in de openbaarheid. Intussen wil ik dat je met mijn patentadvocaten samenwerkt. Ik wil ze morgen over onze doorbraak vertellen. Als de eigenlijke bekendmaking wordt gedaan, wil ik jou op het podium hebben. Ik wil ook monsters, daar zijn mooie foto's van te maken. En objectglaasjes met de bacterie. We laten de pr-mensen foto's maken. Het wordt een hele show.'

'Weten nog meer mensen hiervan?'

Hij schudde zijn hoofd. 'Geen ziel, behalve een vrouw in het huis die op dit moment de voordelen ondervindt. We hebben iemand nodig met wie we kunnen pronken en zij is net zo geschikt als ieder ander.'

Lyndsey liep naar de andere plas. Het was interessant dat hij niet had gezien wat er op de bodem van de plassen lag. Dat was ook een reden waarom hij deze man had uitgekozen. 'Ik heb je verteld dat dit een eeuwenoude plaats is. Zie je de letters op de bodem van de plassen?'

Lyndsey ontdekte beide.

'In het Oudgrieks betekenen ze leven. Ik weet niet hoe ze daar gekomen zijn. Ik heb van die oude genezer gehoord dat de Grieken deze plaats ooit aanbaden. Dat zou het kunnen verklaren. Ze noemden deze berg Klimax. Ladder, in het Engels. Waarom? Het zal wel te maken hebben met de naam die de Aziaten aan deze plaats gaven. Ik heb hun naam voor het landgoed gebruikt.'

'Ik zag het bord boven de poort toen ik naar binnen reed: ATTICO. Wat betekent dat?'

'Dat is Italiaans voor Arima. Het betekent hetzelfde. Plaats aan de top, als een zolder.'

68

Samarkand

ZOVASTINA LIEP DE audiëntiezaal van het paleis in en stond tegenover een magere man met borstelig grijs haar. Haar minister van Buitenlandse Zaken, Kamil Revin, was er ook; hij zat op een afstandje. Het protocol vereiste zijn aanwezigheid. De Amerikaan stelde zich voor als Edwin Davis en haalde bij wijze van referentie een brief van de president van de Verenigde Staten tevoorschijn.

'Zouden we onder vier ogen kunnen spreken?' vroeg Davis op luchtige toon.

Ze was verbaasd. 'Alles wat u me vertelt zal ik toch aan Kamil doorvertellen.'

'Ik denk niet dat u zult doorvertellen wat wij gaan bespreken.'

De afgezant sprak dat nogal uitdagend uit, maar zijn gezicht bleef onbewogen en ze besloot voorzichtig te zijn. 'Laat ons alleen,' zei ze tegen Kamil.

De jongere man aarzelde. Maar na Venetië en Karyn was ze niet in de stemming.

'Schiet op,' zei ze.

Haar minister van Buitenlandse Zaken stond op en ging weg.

'Behandelt u uw mensen altijd zo?'

'Dit is geen democratie. Mannen als Kamil doen wat hun wordt gezegd, of anders...'

'Anders krijgen ze een van uw bacillen in hun lichaam.'

Ze had moeten weten dat nog meer mensen wisten wat ze deed, maar dit kwam rechtstreeks uit Washington. 'Ik kan me niet herinneren dat uw president ooit heeft geklaagd over de vrede die de Federatie in deze regio heeft gebracht. Vroeger was deze hele omgeving een probleem, maar nu geniet Amerika de voordelen van een vriend. En in dit land is regeren niet een kwestie van overreding, maar van kracht.'

'Begrijpt u me niet verkeerd, minister. Uw methoden zijn geen probleem voor ons. Wij zijn het met u eens. Een vriendschap is het waard dat er soms...' Davis aarzelde. '...dat er soms personeel moet worden vervangen.' Zijn koude ogen keken haar met onwillig respect aan. 'Minister, ik ben hier om u persoonlijk iets te vertellen. De president vond de gebruikelijke diplomatieke kanalen niet geschikt. Dit gesprek moet onder ons blijven, zoals onder vrienden gebruikelijk is.'

Welke keus had ze? 'Goed.'

'Kent u een zekere Karyn Walde?'

Haar benen trokken zich samen en de emoties stuiterden door haar heen. Maar ze hield haar gezicht strak en gaf eerlijk antwoord. 'Ja. Wat is er met haar?'

'Ze is vannacht ontvoerd. Uit een huis hier in Samarkand. Vroeger was ze uw minnares, en tegenwoordig heeft ze aids.'

Ze deed moeite om onbewogen te kijken. 'Blijkbaar weet u veel over mijn leven.'

'We willen graag zoveel mogelijk over onze vrienden weten. In tegenstelling tot u leven we in een open samenleving, waar al onze geheimen op televisie of op internet te zien zijn.'

'En waarom spitte u in mijn geheimen?'

'Doet dat er iets toe? Het is maar goed dat we het deden.'

'En wat weet u over Karyns verdwijning?'

'Ze is ontvoerd door een zekere Enrico Vincenti. Ze wordt vastgehouden op zijn landgoed hier in de Federatie. Land dat hij in het kader van uw transactie met de Venetiaanse Liga kocht.'

De boodschap was duidelijk. De man wist veel.

'Ik ben hier ook om te zeggen dat Cassiopeia Vitt niet uw probleem is.'

Ze verborg haar verbazing.

'Vincenti. Hij is uw probleem.'

'En waarom dan wel?'

'Ik geef toe dat dit alleen maar speculaties van onze kant zijn. In de meeste delen van de wereld zou niemand zich voor uw seksuele geaardheid interesseren. Zeker, u bent ooit getrouwd geweest, maar voor zover wij konden nagaan was dat alleen om de uiterlijke schijn. Hij is op tragische wijze gestorven...'

'Er is tussen hem en mij nooit een kwaad woord gevallen. Hij begreep wat zijn positie was. Ik mocht hem graag.'

'Dat gaat ons niet aan, en ik wilde u niet beledigen. Maar daarna bent u ongehuwd gebleven. Karyn Walde werkte een tijdje voor u. Ze was een van uw secretaresses. En dus bleek het gemakkelijk te zijn om een relatie met haar te hebben, neem ik aan. Niemand schonk er veel aandacht aan, zolang u maar voorzichtig was. Maar Centraal-Azië is niet West-Europa.' Davis haalde een kleine recorder uit zijn binnenzak tevoorschijn. 'Ik zal iets voor u afspelen.' Hij deed het apparaatje aan en zette het rechtop op de tafel tussen hen in.

'*En het is goed om te weten dat je informatie juist was.*'

'*Ik zou je niet met fantasie hebben lastiggevallen.*'

'*Maar je hebt nog steeds niet gezegd hoe je wist dat iemand me vandaag zou willen vermoorden.*'

'*De Liga waakt over zijn leden, en jij, minister-president, bent een van onze belangrijkste leden.*'

'*Gelul, Enrico.*'

Davis zette de recorder uit. 'Vincenti en u, twee dagen geleden door de telefoon. Een internationaal gesprek. Gemakkelijk af te luisteren.'

Hij drukte weer op PLAY.

'*We moeten praten.*'

'*Over je beloning voor het redden van mijn leven?*'

'*Jouw kant van onze afspraak. We hebben het daar langgeleden over gehad.*'

'*Ik kan de Raad over een paar dagen ontmoeten. Ik moet eerst een paar dingen oplossen.*'

'*Het interesseert me meer wanneer jij en ik elkaar ontmoeten.*'

'*Vast wel. Mij eigenlijk ook. Maar er zijn dingen die ik moet afmaken.*'

'*Aan mijn tijd in de Raad komt binnenkort een eind. Daarna krijg je met anderen te maken. Die zijn misschien minder tegemoetkomend.*'

'*Ik geniet er echt van om zaken met je te doen, Enrico. Wij begrijpen elkaar zo goed.*'

'*We moeten praten.*'

'*Binnenkort. Eerst heb je dat andere probleem waarover we het hebben gehad. De Amerikanen.*'

'*Maak je geen zorgen. Dat wil ik vandaag regelen.*'

Davis zette het apparaat uit. 'Vincenti heeft dat geregeld. Hij heeft een van onze agenten gedood. We vonden haar lichaam tegelijk met dat van een andere man, degene die de moordaanslag op u had georganiseerd.'

'U hebt haar laten doodgaan? Terwijl u van dit gesprek wist?'

'Jammer genoeg kregen we deze opname pas in handen toen ze al verdwenen was.'

Ze hield er niet van dat Davis steeds heen en weer keek tussen haar en de recorder. Naast haar toenemende woede had ze steeds meer het gevoel dat er iets niet in orde was.

'Blijkbaar hebben Vincenti en u een soort joint venture. Ik ben hier – nogmaals, als uw vriend – om u te vertellen dat hij van plan is verandering in die plannen te brengen. Wij denken het volgende. Vincenti wil dat u ten val komt. Met Karyn Walde kan hij u zozeer te schande zetten dat u moet aftreden, of u zult er op zijn minst enorme politieke problemen door krijgen. Homoseksualiteit wordt hier niet geaccepteerd. Religieuze fundamentalisten, die u strak aan de lijn houdt, zouden eindelijk de munitie hebben om terug te schieten. U zou voor zulke grote problemen komen te staan dat zelfs uw bacillen ze niet konden wegnemen.'

Ze had nooit eerder aan die mogelijkheid gedacht, maar de Amerikaan had gelijk. Waarom anders zou Vincenti het nodig hebben gevonden Karyn te ontvoeren? Toch moest er nog iets gezegd worden. 'Zoals u zei heeft ze terminaal aids en is ze misschien al dood.'

'Vincenti is niet achterlijk. Misschien denkt hij dat de woorden van een stervende meer gewicht in de schaal leggen. U zou veel vragen te beantwoorden krijgen: over dat huis, waarom Walde daar was, de zuster. Ik heb gehoord dat ze dingen weet, net als veel leden van uw Heilige Schare die het huis bewaakten. Vincenti heeft de zuster ook. Dat zijn veel mensen die u in bedwang moet houden.'

'We zijn hier niet in Amerika. De televisie is te beheersen.'

'En het fundamentalisme ook? Naast het feit dat u veel vijanden hebt die graag uw plaats zouden innemen. Ik denk dat de man die hier net is weggegaan in die categorie valt. O ja, hij heeft gisteravond ook een ontmoeting met Vincenti gehad. Hij haalde hem af van het vliegveld en bracht hem naar de stad.'

Deze man was buitengewoon goed geïnformeerd.

'Minister, we willen niet dat Vincenti succes heeft met wat hij van plan is. Daarom ben ik hier. Om u onze hulp aan te bieden. We weten van uw reis naar Venetië en we weten dat Cassiopeia Vitt met u is meegekomen. Nogmaals, zij is geen probleem. Ze weet trouwens veel over datgene wat u in Venetië zocht. Er is u informatie ontgaan.'

'Vertel me wat dat is.'

'Als ik het wist, zou ik het doen. U zult het Vitt moeten vragen. Zij en haar twee vrienden, Henrik Thorvaldsen en Cotton Malone, zijn op de hoogte van iets wat het raadsel van Ptolemaeus wordt genoemd. Ze weten ook van olifantpenningen.' Davis stak zijn handen omhoog alsof hij zich overgaf. 'Ik weet van niets. Het zijn uw zaken. Ik weet alleen dat er in Venetië iets te vinden was wat u blijkbaar is ontgaan. Als u dat al weet, verontschuldig ik me ervoor dat ik uw tijd verspil. Maar president Daniels wilde u laten weten dat ook hij voor zijn vrienden zorgt, net als de Venetiaanse Liga.'

Genoeg. De man moest op zijn plaats worden gewezen. 'U moet me wel voor een idioot houden.'

Ze wisselden een blik, maar geen woorden.

'Zegt u tegen uw president dat ik zijn hulp niet nodig heb.'

Davis keek beledigd.

'Als ik u was,' zei ze, 'zou ik deze Federatie zo snel verlaten als u gekomen bent.'

'Is dat een dreigement, minister?'

Ze schudde haar hoofd. 'Alleen een opmerking.'

'Een vreemde manier om met een vriend te praten.'

Ze stond op. 'U bent mijn vriend niet.'

De deur ging dicht toen Edwin Davis de kamer verliet. Ze dacht zo snel na als ze altijd had gekund wanneer ze snel moest handelen.

Kamil Revin kwam weer binnen en liep naar haar bureau. Ze keek aandachtig naar haar minister van Buitenlandse Zaken. Vincenti vond het slim van zichzelf dat hij de man als spion had gecultiveerd. Maar deze in Rusland opgeleide Aziaat, die een moslim zei te zijn maar nooit in een moskee kwam, had als het perfecte doorgeefluik voor desinformatie gediend. Ze had hem eerder van haar bespreking met Davis weggestuurd omdat hij iets wat hij niet wist ook niet kon doorvertellen.

'Je hebt me niet verteld dat Vincenti in de Federatie was,' zei ze.

Revin haalde zijn schouders op. 'Hij is gisteravond voor zaken aangekomen. Zoals altijd logeert hij in het Intercontinental.'

'Hij is op zijn landgoed in de bergen.'

Ze zag de verbazing in de ogen van de jongere man. Was die verbazing echt of gespeeld? Dat was moeilijk te zeggen bij deze man. Maar blijkbaar voelde hij aan dat ze argwanend was.

'Minister, ik ben uw bondgenoot geweest. Ik heb voor u gelogen. Ik heb vijanden aan u uitgeleverd. Ik heb Vincenti jarenlang in de gaten gehouden en trouw gedaan wat u me zei.'

Ze had geen tijd om hem tegen te spreken. 'Laat me dan zien hoe loyaal je bent. Ik heb een speciale taak die alleen jij kunt uitvoeren.'

69

STEPHANIE VOND HET interessant om Henrik Thorvaldsen in staat van ontreddering te zien. Ze waren in twee F16's van de luchtmacht-basis Aviano vertrokken, zij in de ene en Thorvaldsen in de andere. Ze waren Malone en Edwin Davis gevolgd, die in Samarkand waren geland, en daarna waren Thorvaldsen en zij verdergegaan naar het oosten om ten slotte in Kasjgar te landen, net over de grens van de Federatie met China. Thorvaldsen hield niet van vliegen. Een noodzakelijk kwaad, noemde hij het voordat ze hun pak aantrokken. Maar een vlucht met een supersonische jager was niet gewoon vliegen. Ze had achter de pi-loot gezeten, waar de boordschutter gewoonlijk zat. De schokken en stoten bij een snelheid van meer dan tweeduizend kilometer per uur waren tegelijk opwindend en angstaanjagend geweest en hadden haar de volle twee uur op haar qui-vive gehouden.

'Ik kan niet geloven dat ik dit heb gedaan,' zei Thorvaldsen.

Ze zag dat hij nog steeds beefde. Er had een auto voor hen klaarge-staan op het vliegveld Kasjgar. De Chinese overheid was op alle verzoe-ken van Daniels ingegaan. Blijkbaar maakten de Chinezen zich zorgen om hun buurstaat en waren ze bereid om zelfs met Washington samen te werken als ze daardoor konden ontdekken of hun angsten gegrond of ingebeeld waren.

'Zo erg was het niet,' zei ze.

'Ik laat een memo rondgaan: wat ze ook zeggen, vlieg nooit, nooit, in zo'n ding.'

Ze grijnsde. Ze reden door het Pamirgebergte op het grondgebied van de Federatie. De grensovergang had uit niets meer bestaan dan een bord om bezoekers te verwelkomen. Ze waren steeds hoger over bar-re bergflanken en door even barre dalen gekomen. Ze wist dat *pamir* het woord voor dit specifieke type dal was: plaatsen waar de winter lang duurde en weinig regen viel. Veel ruwe alsemstruiken, dwergdennen en hier en daar een weelderig veldje. Voor het merendeel onbewoond land, af en toe een dorp, joerten... Het landschap verschilde heel duidelijk van de Alpen of de Pyreneeën, waar Thorvaldsen en zij voor het laatst bij elkaar waren geweest.

'Ik heb over deze omgeving gelezen,' zei ze, 'maar ik ben nooit eerder in dit deel van de wereld geweest. Het is ongelooflijk.'

'Ely was gek op de Pamirs. Hij sprak er in bijna religieuze termen over. En ik kan zien waarom.'

'Heb je hem goed gekend?'

'Ja. Ik kende zijn ouders. Mijn zoon en hij waren goede vrienden. Toen Cai en hij nog jongens waren, woonde hij zowat in Christiangade.'

Thorvaldsen zat vermoeid op de passagiersplaats, en niet alleen vanwege de vlucht. Ze wist wel beter. 'Cotton zal op Cassiopeia passen.'

'Ik betwijfel of Ely in Zovastina's handen is.' Thorvaldsen klonk plotseling berustend. 'Viktor heeft gelijk. Waarschijnlijk is hij dood.'

De weg werd vlakker, want ze reden over een van de bergpassen op weg naar een ander dal. Buiten was het verrassend warm. Hier in de lagere regionen lag geen sneeuw. Zonder enige twijfel was de Centraal-Aziatische Federatie met natuurwonderen gezegend, maar ze had ook de informatie van de CIA gelezen. De Federatie had deze omgeving uitgekozen voor economische ontwikkeling. Elektriciteit, telefoon, water en riolering werden uitgebreid, en de wegen werden ook verbeterd. Deze weg was daar een goed voorbeeld van; het asfalt leek nieuw.

De kaars met het goudblad er nog omheen lag in een roestvrijstalen buis op de achterbank. Een moderne skytale met één Oudgrieks woord: ΚΛΙΜΑΞ. Waar leidde het heen? Ze hadden geen idee, maar misschien zouden ze in de berghut van Ely Lund iets ontdekken wat het woord meer betekenis voor hen gaf. Ze waren ook gewapend. Twee pistolen en extra magazijnen. Met de complimenten van de Amerikaanse strijdkrachten en met toestemming van de Chinezen.

'Misschien werkt Malones plan,' zei ze.

Toch was ze het met Cotton eens. Losse informanten als Viktor kon je niet vertrouwen. Ze had liever een ervaren agent, iemand die aan zijn pensioenrechten dacht.

'Malone geeft veel om Cassiopeia,' zei Thorvaldsen. 'Hij wil het niet zeggen, maar het is zo. Dat zie ik in zijn ogen.'

'Ik zag de pijn op zijn gezicht toen je hem vertelde dat ze ziek is.'

'Dat is een van de redenen waarom ik dacht dat Ely en zij met elkaar konden opschieten. Ze leden aan dezelfde ziekte. Dat schiep een band.'

Ze kwamen door nog twee armoedige dorpen en reden door naar het westen. Eindelijk splitste de weg zich in tweeën, zoals Cassiopeia aan Thorvaldsen had verteld, en gingen ze naar het noorden. Tien kilometer verder werd de bebossing dichter. Voor hen uit zag ze, naast een aangestampt pad dat het donkere bos in liep, een sarissa die in de grond was gestoken. Er hing een bordje aan waarop SOMA was geschilderd.

'Ely heeft deze plaats een passende naam gegeven,' zei ze. 'Naar Alexanders tombe in Egypte.'

Ze sloeg af en de auto hotste en slingerde over het ruwe pad. Het weggetje klom een paar honderd meter tussen de bomen door en kwam toen uit bij een hut van één verdieping, opgetrokken van ruwhouten planken. De voordeur werd afgeschermd door een overdekte veranda.

'Het lijkt net iets uit Noord-Scandinavië,' zei Thorvaldsen. 'Dat verrast me niet. Hij zal zich hier wel een beetje thuis hebben gevoeld.'

Ze parkeerden de auto en stapten de warme middag in. Om hen heen doemde het bos geluidloos op. Achter de bomen, in het noorden, waren nog meer bergen te zien. Een roofvogel scheerde over hen heen.

De voordeur van de hut ging open.

Ze keken allebei om.

Er kwam een man naar buiten.

Hij was lang en knap en had golvend blond haar. Hij droeg een spijkerbroek, een overhemd en laarzen. Thorvaldsen bleef staan, maar zijn ogen werden meteen milder. De gedachten van de Deen waren even gemakkelijk af te lezen als de identiteit van de man.

Ely Lund.

70

CASSIOPEIA ROOK NAT hooi en paarden en wist dat ze in de buurt van een stal werd vastgehouden. Het was een soort gastenverblijf, adequaat maar niet stijlvol ingericht, waarschijnlijk bestemd voor personeel. Luiken voor de ramen sloten het vertrek af en de deur zat op slot en werd ongetwijfeld bewaakt. Toen ze hier vanaf het paleis naartoe liepen had ze gewapende mannen op daken gezien. Het zou niet meevallen uit deze gevangenis te ontsnappen.

Er stond een telefoon in de kamer, maar die werkte niet, en een televisie kreeg geen beeld door. Ze ging op het bed zitten en vroeg zich af wat er nu zou gebeuren. Het was haar gelukt in Azië te komen, maar wat nu? Ze had geprobeerd op Zovastina's obsessies in te spelen en het was moeilijk te zeggen of ze daar succes mee had gehad. Op het vliegveld had de minister-president iets dwarsgezeten. Zozeer dat Cassiopeia opeens geen prioriteit meer was. Maar ze leefde tenminste nog.

Er schraapte een sleutel over het slot en de deur zwaaide open.

Viktor kwam binnen, gevolgd door twee gewapende mannen.

'Opstaan,' zei hij.

Ze bleef zitten.

'Je zou me niet moeten negeren.'

Hij kwam snel naar voren en sloeg haar met de rug van zijn hand in het gezicht, zodat ze van het bed op de grond viel. Ze herstelde zich en sprong overeind, klaar voor een gevecht. De twee mannen die achter Viktor stonden brachten hun pistool omhoog.

'Dat was voor Rafael,' zei Viktor.

Haar ogen schoten vuur, maar ze wist dat deze man precies deed wat van hem werd verwacht. Thorvaldsen had gezegd dat hij een bondgenoot was, maar dan wel in het geheim. En dus speelde ze het spel mee.

'Je durft wel als je mannen met pistolen achter je hebt staan.'

Viktor grinnikte. 'Ben ik bang voor jou? Bedoel je dat soms?'

Ze bette haar gesprongen onderlip af.

Viktor sprong op haar af en draaide haar arm op haar rug. Hij trok haar pols tot aan haar schouders omhoog. Hij was sterk, maar ze moest erop vertrouwen dat hij wist wat hij deed en gaf zich dus gewonnen. Ze kreeg boeien om haar polsen. Haar enkels werden ook aan elkaar gebonden. Viktor hield haar in bedwang en draaide haar toen op haar rug.

'Neem haar mee,' beval hij.

De twee mannen pakten haar bij haar voeten en schouders en droegen haar naar buiten. Ze liepen over een grindpad naar de stallen. Daar werd ze op haar buik over de rug van een paard gegooid. Het bloed stroomde naar haar hoofd toen ze daar boven de grond bungelde. Viktor bond haar stevig vast met ruw touw en leidde het paard naar buiten.

Hij en drie andere mannen liepen zwijgend over een grasveld ter grootte van twee voetbalvelden met het dier mee. Er stonden geiten op dat veld te grazen, en langs de rand stonden hoge bomen. Ze verlieten het veld om een bos binnen te gaan, waar ze een pad volgden dat naar een open plek tussen nog meer bomen leidde.

Ze werd losgemaakt, van de rug van het paard gehaald en rechtop gezet. Het duurde even voor het bloed uit haar hoofd wegliep. Haar ogen kregen telkens even een troebel beeld, maar toen werd het helder en zag ze twee hoge populieren die naar de grond getrokken waren en aan een derde boom waren vastgebonden. Vanaf de top van elke boom leidden touwen naar de grond. Ze werd naar de bomen gesleurd, haar handboeien werden afgedaan en de touwen werden aan haar polsen vastgebonden.

Toen werden de enkelboeien losgemaakt.

Ze stond met gestrekte armen en besefte wat er zou gebeuren als de twee bomen werden losgesneden.

Uit het bos kwam een ander paard. Een hoog, smal paard waarop Irina Zovastina reed. De minister-president droeg leren laarzen en een gevoerd leren jasje. Ze nam de situatie in ogenschouw, stuurde Viktor en de andere mannen weg en stapte af.

'Alleen jij en ik,' zei Zovastina.

Viktor gaf het paard de sporen en reed in volle vaart naar de stallen terug. Zodra hij in het paleis was aangekomen, had Zovastina hem opgedragen de bomen voor te bereiden. Het was niet de eerste keer. Drie jaar geleden had ze op diezelfde manier een man geëxecuteerd die een revolutie had willen plegen. Omdat de man niet op andere gedachten te brengen was, had ze hem tussen de boomstammen vastgebonden. Ze had zijn medesamenzweerders laten toekijken en toen zelf de touwen doorgehakt. Hij was uiteengescheurd toen de bomen omhoogzwiepten. Een deel van hem had aan de ene boom gebungeld en de rest aan de andere. Daarna waren zijn medesamenzweerders gemakkelijk op andere gedachten te brengen geweest.

Het paard galoppeerde naar de omheining.

Malone wachtte in de tuigkamer. Viktor had hem in de kofferbak van een auto het paleis binnengesmokkeld. Niemand had de commandant van de garde ondervraagd of zijn auto doorzocht. Zodra de auto in de garage van het paleis had gestaan, was Malone uit de kofferbak gekropen en had Viktor hem een paleisbadge gegeven. Alleen Zovastina zou hem herkennen. Met Viktor als zijn escorte was hij zonder problemen in de stallen gekomen. Viktor zei dat hij daar veilig kon wachten.

Deze hele situatie stond Malone niet aan. Cassiopeia en hij waren aan de genade overgeleverd van een man van wie ze niets wisten, behalve dat Edwin Davis hun had verzekerd dat Viktor tot nu toe betrouwbaar was geweest. Hij kon alleen maar hopen dat het Davis zou lukken Zovastina lang genoeg aan het lijntje te houden. Hij had zijn pistool nog bij zich en had het afgelopen uur geduldig zitten wachten. Er kwamen geen geluiden van buiten de deur.

De stallen zelf waren schitterend, zoals je zou verwachten bij de hoogste leider van een grote Federatie. Malone had veertig paardenboxen geteld toen Viktor hem naar binnen bracht. De tuigkamer was voorzien van allerlei kwaliteitszadels en duur materiaal. Hij was geen topruiter, maar hij kon met een paard omgaan. Het enige raam in de kamer keek uit op de achterkant van de stallen, waar niets te zien was.

Genoeg gewacht. Tijd om in actie te komen.

Hij trok zijn pistool en maakte de deur open.

Niemand te zien.

Hij ging naar rechts en liep naar de deuropening van de stallen aan het eind, langs boxen met paarden die er indrukwekkend uitzagen.

Hij keek naar buiten en zag een ruiter met grote snelheid op de stallen af komen. Hij drukte zich tegen de muur en liep met zijn pistool in de aanslag naar de uitgang. Hoeven kwamen abrupt tot stilstand en hij hoorde de ruwe ademhaling van het paard, dat uitgeput was van het galopperen.

De ruiter gleed uit het zadel.

Voeten stampten over de aarde.

Malone bereidde zich voor. Een man liep vlug naar binnen, bleef abrupt staan en draaide zich om. Viktor.

'Jij houdt je niet goed aan instructies. Ik zei dat je in de tuigkamer moest blijven.'

Hij liet het pistool zakken. 'Ik had frisse lucht nodig.'

'Ik heb iedereen hier weggestuurd, maar er had altijd iemand kunnen komen.'

Hij was niet in de stemming voor een preek. 'Wat gebeurt er?'

'Vitt verkeert in moeilijkheden.'

71

STEPHANIE ZAG THORVALDSEN zijn armen om Ely Lund heen slaan met de genegenheid van een vader die zijn verloren zoon had teruggevonden.

'Het is zo geweldig je te zien,' zei Thorvaldsen. 'Ik dacht dat je dood was.'

'Wat doe jij hier nou?' vroeg Ely verbaasd.

Thorvaldsen beheerste zich en stelde Stephanie voor.

'Ely,' zei ze. 'We hebben heel weinig tijd en er gebeurt van alles. Kunnen we praten?'

Hij ging met hen naar binnen. De hut was spartaans ingericht, al waren er veel boeken, tijdschriften en kranten. Ze zag geen elektrische apparaten.

'Ik heb hier geen stroom,' zei hij. 'Ik kook op gas en gebruik hout voor verwarming. Maar er is schoon water en ik heb alle privacy.'

'Hoe ben je hier gekomen?' vroeg Thorvaldsen. 'Houdt Zovastina je gevangen?'

De man keek verbaasd. 'Helemaal niet. Ze heeft mijn leven gered. Ze heeft me beschermd.'

Ely vertelde hun dat een man zijn huis in Samarkand was binnengestormd en een pistool op hem had gericht. Maar voordat er iets was gebeurd, had een andere man de eerste man gedood en hem gered. Toen was zijn huis afgebrand met de dode man erin. Ely was naar Zovastina gebracht, waar ze hem vertelde dat haar politieke vijanden het op hem hadden voorzien. Hij was in het geheim naar de hut gebracht, waar hij de afgelopen maanden was gebleven. Een gardist die in het dorp woonde, kwam twee keer per dag bij hem kijken en bracht hem voedsel.

'De gardist heeft een mobiele telefoon,' zei Ely. 'Zo communiceren Zovastina en ik met elkaar.'

Stephanie moest het weten: 'Heb je haar over het raadsel van Ptolemaeus verteld? Over olifantpenningen en het verdwenen graf van Alexander de Grote?'

Ely grijnsde. 'Ze mag er graag over praten. De *Ilias* is een grote hartstocht van haar. Eigenlijk alles wat Grieks is. Ze heeft me veel vragen gesteld. Dat doet ze nog steeds, bijna elke dag. En ja, ik heb haar alles over de penningen en het verdwenen graf verteld.'

Ze merkte dat Ely geen idee had van wat er gebeurde en van het gevaar waarin ze allemaal verkeerden, hijzelf ook. 'Cassiopeia is door Zovastina gevangengenomen. Haar leven staat misschien op het spel.'

Ze zag al het zelfvertrouwen uit hem wegtrekken. 'Is Cassiopeia hier? In de Federatie? Waarom zou de minister-president haar kwaad willen doen?'

'Ely,' zei Thorvaldsen, 'laat ik volstaan met te zeggen dat Zovastina niet je redder is. Ze is je cipier, al heeft ze een slimme gevangenis gebouwd waarin ze je zonder veel moeite kan vasthouden.'

'Je weet niet hoe vaak ik Cassiopeia wilde bellen. Maar de minister-president zei dat we op dit moment behoefte hebben aan geheimhouding. Ik zou anderen in gevaar kunnen brengen, Cassiopeia ook, als ik hen erbij betrok. Ze verzekerde me dat het gauw voorbij zou zijn, en dan kon ik bellen wie ik wilde en weer aan het werk gaan.'

Stephanie kwam ter zake. 'We hebben het raadsel van Ptolemaeus opgelost. We vonden een skytale die een woord bevatte.' Ze gaf hem een papier waarop KΛIMAΞ was geschreven. 'Kun je dat vertalen?'

'Klimax. Oudgrieks voor ladder.'

'Welke betekenis zou dat kunnen hebben?' vroeg ze.

Hij deed blijkbaar een bewuste poging helder na te denken. 'Is dit iets in de context van het raadsel?'

'Het zou de plaats zijn waar het graf is. *Beroer het innerlijkste wezen van de gouden illusie. Verdeel de feniks. Het leven geeft de maat van het echte graf.* Dat hebben we allemaal gedaan en...' Ze wees naar het papier. 'En toen vonden we dit.'

Ely begreep meteen hoe immens belangrijk dit was. Hij liep naar een van de tafels en pakte een boek van een stapel. Hij bladerde erin, vond wat hij zocht en legde het boek plat op tafel. Thorvaldsen en zij kwamen dichterbij en zagen een kaart met de titel 'Alexanders veroveringen in Bactrië'.

'Alexander trok naar het oosten en veroverde het gebied dat nu Afghanistan en de Federatie is en wat vroeger Turkmenistan, Tadzjikistan en Kirgizië was. Hij is het Pamirgebergte nooit naar China overgestoken. In plaats daarvan ging hij naar het zuiden, naar India, waar een eind kwam aan zijn veroveringen en zijn leger in opstand kwam.'

Ely wees naar de kaart. 'Het gebied hier, tussen de rivieren Jaxartes en Oxus, is in 330 voor Christus door Alexander veroverd. In het zuiden lag Bactrië. In het noorden Scythia.'

Ze zag meteen het verband. 'Daar hoorde Alexander van de Scythen over de drank.'

Ely was onder de indruk. 'Zo is het. Samarkand bestond toen al in een gebied dat Sogdiana werd genoemd, al werd de stad zelf Maracanda genoemd. Alexander vestigde hier een van zijn vele Alexandria's en noemde het Alexandria Eschate, de Verste. Het was de meest oostelijke stad van zijn rijk en een van de laatste die hij stichtte.'

Ely streek met zijn vinger over de kaart en zette er met een pen een kruisje op. 'Klimax was een berg op deze plaats, ooit in Tadzjikistan, nu in de Federatie. Het was een heilige plaats voor de Scythen en later ook voor Alexander, toen hij vrede met hen had gesloten. Ze zeiden dat hun koningen in deze bergen begraven lagen, al zijn daar nooit bewijzen voor gevonden. Het museum in Samarkand heeft een paar expedities georganiseerd om ernaar te zoeken, maar er werd niets gevonden. Het is een onherbergzaam landschap.'

'De skytale wijst er precies naartoe,' zei Thorvaldsen. 'Ben je daar in de buurt geweest?'

Ely knikte. 'Twee jaar geleden. Als deelnemer aan een expeditie. Ik heb gehoord dat het gebied nu voor een groot deel particulier eigendom is. Een van mijn collega's in het museum zei dat er een kolossaal landhuis aan de voet van de berg staat. Een monsterlijk ding. Het is nog in aanbouw.'

Stephanie herinnerde zich wat Edwin Davis haar had verteld dat leden van de Venetiaanse Liga land kochten. Daarom vroeg ze: 'Weet je wie de eigenaar is?'

Hij schudde zijn hoofd. 'Geen idee.'

'We moeten gaan,' zei Thorvaldsen. 'Ely, kun je ons daarheen brengen?'

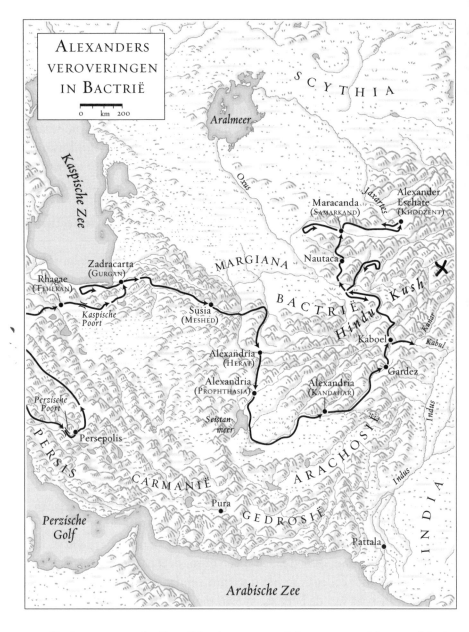

De jongere man knikte. 'Het is ongeveer drie uur ten zuiden van hier.'

'Hoe voel je je?'

Stephanie besefte wat de Deen bedoelde.

'Ze weet het,' zei Thorvaldsen. 'Normaal gesproken zou ik nooit zoiets hebben gezegd, maar dit zijn verre van normale tijden.'

'Zovastina heeft me mijn dagelijkse medicijnen gegeven. Ik zei al dat ze goed voor me is geweest. Hoe gaat het met Cassiopeia?'

Thorvaldsen schudde zijn hoofd. 'Jammer genoeg denk ik dat haar gezondheid op dit moment niet haar grootste probleem is.'

Buiten zwol het geluid van een automotor aan.

Stephanie verstijfde en rende naar het raam. Een man met een automatisch geweer stapte uit een Audi.

'De gardist,' zei Ely over haar schouder. 'Uit het dorp.'

De man schoot de banden van hun auto kapot.

72

Samarkand

CASSIOPEIA KON ZOVASTINA niet goed peilen. 'Ik heb net bezoek gekregen van de plaatsvervangend nationale veiligheidsadviseur van de Amerikaanse president. Hij vertelde me wat jij me op het vliegveld ook al hebt verteld. Dat er mij in Venetië iets is ontgaan en dat jij weet wat het is.'

'En je denkt dat ik je dat nu ga vertellen?'

Zovastina keek naar de twee stevige bomen, waarvan de stammen met dik touw naar de grond waren gebogen. 'Ik heb dit veld jaren geleden laten vrijmaken. Verscheidene mensen zijn hier levend uit elkaar gescheurd. Twee van hen overleefden het dat hun armen uit hun lichaam werden getrokken. Het duurde een paar minuten voor ze waren doodgebloed.' Ze schudde haar hoofd. 'Een afschuwelijke manier om deze wereld te verlaten.'

Cassiopeia was hulpeloos. Ze kon niets anders doen dan zich met bluf uit deze situatie zien te bevrijden. Viktor, die haar zou moeten helpen, had het alleen maar erger voor haar gemaakt.

'Na de dood van Hephaestion heeft Alexander zijn lijfarts op deze zelfde manier gedood. Ik vond het heel slim en heb de praktijk dus weer ingevoerd.'

'Ik ben alles wat je hebt,' zei ze met doffe stem.

Zovastina keek nieuwsgierig. 'O, ja? En wat heb jij?'

'Blijkbaar heeft Ely je niet verteld wat hij met me heeft gedaan.'

Zovastina kwam dichterbij. Ze was een gespierde vrouw met een vaalgeel gezicht. De waanzinnige blik die soms in haar gespannen donkere ogen kwam was zorgwekkend. Vooral op dit moment, nu nieuwsgierigheid en woede in haar om de voorrang streden. 'Ken je de *Ilias*? Als Achilles eindelijk lucht geeft aan zijn woede en Hector doodt, zegt hij iets interessants. *Ik wens alleen dat mijn woede me zou dwingen je vlees weg te snijden en rauw op te eten om wat je hebt gedaan. Niemand kan de honden bij je hoofd vandaan houden, al brachten ze me een losprijs van tien of twintig keer zoveel, of nog meer.* Vertel me: waarom ben je hier?'

'Jij hebt me hierheen gebracht.'

'Je hebt geen verzet geboden.'

'Je nam een groot risico door naar Venetië te komen. Waarom? Het kan niet allemaal politiek zijn.'

Ze zag dat Zovastina's blik een beetje minder agressief werd.

'Soms moeten we iets voor anderen doen. Soms moeten we dingen riskeren. Geen enkele queeste die de moeite waard is, is zonder risico. Ik heb naar Alexanders graf gezocht, in de hoop daar oplossingen voor grote problemen te vinden. Ely zal je wel over Alexanders drank hebben verteld. Wie weet of daar iets van waar is? Maar alleen al het ontdekken van het graf zou glorieus zijn.'

Zovastina sprak meer met verwondering dan met woede. Dit zat blijkbaar echt heel diep bij haar. Aan de ene kant was ze een dwaze romantica die beheerst werd door ideeën over een gevaarlijke queeste die haar tot grootheid zou brengen. Aan de andere kant was ze volgens Thorvaldsen van plan miljoenen mensen te laten sterven.

Zovastina greep Cassiopeia's kin stevig vast. 'Je moet me nu vertellen wat je weet.'

'De priester heeft tegen je gelogen. In de schatkamer van de kerk ligt een amulet dat bij het stoffelijk overschot van de heilige Marcus is aangetroffen. Een scarabee waarin een feniks is gegraveerd. Denk aan het raadsel. *Beroer het innerlijkste wezen. Verdeel de feniks.*'

Zovastina hoorde haar blijkbaar niet. 'Je bent mooi.' Haar adem stonk naar uien. 'Maar je liegt en bedriegt. Je bent hier om me te bedriegen.'

Zovastina liet haar kin los en ging een stap terug.

Cassiopeia hoorde het blaten van geiten.

Malone klom op het paard.

'De gardisten op het dak letten niet op ons,' zei Viktor. 'Je hoort bij mij.'

Viktor sprong op zijn paard. 'Ze zijn voorbij het speelveld, in het bos. Ze is van plan Vitt te doden.'

'Waar wachten we op?'

Viktor gaf zijn paard de sporen. Malone volgde hem.

Ze galoppeerden van de omheining naar een open veld. Malone zag gestreepte palen aan weerskanten en een aarden kuil in het midden en wist wat hier werd gespeeld. *Buzkashi*. Hij had over het spel gelezen, over de gewelddadigheid, de dodelijke ongelukken die heel normaal werden gevonden, de barbaarsheid en tegelijk ook de schoonheid van het spel. Zovastina was blijkbaar een kenner en de paarden in de stal werden natuurlijk voor het spel gefokt, zoals het dier waarop hij nu reed en dat met griezelige snelheid en soepelheid voortrende. Verspreid over het veld liepen geiten, die het gras blijkbaar uitstekend onderhielden. Minstens honderd van die geiten stoven uiteen toen de paarden voorbij daverden.

Hij keek achterom en zag schuttersposten op het paleis. Zoals Viktor had voorspeld, had niemand op hen gelet. Ze waren de vreemde toeren van de minister-president natuurlijk wel gewend. Voor hen uit, aan de andere kant van het veld, stonden bomen dicht opeen. Twee paden gingen dat bos in. Viktor bracht zijn paard tot stilstand. Malone hield de teugels ook in. Zijn benen bungelden tegen donkere zweetstrepen op de flanken van het dier.

'Ze zijn zo'n honderd meter dat pad op. Er is daar ook een veld. Nu moet je alleen verder.'

Hij gleed met het pistool in zijn hand uit het zadel.

'We hebben een probleem,' zei Stephanie. 'Is er een andere uitweg?'

Ely wees naar de keuken.

Thorvaldsen en zij renden naar voren op het moment dat de voordeur van de hut naar binnen openvloog. De man blafte orders in een taal die ze niet verstond. Ze kwam bij de keukendeur, trok hem open en gaf Thorvaldsen te kennen dat hij stil moest zijn. Ely sprak in dezelfde taal tegen de man.

Ze glipte naar buiten. Thorvaldsen kwam achter haar aan.

Er barstte automatisch geweervuur los in de hut. De kogels sloegen achter hen in het dikke hout in.

Ze lieten zich op de grond vallen op het moment dat er een ruit explodeerde. Het glas regende naar buiten. Kogels troffen bomen. Ze hoorde Ely iets tegen hun aanvaller schreeuwen en sprong op dat moment overeind en rende om de hut heen naar de auto. Thorvaldsen bleef op de grond liggen. Hij had moeite met opstaan en ze kon alleen maar hopen dat Ely de gardist lang genoeg zou tegenhouden.

Ze kwam bij de auto, maakte het achterportier open en pakte een van de pistolen.

Thorvaldsen kwam om de hut heen.

Ze nam een defensieve houding aan met de auto als buffer en mikte over de kap. Toen maakte ze een gebaar met het pistool om Henrik naar de ingang van de hut te sturen. Hij verdween uit haar vuurlinie, en op dat moment verscheen de gardist, zijn geweer geheven. Blijkbaar zag hij Thorvaldsen het eerst, want hij draaide zich snel om en mikte op hem.

Ze schoot twee keer.

Beide kogels troffen de man in zijn borst.

Ze schoot nog twee keer.

De gardist zakte op de grond.

Ze werd bevangen door de stilte. Ze bewoog niet totdat Ely achter de dode gardist tevoorschijn kwam. Thorvaldsen kwam van de veranda af. Haar pistool was nog gericht; haar beide handen zaten nog om de kolf. Ze beefde. Ze had iemand gedood.

Het was de eerste keer voor haar.

Thorvaldsen liep naar haar toe. 'Gaat het?'

'Ik heb anderen erover horen praten. Ik zei tegen hen dat het hun werk was. Maar nu begrijp ik het. Het is heel wat als je iemand doodmaakt.'

'Je kon niet anders.'

Ely liep naar hen toe. 'Hij wilde niet luisteren. Ik zei tegen hem dat jullie geen bedreiging vormden.'

'Toch vormen we dat,' zei Thorvaldsen. 'Hij heeft vast en zeker opdracht gekregen niemand met jou in contact te laten komen. Dat zal het laatste zijn wat Zovastina wil.'

Stephanie kon weer een beetje helder denken. 'We moeten hier weg.'

73

M<small>ALONE LIEP HET</small> bos in, dat donker en geluidloos was, vervuld van dreigingen. Verderop werd het zonlicht niet door boomkronen tegengehouden: een veld. Hij keek om en zag Viktor niet, maar hij begreep waarom de man was verdwenen. Omdat hij stemmen hoorde, ging hij vlugger lopen, en aan het eind van het pad bleef hij achter een dikke boom staan.

Hij zag Cassiopeia. Vastgebonden tussen twee bomen. Haar armen uitgestrekt. Irina Zovastina stond naast haar.

Viktor had gelijk.

Grote moeilijkheden.

Zovastina ergerde zich aan Cassiopeia Vitt maar was ook nieuwsgierig. 'Blijkbaar vind je het niet erg dat je gaat sterven.'

'Als ik het erg vond zou ik niet met je mee zijn gegaan.'

Ze moest de vrouw een reden geven om te leven. 'Je vroeg in het vliegtuig naar Ely. Of hij nog leefde. Ik heb je geen antwoord gegeven. Wil je het weten?'

'Ik zou geen woord geloven van wat je zei.'

Ze haalde haar schouders op. 'Dat is redelijk. Ik zou het ook niet geloven.'

Ze haalde een telefoon uit haar zak en drukte op een van de toetsen.

Stephanie hoorde een pieptoon. Ze keek naar de dode man die op de rotsige grond lag.

Thorvaldsen hoorde het ook.

'Het is Zovastina,' zei Ely. 'Ze belt me op de telefoon die hij meebrengt.'

Ze sprong op het lijk af, vond het apparaatje en zei tegen Ely: 'Neem op.'

Cassiopeia hoorde Zovastina zeggen: 'Er is hier iemand die met je wil praten.'

Zovastina hield de telefoon dicht bij haar oor. Cassiopeia was niet van plan iets te zeggen, maar de stem aan de andere kant joeg een elektrische schok door haar heen.

'Wat is er, minister?' Stilte. 'Minister?'

Ze kon er niets aan doen. De stem bevestigde al haar twijfels.

'Ely, met Cassiopeia.'

Stilte.

'Ely? Ben je daar?' Haar ogen brandden.

'Ik ben er. Ik ben alleen geschokt. Ik ben zo blij je stem te horen.'

'Dat wou ik ook net zeggen.' De emotie golfde door haar heen. Dit veranderde alles.

'Wat doe je hier?' vroeg Ely.

'Ik zocht jou. Ik wist... Ik hóópte dat je niet dood was.' Ze hield zich met moeite in de hand. 'Gaat het goed met jóú?'

'Ja, maar ik maak me zorgen om jou. Henrik is hier met een zekere Stephanie Nelle.'

Dat was nieuws. Cassiopeia probeerde haar angst opzij te zetten en zich te concentreren. Blijkbaar wist Zovastina niet wat er gebeurde op de plaats waar Ely werd vastgehouden. 'Vertel de minister wat je mij net hebt verteld.'

Zovastina luisterde naar de telefoon.

Stephanie hoorde Ely hetzelfde zeggen. Ze begreep dat het een schok voor Cassiopeia was, maar waarom wilde Cassiopeia dat Ely tegen de minister-president zei dat ze daar waren?

Zovastina zei in de telefoon: 'Wanneer zijn je vriend Thorvaldsen en die vrouw hier aangekomen?'

'Kortgeleden. Je gardist wilde ze doden, maar die is nu zelf dood.'

'Minister,' zei een andere stem in haar oor, een stem die ze meteen herkende.

Thorvaldsen.

'Wij hebben Ely.'

'En ik heb Cassiopeia Vitt. Ik zou zeggen dat ze nog zo'n tien minuten te leven heeft.'

'We hebben het raadsel opgelost.'

'Niets dan gepraat. Van jou en Vitt. Heb je ook iets concreets?'

'O, ja. We zijn voor de avond bij het graf. Maar dat zul jij nooit weten.'

'Je bent in mijn Federatie,' maakte ze duidelijk.

'We konden binnenkomen, Ely gevangennemen en met hem vertrekken zonder dat jij het zelfs maar wist.'

'Maar je vond het nodig me dat te vertellen.'

'Het enige wat jij hebt, en wat ik wil, is Cassiopeia. Bel terug als je zaken wilt doen.'

De verbinding werd verbroken.

'Was dat wel slim?' vroeg Stephanie aan Thorvaldsen.

'We moeten haar uit balans brengen.'

'Maar we weten niet wat daar gebeurt.'

'Daar ben ik me heel goed van bewust.'

Ze kon zien dat Thorvaldsen zich zorgen maakte.

'We moeten erop vertrouwen dat Cotton het goed aanpakt,' zei hij.

Zovastina vocht tegen het onbehaaglijke gevoel dat door haar heen ging. Deze mensen wisten van geen opgeven; dat moest ze hun nageven.

Ze trok een mes uit zijn leren schede. 'Je vrienden zijn er. En ze hebben Ely. Helaas heeft hij niets wat ik wil hebben, in tegenstelling tot wat Thorvaldsen misschien denkt.'

Ze ging dichter naar de touwen toe. 'Ik zie jou liever doodgaan.'

Malone zag en hoorde alles. Blijkbaar was Ely Lund aan de telefoon. Hij zag dat Cassiopeia daar diep door getroffen werd, maar besefte ook dat er toen iemand anders aan de telefoon kwam. Henrik? Stephanie? Die zouden nu bij Lund zijn.

Hij kon niet langer wachten en kwam dan ook vlug uit zijn schuilplaats tevoorschijn. 'Nu is het genoeg.'

Zovastina stond met haar rug naar hem toe. Hij zag dat ze niet meer in de touwen sneed.

'Het mes,' zei hij. Laat het vallen.'

Cassiopeia keek hem gespannen aan. Hij voelde het ook. Het was een slecht gevoel. Bijna alsof hij hier verwacht werd.

Er kwamen twee mannen tussen de bomen vandaan, hun wapens op hem gericht.

'Malone,' zei Zovastina, terwijl ze zich met grimmige voldoening naar hem omdraaide. 'Je kunt ons niet allemaal doodschieten.'

DEEL 5

74

Vincenti ging zijn bibliotheek in, deed de deur achter zich dicht en schonk iets te drinken in. Kumis. Een plaatselijke specialiteit die hij had leren waarderen. Gefermenteerde merriemelk. Niet veel alcohol maar heel opwindend. Hij dronk het glas in één teug leeg en genoot van de nasmaak van amandel.

Hij schonk er nog een in. Zijn maag knorde. Hij had honger. Hij zou de kok moeten vertellen wat hij voor zijn avondeten wilde. Een dikke plak teriyaki-paardensteak ging er wel in. Die plaatselijke specialiteit had hij ook leren waarderen.

Hij nam nog een slokje Kumis.

Straks zou alles gebeuren. Zijn intuïtieve gevoel van al die jaren geleden was juist gebleken. Alleen Irina Zovastina stond hem nog in de weg.

Hij liep naar zijn bureau. Het huis was voorzien van een verfijnd systeem van satellietcommunicatie en had directe verbindingen met Samarkand en zijn hoofdkantoor in Venetië. Met het glas in de hand zag hij dat er ongeveer een halfuur geleden een e-mail van Kamil Revin was binnengekomen. Ongewoon. Ondanks al zijn jovialiteit had Revin geen enkel vertrouwen in een andere communicatievorm dan een persoonlijke ontmoeting waarbij hij de tijd en plaats bepaalde.

Hij las het bericht: DE AMERIKANEN ZIJN HIER GEWEEST

Zijn vermoeide geest was meteen alert. Amerikanen? Hij wilde net op 'Beantwoorden' klikken toen de deur van de werkkamer openvloog en Peter O'Conner kwam binnenstormen.

'Er komen vier bewapende helikopters op ons af. Van de Federatie.'

Hij ging meteen naar het raam en keek naar het westen. Achter in het dal zag hij vier speldenprikken aan de heldere hemel. Ze werden groter.

'Ze zijn net opgedoken,' zei O'Conner. 'Ik neem aan dat ze niet voor de gezelligheid komen. Verwacht u iemand?'

Nee.

Hij ging naar de computer terug en wiste de e-mail.

'Ze landen binnen tien minuten,' zei O'Conner.

Er was iets mis.

'Komt Zovastina de vrouw halen?' vroeg O'Conner.

'Dat is mogelijk. Maar hoe kan ze het zo snel weten?'

Zovastina had zich nooit kunnen voorstellen wat hij van plan was. Zeker, ze wantrouwde hem zoals hij haar wantrouwde, maar er was geen reden voor machtsvertoon. Tenminste, niet op dit moment. En dan was Venetië er ook nog, en wat er gebeurd was toen hij tegen Stephanie Nelle in actie kwam. En de Amerikanen?

Wat wist hij niet?

'Ze draaien bij om te landen,' zei O'Conner, die nog bij het raam stond.

'Ga haar halen.'

O'Conner rende de kamer uit.

Vincenti schoof een van zijn bureauladen open en haalde er een pistool uit. Ze hadden de bewakingseenheid die het landgoed uiteindelijk nodig zou hebben nog niet in dienst genomen. Dat alles zou in de komende weken gebeuren, terwijl Zovastina in beslag genomen werd door haar oorlogsplannen. Hij wist dat ze dan afgeleid zou zijn en had daar optimaal gebruik van willen maken.

Karyn Walde kwam in een ochtendjas en op pantoffels de bibliotheek binnen. Ze stond op eigen kracht. O'Conner liep achter haar aan.

'Hoe voel je je?' vroeg hij.

'Beter dan in maanden. Ik kan lopen.'

Er was al een arts uit Venetië onderweg om haar secundaire infecties te behandelen. Ze had het geluk dat die te genezen waren. 'Het zal een paar dagen duren voordat je helemaal bent hersteld. Maar op dit moment wordt het virus door een roofdier aangevallen waartegen het zich niet kan verweren. En wij trouwens ook niet.'

O'Conner ging weer bij het raam staan. 'Ze zijn op de grond. Troepen. Aziaten. Zo te zien zijn ze van haar.'

Hij keek Walde aan. 'Blijkbaar wil Irina je terug hebben. We weten niet precies wat er aan de hand is.'

Hij liep door de kamer naar een ingebouwde boekenkast met rijk bewerkte glazen deuren. Het hout was afkomstig uit China, samen met de vakman die het meubel had gemaakt. Maar O'Conner had er iets aan toegevoegd. Hij drukte op de knop van een apparaatje dat hij in zijn zak had en een springveermechanisme boven en onder de kast liet het gevaarte honderdtachtig graden draaien. Erachter bevond zich een verlichte gang.

Walde was onder de indruk. 'Het lijkt wel een griezelfilm.'

'Dat is dit misschien ook geworden,' zei hij. 'Peter, ga vragen wat ze willen en betuig spijt omdat ik er niet ben om ze te begroeten.' Hij maakte een gebaar naar Walde. 'Kom mee.'

Stephanies handen beefden nog toen ze Ely het lijk naar de achterkant van de hut zag slepen. Het zat haar nog steeds dwars dat Zovastina wist dat ze in de Federatie waren. Het was niet bepaald slim om dat aan iemand te vertellen die over zo veel middelen beschikte als zij. Ze moest erop vertrouwen dat Thorvaldsen wist wat hij deed, vooral omdat zijn hachje ook op het spel stond.

Ely kwam samen met Thorvaldsen de hut uit. Hij had zijn arm vol boeken en papieren. 'Die heb ik nodig.'

Ze keek naar het pad dat naar de weg terug leidde. Er was niets te zien of te horen. Thorvaldsen kwam naast haar staan. Hij zag dat haar hand beefde en pakte hem vast. Geen van beiden zei een woord. Ze hield het pistool nog in haar bezwete handpalm. Omdat ze zich moest concentreren, vroeg ze: 'Wat gaan we precies doen?'

'We weten de plaats,' zei Ely. 'Klimax. Dus laten we gaan kijken wat daar is. Dat is de moeite waard.'

Ze probeerde zich de woorden van Ptolemaeus te herinneren en citeerde ze: '*Beklim de door goden gebouwde muren. Kijk op de zolder in het geelbruine oog, en durf het verre toevluchtsoord te vinden.*'

'Ik herinner me het raadsel,' zei Ely. 'Ik moet wat informatie nakijken, mijn geheugen opfrissen, maar dat kan ik onderweg doen.'

'Waarom zat Zovastina achter de olifantpenningen aan?' vroeg ze.

'Ik had haar op een verband tussen het raadsel en een teken op de penningen gewezen. Een symbool. Het leek op twee B's die met een A waren verenigd. Het staat op de ene kant van de penning en het zit ook in het raadsel. Dat moest betekenis hebben. Omdat er maar acht waren, zei ze dat ze die in handen wilde krijgen om ze te vergelijken. Maar ze zei tegen mij dat ze ze ging kopen.'

'Niet bepaald,' zei Stephanie. 'Ik ben nog steeds stomverbaasd. Dit alles is meer dan tweeduizend jaar oud. Als er iets bestond, zou het toch al gevonden zijn?'

Ely haalde zijn schouders op. 'Dat is moeilijk te zeggen. Laten we wel wezen. De aanwijzingen waren niet algemeen bekend. Er moest röntgenfluorescentie aan te pas komen om de belangrijkste aanwijzing te ontdekken.'

'Maar Zovastina wil het hebben. Wat het ook is.'

Ely knikte. 'Ik heb haar altijd een beetje vreemd gevonden. In haar gedachten is ze Alexander, of Achilles, of een andere epische held. Ze geniet van zulke romantische denkbeelden. Voor haar is het een queeste. Ze denkt dat er daar een of andere genezing te vinden is. Daar had ze het vaak over. Het was erg belangrijk voor haar, maar ik weet niet waarom.' Ely zweeg even. 'Ik wil niet zeggen dat het voor mij niet ook belangrijk was. Haar enthousiasme was aanstekelijk. Ik begon echt te geloven dat er misschien iets zou zijn.'

Ze zag dat hij moeite had met alles wat er gebeurd was en zei: 'Misschien heb je gelijk.'

'Dat zou verbijsterend zijn, hè?'

'Maar hoe zou er verband kunnen bestaan tussen de heilige Marcus en Alexander de Grote?' vroeg Thorvaldsen.

'We weten dat het lichaam van Alexander de Grote tot 391 na Christus in Alexandrië is geweest. Toen werd alles wat heidens was eindelijk in de ban gedaan. Daarna wordt het nergens meer vermeld. Het lichaam van de heilige Marcus dook omstreeks 400 weer in Alexandrië op. Bedenk wel dat heidense relikwieën vaak voor christelijke doeleinden werden gebruikt.

Ik heb over veel voorbeelden daarvan uit Alexandrië gelezen. Een bronzen beeld van Saturnus in het Caesareum werd gesmolten om een kruis voor de patriarch van Alexandrië te maken. Het Caesareum zelf werd een christelijke kathedraal. Op grond van alles wat ik over de heilige Marcus en Alexandrië te weten kon komen, heb ik de theorie dat een vierde-eeuwse patriarch een manier heeft bedacht om niet alleen het lichaam van de stichter van de stad te behouden maar het christendom ook aan een krachtig relikwie te helpen. Een win-winsituatie. En dus werd Alexander gewoon de heilige Marcus. Wie zou het verschil zien?'

'Het lijkt me nogal vergezocht,' zei ze.

'Ik weet het niet. Jij zegt dat Ptolemaeus iets in die mummie in de kerk heeft achtergelaten wat je regelrecht hierheen heeft geleid. Ik zou zeggen dat de theorie nu wordt gestaafd door de realiteit.'

'Hij heeft gelijk,' zei Thorvaldsen. 'Het is de moeite waard om naar het zuiden te gaan en te gaan kijken.'

Ze was het daar niet helemaal mee eens, maar het was overal beter dan waar ze nu waren. In elk geval zouden ze in beweging zijn. Maar er schoot haar iets te binnen. 'Je zei dat de omgeving van Klimax tegenwoordig particulier eigendom is. Misschien krijgen we niet zo gemakkelijk toegang.'

Ely glimlachte. 'Misschien mogen we van de nieuwe eigenaar wel wat rondkijken.'

75

MALONE ZAT IN de val. Hij had het kunnen weten. Viktor had hem regelrecht naar Zovastina geleid.

'Kom je mevrouw Vitt redden?'

Hij had het pistool nog in zijn hand.

Zovastina maakte een gebaar. 'Wie wil je doodschieten? Je moet tussen ons drieën kiezen.' Ze wees naar haar gardisten. 'Een van hen schiet jou neer voordat je op de ander kunt schieten.' Ze liet haar mes zien. 'En dan snij ik deze touwen door.'

Het was waar. Hij kon niet veel beginnen.

'Grijp hem,' beval ze de gardisten.

Een van de mannen kwam naar voren, maar een nieuw geluid trok Malones aandacht. Geblaat. Het werd luider. De gardist was drie meter bij hem vandaan toen er geiten over het andere pad kwamen dat naar het *buzkashi*-veld leidde. Eerst een paar, en toen kwam een hele kudde het veld op.

Hoeven stampten op de aarde.

Malone zag Viktor op een paard zitten. Hij hield de dieren dicht bijeen en deed zijn best om ze niet te vertragen. Een log tempo ging over in een draf. De achterste geiten duwden tegen de voorste dieren, die in verwarring naar voren werden gestuwd. Hun onverwachte komst had blijkbaar de gewenste uitwerking. De gardisten keken verward en Malone maakte gebruik van dat moment om degene die voor hem stond neer te schieten.

Nog een knal en de andere gardist zakte op de grond.

Malone zag dat Viktor het schot had gelost.

De geiten vulden de open plek op. Ze duwden tegen elkaar aan en verkeerden nog steeds in grote verwarring. Geleidelijk beseften ze dat ze alleen nog tussen de bomen door konden.

Het stof kolkte op.

Malone zag Zovastina en baande zich een weg tussen de stinkende dieren door naar Cassiopeia en haar.

De kudde trok zich in het bos terug.

Hij kwam bij hen aan op het moment dat Viktor met een pistool in zijn hand uit het zadel gleed. Zovastina stond daar met haar mes, maar Viktor hield haar onder schot en dwong haar een halve meter bij de touwen vandaan te blijven die de twee kromgebogen bomen aan de grond hielden.

'Laat het mes vallen,' zei Viktor.

Zovastina keek geschokt. 'Wat doe je?'

'Jou tegenhouden.' Viktor gebaarde met zijn hoofd. 'Maak haar los, Malone.'

'Weet je wat?' zei Malone. 'Maak jij Cassiopeia los, dan hou ik de minister in de gaten.'

'Vertrouw je me nog steeds niet?'

'Laten we zeggen dat ik dit liever op mijn manier doe.' Hij bracht zijn pistool omhoog. 'Zoals hij zei: laat het mes vallen.'

'En anders?' zei Zovastina. 'Schiet je me dan dood?'

Hij schoot in de grond, tussen haar benen, en ze deinsde terug. 'De volgende komt in je hoofd.'

Ze liet het mes los.

'Schop het deze kant op.'

Dat deed ze.

'Wat doe jij hier?' vroeg Cassiopeia hem.

'Ik was het je verschuldigd. Geiten?' zei hij tegen Viktor, die Cassiopeia losmaakte.

'Je gebruikt wat je hebt. Het leek me een goede afleiding.'

Dat kon hij niet tegenspreken.

'Werk je voor de Amerikanen?' vroeg Zovastina aan Viktor.

'Dat klopt.'

Het vuur kolkte in haar ogen.

Cassiopeia schudde de touwen van zich af en deed een uitval naar Zovastina. Ze haalde uit met haar vuist en stompte de andere vrouw recht in haar gezicht. Een schop tegen de knieën en Zovastina strompelde achteruit. Cassiopeia ging door met haar aanval. Ze plantte haar voet in Zovastina's buik en liet het hoofd van de vrouw tegen een boomstam dreunen.

Zovastina zakte op de grond en bleef stil liggen.

Malone had er rustig naar staan kijken. 'Moest je je even afreageren?'

Cassiopeia haalde diep adem. 'Ik had haar nog meer kunnen geven.' Ze zweeg even en wreef over haar polsen, die schrijnden van de touwen. 'Ely leeft nog. Ik heb door de telefoon met hem gepraat. Stephanie en Henrik zijn bij hem. We moeten gaan.'

Malone keek Viktor aan. 'Ik dacht dat Washington geheim wilde houden dat jij voor ze werkt.'

'Ik kon niet anders.'

'Je stuurde mij deze val in.'

'Heb ik gezegd dat je op haar af moest gaan? Je gaf me niet de kans om iets doen. Toen ik zag wat je probleem was, deed ik wat ik moest doen.'

Malone dacht daar anders over, maar hij had geen tijd om hem tegen te spreken. 'Wat doen we nu?'

'We gaan weg. We hebben een beetje tijd. Niemand zal haar hier willen storen.'

'En de schoten?' vroeg Malone.

'Die vallen niet op.' Viktor wees om zich heen. 'Dit is haar slachtterrein. Er zijn hier veel vijanden geëlimineerd.'

Cassiopeia tilde Zovastina op van de grond.

'Wat doe je?' vroeg Malone.

'Ik bind dit kreng aan die touwen vast. Dan weet ze ook eens hoe dat voelt.'

Stephanie reed met Henrik voorin en Ely op de achterbank. Ze hadden de auto van de gardist moeten nemen, want die van henzelf had vier platte banden. Ze gingen vlug bij de hut vandaan, kwamen weer op de weg en reden evenwijdig met het voorgebergte van de Pamirs naar het zuiden, op weg naar wat meer dan tweeduizend jaar geleden de berg Klimax werd genoemd.

'Dit is verbazingwekkend,' zei Ely.

Ze zag in het spiegeltje dat hij de skytale bekeek.

'Toen ik het raadsel van Ptolemaeus las, vroeg ik me af hoe hij een boodschap kon doorgeven. Het is heel slim.' Ely hield de skytale omhoog. 'Hoe hebben jullie het ontdekt?'

'Dat heeft een vriend van ons gedaan: Cotton Malone. Hij is bij Cassiopeia.'

'Moeten we niet kijken hoe het met haar gaat?'

Ze hoorde de gespannen verwachting in zijn stem. 'We moeten erop vertrouwen dat Malone aan zijn kant succes heeft. Ons probleem ligt hier.' Ze praatte weer als het gevoelloze hoofd van een inlichtingendienst, koel en onverschillig, maar toch was ze nog niet hersteld van wat er bij de hut was gebeurd. 'Cotton is goed. Hij redt het wel.'

Thorvaldsen voelde blijkbaar aan in welk lastig parket Ely verkeerde. 'En Cassiopeia is niet hulpeloos. Ze kan op zichzelf passen. Als je ons nu eens vertelt wat we moeten weten om dit alles te begrijpen. We hebben in het manuscript over de drank en over de Scythen gelezen. Wat weet jij van ze af?'

Ze zag dat Ely de skytale voorzichtig neerlegde.

'Het was een nomadisch volk dat in de achtste en zevende eeuw voor Christus uit Centraal-Azië naar het zuiden van Rusland trok. Herodotus heeft over hen geschreven. Ze waren wreed en leefden in stamverband. Ze sneden het hoofd van hun vijanden af en spanden leer om de schedels om er drinkbekers van te maken.'

'Ja, daar bouw je wel een reputatie mee op,' zei Thorvaldsen.

'Hoe staan ze met Alexander in verband?' vroeg ze.

'In de vierde en derde eeuw voor Christus vestigden ze zich in wat later Kazachstan werd. Ze verzetten zich met succes tegen Alexander, versperden hem de weg over de rivier de Syr Darja. Hij vocht verwoed tegen hen, raakte verscheidene keren gewond, maar sloot uiteindelijk een wapenstilstand. Ik zou niet willen zeggen dat Alexander bang was voor de Scythen, maar hij had wel respect voor hen.'

'En de drank?' zei Thorvaldsen. 'Was die van hen?'

Ely knikte. 'Ze gaven Alexander de drank. Dat hoorde bij de vrede die ze met hem sloten. En blijkbaar gebruikte hij hem om zichzelf te genezen. Het schijnt een soort natuurgeneesmiddel geweest te zijn. Alexander, Hephaestion en de assistent van die arts die in een van de manuscripten voorkomt werden er allemaal door genezen. Als je tenminste op de verslagen mag afgaan.

'De Scythen zijn een vreemd volk,' ging Ely verder. 'Toen ze een keer in een gevecht met de Perzen verwikkeld waren, verlieten ze allemaal het slagveld om op een konijn te jagen. Niemand weet waarom, maar het staat in een officieel verslag.

'Ze hadden verstand van goud en gebruikten en droegen er enorme hoeveelheden van. Ornamenten, riemen, borstplaten, zelfs hun wapens waren met goud versierd. Scythische grafheuvels liggen vol gouden voorwerpen. Maar hun grote probleem was de taal. Ze waren ongeletterd. Er zijn geen schriftelijke verslagen van hen bewaard gebleven. Alleen afbeeldingen, fabels en verslagen van anderen. Er zijn maar een paar van hun woorden bekend, en dat hebben we aan Herodotus te danken.'

Ze zag zijn gezicht in het spiegeltje en besefte dat er nog meer was. 'Wat is er?'

'Zoals ik al zei, zijn maar een paar van hun woorden bekend gebleven. *Pata* betekent doden. *Spou* oog. *Oior* man. En dan is er *arima*.' Hij zocht in enkele van de papieren die hij had meegebracht. 'Tot nu toe betekende dat niet veel. Denk eens aan het raadsel. *Kijk op de zolder in het geelbruine oog.* Ptolemaeus vocht met Alexander tegen de Scythen. Hij kende ze. *Arima* betekent ruwweg plaats aan de top.'

'Zoals een zolder,' zei ze.

'Nog belangrijker. De plaats die de Grieken vroeger Klimax noemden, dus de plaats waar wij heen gaan, is door de plaatselijke bevolking altijd Arima genoemd. Ik weet dat nog van de vorige keer dat ik daar was.'

'Te veel toeval?' vroeg Thorvaldsen.

'Het lijkt erop dat alle wegen daarheen wijzen.'

'En wat hopen we te ontdekken?' vroeg Stephanie.

'De Scythen bedekten de graftomben van hun koningen met heuvels, maar ik heb gelezen dat voor sommige belangrijke leiders een plaats in de bergen werd gekozen. Dit was de uiterste rand van Alexanders rijk. De oostelijke grens. Ver van huis. Hier zou hij niet worden verstoord.'

'Misschien wilde hij dat zo?' vroeg ze.

'Geen idee. Het lijkt me zo vreemd.'

Dat vond zij ook.

Zovastina deed haar ogen open. Ze lag op de grond en herinnerde zich meteen de aanval van Cassiopeia Vitt. Ze schudde de verwarring uit haar hoofd en besefte dat iets strak om haar beide polsen zat.

Toen wist ze het. Ze was aan de bomen vastgebonden, precies zoals ze met Vitt had gedaan. Ze schudde haar hoofd. Vernederend.

Ze stond op en keek naar het veld.

De geiten, Malone, Vitt en Viktor waren weg. Een van de gardisten lag dood op de grond, maar de andere leefde nog. Hij zat tegen een boom en bloedde uit een schouderwond.

'Kun je je bewegen?' vroeg ze.

De man knikte maar leed duidelijk veel pijn. Haar hele Heilige Schare bestond uit harde, gedisciplineerde mannen. Daar had ze voor gezorgd. Haar moderne versie was even onbevreesd als de Schare uit Alexanders tijd.

De gardist krabbelde overeind, zijn rechterarm om zijn linkerarm geklemd.

'Het mes,' zei ze. 'Daar, op de grond.'

Er kwam geen enkel geluid van pijn over zijn lippen. Ze probeerde zich zijn naam te herinneren, maar dat lukte haar niet. Viktor had alle leden van de Heilige Schare gerekruteerd, en ze had erover gewaakt niet aan individuele leden gehecht te raken. Het waren objecten. Instrumenten die ze kon gebruiken. Meer niet.

De man wankelde naar het mes en slaagde erin het van de grond te pakken.

Hij kwam dicht bij de touwen, verloor zijn evenwicht en viel op zijn knieën.

'Je kunt het,' zei ze. 'Vecht tegen de pijn. Concentreer je op je plicht.'

De gardist vermande zich. Het zweet liep over zijn voorhoofd en ze zag vers bloed uit de wond sijpelen. Het was een wonder dat hij geen shock had. Die potige kerel moest wel in fysieke topconditie verkeren.

Hij bracht het mes omhoog, haalde een paar keer diep adem en sneed toen de touwen door die haar rechterpols in bedwang hielden. Ze ondersteunde zijn bevende arm toen hij haar het mes gaf, en ze bevrijdde zich uit het andere touw.

'Je hebt het goed gedaan,' zei ze.

Hij glimlachte om het compliment. Zijn ademhaling ging moeizaam en hij zat nog op zijn knieën.

'Ga liggen. Rust wat uit,' zei ze.

Ze hoorde dat hij op de grond ging liggen terwijl zij op de woudbodem aan het zoeken was. Bij het andere lichaam vond ze een pistool.

Ze keerde naar de gewonde gardist terug.

Hij had gezien dat ze kwetsbaar was. Voor het eerst in lange tijd had ze zich kwetsbaar gevoeld.

De man lag op zijn rug, zijn hand nog op zijn schouder.

Ze stond bij hem. Zijn donkere ogen keken haar aan en ze zag daarin dat hij het wist.

Ze glimlachte om zijn moed.

Toen richtte ze het pistool op zijn hoofd en haalde de trekker over.

76

MALONE KEEK NAAR het ruige terrein, een mengeling van droge aarde, grasland, glooiende heuvels en bomen. Viktor bestuurde de helikopter, een Hind, die enkele kilometers bij het paleis vandaan op een betonnen platform had gestaan. Hij kende het toestel. Het was van Russische makelij en had twee turboshaftmotoren bovenop, die een hoofd- en staartrotor aandreven. De Sovjets noemden het een vliegende tank. De NAVO had het gemeen ogende ding de naam Crocodile gegeven vanwege zijn camouflagekleur en opvallende fuselage. Al met al was het een formidabele bewapende helikopter, en dit toestel had ook een extra groot achtercompartiment voor beperkt troepentransport. Gelukkig hadden ze het paleis en Samarkand zonder problemen kunnen verlaten.

'Waar heb je leren vliegen?' vroeg hij Viktor.

'Bosnië. Kroatië. Dat deed ik in het leger. Zoeken en vernietigen.'

'Een geschikte omgeving om stalen zenuwen op te bouwen.'

'En om doodgeschoten te worden.'

Dat kon hij niet tegenspreken.

'Hoe ver?' vroeg Cassiopeia door de headset.

Ze vlogen met een snelheid van bijna driehonderd kilometer per uur naar het oosten, naar Ely's hut in de Pamirs. Zovastina zou straks worden bevrijd, of misschien was dat al gebeurd, en dus vroeg hij: 'Als er nu eens iemand achter ons aan komt?'

Viktor wees voor zich uit. 'Die bergen geven ons dekking. Het is moeilijk om daar iets te volgen. We zijn gauw tussen de bergen, en dan is het nog maar een paar minuten naar de Chinese grens. Daar kunnen we altijd nog heen gaan.'

'Doe niet alsof je me niet hebt gehoord,' zei Cassiopeia. 'Hoe ver?'

Malone had met opzet geen antwoord gegeven. Ze was gespannen. Hij wilde tegen haar zeggen dat hij wist dat ze ziek was. Haar laten weten dat iemand om haar gaf. Dat hij de frustratie begreep. Maar hij wist wel beter. In plaats daarvan zei hij: 'We gaan zo snel als we kunnen.' Hij zweeg even. 'Maar waarschijnlijk is dit beter dan aan bomen vastgebonden te zijn.'

'Ik denk dat ik dat nooit te boven kom.'

'Of iets van die strekking.'

'Oké, Cotton, ik ben een beetje van streek. Maar je moet begrijpen dat ik dacht dat Ely dood was. Ik wilde dat hij in leven was, maar ik wist... Ik dacht...' Ze hield zich in. 'En nu...'

Hij draaide zich om en zag opwinding in haar ogen. Dat gaf hem energie en stemde hem droevig tegelijk. Toen bedwong hij zichzelf en maakte hij haar zin af. 'En nu is hij bij Stephanie en Henrik. Dus maak je niet druk.'

Ze zat in haar eentje in het achtercompartiment. Hij zag haar Viktor op zijn schouder tikken. 'Wist jij dat Ely in leven was?'

Viktor schudde zijn hoofd. 'Toen ik op die boot in Venetië tegen je zei dat hij dood was, was dat bedoeld als een provocatie. Ik moest iets zeggen. In werkelijkheid heb ik Ely gered. Zovastina dacht dat iemand het op zijn leven had voorzien. Hij was haar adviseur en politieke moord was aan de orde van de dag in de Federatie. Ze wilde dat Ely werd beschermd. Na die aanslag op zijn leven verborg ze hem. Ik heb daarna niets meer met hem te maken gehad. Ik was weliswaar commandant van de garde, maar zij had de leiding. Dus ik weet echt niet wat er met hem is gebeurd. Ik heb geleerd geen vragen te stellen en gewoon te doen wat ze zei.'

Het ontging Malone niet dat Viktor in de verleden tijd sprak. 'Als ze je te pakken krijgt, vermoordt ze je.'

'Ik kende de regels voordat dit alles begon.'

Ze bleven in een rechte lijn vliegen. Hij had nog nooit in een Hind gezeten. Het instrumentenpaneel was indrukwekkend, evenals de vuurkracht. Geleide projectielen. Machinegeweren met veel lopen. Dubbel geschut.

'Cotton,' zei Cassiopeia, 'kun jij met Stephanie communiceren?'

Niet een vraag die hij op dat moment wilde beantwoorden, maar hij had geen keus. 'Ja.'

'Geef hem aan mij.'

Hij vond de satelliettelefoon – afkomstig van de Magellan Billet en hem in Venetië door Stephanie overhandigd – en draaide het nummer, waarna hij zijn headset afzette. Er gingen enkele seconden voorbij voordat een pulserende zoemtoon bevestigde dat er verbinding was en hij door Stephanies stem werd begroet.

'We komen jouw kant op,' zei hij.

'We zijn bij de hut vandaan,' zei ze. 'We rijden in zuidelijke richting over een weg die M45 heet naar wat ooit de berg Klimax was. Ely weet waar het is. Hij zegt dat de plaatselijke bevolking die plaats Arima noemt.'

'Ga door.'

Hij luisterde en herhaalde de informatie voor Viktor, die knikte. 'Ik weet waar dat is.'

Viktor liet de helikopter naar het zuidoosten zwenken en voerde de snelheid op.

'We komen eraan,' zei Malone tegen Stephanie. 'Iedereen hier is ongedeerd.'

Hij zag dat Cassiopeia de telefoon wilde hebben, maar dat zou niet gebeuren. Hij schudde zijn hoofd in de hoop dat ze zou begrijpen dat dit niet het juiste moment was. Maar om haar te troosten vroeg hij Stephanie: 'Ely ongedeerd?'

'Ja, maar gespannen.'

'Ik weet wat je bedoelt. We zijn daar eerder dan jullie. Ik zal bellen. We kunnen de omgeving vanuit de lucht verkennen tot jullie er zijn.'

'Heb je iets aan Viktor gehad?'

'We zouden hier nu niet zijn als hij er niet was geweest.'

Hij verbrak de verbinding en vertelde Cassiopeia waar Ely heen ging. In de cabine ging een alarm af.

Hij keek op het radarscherm en zag twee objecten vanuit het westen naderen.

'Black Sharks,' zei Viktor. 'Ze komen recht op ons af.'

Malone kende die helikopters ook. De NAVO noemde ze Hokums. KA-50's. Snel, efficiënt, uitgerust met geleide projectielen en 30 mm-geschut. Hij zag dat Viktor de bedreiging ook inzag.

'Ze hebben ons snel gevonden,' zei Malone.

'Er is hier een basis in de buurt.'

'Wat wil je gaan doen?'

Ze gingen omhoog en veranderden van koers. Tweeduizend meter. Vijfentwintighonderd. Ten slotte drieduizend.

'Kun je die wapens gebruiken?' vroeg Viktor.

Malone zat op de stoel van de boordschutter en keek naar het instrumentenpaneel. Gelukkig kon hij Russisch lezen. 'Ik red me wel.

'Bereid je dan voor op een gevecht.'

77

Samarkand

ZOVASTINA KEEK NAAR haar generaals, die het oorlogsplan bestudeerden. De mannen aan haar vergadertafel waren haar meest vertrouwde ondergeschikten, al werd dat vertrouwen getemperd door het besef dat er een of meer verraders tussen konden zitten. Na de afgelopen vierentwintig uur kon ze nergens meer zeker van zijn. Deze mannen waren allemaal van meet af aan bij haar geweest. Ze waren tegelijk met haar opgekomen. Ze hadden de offensieve kracht van de Federatie gestaag uitgebouwd en zich voorbereid op wat er ging komen.

'We nemen eerst Iran,' zei ze.

Ze kende de berekeningen. Pakistan telde momenteel honderdzeventig miljoen inwoners. Afghanistan tweeëndertig miljoen. Iran achtenzestig miljoen. Alle drie waren doelwit. Oorspronkelijk had ze een gelijktijdige aanval willen uitvoeren, maar nu zag ze meer in een strategische operatie. Als de besmettingspunten met zorg werden gekozen, dus op plaatsen met een maximale bevolkingsdichtheid, en als de virussen goed werden geplant, zou het aantal inwoners volgens de computermodellen binnen veertien dagen met minstens zeventig procent afnemen. Ze vertelde de mannen wat ze al wisten en voegde eraan toe: 'We hebben totale paniek nodig. Een crisis. De Iraniërs moeten onze hulp nodig hebben. Wat zijn jullie plannen?'

'We beginnen met hun strijdkrachten en overheid,' zei een van de generaals. 'De meeste virale middelen werken binnen achtenveertig uur. Maar we zullen de virussen variëren. Ze zullen een virus vrij snel kunnen identificeren, maar dan krijgen ze alweer met een ander virus te maken. Zo blijven ze bezig en kunnen ze niet met een productieve medische reactie komen.'

Ze had zich daar zorgen over gemaakt, maar nu niet meer. 'De wetenschappers hebben me verteld dat de virussen zijn aangepast, zodat het nog moeilijker is ze te detecteren en te bestrijden.'

Er zaten acht mannen om de tafel, alle acht afkomstig uit haar landmacht en luchtmacht. Centraal-Azië had lange tijd een kwijnend bestaan tussen China, de Sovjet-Unie, India en het Midden-Oosten geleid. Het had van niets van dat alles deel uitgemaakt, maar was door al die machten begeerd. Het grote spel was hier twee eeuwen geleden gespeeld, toen Rusland en Groot-Brittannië met elkaar om de hegemonie streden en zich niets aantrokken van wat de inheemse bevolkingen wilden.

Nu was het anders.

Centraal-Azië was nu een eenheid met een democratisch gekozen parlement, ministers, verkiezingen, rechtbanken en een rechtsstaat.

Eén stem.

Die van haar.

'En de Europeanen en Amerikanen?' vroeg een generaal. 'Hoe zullen die op onze agressie reageren?'

'Dat mag het niet zijn,' maakte ze duidelijk. 'Het mag geen agressie zijn. We komen gewoon het land in en geven hulp aan de geteisterde bevolking. Ze zullen het veel te druk hebben met het begraven van hun doden om zich druk te maken over ons.'

Ze had van de geschiedenis geleerd. De succesvolste veroveraars van de wereld – de Grieken, Mongolen, Hunnen, Romeinen en Ottomanen – hadden allemaal tolerantie aan de dag gelegd in de landen die ze in bezit hadden genomen. Hitler had de Tweede Wereldoorlog een ander verloop kunnen geven als hij gewoon de hulp had ingeroepen van miljoenen Oekraïeners, die de Sovjets haatten, in plaats van hen te vernietigen. Haar troepen zouden Iran niet als onderdrukkers maar als redders binnentrekken, in de wetenschap dat er in dat land geen tegenstand meer mogelijk was wanneer haar virussen klaar waren met hun werk. Vervolgens zou ze het land annexeren. Ze zou het opnieuw bevolken. Mensen uit de door de Sovjets verwoeste delen van haar natie zou ze naar nieuwe plaatsen laten verhuizen. Ze zou de rassen met elkaar vermengen. Precies doen wat Alexander de Grote met zijn Hellenistische revolutie had gedaan, maar dan omgekeerd, van oost naar west.

'Kunnen we er zeker van zijn dat de Amerikanen niet tussenbeide komen?' vroeg een van de generaals.

Ze begreep wat hij bedoelde. 'De Amerikanen zullen niets zeggen of doen. Waarom zouden ze zich er druk om maken? Na het debacle in Irak zullen ze zich er niet mee bemoeien, zeker niet als wij het vuile werk opknappen. Eigenlijk zullen ze het prachtig vinden dat Iran wordt geëlimineerd.'

'Als we tegen Afghanistan optrekken vallen er Amerikaanse doden,' merkte een van de mannen op. 'Hun leger is daar nog aanwezig.'

'Als het zo ver is zullen we het aantal van die sterfgevallen zo klein mogelijk zien te houden,' zei ze. 'We willen dat de Amerikanen zich uit het land terugtrekken en dat wij het overnemen. Ik neem aan dat die beslissing in de Verenigde Staten erg populair zal zijn. We gebruiken daar een virus dat goed beheersbaar is. Strategische infecties, gericht op specifieke groepen en regio's. De meerderheid van de doden moet onder de inheemse bevolking vallen, vooral onder de taliban. De Amerikaanse strijdkrachten mogen alleen secundair getroffen worden.'

Ze keek elk van de mannen aan de tafel aan. Niet een van hen zei iets over de blauwe plek in haar gezicht, een souvenir van haar kloppartij met Cassiopeia Vitt. Zat haar lek hier aan deze tafel? Hoe waren de Amerikanen zoveel over haar bedoelingen te weten gekomen?

'Er zullen miljoenen sterven,' fluisterde een van de mannen.

'Miljoenen problemen,' verduidelijkte ze. 'Iran is een basis voor terroristen. Een land dat door idioten wordt geregeerd. Dat zegt het Westen keer op keer. Het wordt tijd om een eind aan dat probleem te maken, en wij hebben de middelen. De mensen die het overleven, zullen beter af zijn. Wij ook. We krijgen hun olie en hun dankbaarheid. Ons succes hangt af van wat we daarmee doen.'

Ze luisterde naar hun bespreking van troepensterkten, reserveplannen en strategieën. Er waren teams getraind in het werken met de virussen, en die teams stonden klaar om naar het zuiden te gaan. Ze was blij. Ze had hier jaren naar uitgekeken. Ze stelde zich voor hoe Alexander de Grote zich moest hebben gevoeld toen hij van Griekenland naar Azië overstak en aan zijn verovering van de wereld begon. Net als hij stelde zij zich een volledig succes voor ogen. Als ze Iran, Pakistan en Afghanistan in haar macht had, zou ze op de rest van het Midden-Oosten overgaan. Dat zou ze trouwens subtieler aanpakken. De epidemieën zouden niet meer dan een verbreiding van de aanvankelijke infecties lijken. Als ze het Westen goed begreep, zouden Europa, China, Rusland en Amerika zich in zichzelf terugtrekken. Ze zouden hun grenzen dichtgooien. Reisbeperkingen opleggen. Hopen dat de epidemieën beperkt bleven tot landen waar ze over het geheel genomen toch niets om gaven. Hun dadeloosheid zou haar de tijd geven om nog meer schakels op te eisen van de keten van naties tussen de Federatie en Afrika. Als ze het handig speelde, kon ze binnen enkele maanden het hele Midden-Oosten veroveren zonder zelfs maar een schot te lossen.

'Hebben we de antimiddelen bij de hand?' vroeg haar stafchef ten slotte.

Ze had op die vraag gewacht. 'Jazeker.' Aan de onbehaaglijke vrede tussen haar en Vincenti zou nu gauw een eind komen.

'Philogen heeft geen voorraden geleverd om onze bevolking te behandelen,' merkte een van de mannen op. 'En we hebben niet genoeg om het virus na de overwinning tot staan te brengen.'

'Ik ben me van dat probleem bewust,' zei ze.

Er stond een helikopter klaar.

Ze stond op. 'Heren, we staan op het punt om aan de grootste verovering sinds de oudheid te beginnen. De Grieken kwamen hierheen en versloegen ons. Dat was het begin van het Hellenistische tijdperk, dat uiteindelijk vorm heeft gegeven aan de westerse beschaving. Wij beginnen een nieuwe dageraad in de ontwikkeling van de mensheid. Het Aziatische tijdperk.'

78

CASSIOPEIA MAAKTE ZICH met gordels aan de stalen bank in het achtercompartiment vast. De helikopter slingerde doordat Viktor uitwijkmanoeuvres maakte om aan hun achtervolgers te ontkomen. Ze besefte dat Malone wist dat ze met Ely zou willen praten, maar zag ook in dat dit er niet het moment voor was. Ze stelde het op prijs dat Malone zijn hoofd in de strop had gestoken. Hoe had ze zonder hem aan Zovastina kunnen ontkomen? Het was sterk de vraag of dat haar zou zijn gelukt, zelfs met Viktor aan haar zijde. Thorvaldsen had haar verteld dat Viktor een bondgenoot was, maar hij had haar ook gewaarschuwd voor zijn beperkingen. Zijn missie moest onopgemerkt blijven, maar blijkbaar was die richtlijn veranderd.

'Ze schieten,' zei Viktor door de headset.

De helikopter helde naar links en sneed als een mes door de lucht. Haar gordels hielden haar op haar plaats. Ze greep de bank vast en vocht tegen een misselijkheid, want eerlijk gezegd had ze last van bewegingsziekte. Op boten kwam ze liever niet, en vliegtuigen waren geen probleem zolang ze maar recht vooruit vlogen. Dit daarentegen was wel een probleem. Doordat ze voortdurend van hoogte veranderden, alsof ze in een stuurloze lift zaten, dreigde haar maag naar haar keel te schieten. Ze kon niets anders doen dan zich vasthouden en vurig hopen dat Viktor wist wat hij deed.

Ze zag dat Malone aan het werk was met de instrumenten van het geschut en hoorde schoten aan beide kanten van de fuselage. Ze keek door de cockpit naar voren en zag aan weerskanten bergflanken uit de wolken opdoemen.

'Zijn ze nog achter ons?' vroeg Malone.

'Ze komen er snel aan,' zei Viktor. 'En ze schieten.'

'Raketten die we niet nodig hebben.'

'Vind ik ook. Maar als we die van onszelf afschieten is dat ook gevaarlijk voor ons.'

Ze kwamen in helderder lucht. De helikopter helde naar links en ging snel omlaag.

'Moet dat?' vroeg ze, want haar maag dreigde weer in opstand te komen.

'Helaas wel,' antwoordde Malone. 'We moeten die dalen gebruiken om ze te ontwijken. Erin en eruit, als in een labyrint.'

Ze wist dat Malone ooit in gevechtsvliegtuigen had gevlogen en nog steeds een pilotenbrevet had. 'Ik hou hier helemaal niet van.'

'Gooi gerust je ontbijt eruit.'

'Dat plezier gun ik je niet.' Gelukkig had ze niet meer gegeten sinds ze de vorige dag op Torcello had geluncht.

Het toestel helde steeds weer scherp over. Bulderend vlogen ze door de middaglucht. Het motorgeluid was oorverdovend. Ze had maar een paar keer in een helikopter gezeten, en nooit in een gevechtssituatie. Deze vlucht was zoiets als een rit in een driedimensionale achtbaan.

'Nog twee helikopters in radarbereik,' zei Viktor. 'Maar ze zijn verder naar het noorden.'

'Waar gaan we naartoe?' vroeg Malone.

De helikopter maakte weer een scherpe draai.

'Naar het zuiden,' zei Viktor.

Malone keek naar het radarscherm. De bergen vormden tegelijk een schild en een probleem, want ze konden hun achtervolgers niet goed meer in beeld krijgen. De stipjes kwamen en gingen. De Amerikaanse strijdkrachten vertrouwden voor het krijgen van een helder beeld meer op satellieten en AWACS-vliegtuigen. Gelukkig beschikte de Centraal-Aziatische Federatie niet over die technologisch geavanceerde faciliteiten.

Het radarscherm werd leeg.

'Niets achter ons,' zei Malone.

Hij moest toegeven dat Viktor kon vliegen. Ze manoeuvreerden tussen de Pamirs door en de rotorbladen kwamen soms gevaarlijk dicht bij steile grijze rotswanden. Malone had nooit in een helikopter leren vliegen, al had hij dat altijd gewild, en hij had al tien jaar niet aan de stuurknuppel van een supersonische jager gezeten. Nadat hij voor de Billet was gaan werken, had hij zijn straaljagerbevoegdheid nog een paar jaar gehandhaafd, maar toen had hij hem laten verlopen. Indertijd had hij dat niet erg gevonden. Nu wenste hij dat hij die vaardigheden op peil had gehouden.

Viktor liet de helikopter op tweeduizend meter hoogte vliegen en vroeg: 'Heb je iets geraakt?'

'Moeilijk te zeggen. Ik denk dat we ze hebben gedwongen op afstand te blijven.'

'Onze bestemming ligt ongeveer honderdvijftig kilometer naar het zuiden. Ik ken Arima. Ik ben daar al eerder geweest, al is dat een tijdje geleden.'

'Overal bergen?'

Viktor knikte. 'En dalen. Ik denk dat ik onder alle radars kan blijven. Dit is geen beveiligde zone. De grens met China is al jaren open. De meeste apparaten van Zovastina zijn op het zuiden gericht, op de Afghaanse en Pakistaanse linies.'

Cassiopeia kwam achter hen staan. 'Is het voorbij?'

'Daar lijkt het wel op.'

'Ik ga een omweg maken,' zei Viktor, 'om nieuwe confrontaties te vermijden. Op die manier zijn we een beetje langer onderweg, maar meer naar het oosten lopen we minder gevaar.'

'Hoeveel extra tijd kost ons dat?' vroeg Cassiopeia.

'Ongeveer een halfuur.'

Malone knikte en Cassiopeia maakte geen bezwaar. Kogels ontwijken was tot daaraan toe, maar raketten waren heel iets anders. Het offensieve materieel van de Sovjets was net als hun raketten het beste van het beste. Viktors voorstel was heel verstandig.

Malone liet zich op zijn plaats zakken en keek naar de kale, ronde uitlopers van de bergen. In de verte was een arena van besneeuwde toppen in nevel gehuld. Een rivier slingerde zich met zijn modderige stroom door het purper geaderde voorgebergte. Zowel Alexander de Grote als Marco Polo had over die donkere aarde gelopen. Dit alles was ooit een slagveld geweest. Britse koloniën in het zuiden, Russen in het noorden, Chinezen en Afghanen in het oosten en westen. Bijna de hele twintigste eeuw hadden Moskou en Beijing om de hegemonie gevochten. Ze testten elkaar voortdurend uit en kwamen uiteindelijk tot een onbehaaglijke vrede, met alleen de Pamirs zelf als overwinnaar.

Alexander de Grote had zijn laatste rustplaats met wijsheid gekozen.

Toch vroeg hij het zich af.

Lag Alexander werkelijk daar beneden?

Lag hij daar te wachten?

79

ZOVASTINA VLOOG MET de snelste helikopter van haar luchtmacht rechtstreeks van Samarkand naar Vincenti's landgoed.

Vincenti's huis verhief zich beneden haar. Duur, buitensporig en net als zijn eigenaar zeker niet onmisbaar. Misschien was het toch niet zo'n goed idee geweest om het kapitalisme in de Federatie tot bloei te laten komen. Er moest het een en ander veranderen. De Venetiaanse Liga moest aan banden worden gelegd.

Maar dat was van later zorg.

De helikopter landde.

Nadat Edwin Davis het paleis had verlaten, had ze Kamil Revin opgedragen contact met Vincenti op te nemen en hem van het bezoek op de hoogte te stellen, maar die waarschuwing was zo lang vertraagd dat haar troepen tijd hadden om naar het huis te gaan. Ze had gehoord dat ze het huis in bezit hadden genomen, en dus beval ze haar mannen in de helikopter te blijven waarmee ze waren gekomen, op negen soldaten na. Het huispersoneel was ook geëvacueerd. Ze had niets tegen dorpelingen die alleen maar de kost probeerden te verdienen, Vincenti was degene die ze moest hebben.

Ze stapte uit de helikopter en liep over een strak gazon naar een natuurstenen terras, vanwaar ze het landhuis binnenging. Hoewel Vincenti dacht dat ze zich niet voor zijn landgoed interesseerde, had ze de bouw nauwlettend gevolgd. Drieënvijftig kamers. Elf slaapkamers. Zestien badkamers. De architect had haar meteen de bouwtekeningen verstrekt. Ze wist van de vorstelijke eetzaal, de weelderige salons, de gourmetkeuken en de wijnkelder. Nu ze dat alles met eigen ogen zag, was gemakkelijk te begrijpen waarom er een prijskaartje van acht cijfers voor de komma aan hing.

In de grote hal bewaakten twee soldaten de hoofdingang. Twee andere mannen stonden bij een marmeren trap. Alles hier deed haar aan Venetië denken. En ze had er nooit van gehouden om herinneringen aan een mislukking op te roepen.

Ze keek een van de schildwachten aan, die naar rechts wees met zijn geweer. Ze liep door een gangetje en kwam in een vertrek dat blijkbaar een bibliotheek was. Daar stonden nog drie gewapende mannen, samen met een andere man. Hoewel ze elkaar nooit hadden ontmoet, kende ze zijn naam en achtergrond.

'Meneer O'Conner, u moet een beslissing nemen.'

De man stond op van een leren bank en keek haar aan.

'U hebt lang voor Vincenti gewerkt. Hij vertrouwt op u. En eerlijk gezegd zou hij zonder u misschien niet zo ver zijn gekomen.'

Ze liet haar compliment op hem inwerken en bekeek intussen de weelderige kamer. 'Vincenti leeft in stijl. Krijgt u ook wat van die rijkdom?'

O'Conner zei niets.

'Ik zal u een paar dingen vertellen die u misschien al weet, of misschien niet. Vorig jaar behaalde Vincenti met zijn onderneming een nettowinst van veertig miljoen euro. Hij bezit aandelen ter waarde van meer dan een miljard euro. Wat betaalt hij u?'

Geen antwoord.

'Honderdvijftigduizend euro.' Ze zag de blik in zijn ogen toen de waarheid tot hem doordrong. 'U ziet, meneer O'Conner, dat ik veel weet. U hebt geïntimideerd, gedwongen, zelfs gedood. Hij verdient tientallen miljoenen en u krijgt honderdvijftigduizend euro. Hij leeft in deze stijl en u...' Ze aarzelde. 'U leeft alleen maar.'

'Ik heb nooit geklaagd,' zei O'Conner.

Ze bleef achter Vincenti's bureau staan. 'Nee. Dat klopt. En dat is bewonderenswaardig.'

'Wat wilt u?'

'Waar is Vincenti?'

'Weg. Vertrokken voordat uw mannen kwamen.'

Ze grijnsde. 'Kijk aan. Ook iets waar u goed in bent: liegen.'

Hij haalde zijn schouders op. 'U gelooft maar wat u wilt. Uw mannen hebben het hele huis doorzocht.'

'Dat is zo, en u hebt gelijk. Vincenti is nergens te bekennen. Maar u en ik weten allebei waarom dat zo is.'

Ze keek naar de prachtige albasten beeldjes op het bureau. Chinese figuren. Ze had nooit veel om oosterse kunst gegeven. Ze pakte een van de beeldjes op. Een misvormde dikke man, half gekleed. 'Toen dit monsterlijke huis werd gebouwd, liet Vincenti achtergangen aanleggen. Die gangen zouden zogenaamd door personeel worden gebruikt, maar u en ik weten waarvoor ze in werkelijkheid bestemd waren. Hij heeft ook een grote ondergrondse kamer in de rots beneden ons laten uithakken. Daar zal hij op dit moment wel zijn.'

O'Conner gaf geen krimp.

'Dus zoals ik al zei, meneer O'Conner: aan u de keuze. Ik zal Vincenti vinden, of het nu met of zonder uw hulp is, maar met uw hulp zal het sneller gaan en ik moet toegeven dat tijd van groot belang is. Daarom ben ik bereid te onderhandelen. Ik kan wel iemand als u gebruiken. Vindingrijk.' Ze zweeg. 'Zonder hebzucht. Dus zeg het maar. Loopt u over of blijft u bij Vincenti?'

Ze had anderen dezelfde keuze geboden. In de meeste gevallen waren het leden van de nationale assemblee, van haar regering of van een opkomende oppositie geweest. Sommigen waren het niet waard om gerekruteerd te worden, die kon ze laten elimineren om van ze af te zijn, maar de meesten hadden zich laten bekeren en waren daarna van veel waarde voor haar geweest. Het waren allemaal Aziaten of Russen geweest, of een mengeling daarvan. Nu hield ze een Amerikaan het aas voor. Ze was nieuwsgierig naar zijn reactie.

'Ik loop over,' zei O'Conner. 'Wat kan ik voor u doen?'

'Mijn vraag beantwoorden.'

O'Conner greep in zijn zak en een van de soldaten bracht meteen een geweer omhoog. O'Conner liet vlug zijn lege handen zien. 'Ik heb iets nodig om uw vraag te beantwoorden.'

'Ga uw gang,' zei ze.

Hij haalde een zilverkleurig apparaatje met drie knoppen tevoorschijn. 'In het hele huis leiden deuren naar die kamers, maar je kunt alleen van hieruit in de ondergrondse kamer komen.' Hij liet het apparaatje zien. 'Een van deze knoppen laat elke deur opengaan in geval van brand. Nummer twee zet het alarm aan. Nummer drie' – hij wees door de kamer en drukte erop – 'maakt dat daar open.'

Een elegante Chinese kast draaide rond en liet een zwak verlichte gang zien.

Er ging een warm triomfgevoel door haar heen.

Ze liep naar een van haar soldaten toe en haalde zijn 9 mm-Makarov uit de holster.

Vervolgens draaide ze zich om en schoot ze O'Conner in zijn hoofd.

'Zo'n oppervlakkige loyaliteit kan ik niet gebruiken.'

80

HET GING VERKEERD, en Vincenti wist dat. Maar als hij rustig bleef zitten en voorzichtig was, kwam het vanzelf wel goed. O'Conner zou zoals altijd de zaak afhandelen. Karyn Walde en Grant Lyndsey daarentegen waren heel wat anders.

Karyn liep als een gekooid dier door het lab heen en weer. Haar kracht was blijkbaar teruggekomen en nog versterkt door de spanningen.

'Je moet je ontspannen,' zei hij. 'Zovastina heeft mij nodig. Ze zal geen domme dingen doen.'

Hij wist dat de antistoffen haar in het gareel zouden houden. Dat was precies de reden waarom hij niet had gewild dat ze er veel over te weten kwam.

'Grant, beveilig je computer. Wachtwoordbescherming voor alles, zoals we hebben afgesproken.'

Hij zag dat Lyndsey het nog moeilijker had dan Karyn, maar terwijl zij werd beheerst door woede, was Lyndsey bevangen door angst. Omdat het belangrijk was dat de man helder nadacht, zei hij: 'Hier beneden kan ons niets gebeuren. Maak je niet druk.'

'Ze heeft altijd al de pest aan mij gehad. Vond het verschrikkelijk dat ze met me te maken had.'

'Dat kan wel zijn, maar ze had je nodig, en dat is nog steeds zo. Gebruik dat in je voordeel.'

Lyndsey luisterde niet. Hij was aan het typen en mompelde opgewonden in zichzelf.

'Jullie allebei,' zei Vincent met stemverheffing. 'Rustig nu. We weten niet eens of ze hier is.'

Lyndsey keek op van de computer. 'We zitten hier al een hele tijd. Wat doen die soldaten hier? Wat is er aan de hand?'

Goede vragen, maar hij moest op O'Conner vertrouwen.

'Die vrouw die ze laatst uit het lab heeft meegenomen,' zei Lyndsey. 'Ik geloof nooit dat die in de Federatie is teruggekomen. Ik zag het aan haar ogen. Zovastina ging haar vermoorden. Voor de lol. Ze is bereid miljoenen mensen te vermoorden. Wat zijn wij voor haar?'

'Haar behoud.'

Tenminste, dat hoopte hij.

Stephanie verliet de grote weg en kwam op een verharde kleinere weg met hoge populieren die als schildwachten naast elkaar stonden. Ze waren goed vooruit gekomen, hadden de honderdvijftig kilometer in nog geen twee uur afgelegd. Ely had gezegd dat het reizen hier in de afgelopen paar jaar sterk was veranderd. De wegenbouw had een hoge prioriteit in de Federatie, evenals de aanleg van tunnels. Een nieuw tunnelstelsel in de bergen had de afstand tussen noord en zuid sterk verkleind.

'Het is hier veranderd,' zei Ely vanaf de achterbank. 'Ik was hier twee jaar geleden en toen was dit nog een weg van rots en gruis.'

'Dit asfalt is nieuw,' zei ze.

Een vruchtbaar dal met een ruitpatroon van velden strekte zich voorbij de bomen uit tot aan de grimmige, glooiende heuvels die geleidelijk opklommen tot bergen. Ze zag herders met schapen en geiten. Paarden liepen vrij rond. De weg strekte zich recht tussen de bomen uit en leidde hen in pal oostelijke richting, naar een rij zilveren flanken in de verte.

'We waren hier voor een verkenningsmissie,' zei Ely. 'Veel *chids*. Dat zijn de Pamirhuizen, opgetrokken van steen en pleisterkalk en met platte daken. We hebben in een van die huizen gelogeerd. Er was een klein dorp daar in dat dal. Maar dat is weg.'

Ze had niets meer van Malone gehoord en durfde ook geen contact met hem op te nemen. Ze had geen idee van de situatie waarin hij verkeerde, afgezien van het feit dat het hem blijkbaar gelukt was Cassiopeia te bevrijden en Viktor te compromitteren. Edwin Davis en president Daniels zouden daar niet blij mee zijn, maar de dingen gingen nu eenmaal zelden volgens plan.

'Waarom is alles zo groen?' vroeg Henrik. 'Ik heb altijd gedacht dat de Pamirs droog en woest zijn.'

'De meeste dalen zijn dat ook, maar waar water is, kunnen ze erg mooi zijn. Als een stukje Zwitserland. We hebben de laatste tijd droog weer gehad, met hoge temperaturen. Het was hier veel warmer dan normaal.'

Voor hen uit zag ze tussen de dunne bomenrijen een groot bouwwerk op een met gras begroeid voorgebergte, met onbesneeuwde bergflanken op de achtergrond. Het huis verhief zich met verticale lijnen, onderbroken door steile puntgevels die gedekt waren met zwarte lei. De buitenmuur was een mozaïek van vlakke natuursteen in uiteenlopende nuances van bruin, zilver en goud. De elegante façade was symmetrisch met hoge ramen bezet, elk met brede kroonlijsten. Die ramen weerspiegelden linten van licht van de middagzon. Drie verdiepingen. Vier natuurstenen schoorstenen. Steigers aan de ene kant. Het hele ding deed haar denken aan de vele landhuizen in het noorden van Atlanta of aan iets uit *Architectural Digest*.

'Dat is een huis,' zei ze.

'Een huis dat er twee jaar geleden nog niet stond,' merkte Ely op.

Thorvaldsen keek door de voorruit. 'Blijkbaar is de nieuwe eigenaar van dit alles een rijk man.'

Het huis stond op een kleine kilometer afstand aan de andere kant van een groen dal dat geleidelijk naar het voorgebergte opliep. De weg kwam uit op een ijzeren poort die de doorgang versperde. Twee stenen zuilen ondersteunden als compacte minaretten een smeedijzeren boog met daarop het woord ATTICO.

'Italiaans voor zolder,' zei Thorvaldsen. 'Blijkbaar heeft de nieuwe eigenaar de plaatselijke benaming overgenomen.'

'In dit deel van de wereld zijn plaatsnamen heilig,' zei Ely. 'Dat is een van de redenen waarom de Aziaten zo'n hekel hadden aan de Sovjets. Die veranderden alle plaatsnamen. Natuurlijk werd dat toen de Federatie werd gesticht ongedaan gemaakt. Een van de redenen waarom Zovastina zo populair is.'

Stephanie keek of je vanaf de poort contact kon opnemen met het huis, via een intercom of een knop, maar ze zag niets. In plaats daarvan kwamen er twee mannen achter de minaretten vandaan. Jong, slank, gekleed in camouflagepak, met AK-47's. De een hield zijn wapen op hen gericht en de ander maakte de poort open.

'Een interessante verwelkoming,' zei Thorvaldsen.

Een van de mannen liep naar de auto toe en maakte een gebaar. Hij riep iets in een taal die ze niet verstond.

Maar ze hoefde het ook niet te verstaan.

Ze wist precies wat hij wilde.

Zovastina liep de gang in. Ze had de afstandsbediening uit O'Conners hand gepakt en hem gebruikt om de deur te sluiten. Een rij gloeilampen hing met regelmatige tussenafstanden in ijzeren beugels. De smalle gang kwam na tien meter uit bij een metalen deur.

Ze liep erheen en luisterde.

Geen geluid aan de andere kant.

Ze pakte de deurkruk.

De deur ging open.

Aan de andere kant was een stenen trap, gehakt uit de rots. De trap ging steil omlaag.

Indrukwekkend.

Haar tegenstander had vooruitgedacht.

Vincenti keek op zijn horloge. Hij had al van O'Conner moeten horen. De telefoon aan de muur had een directe verbinding met boven. Hij had zelf niet gebeld, want hij wilde niet bekendmaken dat hij er was. Ze zaten hier nu al bijna drie uur verstopt en hij was uitgehongerd, al roerde zijn maag zich meer van spanning dan van honger.

Hij had de tijd gebruikt om de gegevens op de twee computers van het lab te beveiligen. Hij had ook enkele experimenten afgesloten die Lyndsey en hij hadden gedaan om te verifiëren dat de archaea veilig op kamertemperatuur konden worden opgeslagen, in elk geval in de maanden tussen productie en verkoop. Dat werk had Lyndsey van zijn angst afgeleid, maar Walde was nog steeds onrustig.

'Spoel alles weg,' zei hij tegen Lyndsey. 'Alle vloeistoffen. De oplosmiddelen. De monsters. Laat niets over.'

'Wat doe je?' vroeg Karyn.

Hij had geen zin om met haar in discussie te gaan. 'We hebben ze niet nodig.'

Ze kwam uit de stoel waarin ze had gezeten. 'En mijn behandeling dan? Heb je me genoeg gegeven? Ben ik genezen?'

'Dat weten we morgen of overmorgen.'

'En als ik niet genezen ben? Wat dan?'

Hij keek haar onderzoekend aan. 'Je stelt wel veel eisen voor een vrouw die op sterven na dood was.'

'Geef antwoord. Ben ik genezen?'

Hij negeerde haar vraag en concentreerde zich op het computerscherm. Met enkele muisklikken kopieerde hij alle gegevens naar een memorystick. Vervolgens stelde hij de encryptie van de harde schijf in werking.

Karyn greep hem bij zijn overhemd. 'Jij bent zelf naar mij toe gekomen. Je wilde mijn hulp. Je wilde Irina. Je gaf me hoop. Laat me nu niet aan mijn lot over.'

Deze vrouw zou hem wel eens meer last kunnen bezorgen dan ze waard was. Toch stelde hij zich verzoenend op. 'We kunnen meer maken,' zei hij kalm. 'Dat is niet moeilijk. Als het moet, brengen we je naar de plaats waar de bacteriën leven en kun je ze drinken. Op die manier werken ze ook.'

Zijn woorden stelden haar niet gerust.

'Leugenaar.' Ze liet hem los. 'Ik kan niet geloven dat ik in deze ellende zit.'

Hij ook niet. Maar het was nu te laat.

'Alles klaar?' vroeg hij aan Lyndsey.

De man knikte.

Op dat moment hoorde hij glasgerinkel. Vincenti keek op en zag Karyn met de puntige resten van een kolf op hem af komen. Ze bracht de geïmproviseerde dolk dicht bij zijn buik. Haar ogen schitterden van vuur. 'Ik moet het weten. Ben ik genezen?'

'Geef haar antwoord,' zei iemand.

Hij draaide zich om naar de uitgang van het lab.

Irina Zovastina stond met een pistool in de deuropening. 'Is ze genezen, Enrico?'

81

MALONE ZAG EEN huis op ongeveer drie kilometer afstand. Viktor had hen hier vanuit het noorden naartoe gevlogen, nadat hij was uitgeweken naar het oosten en de Chinese grens had gevolgd. Malone keek naar het huis en schatte het op zo'n vierduizend vierkante meter, verspreid over drie verdiepingen. Ze zagen de achterkant; de voorkant keek uit over een dal dat aan drie kanten door bergen werd omringd. Het huis was blijkbaar met opzet op een vlakke, rotsige heuvel gebouwd om uitzicht op die brede vlakte te hebben. Er stonden steigers tegen een van de kanten en daarop waren blijkbaar metselaars aan het werk geweest. Hij zag een zandheuvel en een cementmolen. Achter het voorgebergte werd een ijzeren omheining gebouwd. Sommige delen stonden al overeind, andere lagen klaar. Geen bouwvakkers. Geen bewakers. Niemand te zien.

Naast het huis stond een garage met zes deuren, die dicht waren. Een zorgvuldig onderhouden tuin strekte zich uit tussen een terras en een bos dat tot aan de voet van een van de bergen liep. De bomen hadden kopergele nieuwe voorjaarsbladeren.

'Van wie is dat huis?' vroeg Malone.

'Ik heb geen idee. De vorige keer dat ik hier was, twee of drie jaar geleden, stond het er niet.'

'Is het hier?' vroeg Cassiopeia, die over zijn schouder meekeek.

'Dit is Arima.'

'Het is verrekte stil daar beneden,' zei Malone.

'We zijn afgeschermd door de bergen,' merkte Viktor op. 'Niets op het radarscherm. We zijn alleen.'

Malone zag een pad door een bosje lopen. Het ging de rotsen op en verdween in een donkere kloof. Hij zag ook iets wat op een elektriciteitslijn leek tegen de berg op naar boven gaan, evenwijdig met het pad en dicht bij de grond vastgezet. 'Zo te zien interesseert iemand zich voor die berg.'

'Dat heb ik ook gezien,' zei Cassiopeia.

Hij zei: 'We moeten uitzoeken wie de eigenaar van dit huis is. Maar we moeten ook voorbereid zijn.' Hij had het pistool nog dat hij naar de Federatie had meegebracht, maar hij had patronen verbruikt. 'Heb je wapens aan boord?'

Viktor knikte. 'De kast achterin.'

Hij keek Cassiopeia aan. 'Pak er een voor ieder van ons.'

Zovastina genoot van de schrik op het gezicht van Lyndsey en Vincenti. 'Dacht je dat ik achterlijk was?'

'Val dood, Irina,' zei Karyn.

'Zo is het genoeg.' Zovastina bracht haar pistool omhoog.

Karyn aarzelde even en trok zich toen achter een van de tafels terug. Zovastina keek Vincenti weer aan. 'Ik heb je voor de Amerikanen gewaarschuwd. Ik heb je gezegd dat ze ons in de gaten hielden. Is dit jouw manier om je dankbaarheid te tonen?'

'Verwacht je dat ik dat geloof? Als de antistoffen er niet waren geweest, had je me allang gedood.'

'Jij en je Liga wilden een veilige haven. Die gaf ik jullie. Jullie wilden financiële vrijheid. Die kregen jullie. Jullie wilden land, markten, manieren om geld wit te wassen. Dat gaf ik jullie allemaal. Maar het was niet genoeg, hè?'

Vincenti keek haar weer aan. Hij hield zijn gezicht strak in de plooi.

'Blijkbaar heb jij andere plannen. Iets waarvan ik aanneem dat zelfs je Liga er niets van weet. Iets wat met Karyn te maken heeft.' Ze besefte heel goed dat Vincenti nooit iets zou toegeven. Maar Lyndsey was een ander geval. En dus richtte ze zich tot hem. 'En jij maakt hier ook deel van uit.'

De wetenschapper keek haar met onverholen afschuw aan.

'Ga hier weg, Irina,' zei Karyn. 'Laat hem met rust. Laat hen beiden met rust. Ze doen geweldig werk.'

Ze was stomverbaasd. 'Geweldig werk?'

'Hij heeft me genezen, Irina. Niet jij. Hij. Hij heeft me genezen.'

Nu was ze nieuwsgierig. Ze voelde aan dat Karyn haar misschien de informatie kon verstrekken die ze nodig had. 'Hiv is niet te genezen.'

Karyn lachte. 'Dat is jouw probleem, Irina. Jij denkt dat niets mogelijk is zonder jou. De grote Achilles die een heldenreis maakt om zijn geliefde te redden. Dat ben jij. Een fantasiewereld die alleen in jouw hoofd bestaat.'

De spieren in haar nek spanden zich en de hand met het pistool verstijfde.

'Ik ben geen episch gedicht,' zei Karyn. 'Dit is echt. Het gaat niet over Homerus of de Grieken of Alexander. Het gaat over leven en dood. Mijn leven. Mijn dood. En deze man...' Ze pakte Vincenti's arm vast. 'Deze man heeft me genezen.'

'Wat voor onzin heb je haar verteld?' vroeg ze Vincenti.

'Onzin?' zei Karyn. 'Hij heeft het ontdekt. Het geneesmiddel. Eén dosis en ik voel me beter dan in jaren.'

Wat had Vincenti ontdekt?

'Zie je het dan niet, Irina?' zei Karyn. 'Jij hebt niets gedaan. Híj heeft alles gedaan. Hij heeft het geneesmiddel.'

Ze keek Karyn aan. Een bundel rauwe energie. Een wirwar van emoties. 'Heb je er enig idee van wat ik allemaal heb gedaan om je te redden? De risico's die ik heb genomen. Je bent in nood bij me teruggekomen, en ik heb je geholpen.'

'Je hebt niets voor me gedaan. Alleen voor jezelf. Je keek naar me terwijl ik leed. Je wilde dat ik doodging...'

'De moderne geneeskunde had je niets te bieden. Ik probeerde iets te vinden wat kon helpen. Ondankbare hóér!' Haar stem ging omhoog van verontwaardiging.

Karyn keek bedroefd. 'Je begrijpt het niet, hè? Je hebt het nooit begrepen. Een bezit. Meer was ik niet voor jou, Irina. Iets waar je macht over had. Daarom bedroog ik je. Daarom zocht ik andere vrouwen en mannen op. Om je te laten zien dat je geen macht over me had. Je hebt het nooit begrepen en je begrijpt het nog steeds niet.'

Haar hart kwam in opstand, maar haar geest was het eens met wat Karyn zei. Ze keek Vincenti aan. 'Je hebt het middel tegen aids ontdekt?'

Hij keek nietszeggend terug.

'Vertel het me!' riep ze. Ze moest het weten. 'Heb je Alexanders drank gevonden? De plaats van de Scythen?'

'Ik heb geen idee wat dat is,' zei hij. 'Ik weet niets van Alexander, de Scythen of een drank. Maar ze heeft gelijk. Lang geleden heb ik in de berg achter dit huis een geneesmiddel gevonden. Een genezer hier uit de buurt vertelde me erover. Hij noemde het in zijn taal Arima, de zolder. Het is een natuurlijke stof die ons allemaal rijk kan maken.'

'Gaat het daarom? Nog meer geld vergaren?'

'Jóúw ambitie wordt de ondergang van ons allemaal.'

'En dus wilde je me laten vermoorden? Om me tegen te houden? En toen waarschuwde je me. Durfde je niet meer?'

Hij schudde zijn hoofd. 'Ik zag een betere manier.'

Ze hoorde weer wat Edwin Davis tegen haar had gezegd en besefte dat het waar was. Ze wees naar Karyn. 'Je wilde haar gebruiken om mij in diskrediet te brengen. Om de mensen tegen me op te zetten. Eerst haar genezen. Dan haar gebruiken. En wat dan, Enrico? Haar doden?'

'Heb je me niet gehoord?' zei Karyn. 'Hij heeft me gered.'

Dat kon Zovastina niet meer schelen. Het was stom van haar geweest om Karyn terug te nemen. Daardoor had ze veel domme risico's genomen.

En dat alles voor niets.

'Irina,' riep Karyn uit, 'als de mensen van deze verrekte Federatie wisten wat je werkelijk voor iemand bent, zou niemand je volgen. Je bent een bedriegster. Een moorddadige bedriegster. Je kent alleen maar pijn en verdriet. Dat is jouw genot. Pijn en verdriet. Ja, ik wilde je vernietigen. Ik wilde dat je je net zo klein voelde als ik.'

Karyn was de enige voor wie ze ooit haar ziel had ontbloot. Ze had zich nooit met iemand anders zo nauw verbonden gevoeld. Homerus had gelijk: *Is het kwaad eenmaal geschied, dan kan zelfs een dwaas het begrijpen.*

En dus schoot ze Karyn in haar borst.

En ook in haar hoofd.

Vincenti had gewacht tot Zovastina in actie kwam. Hij had de memorystick nog in zijn gesloten linkerhand. Hij liet die hand op de tafel rusten en maakte intussen met zijn rechterhand langzaam de bovenste lade open.

Daarin lag het wapen dat hij van boven had meegebracht.

Zovastina schoot een derde keer op Karyn Walde.

Hij pakte het pistool.

Zovastina's woede laaide op bij elke keer dat ze de trekker overhaalde. De kogels scheurden door Karyns vermagerde lichaam heen en ketsten tegen de betonnen muur achter haar. Haar vroegere minnares besefte niet eens wat er gebeurde. Ze was meteen dood en haar lichaam lag bloedend en verwrongen op de vloer.

Grant Lyndsey had al die tijd geen woord gezegd. Hij was niets. Een zwakke ziel. Nutteloos. Maar dat kon je van Vincenti niet zeggen. Die zou niet sterven zonder zich te verzetten, en hij moest inmiddels wel beseffen dat hij ging sterven.

En dus zwaaide ze het pistool in zijn richting.

Zijn rechterhand kwam in zicht, met een pistool.

Ze schoot het magazijn op hem leeg. Vier kogels.

Ze trof Vincenti in zijn borst. Rozen van bloed bloeiden daar op.

Zijn ogen draaiden omhoog en hij verloor de greep op het pistool, dat wegkletterde terwijl zijn zware lijf tegen de grond dreunde.

Twee problemen opgelost.

Ze ging dicht naar Lyndsey toe en richtte het lege wapen op zijn hoofd. Hij keek vol afgrijzen terug. Het deed er niet toe dat het magazijn leeg was. Het pistool zelf kon heel goed duidelijk maken wat ze wilde.

'Ik heb je gewaarschuwd,' zei ze, 'in China te blijven.'

82

STEPHANIE, HENRIK EN Ely werden in het huis vastgehouden. Ze waren van de poort naar het huis gereden en hun auto was in een aparte garage gezet. Negen soldaten bewaakten het interieur van het huis. Stephanie had geen personeel gezien. Ze stonden in een kamer die blijkbaar een bibliotheek was, ruim en stijlvol, met hoge ramen die een panoramisch uitzicht boden op het weelderige dal voorbij het huis. Drie mannen met kort zwart stekeltjeshaar stonden met hun AK-47 in de aanslag, een bij het raam, een bij de deur en de derde bij een oosterse kast. Er lag een lijk op de grond. Een blanke man van middelbare leeftijd, misschien een Amerikaan. Hij had een kogel in zijn hoofd.

'Dit ziet er niet goed uit,' fluisterde ze tegen Henrik.

'Ik zie ook niets positiefs.'

Ely bleef kalm, maar hij had de afgelopen paar maanden dan ook in een dreigende situatie verkeerd. Waarschijnlijk begreep hij nog steeds niet wat er gebeurde, maar hij had vertrouwen in Henrik. Of beter gezegd, in Cassiopeia, van wie hij wist dat ze dichtbij was. Het was duidelijk dat de jongere man veel om haar gaf. Evengoed zat een hereniging er op korte termijn niet in. Stephanie hoopte dat Malone voorzichtiger zou zijn dan zij was geweest. Haar mobieltje zat nog steeds in haar zak. Ze was wel gefouilleerd, maar vreemd genoeg hadden ze het haar laten houden.

Ze hoorde een klikgeluid.

Ze draaide zich om en zag de oosterse kast naar binnen draaien en halverwege tot stilstand komen. Er bleek een gang achter te zitten. Een kleine, kwajongensachtige man met een kalend hoofd en een zorgelijk gezicht kwam uit de duisternis tevoorschijn, gevolgd door Irina Zovastina, die een pistool had. De gardist liep met een wijde boog om zijn minister-president heen en ging naar de ramen. Zovastina drukte op een knop van een afstandsbediening en de kast ging dicht. Vervolgens gooide ze het apparaatje op het lijk.

Zovastina gaf haar pistool aan een van de gardisten en nam de AK-47 van de man over. Ze liep recht op Thorvaldsen af en ramde de kolf in zijn buik. De Deen kreeg geen lucht meer, klapte voorover en greep zijn buik vast.

Stephanie en Ely wilden hem te hulp schieten, maar de andere gardisten richtten vlug hun wapens.

'Ik heb je maar niet teruggebeld, zoals je eerder voorstelde, maar ben zelf gekomen,' zei Zovastina.

Thorvaldsen haalde moeizaam adem. Hij ging rechtop staan, vechtend tegen de pijn. 'Prettig om te weten... dat ik zo veel... indruk maakte...'

'Wie ben jij?' vroeg Zovastina aan Stephanie.

Ze stelde zich voor en voegde eraan toe: 'Ministerie van Justitie van de Verenigde Staten.'

'Malone werkt voor jou?'

Ze knikte en loog: 'Ja.'

Zovastina keek Ely aan. 'Wat hebben deze spionnen jou verteld?'

'Dat je een leugenaar bent. Dat je me tegen mijn wil hebt vastgehouden, zonder dat ik het zelf wist.' Hij zweeg even, misschien om moed te verzamelen. 'Dat je plannen hebt voor een oorlog.'

Zovastina was kwaad op zichzelf. Ze had zich door haar emotie laten leiden. Het was noodzakelijk geweest Vincenti te doden. Maar Karyn? Ze had er spijt van dat ze haar had gedood, al had ze geen keus gehad. Het moest gebeuren. Het geneesmiddel tegen aids? Hoe was dat mogelijk? Bedrogen ze haar? Of misleidden ze haar alleen maar? Vincenti had al een tijdje iets in zijn schild gevoerd. Dat had ze geweten. Daarom had ze zelf spionnen gerekruteerd, zoals Kamil Revin, die haar op de hoogte hadden gehouden.

Ze keek naar haar drie gevangenen en zei tegen Thorvaldsen: 'In Venetië was je me misschien een stap voor, maar nu niet meer.'

Ze wees met het geweer naar Lyndsey. 'Kom hier.'

De man bleef aan de grond genageld staan, zijn blik strak op het geweer gericht. Zovastina maakte een gebaar en een van de soldaten duwde Lyndsey naar haar toe. Hij struikelde, viel op de grond en wilde overeind komen, maar toen hij op één knie zat, hield ze hem tegen door de loop van de AK-47 tegen zijn neus te drukken. 'Vertel me precies wat hier gebeurt. Ik tel tot drie. Eén.'

Stilte.

'Twee.'

Nog meer stilte.

'Drie.'

Malone zag het steeds somberder in. Ze hingen nog een paar kilometer bij het huis vandaan in de lucht en gebruikten de bergen als dekking. Toch waren er binnen of buiten geen tekenen van activiteit te zien. Zonder enige twijfel had het landgoed tientallen miljoenen dollars gekost. Het bevond zich in een deel van de wereld waar niet veel mensen zich zo'n luxe konden permitteren, behalve misschien Zovastina zelf.

'We moeten dat huis bekijken,' zei hij.

Hij zag opnieuw het pad dat over de grimmige berg omhoogleidde, en de leiding langs de grond. De middaghitte danste in golven over de rotswand. Hij dacht weer aan het raadsel van Ptolemaeus. *Beklim de door goden gebouwde muren. Kijk op de zolder in het geelbruine oog, en durf het verre toevluchtsoord te vinden.*

Door goden gebouwde muren.

Bergen.

Hij vond dat ze daar niet in de lucht konden blijven hangen.

En dus zette hij zijn headset af en pakte zijn telefoon.

Stephanie zag de man die op de vloer geknield zat onbedaarlijk snikken terwijl Zovastina tot drie telde.

'Alsjeblieft, God,' zei hij. 'Maak me niet dood.'

Het geweer was nog op hem gericht en Zovastina zei: 'Vertel me wat ik wil weten.'

'Vincenti had gelijk. Wat hij in het lab zei. Ze leven in de berg hierachter, aan het eind van het pad. In een groene plas. Hij heeft daar elektriciteit en licht laten aanbrengen. Hij heeft ze lang geleden ontdekt.' Hij praatte snel. In de opwinding van zijn bekentenis gingen de woorden in elkaar over. 'Hij heeft me alles verteld. Ik heb hem geholpen ze te veranderen. Ik weet hoe ze werken.'

'Ze?' vroeg ze kalm.

'Bacteriën. Archaea. Een unieke levensvorm.'

Stephanie hoorde de verandering in toon. Blijkbaar dacht de man dat hij een nieuwe bondgenoot had.

'Ze eten virussen. Ze vernietigen ze, maar doen ons geen kwaad. Daarom hebben we al die klinische tests gedaan. Om te kijken welke uitwerking ze op je virussen hadden.'

Zovastina dacht na over wat ze had gehoord. Stephanie had de naam Vincenti horen vallen en vroeg zich af of dit huis van hem was.

'Lyndsey,' zei Zovastina. 'Je praat onzin. Ik heb geen tijd...'

'Vincenti loog tegen jou over de antimiddelen.'

Dat interesseerde haar.

'Je dacht dat er een voor elke zoönose was.' Lyndsey schudde zijn hoofd. 'Dat is niet waar. Er is er maar één.' Hij wees niet naar de ramen, maar in de andere richting, naar de achterkant van het huis. 'Daar achter. De bacteriën in de groene plas. Die waren het antimiddel voor elk virus dat we hebben gevonden. Hij loog tegen jou. Hij liet je denken dat er veel tegenmaatregelen waren. Dat is niet zo. Er is er maar één.'

Zovastina drukte de loop van het geweer nog harder tegen Lyndseys gezicht. 'Als Vincenti tegen me loog, deed jij dat ook.'

Stephanies mobieltje tinkelde in haar zak.

Zovastina keek op. 'Meneer Malone. Eindelijk.' Ze richtte het geweer op Stephanie. 'Neem op.'

Stephanie aarzelde.

Zovastina richtte haar geweer op Thorvaldsen. 'Ik heb niets aan hem, behalve om jou te laten antwoorden.'

Stephanie klapte de telefoon open. Zovastina kwam dichtbij staan en luisterde.

'Waar ben je?' vroeg Malone.

Zovastina schudde haar hoofd.

'Ik ben er nog niet,' antwoordde Stephanie.

'Hoe lang nog?'

'Een halfuur. Het is verder dan ik dacht.'

Zovastina knikte goedkeurend.

'Wij zijn er wel,' zei Malone. 'We zien hier een van de grootste huizen die ik ooit heb gezien, zeker midden in de rimboe. Het ziet er verlaten uit. Er is een verharde weg van zo'n anderhalve kilometer vanaf de grote weg. We hangen op een paar kilometer afstand in de lucht. Kan Ely me meer informatie geven? Er loopt een pad de berghelling op, naar een kloof. Moeten we daar gaan kijken?'

'Ik vraag het even.'

Zovastina knikte opnieuw.

'Hij zegt dat het een goed idee is.'

'We gaan kijken. Bel me als je er bent.'

Stephanie verbrak de verbinding en Zovastina nam de telefoon van haar over. 'Nu zullen we zien hoeveel Cotton Malone en Cassiopeia Vitt werkelijk weten.'

83

Cassiopeia vond drie pistolen in de wapenkast. Ze kende het merk: Makarov. Een beetje korter dan de Beretta, het militaire standaardwapen, maar al met al een vrij goed wapen.

De helikopter daalde en ze zag door de ramen de grond snel omhoogkomen.

Malone had door de telefoon met Stephanie gepraat. Blijkbaar waren ze er nog niet. Ze wilde Ely zien. Heel graag. Ze wilde weten dat hij ongedeerd was. Ze had om hem gerouwd, maar niet ten volle, want ze had steeds getwijfeld, steeds gehoopt. Nu niet meer. Het was goed geweest dat ze naar de olifantpenningen was blijven zoeken. En dat ze recht op Irina Zovastina af was gegaan. En dat ze die mannen in Venetië had gedood. Hoewel ze zich in Viktor had vergist, had ze geen spijt van het doden van zijn collega. Niet zij maar Zovastina was met dit gevecht begonnen.

De helikopter raakte de grond en de turbine ging uit. Het gebulder van de motor maakte plaats voor een griezelige stilte. Ze schoof de deur van het compartiment open. Malone en Viktor stapten uit. Het was een droge middag met zon en warmte. Ze keek op haar horloge: vijf voor halfvier. Het was een lange dag geweest en het eind was nog niet in zicht. Ze had alleen een paar uur slaap gekregen toen ze met Zovastina in het vliegtuig uit Venetië had gezeten, maar dat was onrustige slaap geweest.

Ze gaf beide mannen een pistool.

Malone gooide zijn andere pistool in de helikopter en stak het wapen achter zijn riem. Viktor deed dat ook.

Ze bevonden zich honderdvijftig meter achter het huis, net voorbij het bosje. Rechts van hen liep het pad de berg op. Malone bukte zich en voelde de dikke elektrische kabel die evenwijdig met het pad liep. 'Hij zoemt. Iemand wil hier boven beslist stroom hebben.'

'Wat is daar?' vroeg Viktor.

'Misschien datgene waar je vroegere baas naar zocht.'

Toen Zovastina twee van haar soldaten naar het lab stuurde, keek Stephanie hoe het met Henrik gesteld was.

'Gaat het?' vroeg ze hem.

Hij knikte. 'Ik heb wel ergere dingen meegemaakt.'

Toch zat het haar niet lekker. Hij was aan de verkeerde kant van de zestig, had een kromme rug en verkeerde volgens haar niet in een goede fysieke conditie.

'Je zou niet naar die mensen moeten luisteren,' zei Zovastina tegen Ely.

'Waarom niet? Je bedreigt iedereen met pistolen. Je slaat oude mannen. Wil je het bij mij proberen?'

Zovastina grinnikte. 'Een geleerde die van vechten houdt? Nee, mijn slimme vriend. Jij en ik hoeven niet te vechten. Ik heb je hulp nodig.'

'Hou dan op met dit alles en laat ze gaan. Dan heb je mijn hulp.'

'Was het maar zo eenvoudig.'

'Ze heeft gelijk. Het kan niet zo eenvoudig zijn,' zei Thorvaldsen. 'Niet als ze een biologische oorlog in de zin heeft. Een moderne Alexander die miljoenen mensen doodt om dezelfde landen te veroveren als hij, en nog meer landen.'

'Drijf niet de spot met me,' waarschuwde Zovastina.

Thorvaldsen liet zich niet van zijn stuk brengen. 'Ik praat tegen je zoals ik wil.'

Zovastina bracht de AK-47 omhoog.

Ely sprong voor Thorvaldsen. 'Als je dat graf wilt,' maakte hij duidelijk, 'moet je dat geweer laten zakken.'

Stephanie vroeg zich af of deze despoot die eeuwenoude schat graag genoeg wilde hebben om zich in het bijzijn van een van haar mannen te laten uitdagen.

'Je wordt steeds minder nuttig,' zei Zovastina.

'Dat graf zou wel eens op loopafstand van dit huis kunnen zijn,' zei Ely.

Stephanie had bewondering voor Ely's vastbeslotenheid. Hij liet een stuk vlees voor een ongekooide leeuwin bungelen, in de hoop dat haar intense honger sterker was dan haar instinctieve verlangen om in de aanval te gaan. Maar blijkbaar had hij Zovastina doorgrond.

Ze liet het geweer zakken.

De twee soldaten kwamen terug, elk met een computermainframe in hun armen.

'Alles zit daarin,' zei Lyndsey. 'De experimenten. De gegevens. De methode om met de archaea te werken. Alles is versleuteld. Maar dat kan ik ongedaan maken. Alleen Vincenti en ik kenden de wachtwoorden. Hij vertrouwde me. Vertelde me alles.'

'Er zijn experts die elke encryptie kunnen doorbreken. Ik heb jou niet nodig.'

'Maar anderen hebben tijd nodig om de chemische procedures te dupliceren die voor de bacteriën nodig zijn. Vincenti en ik hebben daar de afgelopen drie jaar aan gewerkt. Zo veel tijd heb jij niet. Je zult het antimiddel niet hebben.'

Stephanie besefte dat die karakterloze idioot haar het enige ruilmiddel voorhield dat hij had.

Zovastina blafte iets in een taal die Stephanie niet verstond en de twee mannen met de computers gingen de kamer uit. Vervolgens maakte ze een gebaar met haar geweer en zei tegen hen dat ze achter de mannen de kamer uit moesten gaan.

Ze liepen door de gang naar de grote hal en vervolgens naar de achterkant van de begane grond. Er dook nog een soldaat op en Zovastina vroeg iets in wat als Russisch klonk. De man knikte en wees naar een gesloten deur.

Ze moesten daarvoor blijven staan, en toen hij was opengegaan, werden Thorvaldsen, Ely, Lyndsey en zij naar binnen geduwd en ging de deur achter hen dicht.

Ze keken in hun gevangenis om zich heen.

Een lege voorraadkast van drie bij tweeënhalve meter, bekleed met ruw hout. De lucht rook naar een antiseptisch middel.

Lyndsey deed een uitval naar de deur en sloeg tegen het dikke hout. 'Ik kan je helpen,' riep hij. 'Laat me eruit!'

'Hou je bek,' snauwde Stephanie.

Lyndsey werd stil.

Ze nam hun situatie in ogenschouw en dacht koortsachtig na. Zovastina had blijkbaar haast. Ze had iets anders aan haar hoofd.

De deur ging weer open.

'Goddank,' zei Lyndsey.

Zovastina stond in de opening, de AK-47 nog stevig in haar handen.

'Waarom...' begon Lyndsey.

'Ik ben het met haar eens,' zei Zovastina. 'Hou je bek.' Ze richtte haar blik op Ely. 'Ik moet iets weten: is dit de plaats uit het raadsel?'

Ely gaf niet meteen antwoord en Stephanie vroeg zich af of zijn koppigheid uit moed of uit dwaasheid voortkwam. Ten slotte zei hij: 'Hoe kan ik dat weten? Ik zat opgesloten in die berghut.'

'Je bent regelrecht van die hut hierheen gekomen,' zei Zovastina.

'Hoe weet je dat?' vroeg Ely.

Maar Stephanie wist het antwoord al. De stukjes vielen op zijn plaats en ze besefte het ergste. Ze waren bespeeld. 'Je gaf die gardist bevel de banden van onze auto kapot te schieten. Je wilde dat we zijn auto namen. Daar zit een zendertje in.'

'Het was de gemakkelijkste manier die ik kon bedenken om na te gaan wat jullie wisten. Ik had elektronische apparatuur bij die hut laten installeren en wist dus dat jullie daar waren.'

Maar Stephanie had de gardist gedood. 'Die man had geen idee.'

Zovastina haalde haar schouders op. 'Hij deed zijn werk. Als jij hem te pakken kreeg, was dat zijn eigen schuld.'

'Maar ik heb hem gedood,' zei ze met stemverheffing.

Zovastina keek verbaasd. 'Je maakt je veel te druk om iets wat geen enkele betekenis heeft.'

'Hij had niet hoeven sterven.'

'Dat is jouw probleem. Dat is het probleem van het Westen. Jullie kunnen niet doen wat gedaan moet worden.'

Stephanie wist nu dat ze in een veel ergere situatie verkeerden dan ze had gedacht, en plotseling besefte ze ook iets anders: dit gold tevens voor Malone en Cassiopeia. Ze zag dat Henrik haar sombere gedachten had gelezen.

Achter Zovastina liepen soldaten voorbij, elk met een vreemd apparaat.

Een van die apparaten werd naast Zovastina neergezet. Er stak een pijpje uit de bovenkant en ze had er wielen onder gezien.

'Dit is een groot huis. De voorbereidingen zullen een beetje tijd in beslag nemen.'

'Waarvoor?' vroeg Stephanie.

'Om het in brand te steken,' antwoordde Thorvaldsen.

'Inderdaad,' zei Zovastina. 'Intussen ga ik meneer Malone en mevrouw Vitt een bezoekje brengen. Alsjeblieft, blijf hier wachten.'

En Zovastina gooide de deur dicht.

84

MALONE LIEP VOOR hen uit de helling op en zag dat er kortgeleden hier en daar treden in de rots waren uitgehakt. Cassiopeia en Viktor liepen achter hem aan en hielden intussen de omgeving in de gaten. Bij het huis in de verte gebeurde nog steeds niets en het raadsel van Ptolemaeus ging steeds weer door Malones hoofd. *Beklim de door goden gebouwde muren.* Dit kwam daar zeker voor in aanmerking, al dacht hij dat de beklimming in Ptolemaeus' tijd veel zwaarder was geweest.

Het pad kwam uit op een plateau.

De elektriciteitsleiding ging door tot in een donkere kloof in de rotswand. Die was smal, maar je kon erdoorheen.

Kijk op de zolder in het geelbruine oog.

Hij ging voorop door de opening.

Zijn ogen hadden enkele seconden nodig om aan het zwakkere licht te wennen. Het pad was kort, een meter of zeven lang, en hij gebruikte de elektriciteitskabel als gids. De gang kwam uit op een grotere kamer. In het zwakke licht dat hier van buiten doordrong was te zien dat de elektriciteitsleiding naar links ging en in een kabelkastje uitkwam. Hij ging erheen en zag vier zaklantaarns op de vloer liggen. Hij deed er een aan en gebruikte de heldere lichtbundel om de kamer te bekijken.

De kamer was tien meter lang en ook minstens zo breed, met een plafond dat zeker zeven meter hoog was. Toen zag hij twee plassen, ongeveer drie meter bij elkaar vandaan.

Hij hoorde een klikgeluid en de kamer werd verlicht door gloeilampen.

Hij draaide zich om en zag Viktor bij het kabelkastje.

Hij deed de zaklantaarn uit. 'Ik kijk graag eerst even rond voordat ik iets doe.'

'Sinds wanneer?' zei Cassiopeia.

'Kijk eens,' zei Viktor. Hij wees naar de plassen.

Bij beide zat onder water een lamp die door grondkabels werd gevoed. Die aan de rechterkant was langwerpig en had een bruine tint. De andere plas was lichtgevend door een groene fosforescentie.

'Kijk in het geelbruine oog,' zei Malone.

Hij ging dicht naar de bruine plas toe en zag dat het water zo helder was als in een zwembad. De tint kwam van de kleur van het gesteente onder de oppervlakte. Hij hurkte neer. Cassiopeia bukte zich naast hem. Hij stak zijn hand in het water. 'Het is warm, maar niet te erg. Als een warm bad. Het moet een warme bron zijn. Deze bergen zijn nog actief.'

Cassiopeia bracht haar natte vingers naar haar lippen. 'Geen smaak.'

'Kijk naar de bodem.'

Cassiopeia zag wat hij had gezien. Zo'n drie meter diep in het kristalheldere water zag ze, gehouwen uit een rotsplaat, de letter Z liggen.

Hij liep naar de groene plas, gevolgd door Cassiopeia. Ook hier water zo helder als lucht, gekleurd door getint gesteente. Op de bodem lag de letter H.

'Van de penning,' zei hij. 'ZH. Leven.'

'Blijkbaar is dit de plaats.'

Hij zag dat Viktor dicht bij het kabelkastje was gebleven en zich niet erg druk maakte om hun ontdekking. Maar er was nog iets anders. Nu wist hij wat de laatste regel van het raadsel betekende.

En durf het verre toevluchtsoord te vinden.

Hij liep naar de bruine plas terug. 'Weet je nog, op de penning, en op de onderkant van dat manuscript dat Ely heeft ontdekt? Dat vreemde teken.' Met zijn vinger tekende hij het in het zand van de grot.

'Ik kon niet vaststellen wat het was. Letters? Twee B's die met een A zijn verenigd? Nu weet ik precies wat het is. Daar.' Hij wees naar de rotswand twee meter onder het oppervlak van de bruine plas. 'Zie je die opening? Komt hij je bekend voor?'

Cassiopeia keek naar wat hij al had opgemerkt. De opening leek op twee B's die met een A waren verenigd. 'Het lijkt er inderdaad op.' *'Kijk op de zolder in het geelbruine oog, en durf het verre toevluchtsoord te vinden.* Weet je wat dat betekent?'

'Nee, Malone. Vertel ons wat het betekent.'

Hij draaide zich om.

Irina Zovastina stond net voorbij de uitgang.

Stephanie ging dicht bij de deur staan en luisterde of ze geluid aan de andere kant hoorde.

Ze hoorde het gejank van een elektromotor die startte, stopte en tegen de deur botste. Een korte aarzeling, en toen begon het mechanische gezoem opnieuw.

'Hij rijdt rond,' zei Thorvaldsen. 'De robots verspreiden de vloeistof voordat ze exploderen en alles in brand vliegt.'

Ze rook een geur. Weeïg zoet. Het sterkst onder aan de deur. 'Grieks vuur?' vroeg ze.

Thorvaldsen knikte en zei toen tegen Ely: 'Jouw ontdekking.'

'Dat gekke kreng laat ons levend verbranden,' zei Lyndsey. 'We zitten hier in de val.'

'Alsof we dat niet wisten,' mompelde Stephanie.

'Heeft ze iemand ermee vermoord?' vroeg Ely.

'Niet dat ik weet,' zei Thorvaldsen. 'Misschien valt ons de eer te beurt de eersten te zijn. Al heeft Cassiopeia er wel gebruik van gemaakt in Venetië.' De oudere man aarzelde. 'Ze heeft drie mannen gedood.'

Ely keek geschokt. 'Waarom?'

'Om jou te wreken.'

Het vriendelijke gezicht van de jongere man keek verbaasd.

'Ze was gekwetst. Woedend. Zodra ze ontdekte dat Zovastina erachter zat, was ze niet meer te houden.'

Stephanie bekeek de deur. Stalen scharnieren onder en boven. Moeren die hun pennen op hun plaats hielden en nergens gereedschap te zien. Ze sloeg met haar hand tegen het hout. 'Is dit monsterlijke huis eigendom van Vincenti?' vroeg ze aan Lyndsey.

'Ja. Ze heeft hem doodgeschoten.'

'Het lijkt erop dat ze haar macht aan het consolideren is,' zei Thorvaldsen.

'Ze is niet goed snik,' zei Lyndsey. 'Er is nog veel meer aan de hand. Ik had alles kunnen hebben. De pot met goud aan het eind van de regenboog. Hij heeft het me aangeboden.'

'Vincenti?' vroeg ze.

Lyndsey knikte.

'Snap je het dan niet?' zei Stephanie. 'Zovastina heeft die computers met de gegevens. Ze heeft haar virussen. En je hebt haar zelfs verteld dat er maar één antimiddel is en waar dat te vinden is. Ze heeft jou niet meer nodig.'

'Maar ze heeft me wél nodig,' snauwde hij. 'Ze weet het.'

Haar geduld raakte op. 'Wat weet ze?'

'Die bacteriën. Ze zijn het middel tegen aids.'

85

Viktor hoorde Zovastina's onmiskenbare stem. Hoe vaak had ze hem niet met die schelle stem gecommandeerd? Hij had bij de uitgang staan luisteren, een eindje bij Malone en Vitt vandaan. Hij was ook niet te zien voor Zovastina, want die stond nog in de schemerige gang en moest de verlichte kamer nog binnengaan.

Hij zag Malone en Vitt naar Zovastina kijken. Geen van beiden verried dat hij daar stond. Langzaam schuifelde hij naar de opening in de rotswand. Hij hield het pistool stevig in zijn rechterhand en wachtte tot Zovastina naar binnen stapte. Toen richtte hij het wapen op haar hoofd.

Ze bleef staan. 'Mijn verrader. Ik vroeg me al af waar je was.'

Hij zag dat ze ongewapend was.

'Ga je me neerschieten?' vroeg ze.

'Als je me daar een reden voor geeft.'

'Ik heb geen wapen.'

Dat zat hem dwars. En toen hij snel een blik op Malone wierp, zag hij dat die zich ook zorgen maakte.

'Ik ga kijken,' zei Cassiopeia, en ze liep in de richting van de uitgang.

'Je krijgt er spijt van dat je me hebt geslagen,' zei Zovastina tegen Cassiopeia.

'Ik zou je graag de kans geven om de rekening te vereffenen.'

Zovastina glimlachte. 'Ik denk niet dat Malone of mijn verrader hier me dat genoegen zou gunnen.'

Cassiopeia verdween in de kloof. Even later kwam ze weer tevoorschijn. 'Er is daar niemand buiten. Bij het huis is ook niemand te zien.'

'Waar kwam ze dan vandaan?' vroeg Malone. 'En hoe wist ze dat ze hierheen moest gaan?'

'Toen je mijn afgezanten in de bergen ontweek,' zei Zovastina, 'bleven we op een afstand om te kijken waar je heen ging.'

'Van wie is dit alles?' vroeg Malone.

'Enrico Vincenti. Tenminste, het was van hem. Ik heb hem net doodgeschoten.'

'Opgeruimd staat netjes,' zei Malone. 'Anders had ik het wel gedaan.'

'Waarom haat je hem zo?'

'Hij heeft een vriendin van me gedood.'

'En je ben hier ook om mevrouw Vitt te redden?'

'Eigenlijk ben ik hier om jou tegen te houden.'

'Dat kon nog wel eens moeilijk worden.'

Haar nonchalante houding zat hem dwars.

'Mag ik de plassen bekijken?' vroeg Zovastina.

Hij had tijd nodig om na te denken. 'Ga je gang.'

Viktor liet zijn pistool zakken maar hield het in zijn hand. Malone wist niet precies wat er gebeurde, maar de situatie waarin ze verkeerden stelde hen voor problemen. Er was maar één uitweg. En dat was nooit goed.

Zovastina liep naar de bruine plas toe en keek erin. Toen liep ze naar de groene plas. 'ZH. Van de penningen. Ik vroeg me af waarom Ptolemaeus die letters op de munten had laten zetten. Die uitgehakte letters zullen ook wel door hem op de bodem zijn gelegd. Wie anders kan dat hebben gedaan? Heel vernuftig. Het duurde lang voordat zijn raadsel was ontcijferd. Aan wie hebben we dat te danken? Aan jou, Malone?'

'Laten we zeggen dat het teamwerk was.'

'Wat ben je toch bescheiden. Jammer dat we elkaar niet eerder en onder andere omstandigheden hebben ontmoet. Ik zou erg graag willen dat je voor me werkte.'

'Ik heb een baan.'

'Agent van een Amerikaanse inlichtingendienst.'

'Eigenlijk ben ik boekhandelaar.'

Ze lachte. 'En nog gevoel voor humor ook.'

Viktor stond met zijn pistool achter Zovastina. Cassiopeia lette op de uitgang. 'Vertel eens, Malone. Heb je het hele raadsel opgelost? Is Alexander de Grote hier? Je wilde net iets aan mevrouw Vitt uitleggen toen ik kwam storen.'

Malone had de zaklantaarn nog in zijn hand. Een robuust ding. Waarschijnlijk waterdicht. 'Vincenti heeft hier elektriciteit laten aanleggen. Zelfs licht in de plassen. Vraag je je niet af waarom deze plassen zo belangrijk voor hem waren?'

'Zo te zien is hier niets te vinden.'

'Daar vergis je je in.'

Malone legde de zaklantaarn op de grond en trok zijn jasje en overhemd uit.

'Wat doe je?' vroeg Cassiopeia.

Hij deed zijn schoenen en sokken ook uit en haalde zijn telefoon en portefeuille uit zijn broekzakken. 'Dat teken dat in de zijkant van de plas is uitgehakt. Dat leidt naar het *verre toevluchtsoord.*'

'Cotton,' zei Cassiopeia.

Hij liet zich in het water zakken. Eerst vond hij het heet, maar toen deed de warmte zijn vermoeide ledematen goed. 'Hou haar in de gaten.'

Hij haalde diep adem en dook onder.

'Het geneesmiddel tegen aids?' vroeg Stephanie aan Lyndsey.

'Een genezer hier uit de buurt heeft Vincenti, die toen voor de Irakezen werkte, jaren geleden een paar plassen in de bergen laten zien. Vincenti ontdekte dat de bacteriën die in die plassen leefden aids vernietigen.'

Ze zag dat Ely heel aandachtig luisterde.

'Hij heeft het niemand verteld,' zei Lyndsey. 'Hij hield het voor zich.'

'Hoezo?' vroeg Ely.

'Hij wachtte op het juiste moment. Hij liet de markt groeien. Liet de ziekte zich verspreiden. Wachtte af.'

'Dat kun je niet menen,' zei Ely.

'Hij wilde er net mee in de openbaarheid komen.'

Nu begreep Stephanie het. 'En jij zou een deel van de winst krijgen?'

Lyndsey hoorde de terughoudendheid in zijn stem. 'Kom niet met die schijnheilige onzin aanzetten. Ik ben Vincenti niet. Ik wist pas vandaag van een geneesmiddel. Hij heeft het me net verteld.'

'En wat ging je doen?' vroeg ze.

'Helpen het te produceren. Wat is daar verkeerd aan?'

'Terwijl Zovastina miljoenen mensen vermoordde? Vincenti en jij hielpen dat mogelijk te maken.'

Lyndsey schudde zijn hoofd. 'Vincenti zei dat hij haar zou tegenhouden voordat ze iets deed. Hij had het antimiddel. Zolang ze dat niet had kon ze niet in actie komen.'

'Maar nu heeft zij het wel. Jullie zijn allebei idioten.'

'Je beseft zeker wel, Stephanie,' zei Thorvaldsen, 'dat Vincenti niet wist dat er daarboven iets anders was. Hij kocht dit stuk land om de bron van bacteriën in handen te krijgen. Hij noemde het huis naar de Aziatische benaming. Blijkbaar wist hij niets van Alexanders graf.'

Die conclusie had ze al getrokken. 'De drank en het graf zijn bij elkaar. Jammer genoeg zitten wij in deze kast opgesloten.'

Zovastina had tenminste het licht aangelaten. Stephanie had elke vierkante centimeter van de ruwe wanden en stenen vloer onderzocht. Geen uitweg. En er kwam steeds meer van die misselijkmakende geur onder de deur door.

'Zitten alle gegevens over het geneesmiddel in die twee computers?' vroeg Ely aan Lyndsey.

'Dat doet er niet toe,' zei ze. 'Het gaat er nu om dat we hier uitkomen. Voordat de boel in brand vliegt.'

'Het doet er wél toe,' zei Ely. 'Ze mag die gegevens niet in handen krijgen.'

'Ely, kijk om je heen. Wat kunnen wij eraan doen?'

'Cassiopeia en Malone zijn daar buiten.'

'Zeker,' zei Thorvaldsen. 'Maar ik ben bang dat Zovastina hen een stap voor is.'

Stephanie dacht dat ook, maar dat was Malones probleem.

'Er is iets wat ze niet weet,' zei Lyndsey.

Ze hoorde het aan zijn toon en was niet in de stemming. 'Je wilt toch niet met mij onderhandelen?'

'Kort voordat Zovastina kwam, heeft Vincenti alles op een memory-stick gekopieerd. Die had hij in zijn hand toen ze hem doodschoot. De memorystick ligt nog in het lab. Met die drive en mij samen zou je het antimiddel en het geneesmiddel hebben.'

'Geloof me,' zei ze. 'Al ben jij een slijmerige klootzak, als ik je hieruit kon krijgen, zou ik dat doen.'

Ze sloeg weer op de deur.

'Maar dat zit er niet in.'

Cassiopeia lette op Zovastina, die door Viktor onder schot werd gehouden, en tegelijk naar de plas. Malone was al bijna drie minuten weg. Zo lang kon hij zijn adem toch niet inhouden?

Toen verscheen er een silhouet onder water en kwam Malone uit de merkwaardig gevormde opening. Hij kwam boven water, legde zijn armen op de rotsrand en pakte de zaklantaarn vast.

'Dit moet je zien,' zei hij tegen haar.

'En hen achterlaten? Vergeet het maar.'

'Viktor heeft het pistool. Hij kan haar aan.'

Ze aarzelde nog steeds. Er klopte iets niet. Ze mocht met haar gedachten dan bij Ely zijn geweest, ze had ook nog wel oog voor de realiteit. Viktor was nog steeds een onbekende factor, al had hij hen de afgelopen uren geholpen. Als hij er niet was geweest, zouden ze nu in stukken aan twee bomen hangen. Maar evengoed.

'Je moet dit zien,' zei Malone weer.

'Is het daar?' vroeg Zovastina.

'Zou je dat niet graag willen weten?'

Cassiopeia droeg nog steeds het strakke leren pak uit Venetië. Ze trok het bovenste deel uit en liet het onderste deel aan. Toen legde ze het pistool naast dat van Malone, buiten bereik van Zovastina. Ze droeg een zwarte sportbeha en zag Viktor kijken. 'Blijf op haar letten,' zei ze.

'Zij gaat nergens heen.'

Ze gleed de plas in.

'Haal diep adem en kom mee,' zei Malone.

Ze zag hem onderduiken en door de opening gaan. Een meter achter hem aan zwom ze door een van de B-vormige openingen. Haar ogen waren open en ze zag dat ze door een rotstunnel van anderhalve meter breed zwommen.

De plas lag ongeveer twee meter bij de wand van de kamer vandaan, zodat ze nu de berg in zwommen. Het schijnsel van Malones zaklantaarn danste door de tunnel en ze vroeg zich af hoeveel verder ze zouden gaan.

Toen zag ze Malone naar boven gaan. Ze kwam vlak naast hem uit het water.

Hij scheen met de zaklantaarn in een andere afgesloten kamer. Die was koepelvormig en in de kale kalksteen zaten donkerblauwe strepen. Er zaten nissen in de wanden, en daarin stonden zo te zien albasten potten die van fijn bewerkte deksels waren voorzien. Boven zaten er ruwe, onregelmatige openingen in het grimmige kalksteen. Een koud, zilverwit licht sijpelde vanuit elke opening de hoge ruimte in, met stofbundels die in het gesteente oplosten.

'Die openingen moeten naar beneden wijzen,' zei Malone. 'Het is hier zo droog als het maar kan. Er komt wel licht binnen, maar geen vocht. Ze vormen ook een natuurlijke ventilatie.'

'Zijn ze uitgehakt?' vroeg ze.

'Dat denk ik niet. Ik denk dat deze plaats is uitgekozen omdat die openingen daar zijn.' Hij hees zich uit de plas. Het water liep uit zijn doorweekte broek. 'We moeten opschieten.'

Ze klom er ook uit.

'Die tunnel is het enige wat deze kamer met die andere kamer verbindt,' zei hij. 'Ik heb vlug gekeken om daar zeker van te zijn.'

'Dat verklaart in elk geval waarom hij nooit ontdekt is.'

Malone scheen met de zaklantaarn op de muren en ze zag vage schilderingen. Stukjes en beetjes. Een krijger in zijn strijdwagen. In zijn ene hand had hij een scepter en teugels en zijn andere arm had hij om het middel van een vrouw geslagen. Een hert dat door een speer was getroffen. Een boom zonder bladeren. Een speerdrager te voet. Een man die naar iets toe ging wat zo te zien een everzwijn was. Het beetje kleur dat was overgebleven, was opvallend. Het violet van de mantel van de jager. Het kastanjebruin van de strijdwagen. Het geel van de dieren. Op de wand daartegenover zag ze nog meer dieren. Een jonge ruiter met een speer en een krans in zijn haar, duidelijk in de kracht van zijn leven, stond op het punt een leeuw aan te vallen die al door honden werd belaagd. Een witte achtergrond ging bijna helemaal op in allerlei schakeringen van oranjegeel, lichtrood en bruin, vermengd met koelere nuances van groen en blauw.

'Aziatische en Griekse invloeden, zou ik zeggen,' zei Malone. 'Maar ik ben geen deskundige.'

Hij liet het licht op stenen schijnen die als een parketvloer waren gerangschikt. Een deuropening vol Griekse invloeden – gecanneleerde zuilen en rijk versierde voetstukken – doemde op uit de duisternis. Cassiopeia, die zich in de bouwkunst uit de oudheid had verdiept, herkende meteen de Hellenistische flair.

Daarboven strekte zich een ondiep uitgehakte inscriptie in Griekse letters uit.

'Daar doorheen,' zei hij.

86

V INCENTI DWONG ZICHZELF zijn ogen open te doen. De pijn in zijn
borst teisterde zijn hersens. Elke ademtocht was een beproeving.
Door hoeveel kogels was hij geraakt? Drie? Vier? Dat wist hij niet meer.
Maar op de een of andere manier sloeg zijn hart nog. Misschien was het
toch niet zo erg om dik te zijn. Hij herinnerde zich dat hij viel en dat
er daarna een diepe duisternis over hem was neergedaald. Hij had geen
schot gelost. Blijkbaar had Zovastina van tevoren geweten wat hij ging
doen. Het leek wel of ze had gewild dat hij haar belaagde.

Hij draaide zich met veel moeite om en greep een tafelpoot vast.
Het bloed sijpelde uit zijn borst en een golf van pijn dreef elektrische
spijkers door zijn wervelkolom. Hij deed nog meer zijn best om lucht
te krijgen. Het pistool was weg, maar hij besefte dat hij iets anders in
zijn hand had. Hij bracht zijn hand naar zijn ogen en zag de memorystick.

Alles waarvoor hij de afgelopen tien jaar had gewerkt, lag in zijn be-
bloede handpalm. Hoe had Zovastina hem gevonden? Wie had hem
verraden? O'Conner? Leefde die nog? Waar was hij? O'Conner was de
enige andere persoon geweest die de kast in de werkkamer kon open-
maken.

Twee afstandsbedieningen.

Waar was de zijne?

Hij tuurde om zich heen en zag het apparaatje ten slotte op de tegelvloer liggen.

Alles leek verloren.

Zovastina keek naar de bruine plas. Malone en Vitt waren nu al minu-
tenlang onder water.

'Er moet een andere kamer zijn,' zei ze.

Viktor bleef zwijgen.

'Laat dat pistool zakken.'

Hij deed wat hem werd bevolen.

Ze keek hem aan. 'Vond je het leuk om me aan die bomen vast te binden? Me te bedreigen?'

'Ik moest net doen alsof ik bij hen hoorde.'

Viktor had haar verwachtingen overtroffen en hen regelrecht naar haar doel geleid. 'Moet ik verder nog iets weten?'

'Blijkbaar wisten ze wat ze zochten.'

Viktor was haar dubbelagent geweest vanaf het moment dat de Amerikanen hem rekruteerden. Hij was meteen naar haar toe gegaan om haar over zijn dilemma te vertellen. Het afgelopen jaar had ze hem als doorgeefluik gebruikt voor alles waarvan ze wilde dat het Westen het wist. Het was een gevaarlijke evenwichtstruc geweest, maar ze had ermee door moeten gaan omdat Washington steeds meer belangstelling voor haar kreeg.

En alles had gewerkt.

Tot aan Amsterdam.

En totdat Vincenti zijn Amerikaanse waakhond vermoordde. Ze had hem aangemoedigd de spionne te elimineren, in de hoop dat Washington zich dan op hem zou concentreren. Maar die list had niet gewerkt. Gelukkig had het bedrog dat ze nu had gepleegd veel meer succes gehad.

Viktor had prompt melding gemaakt van Malones aanwezigheid in het paleis en ze had snel bedacht hoe ze die kans met een georkestreerde ontsnapping uit het paleis kon benutten. De andere kant had Edwin Davis gestuurd om haar aandacht af te leiden, maar omdat ze wist dat Malone daar was, had ze die list doorzien.

'Er moet nog een kamer zijn,' herhaalde ze. Ze trok haar schoenen en haar jasje uit. 'Pak twee van die zaklantaarns. We gaan kijken.'

Stephanie hoorde een claxon door het huis loeien, al werd het geluid door de dikke muren om hen heen gedempt. Ze zag iets bewegen: een paneel aan de andere kant van de kast zwaaide open.

Ely ging vlug uit de weg.

'Een deuropening!' riep Lyndsey uit.

Ze liep argwanend naar de uitgang en bekeek de bovenkant. Elektrische grendels die met het alarm waren verbonden. Dat moest wel. Er lag een gang achter die door gloeilampen werd verlicht.

Het alarm hield op.

Ze stonden allemaal peinzend te kijken.

'Waar wachten we op?' vroeg Thorvaldsen.

Ze stapte door de opening.

87

MALONE LEIDDE CASSIOPEIA door de deuropening en zag haar verwonderd kijken. Zijn zaklantaarn scheen op figuren die in de rotswanden waren gehakt en nu tot leven kwamen. Het waren voor het merendeel afbeeldingen van een krijger in zijn beste jaren: jong, sterk, een speer in zijn hand, een krans in zijn haar. Op een van de friezen stond vermoedelijk een afbeelding van koningen die eer bewezen. En toen nog een leeuwenjacht. En nog een verwoed gevecht. In alle gevallen werd het menselijke element – spieren, handen, gezicht, benen, voeten, tenen – uiterst zorgvuldig weergegeven. Geen zweem van kleur. Alleen een zilverwitte monochroom.

Hij richtte de straal op het midden van de wigwamvormige kamer en op twee stenen voetstukken, met op elk daarvan een stenen sarcofaag. De buitenkant van beide sarcofagen was versierd met lotus- en palmpatronen, rozetten, ranken, bloemen en bladeren.

Hij wees naar de deksels van de kisten. 'Op elk deksel staat een Macedonische ster.'

Cassiopeia bukte zich voor de tombes, keek naar de woorden die erop waren aangebracht en streek voorzichtig met haar vingers over de letters. ΑΛΕΞΑΝΔΡΟΣ. ΗΦΑΙΣΤΙΩΝ. 'Ik kan dit niet lezen, maar het moet wel Alexander en Hephaestion zijn.'

Hij begreep dat ze er veel ontzag voor had, maar er was een dringender zaak. 'Dat komt wel. We hebben een groter probleem.'

Ze richtte zich op.

'Wat dan?' vroeg ze.

'Trek die natte kleren uit, dan vertel ik het je.'

Zovastina sprong de plas in, Viktor achter haar aan, en zwom door de opening die zo veel overeenkomst vertoonde met het teken op de olifantpenning. Ze had de gelijkenis meteen gezien.

Met soepele slagen stuwde ze zich naar voren. Het water was heerlijk warm, als een duik in een van de sauna's in haar paleis.

Boven haar kwam er een eind aan het rotsplafond.

Ze dook op.

Ze had gelijk gehad. Nog een kamer. Kleiner dan die aan de andere kant. Ze schudde het water uit haar ogen en zag dat het hoge plafond indirect verlicht werd door een schijnsel dat door openingen hoog in de rotsen naar binnen lekte. Viktor kwam naast haar boven en ze klommen allebei uit het water. Ze keek om zich heen. De muren waren bedekt met vervaagde schilderingen. Twee openingen leidden naar nog meer duisternis.

Niemand te zien.

Geen andere lichtbundels van zaklantaarns.

Blijkbaar was Cotton Malone niet zo naïef als ze had gedacht.

'Oké, Malone,' riep ze. 'Jij bent in het voordeel. Maar mag ik eerst een kijkje nemen?'

Stilte.

'Ik vat dat op als ja.'

Ze scheen op de zanderige vloer, die glinsterde van mica, en zag een vochtspoor door de opening rechts van haar gaan.

Ze ging de volgende kamer binnen en zag twee sarcofagen op voetstukken. Er zaten uitgehakte letters op de buitenkant van beide sarcofagen, maar ze was niet goed in Oudgrieks. Daarom had ze Ely Lund in dienst genomen. Eén afbeelding trok haar aandacht en ze ging dichterbij en blies het gruis weg dat de contouren vervaagde. Beetje bij beetje kwam er een paard in zicht. Het was vijf centimeter lang en zijn staart en manen staken recht omhoog.

'Bucephalas,' fluisterde ze.

Omdat ze meer moest zien, zei ze in de duisternis: 'Malone. Ik ben hier ongewapend gekomen omdat ik geen pistool nodig had. Viktor was van mij, zoals je blijkbaar wist. Maar ik heb je drie vrienden. Ik was erbij toen je belde. Ze zitten in het huis opgesloten en kunnen elk moment door Grieks vuur worden verslonden. Ik wou het je maar even laten weten.'

Nog altijd stilte.

'Let goed op,' fluisterde ze tegen Viktor.

Ze was zo ver gekomen, had zo lang met het verlangen geleefd, had zo haar best gedaan, dat ze het nu moest zien. Ze legde haar zaklantaarn op het deksel van de sarcofaag met het paard en duwde. Toen ze enkele ogenblikken kracht had gezet, kwam de dikke plaat in beweging. Nog een paar duwtjes en ze had een opening in de vorm van een taartpunt gemaakt.

Ze pakte de zaklantaarn en hoopte dat ze na Venetië niet opnieuw zou worden teleurgesteld.

Er lag een mummie in.

Met goud omwikkeld, en met een masker van goud op.

Ze wilde hem aanraken, het masker weghalen, maar dat deed ze niet. Ze wilde niets doen wat het stoffelijk overschot zou kunnen beschadigen.

Toch vroeg ze het zich af.

Was zij de eerste in drieëntwintighonderd jaar die naar de resten van Alexander de Grote keek? Had ze niet alleen de drank maar ook de veroveraar gevonden? Daar leek het wel op. Bovendien wist ze precies wat ze met beide moest doen. De drank zou ze gebruiken om landen te veroveren en ook, zoals ze nu wist, enorme onverwachte winsten te behalen. De mummie, waarvan ze haar blik niet kon losmaken, zou symbool staan voor alles wat ze deed. De mogelijkheden leken haar eindeloos, maar toen bracht het gevaar dat ze om zich heen voelde haar tot de realiteit terug.

Malone speelde het heel voorzichtig.

Dat moest zij ook doen.

Malone zag de spanning op Cassiopeia's gezicht. Ely, Stephanie en Henrik verkeerden in moeilijkheden. Ze hadden vanuit de andere opening toegekeken, de opening die Zovastina niet had genomen toen Viktor en zij het waterspoor volgden en de grafkamer binnengingen.

'Hoe wist je dat Viktor tegen ons loog?' fluisterde ze.

'Ik heb twaalf jaar met losse informanten gewerkt. Die hele toestand met jou in het paleis was te gemakkelijk. En dan had Stephanie me iets verteld. Viktor is degene die Vincenti aan hen uitspeelde. Waarom? Het was niet logisch. Behalve als Viktor van twee walletjes at.'

426

'Dat had ik moeten inzien.'

'Hoe dan? Jij hebt niet gehoord wat Stephanie me in Venetië vertelde.'

Ze stonden met blote schouders tegen schuine wanden. Ze hadden hun broek uitgetrokken en zich van al het water ontdaan om geen spoor meer te maken. Toen ze eenmaal door de twee andere kamers van de tombe waren gegaan, waarin zich allerlei voorwerpen bevonden, hadden ze zich vlug weer aangekleed en waren ze blijven wachten. De tombe bestond uit maar vier onderling verbonden kamers, die geen van alle groot waren en waarvan twee op de plas uitkwamen. Zovastina zou nu waarschijnlijk van haar moment van triomf genieten. Maar de informatie over Stephanie, Ely en Henrik had de dingen veranderd. Of het nu waar was of niet, de mogelijkheid hield hem bezig. Dat was natuurlijk ook de bedoeling.

Hij keek naar de plas. In de grafkamer danste het licht. Hij hoopte dat de aanblik van het graf van Alexander de Grote hun enkele ogenblikken zou opleveren.

'Klaar?' vroeg hij Cassiopeia.

Ze knikte.

Hij ging voor.

Viktor kwam uit de andere opening.

88

STEPHANIE MERKTE DAT in de achtergangen de weeïg zoete geur wel- iswaar niet zo sterk maar toch duidelijk aanwezig was. In elk geval zaten ze niet meer gevangen. Na enkele afslagen kwamen ze dieper in het huis, al had ze nog geen open uitgang gezien.

'Ik heb gezien hoe dat spul werkt,' zei Thorvaldsen. 'Als dat Griekse vuur eenmaal ontvlamt, branden deze muren snel op. We moeten hier weg zijn voordat het gebeurt.'

Ze was zich bewust van hun dilemma, maar ze konden niet veel be- ginnen. Lyndsey was nog gespannen, Ely verbazend kalm. Hij had de houding van een inlichtingenagent, niet een academicus, en bezat een rust waarvoor ze ondanks hun hachelijke situatie bewondering kon op- brengen. Ze wou dat ze meer van zijn moed bezat.

'Wat bedoel je met "snel"?' vroeg Lyndsey aan Thorvaldsen. 'Hoe snel brandt dit huis af?'

'Zo snel dat we in de val zitten.'

'Wat doen we hier dan?'

'Wil je naar die kast terug?' vroeg ze.

Ze gingen weer een hoek om. De donkere gang deed haar aan het gang- pad in een trein denken. Even later stonden ze onder aan een steile trap.

Geen keus.

Ze gingen naar boven.

Malone ging rechtop staan.

'Ga je ergens heen?' vroeg Viktor.

Cassiopeia stond achter hem. Hij vroeg zich af waar Zovastina was. Was dat dansende licht alleen maar een truc om hen tevoorschijn te lokken?

'We stappen maar eens op.'

'Dat kan ik niet toestaan.'

'Als je denkt dat je me kunt tegenhouden, mag je...'

Viktor sprong naar voren. Malone ging een stap opzij en sloeg zijn arm om zijn belager heen.

Ze vielen samen op de vloer en rolden om.

Malone kwam boven terecht. Viktor spartelde onder hem. Malone greep de andere man bij de keel en boorde zijn knie diep in zijn borst. Snel, met beide handen, trok hij Viktor omhoog en ramde hij hem met zijn achterhoofd tegen de rotsbodem.

Cassiopeia stond al klaar om in het water te springen zodra Malone zich van Viktor losmaakte. Op het moment dat Viktors lichaam slap werd onder Malone, zag ze vanuit haar ooghoek iets bewegen bij de opening waarin ze zich hadden verstopt.

'Malone,' riep ze.

Zovastina rende naar hen toe.

Malone sprong van Viktor af en dook het water in.

Cassiopeia dook achter hem aan en zwom uit alle macht naar de tunnel.

Stephanie kwam boven aan de trap en zag dat ze twee kanten op konden. Links of rechts? Zij ging naar links. Ely naar rechts.

'Hier!' riep Ely.

Ze renden allemaal zijn kant op en zagen een open deur.

'Voorzichtig,' zei Thorvaldsen. 'Laat je niet besproeien door die dingen daar. Ga ze uit de weg.'

Ely knikte en wees naar Lyndsey. 'Jij en ik gaan de memorystick halen.'

De wetenschapper schudde zijn hoofd. 'Ik niet.'

Stephanie was het daarmee eens. 'Dat is geen goed idee.'

'Jij bent niet ziek.'

'Die robots,' zei Thorvaldsen, 'zijn geprogrammeerd om te exploderen, en we weten niet wanneer.'

'Dat kan me geen moer schelen,' zei Ely met stemverheffing. 'Deze man weet hoe je aids moet genezen. Zijn dode baas wist dat al jaren maar liet miljoenen mensen sterven. Zovastina heeft dat geneesmiddel nu in handen. Ik wil niet dat zij er ook mee gaat manipuleren.' Ely pakte Lyndsey bij zijn overhemd vast. 'Jij en ik gaan die drive halen.'

'Je bent gek,' zei Lyndsey. 'Stapelgek. Je gaat gewoon naar die groene plas en drinkt dat water. Dat werkt volgens Vincenti ook. Je hebt mij niet nodig.'

Thorvaldsen keek aandachtig naar de jongere man. Stephanie besefte dat de Deen misschien zijn eigen zoon tegenover zich zag staan, de jeugd in al zijn glorie, tegelijk uitdagend, moedig en dwaas. Haar eigen zoon Mark was ook zo.

'Jij,' zei Ely, 'gaat met mij naar dat lab.'

Ze besefte nog iets anders. 'Zovastina ging achter Cotton en Cassiopeia aan. Ze had een reden om ons in dit huis achter te laten. Jullie hebben haar geboord. Ze zei met opzet tegen ons dat die machines wat tijd nodig hadden.'

'Wij zijn een verzekeringspolis,' zei Thorvaldsen.

'Lokaas. Waarschijnlijk voor Cotton en Cassiopeia. Maar deze man,' zei ze, wijzend naar Lyndsey, 'hem wil ze hebben. Wat hij zei, was geen onzin. Ze heeft geen tijd om uit te zoeken of een antimiddel werkt of dat hij de waarheid spreekt. Al geeft ze het niet toe, ze heeft hem nodig. Ze komt hem halen voordat dit huis afbrandt. Daar kun je op rekenen.'

Zovastina sprong het water in. Malone had van Viktor gewonnen en Cassiopeia Vitt was haar te vlug af geweest.

Als ze snel zwom kon ze Vitt in de tunnel te pakken krijgen.

Malone zette zijn handpalmen op de rand en hees zich uit het water. Hij voelde beweging onder zich en zag Cassiopeia opduiken. Ze sprong soepel uit het warme water en pakte, druipnat, een van de pistolen die daar lagen.

'Laten we gaan,' zei hij. Hij pakte zijn schoenen en overhemd.

Cassiopeia liep achteruit naar de opening, haar pistool op de plas gericht.

Er verscheen een donker silhouet in het water.

Zovastina's hoofd kwam boven.

Cassiopeia schoot.

De explosie maakte Zovastina meer aan het schrikken dan dat ze bang werd. Het water liep uit haar ogen en ze zag dat Vitt een van de pistolen op haar richtte.

Nog een knal. Ondraaglijk hard.

Ze dook onder.

Cassiopeia schoot twee keer op de verlichte plas. Het pistool blokkeerde en ze gebruikte de schuif, liet een patroon wegspringen en deed er een nieuwe in. Toen zag ze iets en keek ze Malone aan.

'Voel je je nu beter?' vroeg hij.

'Losse flodders?' vroeg ze.

'Natuurlijk. Patronen met katoenvulsel, denk ik, want die hebben genoeg kracht om de schuif tenminste enigszins te laten werken. Maar natuurlijk niet genoeg. Je denkt toch niet dat Viktor ons kogels gaf?'

'Daar heb ik niet aan gedacht.'

'Dat is het probleem. Je denkt niet na. Kunnen we nu gaan?'

Ze gooide het pistool weg. 'Wat ben jij toch leuk in de omgang.'

En ze vluchtten beiden de kamer uit.

Viktor wreef over zijn achterhoofd en wachtte. Nog een paar seconden en hij zou de plas in rollen, maar Zovastina kwam terug. Ze haalde diep adem toen ze uit het water kwam en liet haar armen op de rotsige rand rusten.

'Ik had niet aan de pistolen gedacht. We zitten in de val. De enige uitweg wordt bewaakt.'

Viktors hoofd deed pijn van de klap tegen de rots en hij vocht tegen een irritante duizeligheid. 'Minister, die pistolen zijn geladen met losse flodders. Ik heb alle magazijnen verwisseld voordat we uit het paleis ontsnapten. Het leek me niet verstandig om geladen pistolen aan ze te geven.'

'Niemand heeft het gemerkt?'

'Wie controleert er nou patronen? Ze gingen ervan uit dat pistolen in een militaire helikopter geladen waren.'

'Goed denkwerk, maar je had het tegen me kunnen zeggen.'

'Het ging zo snel. Er was geen tijd, en jammer genoeg heeft door Malone mijn hoofd een flinke dreun gehad.'

'En Malones pistool uit het paleis? Dat was wél geladen. Waar is het?'

'In de helikopter. Hij verruilde het voor een van de onze.'

Hij zag dat ze over de verschillende mogelijkheden nadacht.

'We moeten Lyndsey uit het huis halen. Hij is het enige wat we nu nog hebben.'

'En Malone en Vitt?'

'Er staan mannen te wachten. En hun wapens zijn wél geladen.'

89

STEPHANIE KEEK DOOR het open paneel in een van de slaapkamers van het landhuis. De kamer was luxueus in Italiaanse stijl ingericht en het was er stil, afgezien van een mechanisch gezoem achter een open deur die naar de gang op de eerste verdieping leidde.

Ze verlieten de achtergang.

Een van de Griekse vuurmachines snorde in de hal voorbij en spoot zijn nevel uit. Er hing een dichte sluier in de kamer, het bewijs dat de robots hier al op bezoek waren geweest.

'Ze verspreiden zich snel door het huis,' zei Thorvaldsen, terwijl hij naar de deur liep.

Ze wilde hem net waarschuwen dat hij moest blijven staan toen de Deen de gang op liep en ze een stem – mannelijk, buitenlands – hoorden schreeuwen.

Thorvaldsen verstijfde en stak toen langzaam zijn handen omhoog.

Ely sloop dicht naar haar toe. 'Een van de soldaten. Hij zei tegen Henrik dat hij moest blijven staan en zijn handen omhoog moest doen.'

Thorvaldsen hield zijn hoofd naar de soldaat gericht, die zich blijkbaar rechts van hen bevond en niet in de kamer kon kijken. Ze had zich afgevraagd waar de soldaten gebleven waren en had gehoopt dat ze waren teruggetrokken toen de machines aan hun patrouille begonnen.

Nog meer harde woorden.

'Wat nu?' fluisterde ze.

'Hij wil weten of hij alleen is.'

Malone en Cassiopeia klauterden in hun natte kleren de helling af. Malone maakte intussen de knoopjes van zijn overhemd dicht.

'Je had wel even kunnen zeggen dat die pistolen niks waard waren,' zei Cassiopeia tegen hem.

'En wanneer had ik dat dan moeten doen?' Hij sprong over rotsen en repte zich de steile helling af.

Zijn ademhaling werd snel. Hij was beslist geen dertig meer, maar zijn achtenveertig jaar oude lichaam verkeerde in een slechte conditie. 'Ik wilde niet dat Viktor zelfs maar aanvoelde dat we iets wisten.'

'Dat wilden wíj niet. Waarom had je je eigen pistool weggedaan?'

'Ik moest zijn spelletje meespelen.'

'Jij bent een raar type,' zei ze tegen hem. Intussen waren ze onder aan de helling gekomen.

'Ik zal dat maar als een compliment opvatten, afkomstig van iemand die met pijl-en-boog door Venetië struinde.'

Het huis lag een voetbalveld bij hen vandaan. Hij zag nog steeds niemand buiten rondlopen. Binnen was ook geen beweging te zien.

'We moeten iets nagaan.'

Hij rende naar de helikopter en sprong in het achtercompartiment. Daar keek hij in de wapenkast. Vier AK-47's stonden recht overeind, met stapels munitieclips ernaast.

Hij bekeek ze. 'Alleen maar losse flodders.' Er waren pluggen in de loze hulzen gestoken om het mogelijk te maken dat ze werden uitgeworpen. 'Dat rotzakje deed grondig werk. Dat moet ik hem nageven.'

Hij vond het pistool dat hij uit Italië had meegebracht en keek het magazijn na. Vijf echte patronen.

Cassiopeia pakte een geweer en stopte er een magazijn in. 'Niemand anders weet dat deze dingen nutteloos zijn. Voorlopig kunnen we ermee werken.'

Hij pakte ook een van de AK-47's. 'Je hebt gelijk. Het gaat om de uiterlijke schijn.'

Zovastina en Viktor kwamen het water uit. Malone en Vitt waren weg.

Alle wapens lagen op de zanderige rotsbodem.

'Malone is een probleem,' zei ze.

'Maakt u zich geen zorgen,' zei Viktor. 'Hij heeft nog iets van me te goed.'

Stephanie hoorde de soldaat op de gang nog meer bevelen tegen Thorvaldsen blaffen. De stem kwam steeds dichter bij de deuropening. Lyndseys gezicht verstijfde van paniek en Ely legde vlug zijn hand over de mond van de man en trok hem naar de andere kant van een hemelbed, waarachter ze wegdoken.

Met een kalmte die haar zelf verraste, keek ze naar een Chinees porseleinen beeldje dat op de kaptafel stond. Ze pakte het en ging achter de deur staan.

Door de spleet van de deur zag ze de soldaat de slaapkamer binnenlopen. Toen hij voorbij de deur was, liet ze het beeldje in zijn nek neerdreunen. Hij wankelde en ze stelde hem buiten gevecht met nog een klap tegen zijn hoofd, om vervolgens zijn geweer te pakken.

Thorvaldsen kwam vlug naar haar toe en pakte het pistool van de man. 'Ik hoopte dat je zou improviseren.'

'Ik hoopte dat die mannen weg waren.'

Ely kwam met Lyndsey terug.

'Goed werk met hem,' zei ze tegen Ely.

'Hij heeft de ruggengraat van een banaan.'

Ze keek naar de AK-47. Ze wist wel wat van handvuurwapens, maar zulke geweren als dit waren een heel andere zaak. Ze had nooit met zo'n ding geschoten. Thorvaldsen zag blijkbaar dat ze aarzelde en bood haar zijn pistool aan. 'Ruilen?'

Dat sloeg ze niet af. 'Kun je met die dingen omgaan?'

'Ik heb er wat ervaring mee.'

Ze nam zich voor daar later naar te informeren. Ze liep naar de deuropening en keek behoedzaam de gang in. In beide richtingen was niemand te zien. Ze ging voorop en ze slopen door de gang naar de hal van de eerste verdieping, waar een trap naar de hoofdingang leidde.

Er dook weer een Griekse vuurmachine achter hen op. Hij ging van de ene kamer naar de andere. Die plotselinge verschijning leidde haar heel even af van wat er voor haar lag.

De muur links van haar ging over in een dikke stenen balustrade.

Ze zag beweging beneden.

Twee soldaten.

Die meteen reageerden door hun geweren omhoog te richten en te schieten.

Cassiopeia hoorde het *rat-tat-tat* van automatisch wapenvuur in het huis.

Ze dacht meteen aan Ely.

'Vergeet niet,' zei hij, 'dat we maar vijf goede patronen hebben.'

Ze sprongen uit de helikopter.

Zovastina en Viktor kwamen uit de spleet in de rotsen en keken naar het tafereel honderd meter beneden hen. Malone en Vitt renden met twee AK-47's bij de helikopter vandaan.

'Zijn ze geladen?' vroeg ze.

'Nee, minister. Losse flodders.'

'Dat weet Malone natuurlijk wel. Dus ze hebben ze voor de show.'

Ze schrok toen ze schoten in het huis hoorde.

'Als die schildpadden worden geraakt, ontploffen ze,' zei Viktor.

Dat mocht van haar wel, maar eerst moest ze Lyndsey hebben.

'Ik heb geladen magazijnen voor de pistolen en clips voor de geweren aan boord verstopt,' zei Viktor. 'Voor het geval we ze nodig zouden hebben.'

Ze waardeerde zijn grondigheid. 'Je hebt het goed gedaan. Misschien moet ik je belonen.'

'Eerst moeten we dit afmaken.'

Ze pakte zijn schouder vast. 'Dat is waar.'

90

Kogels ketsten tegen de dikke marmeren balustrade. Een wand-
spiegel vloog aan splinters en kletterde op de grond. Stephanie
zocht dekking in de hoek achter de balustrade en de anderen doken
achter haar weg.

Er sloegen nog meer kogels in het stucwerk rechts van haar.

Gelukkig bood de hoek enige bescherming. Als de soldaten hen beter
onder schot wilden krijgen, moesten ze de trap op gaan, en dat zou haar
ook een kans geven.

Thorvaldsen kwam dicht naar haar toe. 'Laat mij maar.'

Ze ging een stap achteruit en de Deen joeg een salvo van de AK-47
naar de begane grond. De kogels hadden het beoogde resultaat. Er werd
beneden niet meer geschoten.

Achter hen kwam een robot uit een van de slaapkamers de gang op.
Ze schonk er geen aandacht aan tot het gejank van de elektromotor gestaag in volume toenam. Ze keek om en zag dat het mechanisme naar de
plaats ging waar Ely en Lyndsey stonden.

'Hou dat ding tegen,' zei ze geluidloos met haar lippen tegen Ely.

Hij stak zijn voet uit om de machine tegen te houden. Het ding voelde het obstakel, aarzelde even en sproeide toen nevel over Ely's broek. Ze
zag hem schrikken van de stank, die zelfs voor haar op zes meter afstand
erg sterk was.

Het ding draaide zich om en bewoog zich in de tegenovergestelde
richting.

Er kwamen nog meer schoten van beneden. De eerste verdieping
werd met kogels besproeid. Ze moesten zich terugtrekken en de verborgen gangen gebruiken, maar voordat ze het bevel kon geven, kwam aan
de andere kant van de balustrade een van de soldaten de hoek om.

Thorvaldsen zag hem ook, en voordat ze haar pistool omhoog kon brengen, maaide hij de man neer met een salvo uit de AK-47.

Malone liep behoedzaam naar het huis. Het pistool had hij in zijn ene hand en het geweer hing aan de andere schouder. Ze gingen via een achterterras naar binnen en kwamen in een weelderige salon.

Er kwam hem een bekende geur tegemoet. Grieks vuur.

Hij zag dat Cassiopeia het ook rook.

Nog meer schoten. Ergens op de begane grond.

Hij ging op het lawaai af.

Viktor liep achter Zovastina aan naar het huis toe. Ze hadden vanaf een verdekte plek gezien dat Malone en Vitt naar binnen gingen. In het huis werden veel schoten gelost.

'Er zijn negen soldaten binnen,' zei Zovastina. 'Ik heb gezegd dat ze hun wapens niet mogen gebruiken. Er rijden zes robots rond. Ze kunnen ontploffen wanneer ik op dit knopje druk.'

Ze haalde een van de afstandsbedieningen tevoorschijn die hij vaak had gebruikt om de schildpadden tot ontploffing te brengen. Hij vond dat hij haar moest waarschuwen. 'Als er een kogel in een van die machines komt explodeert het ding ook, of u nu op dat knopje drukt of niet.'

Hij zag dat ze daar niet aan herinnerd hoefde te worden, maar ze reageerde ook niet met haar gebruikelijke arrogantie. 'Dan moeten we gewoon voorzichtig zijn.'

'Ik maak me geen zorgen om onszelf.'

Cassiopeia maakte zich grote zorgen. Ely was ergens in dit huis. Waarschijnlijk zat hij in de val, en er was overal Grieks vuur. Ze had de verwoestende kracht daarvan gezien.

De indeling van het huis was een probleem. De begane grond was een waar labyrint. Ze hoorde stemmen. Recht voor haar, achter de zoveelste salon met kunstwerken in vergulde lijsten.

Malone ging voorop. Ze had bewondering voor zijn moed. Voor iemand die steeds weer zeurde dat hij niet aan het spel wilde meedoen, was hij een verdomd goede speler.

In een volgende kamer vol barokke charme hurkte Malone achter een stoel met hoge rug neer en gaf hij haar een teken dat ze naar links moest gaan. Voorbij een brede poort, tien meter bij haar vandaan, zag ze schaduwen over de muren dansen.

Nog meer stemmen. Een taal die ze niet kende.

'Leid ze af,' fluisterde Malone.

Ze begreep het. Hij had kogels. Zij niet.

'Schiet niet op mij,' vormde ze met haar lippen, terwijl ze een positie naast de deuropening innam.

Malone hurkte vlug achter een andere stoel neer om een beter zicht te hebben. Ze haalde diep adem, telde tot drie en zei tegen haar bonzende hart dat het tot bedaren moest komen. Dit was belachelijk, maar de eerste twee seconden zou ze van het verrassingseffect profiteren. Ze bracht het geweer omhoog, draaide zich snel om en ging in de boogopening staan. Met haar vinger aan de trekker vuurde ze een salvo losse flodders af. Er stonden twee soldaten aan de andere kant van de hal. Hun geweren waren op de balustrade van de eerste verdieping gericht, maar haar schoten hadden het gewenste resultaat.

Geschrokken keken ze naar haar om.

Ze hield op met schieten en liet zich op de vloer vallen.

Er volgden twee nieuwe knallen. Malone schoot beide mannen neer.

Stephanie hoorde de pistoolschoten. Iets nieuws. Henrik zat naast haar gehurkt, zijn vinger aan de trekker van het geweer.

Er verschenen nog twee soldaten op de eerste verdieping, voorbij de plaats waar hun kameraad dood op de vloer lag.

Thorvaldsen schoot de twee meteen neer.

Ze begon anders over de Deen te denken. Ze wist dat hij sluw kon zijn en dat er niet veel meer van zijn geweten over was, maar hij was ook koelbloedig en in staat om te doen wat gedaan moest worden.

De lichamen van de soldaten vlogen achteruit toen de snelle kogels door hen heen scheurden.

Ze zag de robot en hoorde tegelijk de pingtonen.

Een van de machines was achter de twee stervende soldaten de hoek om gekomen.

Kogels waren door zijn omhulsel heen gedrongen. De motor schokte en stotterde als een gewond dier. Het pijpje werd ingetrokken.

Toen ontvlamde het hele ding.

91

MALONE HOORDE SCHOTEN op de bovenverdieping, gevolgd door een hard geruis en een intense golf van onnatuurlijke hitte.

Hij besefte wat er was gebeurd en kwam vlug achter de stoel vandaan. Terwijl Cassiopeia ook overeind sprong, rende hij naar de boogpoort.

Hij keek om zich heen.

Er kwamen vlammen van de eerste verdieping. Ze verzwolgen de marmeren balustrade en schoten over de muren. Glas in de hoge buitenramen sprong uiteen van de hitte.

De vloer vatte vlam.

Stephanie schermde zich af tegen de golven van hitte die voorbijvlogen. Eigenlijk explodeerde de robot niet, maar verdampte hij met een flits als van een kernbom. Ze liet haar armen zakken en zag dat het vuur zich als een tsunami in alle richtingen verspreidde. De muren, het plafond, zelfs de vloer bezweek.

Op vijftien meter afstand en steeds dichterbij.

'Kom,' zei ze.

Ze ontvluchtten het naderend geweld, maar hoe hard ze ook renden, de vlammen wonnen terrein. Ze besefte in welk gevaar ze verkeerden. Ely had dat spul op zijn broek gekregen.

Ze keek achterom.

Drie meter afstand en steeds dichterbij.

De deur naar de slaapkamer waar ze uit de verborgen gang waren gekomen, was vlak voor hen. Lyndsey vond hem het eerst. Toen Ely.

Thorvaldsen en zij gingen naar binnen op het moment dat het gevaar bij hen aangekomen was.

'Hij is boven,' zei Cassiopeia toen ze de eerste verdieping zagen branden, en ze schreeuwde: 'Ely!'

Malone sloeg zijn arm om haar hals en drukte haar mond dicht.

'We zijn niet alleen,' fluisterde hij in haar oor. 'Denk na. Nog meer soldaten. En Zovastina en Viktor. Die zijn hier. Daar kun je op rekenen.'

Hij haalde zijn hand weg.

'Ik ga achter hem aan,' zei ze. 'Die bewakers schieten vast op hen. Op wie anders?'

'Dat weten we niet zeker.'

'Waar zijn ze dan?' vroeg ze.

Hij wees en ze trokken zich in de salon terug. Van boven kwamen nog meer geluiden van omvallend meubilair en kletterend glas. Gelukkig waren de vlammen de trap niet af gegaan, zoals in het Grieks-Romeins museum was gebeurd, maar een van de ontstekingsmechanismen verscheen nu aan de andere kant van de hal, alsof het de warmte voelde.

Als er eentje explodeerde kon de rest volgen.

Zovastina hoorde iemand Ely's naam roepen, maar ze had ook de hitte gevoeld die was ontstaan toen de robot uit elkaar sprong en ze had brandend Grieks vuur geroken.

'Idioten,' fluisterde ze tegen haar soldaten, ergens in het huis.

'Dat was Vitt die daar riep,' zei Viktor.

'Zoek onze mannen. Ik ga op zoek naar Malone en haar.'

Stephanie zag de verborgen deur, die nog openstond, en ging als eerste naar binnen. Daarna deed ze de deur vlug achter hen dicht.

'Goddank,' zei Lyndsey.

Er had zich nog geen rook in de verborgen gang verzameld, maar ze hoorde vuur dat door de muren heen probeerde te vreten.

Ze liepen naar de trap en gingen vlug naar beneden.

Ze keek uit naar de dichtstbijzijnde buitendeur en zag er recht voor haar een openstaan. Thorvaldsen zag hem ook en ze liepen de eetzaal van het landhuis in.

Malone kon Cassiopeia's vraag naar de verblijfplaats van Stephanie, Henrik en Ely niet beantwoorden. Hij maakte zich ook zorgen.

'Het wordt tijd dat jij je terugtrekt,' zei Cassiopeia tegen hem.

Die norsheid uit Kopenhagen was terug. Hij dacht dat een dosis realiteit zou helpen. 'We hebben maar drie kogels.'

'Nee, dat is niet zo.'

Ze glipte hem voorbij, pakte de geweren van de twee dode gardisten en bekeek de clips. 'Patronen genoeg.' Ze gaf hem er een. 'Dank je, Cotton. Je hebt me hierheen geholpen, maar dit moet ik doen.' Ze zweeg even. 'In mijn eentje.'

Hij zag dat het geen zin had met haar in discussie te gaan.

'Er moet een andere weg naar boven zijn,' zei ze. 'Die vind ik wel.'

Hij wilde zich er net bij neerleggen dat hij haar moest volgen, toen hij opeens links van hem iets zag bewegen. Hij draaide zich bliksemsnel om, zijn wapen in de aanslag.

Viktor verscheen in de deuropening.

Malone loste een salvo met de AK-47 en zocht meteen dekking in de hal. Hij kon niet zien of hij de man had geraakt, maar toen hij omkeek, wist hij één ding zeker.

Cassiopeia was weg.

Stephanie hoorde ergens op de begane grond schoten. Ze keek de eetzaal in, een luxueuze rechthoekige ruimte met hoge muren, een gewelfd plafond en glas-in-loodramen. In het midden stond een lange tafel met twaalf stoelen.

'We moeten weg,' zei Thorvaldsen.

Lyndsey rende weg, maar Ely onderschepte hem en gooide de wetenschapper op het tafelblad, waarbij een stuk of wat stoelen omvielen. 'Ik heb je gezegd dat we naar het lab gaan.'

'Loop naar de hel.'

Op tien meter afstand verscheen Cassiopeia in de deuropening. Ze was nat, zag er moe uit en had een geweer. Stephanie zag dat haar vriendin Ely in het oog kreeg. Ze had een enorm risico genomen toen ze met Zovastina uit Venetië vertrok, maar de gok had nu goed uitgepakt.

Ely zag Cassiopeia ook en liet Lyndsey los.

Achter Cassiopeia dook Irina Zovastina op. Ze drukte de loop van een geweer tegen Cassiopeia's rug.

Ely verstijfde.

De kleren en het haar van de minister-president waren ook nat. Stephanie dacht erover een gevecht met haar aan te gaan, maar de kansen keerden toen Viktor en drie soldaten opdoken en hun wapens op hen richtten.

'Laat die wapens zakken,' zei Zovastina. 'Langzaam.'

Stephanie keek Cassiopeia recht in de ogen en schudde haar hoofd om te kennen te geven dat ze dit gevecht niet konden winnen. Thorvaldsen gaf het voorbeeld door zijn wapen op de tafel te leggen. Zij deed hetzelfde.

'Lyndsey,' zei Zovastina. 'Ga met me mee.'

'Vergeet het maar.' Hij deinsde terug, de kant van Stephanie op. 'Ik ga nergens met jou heen.'

'We hebben hier geen tijd voor,' zei Zovastina, en ze gaf een teken aan een van de soldaten. Die kwam vlug op Lyndsey af, die zich in de richting van het open paneel terugtrok.

Ely deed alsof hij de wetenschapper wilde vastgrijpen, maar toen de soldaat er was, duwde hij Lyndsey tegen hem aan en glipte hij de achtergang in. De deur deed hij achter zich dicht.

Stephanie hoorde dat er geweren omhoogkwamen.

'Nee,' riep Zovastina. 'Laat hem gaan. Ik heb hem niet nodig en dit huis brandt straks toch tot de grond toe af.'

Malone liep door het labyrint van kamers. De ene na de andere kamer. De ene na de andere gang. Hij had niemand gezien maar rook nog steeds vuur dat op de bovenverdiepingen brandde. De meeste rook was blijkbaar naar de tweede verdieping gestegen, maar de lucht hier beneden zou ook gauw bedorven zijn.

Hij moest Cassiopeia zien te vinden.

Waar was ze heen?

Hij kwam langs een deur die uitkwam op iets wat een grote voorraadkast leek. Hij keek naar binnen en zag iets ongewoons. Een deel van de onbewerkte houten wand stond open en er zat een verborgen gang achter. Verderop wierpen gloeilampen zwakke kringen van licht.

Hij hoorde voetstappen voorbij de opening.

Ze kwamen dichterbij.

Hij nam het geweer en drukte zich tegen de stinkende muur, net buiten de kast.

Er naderden snelle voetstappen.

Hij zette zich schrap.

Er kwam iemand uit de deuropening.

Met één hand gooide hij de man tegen de muur. Toen drukte hij het geweer, met zijn vinger aan de trekker, tegen de kin van de man. Helderblauwe ogen keken hem aan. Het was een jong gezicht, knap, zonder angst.

'Wie ben jij?' vroeg hij.

'Ely Lund.'

92

ZOVASTINA WAS TEVREDEN. Ze had alles: Lyndsey, alle gegevens van Vincenti, het graf van Alexander, de drank, en nu Thorvaldsen, Cassiopeia Vitt en Stephanie Nelle. Het ontbrak alleen nog aan Cotton Malone en Ely Lund, maar die waren geen van tweeën erg belangrijk voor haar.

Ze waren buiten op weg naar de helikopter. Twee van haar overgebleven soldaten dirigeerden de gevangenen met hun wapens. Viktor had de twee andere soldaten meegenomen en Vincenti's computers opgehaald, en ook twee robots die ze niet in het huis hadden gebruikt.

Ze moest naar Samarkand terugkeren en persoonlijk toezicht houden op het geheime militaire offensief dat binnenkort zou beginnen. Haar taken hier waren helemaal volbracht. Ze had lang gehoopt dat als Alexanders graf ooit gevonden zou worden het op haar grondgebied zou liggen, en met dank aan de goden was dat inderdaad het geval.

Viktor kwam met de computermainframes aanlopen.

'Zet ze in de helikopter,' zei ze.

Ze keek toe terwijl hij ze in het achtercompartiment zette, samen met de twee robots, die twee wonderen van Aziatische technologie, ontwikkeld door haar eigen ingenieurs. De programmeerbare bommen werkten bijna perfect. Ze verspreidden het Griekse vuur met grote precisie en explodeerden op commando. Omdat ze ook duur waren, sprong ze zuinig met haar voorraad om en was ze blij dat ze deze twee kon meenemen om ze ergens anders in te zetten.

Ze gaf Viktor de afstandsbediening voor de machines die nog binnen waren. 'Werk alles in het huis af zodra ik weg ben.' De bovenverdiepingen stonden in lichterlaaie en het zou een kwestie van enkele minuten zijn voordat het hele huis een inferno werd. 'En dood ze allemaal.'

Hij knikte instemmend.

'Maar voordat ik ga moet ik een schuld terugbetalen.'

Ze gaf Viktor haar pistool, liep naar Cassiopeia Vitt toe en zei: 'Je hebt me in de grot een aanbod gedaan. Je wilde me een kans geven de rekening met je te vereffenen.'

'Dat zou ik erg graag willen.'

Ze glimlachte. 'Dat dacht ik al.'

'Waar zijn de anderen?' vroeg Malone aan Ely, terwijl hij het geweer liet zakken.

'Zovastina heeft ze.'

'Wat doe jij?'

'Ik ben weggeglipt.' Ely aarzelde. 'Ik moet iets doen.'

Malone wachtte op een verklaring en hoopte voor Ely dat het een goede was.

'Het geneesmiddel voor aids is in dit huis. Dat moet ik hebben.'

Niet slecht. Hij begreep hoe dringend dat was. Voor zowel Ely als Cassiopeia. Links van hem passeerde een van de spuwende draakjes het kruispunt van twee gangen. Door in het huis te blijven nam hij grote risico's. 'Waar zijn de anderen heen?' vroeg hij.

'Weet ik niet. Ze waren in de eetzaal. Zovastina en haar mannen hielden ze vast. Het lukte me in de muur te gaan voordat ze achter me aan konden komen.'

'Waar is het geneesmiddel?'

'In het lab onder het huis. Er is een ingang in de bibliotheek, waar we eerst werden vastgehouden.'

Hij klonk opgewonden. Natuurlijk was het dwaasheid, maar wat gaf het? Zo was zijn leven nu eenmaal.

'Ga jij maar voorop.'

Cassiopeia liep om Zovastina heen. Stephanie, Henrik en Lyndsey stonden, onder schot gehouden, op een afstandje. Blijkbaar wilde de minister-president er een show van maken, een vertoon van haar kracht in het bijzijn van haar mannen. Prima. Ze zou het haar niet gemakkelijk maken.

Zovastina viel als eerste aan. Ze sloeg haar arm om Cassiopeia's hals en trok haar wervelkolom naar voren. De vrouw was sterk, sterker dan ze had verwacht. Zovastina liet soepel los en gooide Cassiopeia over zich heen door de lucht.

Ze kwam hard neer.

Ze zette de pijn van zich af, sprong overeind en plantte haar rechtervoet in Zovastina's borst, waardoor de andere vrouw aan het wankelen raakte. Ze gebruikte haar vaart om de pijn uit haar ledematen te schudden en deed toen opnieuw een aanval.

Haar schouder dreunde tegen keiharde dijen en de twee vrouwen rolden over de grond.

Malone kwam de bibliotheek binnen. Tijdens hun behoedzame tocht over de begane grond hadden ze geen soldaten gezien. Rook en warmte stegen op. Ely liep meteen naar een lijk dat op de vloer lag.

'Zovastina heeft hem doodgeschoten. Een man van Vincenti,' zei Ely, terwijl hij een zilverkleurige afstandsbediening vond. 'Ze gebruikte dit ding om het paneel open te maken.'

Ely richtte ermee en drukte op een van de knoppen.

Een Chinese wandkast draaide honderdtachtig graden.

'Dit huis is net een pretpark,' zei Malone, en hij liep achter Ely aan de donkere gang in.

Zovastina kookte van woede. Ze was gewend te winnen. In het *buzkashi*-spel. In de politiek. In het leven. Ze had Vitt uitgedaagd omdat ze deze vrouw wilde laten zien wie beter was. Ze wilde ook aan haar mannen laten zien dat hun leider voor niemand bang was. Zeker, er waren niet veel van die mannen aanwezig, maar verhalen van weinigen waren altijd al de grondslag van legenden geweest.

Dit hele gebied was nu van haar. Vincenti's huis zou met de grond gelijk worden gemaakt en er zou een passend gedenkteken worden opgericht voor de veroveraar die hier zijn laatste rustplaats had willen hebben. Hij mocht dan een Griek van geboorte zijn, in zijn hart was hij een Aziaat, en dat was het enige wat telde.

Ze draaide met haar benen en gooide Vitt weer van zich af maar behield een woeste greep op haar arm, die ze gebruikte om de vrouw naar boven te trekken.

Haar knie kwam tegen Vitts kin. Een dreun waarvan ze wist dat hij schokgolven door de hersens liet gaan. Ze had die pijn zelf ook gevoeld.

Ze pompte haar vuist hard in Vitts gezicht. Hoe vaak had ze niet een andere *chopenoz* op het speelveld aangevallen? Hoe lang had ze niet een zware *boz* vastgehouden? Haar sterke armen en handen waren gewend aan pijn.

Vitt wankelde verdoofd op haar knieën.

Hoe durfde dit onbeduidende schepsel te denken dat ze haar gelijke was? Vitt had het gehad. Dat leek wel duidelijk. Er zat geen vechtlust meer in haar. En dus drukte Zovastina zachtjes haar hak tegen Vitts voorhoofd en duwde ze haar tegenstandster in één keer tegen de grond.

Vitt bewoog niet.

Zovastina, buiten adem, haar woede geblust, ging rechtop staan en veegde het stof van haar gezicht. Ze draaide zich om, tevreden over het gevecht. Er zat geen humor, geen medegevoel in haar ogen. Viktor knikte goedkeurend. De soldaten keken bewonderend.

Het was goed om een vechter te zijn.

Malone betrad het ondergrondse laboratorium. Ze waren minstens tien meter onder de grond, met gesteente om hen heen en een brandend huis boven hen. Het rook hier naar Grieks vuur en hij had een bekende kleverigheid gevoeld op de trap die naar beneden leidde.

Blijkbaar was hier biologisch onderzoek gedaan. Hij zag bakken waar je alleen met handschoenen in kon komen en een koelkast met een felle waarschuwing voor biologische besmetting. Ely en hij bleven aarzelend in de deuropening staan. Ze voelden er geen van tweeën veel voor om verder te gaan. Malones tegenzin werd nog groter toen hij pakken met doorzichtige vloeistof op de tafels zag liggen. Die had hij al eerder gezien. Die eerste avond in het Grieks-Romeinse museum.

Er lagen twee lichamen op de vloer, een broodmagere vrouw in een ochtendjas en een enorme man in donkere kleren. Ze hadden allebei schotwonden.

'Volgens Lyndsey,' zei Ely, 'had Vincenti de memorystick in zijn hand toen hij door Zovastina werd doodgeschoten.'

Ze moesten dit afmaken. En dus liep hij voorzichtig om de tafels heen en keek hij naar de dode man. Minstens honderdveertig kilo. Hij lag op zijn zij met een uitgestrekte arm, alsof hij had geprobeerd overeind te komen. Er zaten vier kogelgaten in zijn borst. Zijn ene hand lag open bij een tafelpoot; de andere was tot een vuist gebald. Malone gebruikte de loop van het geweer om de vingers open te wrikken.

'Dat is het,' zei Ely opgewonden, terwijl hij neerknielde en de memorystick verwijderde.

De jongere man deed Malone aan Cai Thorvaldsen denken, al had hij dat gezicht maar één keer eerder gezien, toen zijn levenspad voor het eerst dat van Henrik Thorvaldsen kruiste. De twee jongere mannen zouden ongeveer even oud zijn. Het was gemakkelijk te begrijpen waarom Thorvaldsen zich tot Ely aangetrokken had gevoeld.

'Alles is hier klaar om in vlammen op te gaan,' zei hij.

Ely stond op. 'Het was erg stom van me dat ik Zovastina vertrouwde. Maar ze was zo enthousiast. Ze hield echt van het verleden.'

'Dat is zo. Om wat ze ervan kan leren.'

Ely wees naar zijn kleren. 'Ik zit onder die troep.'

'Ik weet er alles van.'

'Zovastina is een krankzinnige. Een moordenares.'

Hij was het daarmee eens. 'We hebben waar we voor kwamen. Zullen we er dan nu voor zorgen dat we niet haar slachtoffers worden?' Hij zweeg even. 'Trouwens, Cassiopeia vilt me levend als jou iets overkomt.'

93

ZOVASTINA STAPTE IN de helikopter. Lyndsey zat al in de gordels in het compartiment. Hij was met handboeien aan de scheidingswand vastgemaakt.

'Minister, ik ben geen probleem. Echt niet. Ik doe wat u wilt. Dat verzeker ik u. U hoeft me niet te boeien. Alstublieft, minister...'

'Als jij je bek niet houdt,' zei ze kalm, 'laat ik je ter plekke doodschieten.'

De wetenschapper voelde blijkbaar aan dat hij beter kon zwijgen en hield zich stil.

'Doe je mond niet meer open.'

Ze keek naar het grote compartiment, dat voor twaalf gewapende militairen bestemd was. Vincenti's computers en de twee extra robots waren stevig vastgezet. Buiten lag Cassiopeia Vitt nog op de grond en werden de gevangenen door de vier soldaten bewaakt.

Viktor stond bij de helikopter.

'Je hebt het goed gedaan,' zei ze tegen hem. 'Als ik weg ben, breng je het huis tot ontploffing en dood je al die mensen. Ik vertrouw erop dat je deze locatie geheimhoudt. Als ik in Samarkand terug ben stuur ik extra mannen. Dit is nu gebied van de overheid.'

Ze keek naar het landhuis, waarvan de bovenverdiepingen in lichterlaaie stonden. Binnenkort zou het niets dan puin zijn. Ze stelde zich het Aziatische paleis voor dat ze hier zou bouwen. Het stond nog te bezien of ze de vindplaats van Alexanders graf zou bekendmaken. Ze moest over alle mogelijkheden nadenken, en omdat zij de locatie in handen had zou de beslissing ook aan haar zijn.

Ze keek Viktor recht in de ogen en zei: 'Dank je, mijn vriend.' Ze zag de schrik op zijn gezicht toen haar waarderende woorden tot hem doordrongen. 'Nee, ik zeg dat nooit. Ik verwacht van je dat je je werk doet, maar hier heb je buitengewoon goed werk geleverd.'

Ze wierp nog een blik op Cassiopeia Vitt, Stephanie Nelle en Henrik Thorvaldsen. Problemen die binnenkort tot het verleden zouden behoren. Cotton Malone en Ely Lund waren nog in het huis. Als ze al niet dood waren, zouden ze dat over een paar minuten zijn.

'Ik zie je in het paleis,' zei ze tegen Viktor, terwijl de deur van het compartiment dichtschoof.

Viktor hoorde de turbine in actie komen en zag de rotorbladen rondsnorren. De motor draaide op volle toeren, het stof wervelde van de grond omhoog en de helikopter steeg op in het licht van de namiddagzon.

Hij liep vlug naar zijn mannen en beval twee van hen om de poort van het landhuis te bemannen. Tegen de twee anderen zei hij dat ze Nelle en Thorvaldsen moesten bewaken.

Hij liep naar Cassiopeia toe. Haar gezicht zat onder de blauwe plekken en er liep bloed uit haar neus. Het zweet maakte groeven in het vuil op haar gezicht.

Haar ogen gingen opeens open en ze greep zijn arm vast.

'Kom je het afmaken?' vroeg ze.

In zijn linkerhand had hij een pistool, in zijn rechter de afstandsbediening van de schildpadden. Hij legde het apparaatje rustig naast haar op de grond. 'Dat is precies wat ik kwam doen.'

De helikopter met Zovastina steeg boven hen op en zette koers naar het oosten, terug naar het huis en het dal daarachter.

'Terwijl jij met haar vocht,' zei hij tegen Vitt, 'heb ik de schildpadden in de helikopter geactiveerd. Ze zijn nu geprogrammeerd om te ontploffen zodra de schildpadden in het huis die opdracht krijgen.' Hij wees. 'Dat zal door apparaatje gebeuren.'

Ze pakte het van de grond.

Hij drukte vlug zijn pistool tegen haar hoofd. 'Voorzichtig.'

Cassiopeia keek Viktor woedend aan, met haar vinger op de knop van het apparaat. Kon ze daarop drukken voordat hij haar doodschoot? Vroeg hij zich misschien hetzelfde af?

'Je moet kiezen,' zei hij. 'Jouw Ely en Malone zijn misschien nog in het huis. Als je Zovastina doodt, dood je hen misschien ook.'

Ze moest erop vertrouwen dat Malone de situatie onder controle had. Maar ze besefte ook iets anders. 'Hoe kan iemand ooit weten of hij jou kan vertrouwen? Je speelt met alle kanten mee.'

'Het was mijn taak hier een eind aan te maken. Dat gaan wíj doen.'

'Als we Zovastina vermoorden is dat misschien niet de oplossing.'

'Het is de enige oplossing. Anders houdt ze niet op.'

Ze dacht over zijn woorden na. Hij had gelijk.

'Ik wilde dit zelf doen,' zei hij, 'maar ik dacht dat jij het een eer zou vinden.'

'Is dat pistool tegen mijn hoofd voor de show?' vroeg ze zacht.

'De soldaten kunnen je hand niet zien.'

'Hoe weet ik, als ik dit doe, dat jij me niet in mijn hoofd schiet?'

Hij antwoordde naar waarheid: 'Dat weet je niet.'

De helikopter was voorbij het huis en vloog op zo'n driehonderd meter hoogte boven het grasveld.

'Als je nog langer wacht,' zei hij, 'zijn ze buiten bereik.'

Ze haalde haar schouders op. 'Ik heb toch al nooit gedacht dat ik oud zou worden.'

Ze drukte op de knop.

Stephanie zag op tien meter afstand dat Viktor zijn pistool op Cassiopeia richtte. Ze had hem iets op de grond zien leggen, maar Cassiopeia keek een andere kant op en het was onmogelijk na te gaan wat er gebeurde.

De helikopter werd een vliegende vuurbal.

Geen explosie. Alleen fel licht dat alle kanten op schoot, als een supernova. De ontvlambare brandstof sloot zich snel bij de mengeling uit de schildpadden aan, en de verwoesting daverde over het dal. Vlammende brokstukken schoten naar buiten en regenden neer. Tegelijk sprongen de ramen op de begane grond van het landhuis naar buiten open en waren de kozijnen ogenblikkelijk vervuld van een razende vuurzee.

Cassiopeia stond met Viktors hulp op.

'Blijkbaar helpt hij ons,' zei Thorvaldsen, die dat ook zag.

Viktor wees naar de twee bewakers en blafte bevelen in een taal waarvan ze vermoedde dat het Russisch was.

De mannen renden weg.

Cassiopeia sprintte naar het huis.

Ze gingen achter haar aan.

Malone kwam achter Ely boven aan de trap en liep de bibliotheek weer in. Ergens in het huis klonken daverende klappen en hij merkte meteen dat de temperatuur veranderde.

'Die dingen zijn geactiveerd.'

Buiten de deur van de bibliotheek sprong het vuur tot leven. Nog meer daverende klappen. Dichterbij. Grote hitte. Die hitte werd erger. Hij rende naar de deur en keek in beide richtingen. De gang was aan beide kanten onbegaanbaar; de vlammen verteerden de vloer en kwamen zijn kant op. Hij herinnerde zich wat Ely had gezegd: ik zit onder die troep. Hij draaide zich om en keek naar de hoge ramen. Drie bij tweeënhalve meter. Daarachter, in het dal, zag hij in de verte iets branden. Ze hadden nog maar een paar seconden de tijd voordat het vuur bij hen was aangekomen.

'Help me een handje.'

Hij zag Ely de memorystick in zijn zak stoppen en de ene kant van een kleine bank vastpakken. Malone pakte de andere kant vast. Samen gooiden ze de bank door de ramen. Het glas verbrijzelde en de bank vloog naar buiten. Er was een opening ontstaan, maar er waren zo veel scherven blijven zitten dat ze er niet doorheen konden springen.

'Gebruik de stoelen,' riep hij.

Het vuur sloeg zich door de deuropening en ging de wanden van de bibliotheek te lijf. Boeken en planken stonden meteen in lichterlaaie. Malone pakte een stoel en gooide hem door wat er van het raam was overgebleven. Ely gebruikte een andere stoel om puntige resten weg te schrapen.

De vloer vloog in brand.

Het was meteen te zien welk deel van de kamer met Grieks vuur was besprenkeld.

Geen tijd meer.

Ze sprongen allebei door het raam.

Cassiopeia hoorde glas breken toen Viktor, Thorvaldsen, Stephanie en zij naar het brandende huis toe renden. Ze zag een bank naar buiten vliegen en op de grond neerdreunen. Ze had een risico genomen toen ze Zovastina doodde terwijl Malone en Ely nog in het huis waren, maar zoals Malone zou zeggen: of het nu goed of verkeerd is, doe iets!

Er vloog een stoel uit het raam.

Toen sprongen Malone en Ely naar buiten, op het moment dat de kamer achter hen zich met knaloranje golven vulde.

Malone kwam niet zo soepel neer als in Kopenhagen. Zijn rechterschouder dreunde tegen het gras en hij zakte in elkaar. Ely kwam ook hard neer. Met zijn armen om zijn hoofd rolde hij zich een paar keer om.

Cassiopeia rende naar hen toe. Ely keek naar haar op. Ze glimlachte en zei: 'Amuseer je je een beetje?'

'En jij? Wat is er met je gezicht gebeurd?'

'Ze maakte gehakt van me. Maar ik lachte het laatst.'

Ze hielp hem overeind en ze omhelsden elkaar.

'Je stinkt,' merkte ze op.

'Grieks vuur. Het nieuwste geurtje.'

'En ik dan?' bromde Malone, die opstond en zich afklopte. 'Geen: "Hoe gaat het? Fijn dat je niet levend geroosterd bent?"'

Ze schudde haar hoofd en omhelsde hem ook.

'Hoeveel bussen zijn er over jou heen gereden?' vroeg Malone toen hij haar gezicht zag.

'Eentje maar.'

'Kennen jullie elkaar?'

'Ja, dat kun je wel zeggen.'

Ze zag Malone nors kijken toen hij Viktor zag. 'Wat doet hij hier?'

'Geloof het of niet,' zei ze, 'hij staat aan onze kant. Denk ik.'

Stephanie wees naar branden in de verte en mannen die daarheen renden. 'Zovastina is dood.'

'Een vreselijke zaak,' zei Viktor. 'Een tragisch helikopterongeluk. Vier van haar soldaten hebben het gezien. Ze krijgt een glorieuze begrafenis.'

'En Daniels zal ervoor moeten zorgen dat de volgende minister-president van de Centraal-Aziatische Federatie een vriendelijker inborst heeft,' zei Stephanie.

Cassiopeia zag stipjes aan de westelijke hemel groter worden. 'We krijgen bezoek.'

Ze keken naar de toestellen die dichterbij kwamen.

'Die zijn van ons,' zei Malone. 'Een Apache AH64S en een Blackhawk.'

De Amerikaanse helikopters landden. Een van de deuren van de Apache zwaaide open en Malone zag een bekend gezicht.

Edwin Davis.

'Troepen uit Afghanistan,' zei Viktor. 'Davis zei dat ze in de buurt waren en de zaken volgden voor het geval ze nodig waren.'

'Weet je,' zei Stephanie tegen hen, 'misschien was het toch niet zo verstandig om Zovastina te doden.'

Cassiopeia hoorde de berustende ondertoon in de stem van haar vriendin. 'Wat is wel verstandig?'

Thorvaldsen kwam naar voren. 'In die helikopter zaten Vincenti's computers en Lyndsey. Jullie weten dit niet, maar Vincenti heeft het geneesmiddel voor aids ontdekt. Lyndsey en hij hebben het ontwikkeld, en alle gegevens zaten in die computers. Er was een memorystick die Vincenti had toen hij doodging. Maar jammer genoeg' – de Deen wees naar het brandende huis – 'zal die er wel niet meer zijn.'

Cassiopeia zag een ondeugende uitdrukking op Malones vuile gezicht. Ze zag ook Ely glimlachen. Beide mannen waren doodmoe, maar hun triomfantelijke gevoel was aanstekelijk.

Ely greep in zijn zak en stak zijn hand naar voren.

Een memorystick.

'Wat is dat?' vroeg ze hoopvol.

'Leven,' zei Malone.

94

MALONE KEEK NAAR de tombe van Alexander de Grote. Nadat Edwin Davis was gearriveerd, had een eenheid van de Amerikaanse Special Forces het landgoed snel in bezit genomen. De vier achtergebleven soldaten hadden zich zonder verzet laten ontwapenen. President Daniel gaf toestemming voor de operatie, en Davis zei dat de Federatie vast niet officieel zou protesteren.

Zovastina was dood. Er brak een nieuwe dageraad aan.

Zodra het landgoed was ingenomen, en terwijl de duisternis bezit nam van de bergen, waren ze met zijn allen naar de plassen geklommen en in het geelbruine oog gedoken. Zelfs Thorvaldsen, die heel graag het graf wilde zien. Malone had hem door de tunnel geholpen en de Deen bleek ondanks zijn leeftijd en misvormdheid een verrassend sterke zwemmer te zijn.

Ze hadden zaklantaarns en lampen uit de Apaches meegenomen en de tombe baadde nu in licht. Hij keek vol verwondering naar een muur van geglazuurde bakstenen. Hun blauwe, gele, oranje en zwarte kleuren waren na twee millennia nog levendig.

Ely bekeek drie leeuwenmotieven die met grote vakbekwaamheid met gekleurde tegels waren gevormd. 'Zoiets als dit hadden ze ook op de muur van de oude processiegang in Babylon. Daar zijn resten van over. Maar dit hier is helemaal intact.'

Edwin Davis was met hen mee gezwommen. Ook hij had het graf willen zien dat Zovastina zo graag had willen vinden. Malone voelde zich beter nu hij wist dat de andere kant van de plas bewaakt werd door een Amerikaanse sergeant en drie Amerikaanse soldaten met M4-karabijnen. Stephanie en hij hadden Davis verteld wat er was gebeurd en hij voelde steeds meer sympathie voor de plaatsvervangend nationale veiligheidsadviseur, vooral omdat die had voorzien dat ze ondersteuning nodig zouden hebben en ervoor had gezorgd dat er militairen klaarstonden. Ely stond naast de twee sarcofagen. Op de zijkant van een daarvan stond één woord. ΑΛΕΞΑΝΔΡΟΣ. Op de andere kant stonden nog meer letters.

ΑΙΕΝ ΑΡΙΣΤΕΥΕΙΝ ΚΑΙ
ΥΠΕΙΡΟΧΟΝ ΕΜΜΕΝΑΙ ΑΛΛΩΝ

'Deze is van Alexander,' zei Ely. 'De langste inscriptie komt uit de *Ilias*. *Altijd de beste zijn, beter dan de rest.* Homerus' omschrijving van het heroïsche ideaal. Alexander zou daarnaar hebben geleefd. Zovastina hield ook van dat citaat. Ze heeft het vaak gebruikt. De mensen die hem hier hebben neergelegd, hebben zijn grafschrift goed uitgekozen.'

Ely wees naar de andere kist, die een eenvoudiger opschrift had.

ΗΦΑΙΣΤΙΩΝ
ΦΙΛΟΣ ΑΛΕΞΑΝΔΡΟΥ

'"Hephaestion. Vriend van Alexander." Het woord "minnaar" deed hun relatie geen recht. De Grieken kenden geen groter compliment dan vriend genoemd te worden. Dat woord werd alleen voor de dierbaarsten gebruikt.'

Malone zag dat het stof en gruis van de afbeelding van een paard op Alexanders kist waren verwijderd.

'Dat heeft Zovastina gedaan toen zij en ik hier waren,' zei Viktor. 'Ze werd gefascineerd door die afbeelding.'

'Het is Bucephalas,' zei Ely. 'Dat moet wel. Het paard van Alexander. Hij aanbad dat paard. Het is tijdens de Aziatische veldtocht gestorven en ergens in de bergen begraven, niet ver hiervandaan.'

'Zovastina had haar lievelingspaard ook zo genoemd,' merkte Viktor op.

Malone keek in de kamer om zich heen. Ely wees hun op rituele emmers, een zilveren parfumvaatje, een drinkhoorn in de vorm van een hertenkop, zelfs vergulde bronzen beenplaten met nog stukjes leer eraan die ooit de kuiten van een krijger hadden beschermd. 'Het is adembenemend,' zei Stephanie.

Dat vond hij ook.

Cassiopeia ging bij een van de kisten staan, waarvan het deksel was opengeschoven.

'Zovastina heeft een kijkje genomen,' zei Viktor.

Ze schenen met hun zaklantaarns op de mummie die in de kist lag.

'Het is ongewoon dat hij niet in een kartonnage ligt,' zei Ely. 'Maar misschien hadden ze niet de vaardigheid of de tijd om er een te maken.'

Het lichaam was van hals tot voeten bedekt met dunne goudplaatjes, elk ter grootte van een vel papier, en er lagen er nog meer in de kist. De rechterarm was bij de elleboog gebogen en lag over de buik. De linkerarm was gestrekt en de onderarm was los gekomen van de bovenarm. Windsels hielden het grootste deel van het lichaam in een strakke omhelzing, en op de gedeeltelijk onbedekte borst lagen drie gouden schijven.

'De Macedonische ster,' zei Ely. 'Alexanders wapenschild. Ze zijn indrukwekkend. Schitterende exemplaren.'

'Hoe hebben ze dat alles hier gekregen?' vroeg Stephanie. 'Die kisten zijn kolossaal.'

Ely wees naar de kamer. 'Drieëntwintighonderd jaar geleden zal het hier heel anders zijn geweest. Ik durf te wedden dat er toen een andere toegang was. Misschien stond het water niet zo hoog en lag de tunnel niet onder water. Wie weet?'

'Maar de letters in de plassen,' zei Malone. 'Hoe zijn die daar gekomen? De mensen die deze tombe hebben gemaakt, hebben dat vast niet gedaan. Het zou net zoiets als een reclamebord zijn.'

'Ik denk dat Ptolemaeus dat heeft gedaan. Het maakte deel uit van zijn raadsel. Twee Griekse letters op de bodem van twee donkere plassen. Zijn manier om de plaats aan te geven.'

Alexanders gezicht was bedekt met een gouden masker. Niemand van hen had dat aangeraakt. Ten slotte zei Malone: 'Waarom doe jij het niet, Ely? Eens kijken hoe een koning van de wereld eruitziet.'

Hij zag de gespannen blik in de ogen van de jongere man. Ely had Alexander de Grote vanuit de verte bestudeerd, had zoveel mogelijk kennisgenomen van de schaarse informatie die was overgeleverd. Nu zou hij de eerste in tweeduizend jaar kunnen zijn die Alexander aanraakte.

Langzaam verwijderde Ely het masker.

Wat er aan huid was overgebleven was bijna helemaal zwart, kurkdroog en broos. De dood stond Alexander blijkbaar wel goed; zijn halfdichte ogen hadden een vreemde, nieuwsgierige uitdrukking. De mond lag open, alsof hij wilde schreeuwen. De tijd had alles bevroren. Het hoofd bezat geen haar, en de hersens, die meer dan al het andere verantwoordelijk waren geweest voor Alexanders succes, waren weg.

Ze keken er allemaal in stilte naar.

Ten slotte scheen Cassiopeia met haar zaklantaarn door de kamer. Het licht gleed over een ruiterfiguur die alleen een lange, over één schouder geslagen mantel droeg, en bleef rusten op een opvallende bronzen buste. Het krachtige langwerpige gezicht straalde zelfvertrouwen uit en bezat kalme, versmalde ogen die in de verte keken. Het haar sprong in klassieke stijl van het voorhoofd op en viel halflang met onregelmatige krullen neer. De hals was recht en lang en hij had de houding en het uiterlijk van iemand die zijn wereld volkomen beheerste.

Alexander de Grote.

Wat een contrast met het gezicht van de dode in de kist.

'Ik heb veel bustes van Alexander gezien,' zei Ely, 'maar de neus, de lippen, het voorhoofd en het haar waren meestal met gips gerestaureerd. Er zijn er niet veel die de eeuwen hebben overleefd. Maar hier hebben we een beeltenis uit zijn eigen tijd, en hij verkeert in perfecte conditie.'

'En hier is hij in den vleze,' zei Malone.

Cassiopeia liep naar de andere kist en wrikte het deksel zo ver open dat ze erin konden kijken. Ook een mummie, niet helemaal met goud bedekt maar wel met een gouden masker. Het lichaam verkeerde in ongeveer dezelfde conditie.

'Alexander en Hephaestion,' zei Thorvaldsen. 'Hier hebben ze zo lang gelegen.'

'Blijven ze hier?' vroeg Malone.

Ely haalde zijn schouders op. 'Dit is een belangrijke archeologische vondst. Het zou een tragedie zijn als we er niet van zouden leren.'

Malone zag dat Viktor nu naar een gouden kist keek die dicht bij de muur stond. De rotswand daarboven was van een wirwar van gravures voorzien: gevechten, strijdwagens, paarden, mannen met zwaarden. Op de kist was een gouden Macedonische ster aangebracht. In het midden van het deksel zaten rozetten met bloemblaadjes van blauw glas. Soortgelijke rozetten vormden een band om het hele middenstuk van de kist. Viktor pakte beide zijkanten vast, en voordat Ely hem kon tegenhouden, tilde hij het deksel op.

Edwin Davis scheen met zijn zaklantaarn naar binnen.

Een gouden krans van eikenbladeren en eikels, rijk aan details, kwam in zicht.

'Een koningskroon,' zei Ely.

Viktor grijnsde. 'Hier was Zovastina op uit. Dit zou haar kroon zijn geworden. Ze zou dit alles hebben gebruikt om zichzelf op een hoger voetstuk te plaatsen.'

Malone haalde haar schouders op. 'Jammer dat haar helikopter is neergestort.'

Zo stonden ze daar allemaal in de kamer, drijfnat van het zwemmen maar opgelucht dat de beproeving voorbij was. Het was nu een kwestie van politiek, en daar hield Malone zich niet mee bezig.

'Viktor,' zei Stephanie. 'Als je ooit genoeg krijgt van je freelancewerk en een vaste baan wilt moet je me bellen.'

'Ik zal dat aanbod in gedachten houden.'

'Je liet me winnen toen we hier de vorige keer waren,' zei Malone. 'Nietwaar?'

Viktor knikte. 'Het leek me beter dat je wegging, en dus gaf ik je de kans. Zo gemakkelijk zou je niet van me kunnen winnen, Malone.'

Hij grijnsde. 'Dat zal ík in gedachten houden.' Hij wees naar de graven. 'En die twee?'

'Die hebben hier al zo lang gewacht,' zei Ely. 'Ze kunnen nog wel even blijven liggen. Op dit moment hebben we iets anders te doen.'

Cassiopeia was de laatste die uit de geelbruine plas klom. Ze waren nu allemaal weer terug in de eerste kamer.

'Lyndsey zei dat je de bacteriën in de groene plas kon drinken,' zei Ely. 'Ze zijn onschuldig voor ons, maar ze vernietigen hiv.'

'We weten niet of dat waar is,' zei Stephanie.

Ely keek overtuigd. 'Het is waar. Het leven van de man stond op het spel. Hij maakte gebruik van wat hij te bieden had om zijn hachje te redden.'

'We hebben de memorystick,' zei Thorvaldsen. 'Ik kan de beste wetenschappers van de wereld inschakelen. Dan weten we het binnen de kortste keren.'

Ely schudde zijn hoofd. 'Alexander de Grote had geen wetenschappers. Hij vertrouwde zijn wereld.'

Cassiopeia had bewondering voor zijn moed. Ze was meer dan tien jaar geleden besmet en had zich altijd afgevraagd wanneer de ziekte eindelijk tot uiting zou komen. Het veranderde je hele leven als je een tijdbom in je had die maar doortikte, en moest wachten op de dag waarop je immuunstelsel het eindelijk liet afweten. Ze wist dat Ely diezelfde gevoelens had en zich vastklampte aan alles wat hoop gaf. En dan hadden zij nog geboft. Ze konden zich de middelen veroorloven die het virus in bedwang hielden. Miljoenen anderen kregen die middelen niet.

Ze keek in de geelbruine plas naar de Griekse letter Z op de bodem. Ze herinnerde zich wat ze in een van de manuscripten had gelezen: *Eumenes vertelde hem waar de rustplaats was, ver weg, in de bergen, waar Alexander van de Scythen over het leven had geleerd.* Ze liep naar de groene plas en keek weer naar de H op de bodem.

Leven.

Wat een mooie belofte.

Ely pakte haar hand vast. 'Klaar?'

Ze knikte.

Ze lieten zich op hun knieën zakken en dronken.

95

MALONE ZAT OP de bovenverdieping van Café Norden en genoot weer van de tomaten-kreeftensoep. Die was nog steeds de beste die hij ooit had gehad. Thorvaldsen zat tegenover hem. De ramen op deze verdieping waren opengezet en lieten de heerlijke avondlucht van de late lente over hen heen komen. Om deze tijd van het jaar was het weer in Kopenhagen bijna ideaal. Dat was ook een van de redenen waarom hij hier zo graag woonde.

'Ik heb vandaag van Ely gehoord,' zei Thorvaldsen.

Malone had zich afgevraagd hoe het in Centraal-Azië verder was gegaan. Zes weken geleden waren ze naar Denemarken teruggekeerd en daarna was hij druk bezig geweest met boeken verkopen. Zo was het als je veldagent bij een inlichtingendienst was. Je deed je werk en dan ging je weer verder. Geen analyse achteraf, geen follow-up. Die taak werd altijd aan anderen overgelaten.

'Hij doet opgravingen bij Alexanders tombe. De nieuwe regering van de Federatie werkt met de Grieken samen.'

Hij wist dat Ely dankzij Thorvaldsens interventie een baan in het Museum van Oudheden in Athene had gekregen. Natuurlijk was het museum helemaal enthousiast geweest toen bleek dat Ely de locatie van Alexanders graf wist.

Zovastina was door een gematigde onderminister opgevolgd, die overeenkomstig de grondwet van de Federatie tijdelijk aan het bewind was totdat er verkiezingen konden worden gehouden. Washington had er discreet voor gezorgd dat alle voorraden biologische wapens van de Federatie werden vernietigd en Samarkand had de keuze gekregen: meewerken, of anders zouden de buurstaten van de Federatie te horen krijgen wat Zovastina en haar generaals van plan waren geweest, en dan zou de natuur haar loop krijgen. Gelukkig kregen gematigde krachten de overhand, waarna de Verenigde Staten een team hadden gestuurd om toezicht te houden op de vernietiging van de virussen. Natuurlijk was er eigenlijk geen keuze geweest, want het Westen had het antimiddel in handen. De Federatie kon wel aan het moorden slaan maar daar niet mee ophouden. Het moeizame bondgenootschap tussen Zovastina en Vincenti was vervangen door een bondgenootschap tussen twee naties die elkaar niet vertrouwden.

'Ely heeft de volledige supervisie over de tombe en is daar discreet aan het werk,' zei Thorvaldsen. 'Hij zegt dat een groot deel van de geschiedenis misschien herschreven moet worden. Er zijn daar veel inscripties. Kunstwerken. Zelfs een paar kaarten. Ongelooflijk materiaal.'

'En zijn Edwin Davis en Danny Daniels tevreden?' vroeg Malone.

Thorvaldsen glimlachte. 'Ik heb Edwin een paar dagen geleden nog gesproken. Daniels is dankbaar voor alles wat we hebben gedaan. Hij vond het vooral mooi dat Cassiopeia die helikopter opblies. Van die man hoef je niet veel medeleven te verwachten. Het is een keiharde.'

'Fijn dat we de president nog één keer konden helpen.' Hij zweeg even. 'En de Venetiaanse Liga?'

Thorvaldsen haalde zijn schouders op. 'Helemaal verdwenen. Ze hebben niets gedaan wat bewezen kan worden.'

'Behalve Naomi Johns vermoorden.'

'Dat heeft Vincenti gedaan, en hij heeft er de prijs voor betaald.'

Dat was waar. 'Weet je, het zou mooi zijn als Daniels één keer gewoon om mijn hulp zou vragen.'

'Reken daar maar niet op.'

'Geldt dat ook voor jou?'

Zijn vriend knikte. 'Dat geldt ook voor mij.'

Hij had zijn soep op en keek naar de Højbro Plads. Op het plein waren overal mensen die van de warme avond genoten, want daar waren er niet zo veel van in Kopenhagen. Zijn boekwinkel aan de overkant was gesloten. De laatste tijd had hij erg goede zaken gedaan en hij was van plan de volgende week naar Londen te gaan om in te kopen, voordat

Gary bij hem kwam logeren, zoals de jongen elke zomervakantie deed. Hij verheugde zich erop zijn vijftienjarige zoon weer te zien.

Toch was hij ook melancholiek. Dat was hij al sinds hij weer thuis was. Thorvaldsen en hij dineerden minstens eens per week met elkaar, maar ze hadden nooit gepraat over wat hem werkelijk bezighield. Sommige paden hoefde je niet in te slaan.

Tenzij het werd toegestaan.

En dus vroeg hij: 'Hoe gaat het met Cassiopeia?'

'Ik vroeg me al af wanneer je dat zou vragen.'

'Jij bent degene die me bij dat alles heeft betrokken.'

'Ik heb alleen maar tegen je gezegd dat ze hulp nodig had.'

'Ik heb graag het gevoel dat zij mij ook zou helpen, als het nodig was.'

'Dat zou ze zeker. Maar om je vraag te beantwoorden: Ely en zij zijn virusvrij. Edwin zegt dat de werkzaamheid van de bacterie inmiddels door onderzoekers is vastgesteld. Daniels zal het geneesmiddel binnenkort in de openbaarheid brengen en de Verenigde Staten zullen de distributie regelen. De president heeft bevolen dat het voor een minimale prijs ter beschikking komt.'

'Veel mensen zullen er baat bij hebben.'

'Dankzij jou. Jij hebt het raadsel opgelost en het graf ontdekt.'

Dat wilde hij niet horen. 'We hebben allemaal ons werk gedaan. En o ja, ik heb gehoord dat jij zo'n idioot bent die met wapens loopt te zwaaien. Stephanie zei dat je ze in dat huis allemaal overhoop hebt geschoten.'

'Ik ben niet weerloos.'

Thorvaldsen had hem over Stephanie en de schietpartij verteld. Hij had daar met haar over gesproken voordat ze uit Azië vertrokken en had haar vorige week nog eens gebeld.

'Stephanie beseft dat het zwaar is om in het veld te opereren,' zei hij.

'Ik heb haar een paar dagen geleden zelf gesproken.'

'Zijn jullie vriendjes aan het worden?'

Zijn vriend glimlachte. 'We lijken veel op elkaar, al zouden we dat elkaar nooit toegeven.'

'Het valt niet mee om mensen te doden. Om welke reden dan ook.'

'Ik heb zelf drie mannen in dat huis gedood. Je hebt gelijk. Het valt niet mee.'

Hij had nog steeds geen antwoord op zijn eerste vraag gekregen, en Thorvaldsen voelde blijkbaar aan wat hij werkelijk wilde weten.

'Ik heb niet veel meer met Cassiopeia gesproken sinds we uit de Federatie zijn vertrokken. Ze is naar haar huis in Frankrijk gegaan. Ik weet niets over haar en Ely. Ze vertelt niet veel.' Thorvaldsen schudde zijn hoofd. 'Je zult het haar zelf moeten vragen.'

Hij had zin in een wandeling. Hij mocht graag door de Strøget lopen. Hij vroeg Thorvaldsen of hij wilde meekomen, maar zijn vriend wilde dat niet.

Hij stond op.

Thorvaldsen gooide wat opgevouwen papieren over de tafel. 'De eigendomspapieren van dat perceel aan het water, waar het huis is afgebrand. Ik heb het niet meer nodig.'

Hij vouwde de papieren open en zag zijn eigen naam staan.

'Ik wil dat jij het krijgt.'

'Dat perceel is veel geld waard. Het ligt aan zee. Dat kan ik niet aannemen.'

'Herbouw het huis. Geniet ervan. Zie het als een compensatie voor het feit dat ik je hierbij heb betrokken.'

'Je wist dat ik zou helpen.'

'Op deze manier is mijn geweten, voor zover ik dat nog heb, in slaap gesust.'

In de twee jaren dat ze elkaar kenden had hij geleerd dat Henrik voet bij stuk hield als hij eenmaal een besluit had genomen. En dus stopte hij de papieren in zijn zak en ging de trap af.

Hij duwde de buitendeur open en voelde de warme lucht van een Deense avond. Mensen zaten op het terras van het café te praten.

'Hé, Malone.'

Hij draaide zich om.

Aan een van de tafels zat Cassiopeia.

Ze stond op en liep naar hem toe.

Ze droeg een marineblauw canvasjasje en een bijpassende canvasbroek. Aan haar schouder hing een leren tas en ze droeg sandalen met T-riempjes. Haar donkere haar hing in dichte krullen. Hij zag haar weer voor zich zoals ze in de grot was geweest. Een strakke leren broek en een sportbeha, terwijl ze met hem naar de tombe zwom. En die paar minuten waarin ze allebei alleen hun ondergoed droegen.

'Wat doe je in Kopenhagen?' vroeg hij.

Ze haalde haar schouders op. 'Jij zegt altijd hoe goed het eten in dit café is, dus ik kwam hier dineren.'

Hij glimlachte. 'Een lange reis voor een maaltijd.'

'Niet als je niet kunt koken.'

'Ik heb gehoord dat je bent genezen. Daar ben ik blij om.'

'Je bent van een paar kopzorgen verlost. Bijvoorbeeld de vraag of dit de dag is waarop je doodgaat.'

Hij herinnerde zich hoe somber ze die eerste avond in Kopenhagen was geweest, toen ze hem uit het Grieks-Romeins museum hielp ontsnappen. Al die melancholie was nu blijkbaar verdwenen.

'Waar ga je heen?' vroeg ze.

Hij keek uit over het plein. 'Gewoon een eindje wandelen.'

'Wil je gezelschap?'

Hij keek achterom naar het café, naar de eerste verdieping, de tafel bij het raam waaraan Thorvaldsen en hij hadden gezeten. Zijn vriend keek glimlachend door het open raam naar buiten. Hij had het kunnen weten.

Hij keek haar aan en zei: 'Halen jullie twee altijd zulke streken uit?'

'Je hebt mijn vraag over die wandeling niet beantwoord.'

Waarom ook niet? 'Goed. Ik hou wel van gezelschap.'

Ze gaf hem een arm en leidde hem naar voren.

Hij moest het vragen. 'En jij en Ely? Ik dacht...'

'Malone.'

Hij wist wat er zou komen en bespaarde haar de moeite.

'Ik weet het. Mond houden en doorlopen.'

Nawoord

Het is tijd om feiten van verzinsels te scheiden.

De executiestijl die in de proloog wordt beschreven, werd toegepast in de tijd van Alexander de Grote. Alexander liet de arts die Hephaestion behandelde executeren, maar niet op de hier beschreven manier. De meeste kronieken spreken van ophanging.

De relatie tussen Alexander en Hephaestion was complex. Vriend, vertrouweling, minnaar – het is allemaal van toepassing. Alexanders grote verdriet om Hephaestions vroegtijdige dood is gedocumenteerd, evenals Hephaestions uitgebreide begrafenis, waarvan sommigen zeggen dat het misschien wel de duurste uit de geschiedenis was. Natuurlijk is het balsemen en heimelijk wegvoeren van Hephaestions lichaam (hoofdstuk 24) fictief.

Grieks vuur (hoofdstuk 5) bestaat echt. De formule was inderdaad het persoonlijk bezit van Byzantijnse keizers en ging verloren toen dat rijk viel. Tot op de dag van vandaag is de chemische samenstelling een raadsel. De kwetsbaarheid van de stof voor een zoutoplossing is mijn bedenksel. Het echte Griekse vuur werd offensief tegen schepen op zee gebruikt.

Het *buzkashi*-spel (hoofdstuk 7) is oud en gewelddadig en wordt in Centraal-Azië nog steeds gespeeld. De regels, kledij en uitrusting komen overeen met wat hier wordt geschreven, evenals het feit dat er vaak spelers om het leven komen.

De Centraal-Aziatische Federatie is fictief, maar de politieke en economische gegevens die in hoofdstuk 27 over dat deel van de wereld worden verstrekt zijn accuraat. Helaas is die regio altijd een voor de hand liggend strijdterrein geweest en zijn de overheden daar vergeven van corruptie.

Het boek *Alexander the Great and the Mystery of the Elephant Medaillons* van Frank Holt leerde me veel over die merkwaardige olifantpenningen. In dit boek wordt hun aantal beperkt tot acht, terwijl er in werkelijkheid veel meer bestaan. Hun beschrijving (hoofdstuk 8-9) is waarheidsgetrouw, afgezien van de kleine lettertjes – ZH – die door mij zijn toegevoegd. Verbazingwekkend genoeg bezaten oude graveurs, die gebruikmaakten van primitieve lenzen, inderdaad de vaardigheid om zulke kleine inscripties te maken.

Wat de toepassing van ZH betreft: de letterlijke vertaling van dat woord in het Oudgrieks is het werkwoord 'leven'. Het zelfstandig naamwoord 'leven' is eigenlijk ΣΦΠ. Omwille van het verhaal heb ik me enige vrijheid met de vertaling gepermitteerd.

De Heilige Schare die Irina Zovastina bewaakt (hoofdstuk 12) is ontleend aan de felste gevechtseenheid van het oude Griekenland. Honderdvijftig mannenkoppels uit de stad Thebe werden in 338 voor Christus door Philippus II en zijn zoon Alexander tot de laatste man afgeslacht. Een gedenkteken voor hun moed staat nog steeds in Chaeronea in Griekenland.

De drank die in het verhaal voorkomt is fictief, evenals het verhaal van de ontdekking ervan in hoofdstuk 14. Niettemin bestaan archaeabacteriën (hoofdstuk 62) echt en hebben sommige bacteriën en virussen het echt op elkaar voorzien. Mijn toepassing van archaea in dat opzicht is zuiver fictief.

De geografische aanduidingen in Venetië zijn accuraat. Het interieur van de San Marco is verbijsterend en de tombe van de heilige Marcus (hoofdstuk 42) wordt naar waarheid beschreven, evenals de geschiedenis ervan. Op Torcello zijn het museum, de twee kerken, de klokkentoren en het restaurant aanwezig. De geografie en geschiedenis van het eiland (hoofdstuk 34) zijn eveneens naar waarheid verteld. De Venetiaanse Liga is niet echt, maar in haar lange geschiedenis heeft de Venetiaanse republiek zich van tijd tot tijd met andere stadstaten verbonden in wat indertijd liga's werden genoemd.

Röntgenfluorescentie (hoofdstuk 11) is een recente wetenschappelijke doorbraak die wordt gebruikt om oude perkamenten te bestuderen. Ik ben dank verschuldigd aan de getalenteerde romanschrijver Christopher Reich, die me een artikel over dit onderwerp stuurde.

De Geschiedenis van Hiëronymus van Cardia (hoofdstuk 24) is zuiver fictief, evenals het raadsel van Ptolemaeus. Daarentegen zijn alle handelingen van Ptolemaeus met betrekking tot Alexanders uitvaartstoet en zijn heerschappij over Egypte historisch juist. Het lichaam van de heilige Marcus is in 828 door Venetiaanse kooplieden weggevoerd (hoofdstuk 29 en 45) zoals in het verhaal wordt verteld, en het lichaam is inderdaad langdurig in Venetië verdwenen geweest. Het verhaal van de terugkeer van het lichaam in 1094 (hoofdstuk 45) wordt nog steeds trots verteld door Venetianen.

Helaas bestaan zoönoses (hoofdstuk 31) en teisteren ze van tijd tot tijd de menselijke gezondheid. Het zoeken naar deze natuurlijke toxines en hun offensieve toepassing (hoofdstuk 54) is niets nieuws. De mensheid speelt al eeuwen met biologische oorlogvoering en mijn fictieve Irina Zovastina is maar een van de vele voorbeelden.

De gegevens in hoofdstuk 32 geven het groeiende probleem van hiv accuraat weer. Afrika en Zuidoost-Azië worden inderdaad het meest getroffen. De biologie van het virus, zoals die in hoofdstuk 51 wordt beschreven, en de manier waarop hiv van apen op mensen kan zijn overgegaan (hoofdstuk 60) zijn accuraat. Het idee dat iemand het geneesmiddel voor hiv ontdekt en het vervolgens achterhoudt om te wachten tot de markt groot genoeg is (hoofdstuk 64) maakt alleen deel uit van dit verhaal. De politiek van hiv daarentegen is maar al te echt, evenals de ontoereikende wereldwijde reactie op deze dreigende pandemie.

Op het eiland Vozrozjdenja hebben de Sovjets veel van hun biologische wapens geproduceerd. Het dilemma nadat ze het eiland hadden verlaten (hoofdstuk 23) heeft zich echt voorgedaan. Het geleidelijk verdwijnen van het Aralmeer (hoofdstuk 33), nadat de Sovjets zo dwaas waren de voornaamste waterbron om te leiden, wordt algemeen als een van de ergste milieurampen uit de geschiedenis beschouwd. Helaas is deze catastrofe in het echte leven niet tot een goed eind gebracht.

Het hartamulet (hoofdstuk 59) bestaat echt, al is het opgerolde stukje goud in het verhaal fictief. Skytales (hoofdstuk 61) werden in de tijd van Alexander de Grote voor het versturen van gecodeerde boodschappen gebruikt. Er is er een te zien in het International Spy Museum in Washington, en ik kon het niet laten ze in dit verhaal te gebruiken. De Scythen (hoofdstuk 75) bestonden echt en hun geschiedenis wordt correct verteld, alleen blijkt nergens uit dat ze hun koningen in iets anders dan grafheuvels begroeven.

En nu naar Alexander de Grote.

Het verhaal van zijn dood (hoofdstuk 8) is een combinatie van verschillende verslagen. Die spreken elkaar vaak tegen. De drie versies van wat Alexander antwoordde op de vraag: 'Aan wie laat u uw rijk na?' zijn door mij bedacht. Het algemeen aanvaarde antwoord is: 'Aan de sterkste', maar een ander antwoord paste beter in dit verhaal. Historici hebben zich lang met Alexanders plotselinge en onverklaarbare dood beziggehouden. Ze hebben gesuggereerd dat er boze opzet in het spel was (hoofdstuk 14), maar daar zijn geen bewijzen voor.

Het balsemen van Alexander met honing, de wederwaardigheden van zijn uitvaartstoet en zijn uiteindelijke Egyptische tombe in Alexandrië zijn op historische verslagen gebaseerd. De mogelijkheid dat het stoffelijk overschot van de heilige Marcus in Venetië in werkelijkheid dat van Alexander de Grote is, is niet door mij bedacht. Andrew Michael Chugg heeft deze theorie in zijn uitstekende *The Lost Tomb of Alexander the Great* naar voren gebracht. Het is wel een feit dat de vroege christenen de gewoonte hadden zich heidense voorwerpen toe te eigenen (hoofdstuk 74), en het lichaam van Alexander de Grote is inderdaad uit Alexandrië verdwenen in de tijd dat het lichaam van de heilige Marcus daar weer opdook (hoofdstuk 45). Bovendien is de politieke discussie over de terugkeer naar Egypte van het stoffelijk overschot, of delen daarvan, dat zich in de San Marco in Venetië bevindt nog steeds aan de gang. Het Vaticaan heeft inderdaad in 1968 enkele kleine relikwieën aan Alexandrië overgedragen.

Het is volkomen fictief dat Alexanders tombe zich in Centraal-Azië zou bevinden, maar de voorwerpen die zich daarin volgens het verhaal bevinden (hoofdstuk 94) zijn ontleend aan de tombe van Alexanders vader Philippus II, die in 1977 door archeologen zou zijn ontdekt, al wordt de laatste tijd getwijfeld aan de identiteit van degene die daar begraven ligt.

Alexanders politieke en historische erfgoed staat nog steeds ter discussie. Was hij een man met wijsheid en visie of een roekeloze, wrede veroveraar? De discussie van Malone en Cassiopeia in hoofdstuk 10 geeft de beide kanten weer. Er zijn veel boeken over dit onderwerp geschreven, maar het beste is *Alexander of Macedon, A Historical Biography* van Peter Green. Het grondige werk van Green maakt duidelijk dat Alexander zijn hele leven met legendarisch succes naar niets dan persoonlijke roem heeft gestreefd. En hoewel het rijk dat hij met zo veel strijd tot stand had gebracht instortte op het moment dat hij stierf, leeft zijn legende voort. Deze onsterfelijkheid komt tot uiting in het geloof waartoe hij anderen lange tijd heeft geïnspireerd. Soms ten goede en soms (zoals in het geval van Irina Zovastina) ten kwade. Voor Peter Green is Alexander een raadsel en tart zijn grootheid elk definitief oordeel. Hij is de verpersoonlijking van een archetype, rusteloos en eeuwig, de belichaming van een eeuwige queeste, een persoonlijkheid die groter is geworden dan de meetbare som van zijn indrukwekkende prestaties.

Alexander zelf heeft het uiteindelijk het beste gezegd: *Inspanning en risico's zijn de prijs van de roem, maar het is geweldig om moedig te zijn en in eeuwige roem voort te leven.*

DANKWOORD

Als eerste dank aan Pam Ahearn, en pas op: een agente met een nieuwe BlackBerry is een gevaarlijke zaak. Daarna zoals altijd de geweldige mensen van Random House: Gina Centrello, mijn uitgeefster (zeg ik met veel trots); Libby McGuire, omdat ze altijd met haar steun klaarstaat; Mark Tavani, die opnieuw met voortreffelijke redactionele opmerkingen kwam; Cindy Murray, die het prachtig vindt mij weg te sturen; Kim Hovey, die er op de een of andere manier voor zorgt dat mensen me willen; Rachel Kind, die de boeken over de aardbol verspreidt; Beck Stvan, een sublieme omslagontwerper; Carole Lowenstein; en ten slotte alle mensen van Promotion and Sales. Zonder hun superieure prestaties zou er niets zijn bereikt.

Enkele extra vermeldingen: Vicki Satlow, onze Italiaanse literair agente die de reis naar Italië productief maakte; Michele Benzoni en zijn vrouw Leslie, die ons gastvrij in Venetië ontvingen; Cristina Cortese, die ons de San Marco liet zien en waardevolle informatie verstrekte; alle mensen van uitgeverij Nord in Italië, wat een geweldig team; en Damaris Corrigan, een briljante dame die op een avond onder het diner mijn fantasie in gang zette. Mijn oprechte dank aan jullie allemaal.

Mijn broer Bob en zijn vrouw Kim, dochter Lyndsey en zoon Grant had ik al veel eerder in het bijzonder moeten vermelden. Hoewel het niet vaak genoeg wordt gezegd: jullie allen zijn heel bijzonder voor mij.

Ten slotte is dit boek opgedragen aan de vrouw met wie ik sinds enkele maanden getrouwd ben. Ze heeft dit verhaal zien groeien van een ruw idee tot woorden op een bladzijde. Terwijl ik eraan werkte, gaf ze me advies, kritiek en bemoediging.